ТАТЬЯНА ПОЛЯКОВА

МОЙ ЛЮБИМЫЙ КИЛЛЕР

МОСКВА, «ЭКСМО-ПРЕСС», 1999

УДК 882
ББК 84(2Рос-Рус)6-4
П 54

Разработка серийного оформления
художника *С. Курбатова*

Серия основана в 1997 году

Полякова Т. В.
П 54   **Мой любимый киллер. Моя любимая стерва:**
Повести. — М.: ЗАО Изд-во ЭКСМО-Пресс,
1999. — 512 с. («Детектив глазами женщины».)

ISBN 5-04-002340-5

Если твой маленький сын оказался в руках бандитов, если твоего мужа и родителей убили, значит... Значит, надо вернуть сына, отомстить за близких и при этом еще остаться в живых. Непростую задачу предстоит решить Лене Кудряшовой. Но она совсем не безобидная овечка, и ее враги очень быстро понимают это. Правда, Лене помогает «случайно» подвернувшийся молодой человек по имени Саша, а вместе они могут многое. А когда Лена узнает, кто на самом деле ее помощник, то теряется — что ей с ним делать: застрелить или поцеловать...

УДК 882
ББК 84(2Рос-Рус)6-4

МОЯ ЛЮБИМАЯ СТЕРВА

ПОВЕСТЬ

→ ←

Я набрала в грудь воздуха, сделала шаг навстречу женщине и, стараясь не заикаться, скороговоркой выпалила:

— Простите, можно с вами поговорить?

Женщина нахмурилась, инстинктивно отступила на шаг, но, задержавшись взглядом на моем лице, сделала попытку улыбнуться и спросила:

— Что у вас случилось?

Вот те раз, что у меня случилось, в самом деле? Я поморгала, забыв прикрыть рот, и попыталась вспомнить, что надо говорить дальше. Безрезультатно. В голове вертелась разная чепуха — и настойчивее всех реклама колготок «Нашу любовь не разорвать». Я продолжала таращить глаза, а женщина нетерпеливо переминалась с ноги на ногу, в конце концов не выдержала и ткнула пальцем в значок на моей груди. Значок был большой, круглый, с огромными буквами «Хочешь похудеть? Спроси у меня»...

— Гербалайф? — обрадовалась она.

— Ага, — еще больше обрадовалась я и так воодушевилась, что смогла разжать челюсти, правда, произнести что-нибудь путное не успела.

— Да он мне даром не нужен, — сказала женщина. — Подруга такие деньги выкинула — и что?

— Что? — проблеяла я, радуясь возможности вставить слово.

— Ничего. Вот ничегошеньки. А как мучилась: картошку нельзя, пироги нельзя... после четырех только коктейль из этой дряни, да если себя голодом морить, и без гербалайфа похудеешь.

— Вы не совсем правы, — жалобно пропищала я. — Он выводит из организма шлаки... — Что еще такого делает гербалайф, я вспомнить не могла и вздохнула: от жалости к себе и к гербалайфу, конечно, тоже.

— Ерунда, — отмахнулась женщина. — Есть прекрасные народные средства. Травы надо пить. Очень полезно, и ни копейки не стоит... У меня здесь записано... — Она полезла в сумку, а я, чуть не плача, ждала и ругала себя на чем свет стоит. Надо же быть такой дурой, все из моей головы разом вылетело...

Женщина между тем извлекла записную книжку толщиной с Библию и сурово огляделась. Неподалеку было уличное кафе, заметив его, она заявила:

— Идемте туда, — и гордо зашагала в направлении разноцветных зонтиков. Я поплелась следом, не зная, чего мне больше хочется: зареветь в голос или потихоньку удрать. «Идиотка несчастная, — мысленно шипела я. — Сейчас же возьми инициативу в свои руки и убеди эту женщину, что гербалайф...» Тут начинались проблемы, я совершенно ничего, ну ничегошеньки не помнила об этом чертовом гербалайфе.

Мы достигли первого стола, женщина плюхнулась на пластмассовый стул, он издал подозрительный звук, а я замерла, но ничего не случилось. Поэтому я тоже устроилась за столом и с полчаса слушала женщину, время от времени открывая рот и произнося:

— Да... э-э-э... ага...

За полчаса я смогла получить четырнадцать рецептов, написанных весьма неразборчивым почерком, массу полезных советов и номер телефона собеседницы вкупе с предложением «в случае чего, звонить не стесняясь». «В случае чего именно», я так и не поняла, но ее это, по-моему, не волновало.

Тут взгляд ее остановился на моей блузке, и она спросила:

— Это откуда?

— Из Парижа, — растерялась я.

— Дорогая?

— Как вам сказать...

— Вижу, что дорогая. У меня глаз наметанный. Сами ездили или привез кто?

— Сама, — пискнула я, начиная стыдиться.

— Это бриллианты? — Палец с ярко-красным ногтем нацелился в мое ухо. Я испугалась и поспешно кивнула. Женщина внимательно оглядела меня и заявила: — Чего вы мне голову морочите?

— Я? — пугаясь все больше и больше, пролепетала я.

— Конечно. Ведь вы распространяете гербалайф?

— Да.

— Глупость какая...

— Почему же глупость? — Я вдруг обиделась и даже разозлилась.

— Потому... — отрезала женщина, поднялась и зашагала прочь.

Я тяжело вздохнула, убрала рецепты в сумку и позвала официанта. Съела два пирожных, двойную порцию мороженого с шоколадом, покосилась на свой значок и вновь тяжко вздохнула: «Ни на что я не гожусь», — и совсем было собралась всплакнуть, но тут рядом со мной появился парень, сел напротив, широко улыбнулся и сказал:

— Привет.

— Привет, — ответила я, вглядываясь в его лицо. — Мы знакомы? — поинтересовалась на всякий случай.

— Еще нет, — развеселился он.

— Тогда займите другой столик, свободных мест более чем достаточно.

Парень скорчил забавную физиономию и ткнул пальцем в значок.

— Я спрашиваю, — заявил он, а я поморщилась и мысленно показала ему язык.

— Вы хотите похудеть? — спросила я.

— Конечно.

— Не морочьте мне голову, — совсем как женщина несколько минут назад, заявила я и отвернулась.

— Правда хочу. Очистить организм и все такое. А телефон у вас есть? Меня Сашей зовут, а вас?

Я извлекла из сумки визитку, сунула парню и, пробормотав: «Худейте на здоровье», поспешила покинуть кафе. Потом сняла значок, бросила его в сумку и побрела куда-то без видимой цели.

Очень скоро мне это надоело, и я стала поглядывать на троллейбусы. Я не очень люблю пешие прогулки, но троллейбусы просто ненавижу. Перевела взгляд на такси, начала злиться и даже прошипела: «Такси тебе не по карману», отошла подальше от тротуара, чтобы не испытывать свою стойкость, и оказалась возле щита «Приглашаем на работу».

Объявлений было множество, я добросовестно прочитала все. В основном требовались секретари-референты. Всю прошлую неделю я угробила на подобные объявления. В первый раз нелегкая занесла меня в какую-то подворотню в старом городе. На здании из красного кирпича, таком ветхом, что его стоило бы снести еще в прошлом веке, красовались бумажка с надписью «Эверест», приклеенная к обшарпанной двери, и стрелка, упирающаяся в полуразвалившийся забор тоже из красного кирпича. Пока я хлопала глазами, силясь сообразить, что бы это могло означать, за моей спиной возник мужчина кавказской национальности и радостно пропел:

— Заходи, дорогая...

— Вы кто? — сурово одернула я.

— Я? — слегка растерялся он. — Рафик меня зовут. А тебя, красавица?

— А меня налоговая полиция. Это ваша лавочка?

— Моя, — пролепетал он.

— Готовьте документы, — еще больше посуровела я, отступая от двери. — Сейчас подъедут наши товарищи.

Рафик моргнул и вроде бы вытаращил глаза, впрочем, наверняка тут не скажешь, потому что они от природы были большими и в уготованном им месте не помещались. Воспользовавшись его замешательством, я поспешно удалилась и, только оказавшись в такси, вздохнула с облегчением.

После этой встречи я старательно избегала подозрительных офисов. В фирмах, занимающих приличные здания в центре, меня встречали приветливо. Хозяин, как правило, молодой мужчина, поднимался навстречу, усаживал в кресло, угощал кофе и с веселой улыбкой выслушивал пожелание совершать ежедневный трудовой подвиг в его конторе. После чего меня провожали до двери и просили передать привет супругу. После шестого привета я рассвирепела и позвонила Максиму.

— Это твои происки? — прошипела я зловеще, потому что звонила из автомата, не в силах больше сдерживать негодование.

— Что? — весело спросил он.

— Меня не берут на работу.

— Куда?

— Какая, к черту, разница?

— Ты хочешь устроиться кондуктором? — еще больше развеселился он.

— Между прочим, у меня высшее образование.

— Ну и что? Я встречал кондукторов с высшим образованием.

— Я хотела устроиться секретарем-референтом.

— Серьезно? — вдруг загрустил Максим. — А ты умеешь печатать?

— Я научусь...

— Извини, дорогая, но ты не умеешь даже заваривать кофе.

— Я не умею? — мое возмущение не знало границ.

— Не умеешь, — вздохнул он. — Но, несмотря на это, я все равно люблю тебя.

— А я тебя нет, — отрезала я и повесила трубку.

В общем, с идеей стать секретарем-референтом пришлось распроститься, потому что Максим, конечно, прав: печатать я не умею, мысль ежедневно по восемь часов сидеть на работе приводила меня в ужас, а кофе я действительно готовлю паршиво. Тут уж ничего не поделаешь.

Поскучав возле стенда с объявлениями и махнув на все рукой, я заспешила к стоянке такси и через пятнадцать минут уже входила в кабинет Лильки. Она восседала за огромным столом в деловом костюме черного цвета и белоснежной блузке. Лильке хорошо, у нее есть характер, принципы и стремления. А у меня только лень, хороший аппетит и дурные привычки.

Лилька радостно улыбнулась мне и шепнула заговорщицки:

— Ну как?

— Никак, — хмуро ответила я, готовясь к основательной взбучке.

— Что «никак»? — начала злиться подружка.

— Что спрашиваешь, то и никак. Не могу я приставать к людям на улице. Знаешь, по-моему, это даже неприлично.

— Чепуха. И ты это прекрасно знаешь. Такая работа тебя закалит. Поможет выработать характер.

— Может, он выработается как-нибудь по-другому?

Лилька собралась метнуть в меня молнию, но неожиданно передумала. Подошла, села рядом и даже обняла, а потом запела сахарным голоском:

— Ничего, зайчик, это только первый день. Тебе надо пересилить себя...

— Не зови меня зайчиком, — проворчала я, у Лильки все зайчики: и девочки, и мальчики, это иногда раздражает.

— Хорошо, дорогая. — Она улыбнулась, чмокнула меня в нос и спросила: — Хочешь кофе?

— Ничего я не хочу, — нахмурилась я.

— Что за настроение? Ну-ка, улыбнись... Пойдем сегодня в театр, там комедия... Не помню, как называется, но это не важно. Наденешь свое голубое платье... Ты в нем такая красавица, все плохое настроение как рукой снимет.

Голубое платье я любила. Задумалась, глядя в потолок, и поделилась наболевшим:

— Я видела колье к нему. В центре голубой камень и россыпь бриллиантов. Представляешь?

— Ты ведь его не купила? — насторожилась Лилька.

— Подумываю... — честно созналась я, а надо было помалкивать, потому что подружка сразу же начала метать молнии.

— Что ты болтаешь! — рявкнула она. — У тебя есть деньги на такие покупки?

— Вообще-то есть...

— Это не твои деньги, а деньги твоего мужа.

— Какая разница, раз он всучил их мне?

— Неужели ты не понимаешь, что он тебя испытывает? — В этом месте я скривилась и попросила жалобно:

— Отвяжись, а? Я не купила это колье и не куплю.

— Слава Богу, — вздохнула подружка, как будто мы с ней на пару только что пережили опасное приключение. — Ты должна держаться, найти работу, научиться себя обеспечивать и доказать в конце концов, что ты вполне способна обходиться без него.

— А я что делаю? — поинтересовалась я, заметно поскучнев. — Только Максим обзвонил всех знакомых, и теперь приличной работы мне ни за что не сыскать. Если по-честному, делать я ничего не умею, а распространять гербалайф мне не хочется.

— Ну его к черту, — согласилась Лилька. — Попробуем что-нибудь придумать... Этот гад звонил?

— Ага.

— Звал назад?

— Само собой.

— А ты?

— Что я?

— Ну... ты дала понять, что порвала с ним окончательно?

— Послала его к черту.

— Хорошо, — удовлетворенно кивнула Лилька и добавила: — Так ему и надо...

«Гадом» мой муж стал четыре месяца назад, до тех пор числился в «душках». Такая немилость объяснялась просто: мы разводились, то есть, если быть до конца откровенной, это я с ним разводилась. Максим об этом даже не помышлял, считая мой поступок глупой блажью. Впрочем, что бы я ни делала, он все считал глупой блажью, хотя я мало что делала, зато очень умело изводила свою дражайшую половину (это, конечно, мнение мужа). Максим женился на мне два года назад. Заметьте: это он на мне женился, лично я не делала никаких попыток выйти за него замуж.

Я только что закончила институт и искала работу. Искала, не особенно напрягаясь, так что дело продвигалось ни шатко ни валко. Лилька, которая старше меня на четыре года и всегда отличалась избытком жизненных сил, взялась мне помочь. С Максимом у них было шапочное знакомство через каких-то общих друзей. От них-то подружка и узнала, что ему требуется секретарша. О работе секретаря у меня было смутное представление, но Лильку это не остановило, и она, дав массу полезных советов, потащила меня к Максиму.

На работу меня не приняли, будущий супруг за пять минут смог распознать во мне профессиональную лентяйку, а так как к своей работе он относился чрезвычайно серьезно, то исключительно вежливо меня отфутболил. Однако вечером позвонил мне и пригласил поужинать. В работе мне уже отказали, и ужинать я не пожелала, недвусмысленно намекнув, что Максим интересовал меня исключительно как возможный работодатель. Надо знать характер моего мужа: он развил прямо-таки фантастическую деятельность. Настойчивые ухаживания завершились тем, что я в конце концов промямлила «да» и мы поженились.

Несмотря на молодость, муж уже в то время руководил крупной фирмой (до сих пор не знаю, чем они там конкретно занимаются), являлся членом всех городских клубов и обществ, а также считался одним из самых перспективных молодых людей в партии, в которой состоял уже несколько лет (название партии я записала на бумажке после длительных и безуспешных попыток его запомнить, но и сейчас с уверенностью назвать не смогу).

После бракосочетания с последующим венчанием в кафедральном соборе, с хором певчих, десятью «Мерседесами», одним «Роллс-Ройсом» и тремя кинокамерами, вопрос о моем трудоустройстве отпал, так и не возникнув. Я стала женой крупного бизнесмена и два года весьма успешно подвизалась в этой роли: тратила мужнины деньги, лучезарно улыбалась налево-направо и исправно трепала супругу нервы своими капризами. С некоторым опозданием он обнаружил у меня вздорный характер, поставив на вид вспыльчивость, чрезмерную избалованность, эгоизм и абсолютное нежелание считаться с его мнением. У меня были встречные претензии (с моей точки зрения, весьма обоснованные). Мы отчаянно ругались (не реже трех раз в неделю), я била посуду и топала ногами, а Максим хлопал дверью, а потом без конца звонил по телефону, на который я принципиально не реагировала. К вечеру он возвращался с огромным букетом, мы быстренько мирились, ехали в какой-нибудь ресторан ужинать с шампанским по случаю перемирия и чувствовали себя безмерно счастливыми до следующего скандала, который, кстати, мог возникнуть по любому поводу, а также без оного вообще. Мое плохое настроение в утренние часы часто способствовало этому, а поскольку с Максимом мы виделись в силу специфики его работы только утром и вечером, то, как правило, и скандалили по утрам, чтобы вечером помириться.

Такая жизнь устраивала обоих, пока в пылу полемики, возникшей из-за какого-то дурацкого костюма, который я пятый месяц не могла забрать из чистки по причине отсутствия свободного времени, так вот, пока из-за этого дурацкого костюма, рассвирепев более обыкновенного и совершенно потеряв контроль над собой, Максим вдруг не рявкнул:

— Ты без меня дня не проживешь...

Это показалось обидным, и я поинтересовалась:

— Я не проживу?

— Разумеется, — подло улыбаясь, ответил супруг. — Ты даже не знаешь, где продают хлеб. Ни за что не найдешь булочную и умрешь от голода.

— Это черт знает что такое! — решила я и запустила в мужа хрустальную вазу. Она была очень тяжелой, и, если честно, мне никогда не нравилась. Ваза упала на ковер без видимого для себя ущерба, это слегка удивило меня, и я еще немного ее побросала, причем так увлеклась, что временно забыла про Максима. Он понаблюдал за мной, покачал головой и изрек:

— Ты совершенно нелепое создание. Кактус.

Одно дело, когда тебе говорят о вздорном характере, и совсем другое, когда обзывают каким-то кактусом. Я вытаращила глаза и выкрикнула:

— Что ты сказал? — надеясь, что муж перепугается и возьмет свои слова обратно. Но он упрямо повторил:

— Кактус. — И это стало причиной нашего развода, то есть я в тот же день поехала в суд и подала на развод, воспользовавшись тем, что был вторник, а заявления как раз принимали по вторникам.

Правдиво указать причину развода я не могла, ну что же в самом деле, так и писать, что муж обозвал меня кактусом? Поэтому я немного схитрила и причиной своей немилости к супругу указала его нежелание меня понимать. Эта фраза вызвала недоумение у женщины, принявшей мое заявление, а потом и всех моих многочисленных знакомых. Но мне она казалась очень удачной, и я, чтобы придать себе уверенности, то и дело повторяла вслух: «Он меня не понимает».

Не дожидаясь возвращения Максима с работы и игнорируя дребезжащий телефон, я собрала свои вещи и отправилась к родителям. Все вещи, которые я считала своими, собрать за несколько часов я просто не могла, к тому же в грузовое такси они бы попросту не уместились, поэтому пришлось выбирать, то есть что-то оставлять в опостылевшем доме мужа, а что-то брать с собой, и я пережила несколько восхитительных мгновений, глядя на шляпки, успевшие выйти из моды, шкатулки, костяной веер из Гонконга и прочие милые безделушки, которые так трогают сердце одинокой женщины...

В конце концов я смогла покинуть дом мужа и свалилась как снег на голову своим родителям, которые, благополучно переложив заботу обо мне на плечи мужа, думать не думали, что я смогу вернуться. Пока грузчик и водитель перетаскивали вещи, папа и мама стояли в прихожей наподобие скорбных памятников.

— Я от него ушла, — заявила я сурово и сочла необходимым добавить: — Он меня не понимал.

Папа, под предлогом посещения парикмахерской, выскользнул из квартиры и от соседей позвонил Максиму. Тот явился через пятнадцать минут в сильнейшем гневе. Рявкнул с порога:

— Что ты вытворяешь?! — Но должного впечатления не произвел.

— Ты не понимал меня, — заявила я обиженно, а супруг пошел пятнами:

— Это я тебя не понимал? А кто ж тебя понимал в таком случае?

Продолжать разговор в подобном тоне я сочла неуместным и удалилась в ванную, откуда меня так и не смогли выманить, как ни старались. Все трое стояли возле двери и по очереди меня урезонивали.

Чрезвычайно довольная собой, я соорудила ложе из банных халатов и полотенец, а Максим остался ночевать, как видно, рассчитывая, что к утру я подобрею. Ничуть не бывало. Утром я твердо заявила ему из-за двери:

— Ты меня никогда не понимал. — И добавила зловеще: — А еще назвал кактусом.

— О Боже! — простонал муж. — Я тебя умоляю... не можешь ты из-за такой чепухи... в конце концов, кактус очень миленькое растение... и вообще...

— Я подала на развод, — ядовито сообщила я, а Максим, чертыхаясь, не приняв душ и не побрившись, отбыл на свою работу, после чего я покинула ванную.

Родители приняли сторону супруга (подозреваю, с целью от меня избавиться), Максим продолжал свои настойчивые увещевания, и жизнь в доме родителей вскоре сделалась совершенно невыносимой.

На помощь мне, как всегда, пришла Лилька. У нее был громадный опыт разводов с мужьями, и она сразу же с головой окунулась в мои проблемы. Я переехала к ней, из квартиры выходила крайне неохотно и всегда в сопровождении Лильки и ее друзей, у Максима теперь не было никаких шансов со мной встретиться. В отместку он безобразно вел себя у судьи, трижды назвав меня избалованной, дважды «не отдающей себе отчета в своих действиях» и один раз «ребячливой», а в заключение заявил, что никогда со мной не разведется. Мне предложили все как следует обдумать, дав на это месяц.

— Он сунул им взятку! — рычала Лилька в коридоре суда и сверкала глазами. Максим изловчился перехватить меня возле машины и сказал очень серьезно:

— Кончай дурить, а? Клянусь, я больше никогда не назову тебя кактусом.

Это отвратительное слово вызвало во мне прилив ненависти, а глагол «дурить» сильнейшую обиду, я сдвинула брови и со всей ответственностью заявила:

— Ты меня никогда не понимал, — после чего устроилась в Лилькином «Фольксвагене» и отбыла, ни разу не взглянув в сторону супруга.

Максим продолжал попытки встретиться со мной, чтобы обсудить проблему. Никакой проблемы я не видела и ничегошеньки обсуждать не хотела. Супруг очень быстро смекнул, что, если я буду жить у подруги, шансы видеться со мной равны нулю. В один прекрасный вечер он заявился к Лильке и, слегка сдвинув ее в сторону, прокричал в недра квартиры, рассчитывая, что я его услышу:

— Ты имеешь право на жилплощадь!

Разумеется, я имела право, оттого незамедлительно выплыла в прихожую, а Максим повторил:

— Ты имеешь право на половину дома.

— Да, — кивнула я головкой и торопливо добавила: — Только мне от тебя ничего не надо.

— Я не могу жить сразу на трех этажах, когда ты ютишься у подруг.

У Лильки я вовсе не ютилась, жила она одна, а квартира насчитывала четыре комнаты общей площадью сто двадцать квадратных метров, но спорить я не стала и взглянула на супруга с интересом. Лилька, немного подумав, решила впустить его в прихожую. Максим посмотрел на нее сурово, перевел взгляд на меня, заметно подобрел и предложил:

— Может быть, мы где-нибудь поужинаем и обсудим этот вопрос?

Ужинать с Максимом я не собиралась, очень хорошо зная, чем может закончиться этот ужин, подумала немного, широко улыбнулась и осчастливила его:

— Хорошо. Только Лилька поедет с нами.

Муж тяжело вздохнул, а Лилька скорчила в ответ злобную гримасу, хохотнула, победно вскинула голову и уплыла переодеваться.

Воспользовавшись моей беззащитностью, муж тут же ухватил меня за руку и невнятно пробормотал:

— Я тебя люблю. И не вздумай сказать, что ты меня — нет. Ни за что не поверю, это все глупость и притворство.

— Конечно, — усмехнулась я. — Глупость, что же еще? А я сама — кактус.

— О Господи, — начал он скулить сквозь зубы, получалось довольно забавно. — Угораздило же брякнуть такое...

— Вот-вот, — поддержала я его. Он сжал мою руку с большим рвением, возвел очи к потолку и только собрался сказать что-нибудь в высшей степени впечатляющее, как в прихожей возникла Лилька, Максим скривился, опустил глазки и обреченно проронил:

— Поехали.

Ужин удался на славу, бирюзовое платье шло мне необыкновенно, любимые пирожные таяли во рту, Лилька трещала как заведенная, что позволяло совершенно не следить за разговором: вставить слово мне все равно не дадут. И вот тут Максим сказал:

— Продадим дом, а деньги разделим.

Сообразив, что он такое заявил, я довольно отчетливо икнула, выпучила глаза и, кажется, остолбенела.

— Как это продадим? — пролепетала я где-то

через минуту, Максим пил кофе, а Лилька безуспешно пыталась вернуть отпавшую челюсть на ее законное место.

— Как продать? — через минуту смогла спросить и она, после чего мы с отчаянием переглянулись.

— Очень просто, — пожал муж плечами. — Зачем мне этот дом, если я живу один? Кстати, я уже неделю ночую в гостинице. Дом навевает грустные мысли, мне тяжело в родных стенах, где все напоминает о любви, которой я лишился.

— Ты сам виноват, — насторожилась я.

— Возможно, но жить в этом доме я не собираюсь. Хочешь — живи ты.

Я нахмурилась, уловив в его словах намек на хитрость. Наш дом мне очень даже нравился, и продавать его я не собиралась. Он располагался в самом центре города, но в тихом переулке, и вдобавок ко всему имел свой, хотя и небольшой, зато самый настоящий парк. Метрах в двухстах от нашего дома находилась церковь восемнадцатого века, необыкновенно красивая, и дважды в день я могла наслаждаться колокольным звоном (что было весьма благотворно для моей души). Считалось, что в прошлом веке дом этот принадлежал губернатору, человеку образованному и не чуждому культуры, оттого дом мог похвастать редким сочетанием красоты, вкуса и благородства, который придает подобным строениям солидный возраст. Конечно, внутри дом совершенно переделали, но все равно складывалось ощущение, что живешь во дворце, а в городе мой дом так и называли — «губернаторский». Он стоил безумных денег, интриг, сплетен и завистливых взглядов, и вдруг: продать. Это что же вообще такое? Именно этот вопрос я и задала Максиму.

— Я же объяснил, — пожал он плечами. — Я не могу жить в этой громадине, когда ты теснишься у подруги.

— Я не буду тесниться, — пролепетала я.

— Тогда возвращайся и живи, где тебе положено.

— А ты?

— А я буду ночевать в гостинице.

— Тогда я не смогу тесниться, то есть жить, в то время как ты...

— Мы можем жить там вместе. Не забывай, что в доме два входа, мы даже никогда не встретимся.

Пока я обдумывала, как сказать «да» с минимальным ущербом для своей гордости, Лилька рявкнула:

— Ни за что! — Рявкать она умеет, все сидящие в зале вздрогнули, словно по команде, и испуганно повернулись, а Лилька перешла на шепот: — Ни за что...

— Тебя-то кто спрашивает? — вздохнул Максим.

— Она моя лучшая подруга, — ткнув в меня пальцем, сказала Лилька. — И я не позволю превращать ее в безропотное создание, лишенное чувства собственного достоинства... — Подружка минут десять распиналась в том же духе, а я смотрела на скатерть и думала о своем доме.

— Ты его не продашь, — сказала я, как только Лилька заткнулась.

— Продам, — нахмурился Максим. — У меня уже и покупатель есть.

— Кто? — дружно ахнули мы.

— Черноусов, — ласково ответил Максим, а я позеленела от возмущения: Черноусовы были нашими извечными недругами. Что до самого Черноусова, так мне безразлично, где он и что он, но его мадам неизменно действовала мне на нервы. Крашеная стерва, которой давно стукнуло сорок, а она все прикидывалась тридцатилетней, писала маслом дурацкие картины, которые пыталась всучить всем, кто вовремя не проявил должной бдительности, считала себя интеллектуалкой и на этом основании вечно задирала нос. А однажды назвала меня «милочка». Я в ответ стала называть ее «дорогушей», и вскоре мы стали злейшими врагами. Муж ее руководил крупным банком, и она дважды смогла нанести мне серьезный удар. Сначала явилась на прием в диадеме с двенадцатью бриллиантами, а потом муж подарил ей «Лексус», в то время единственный в городе.

Конечно, я очень быстро оправилась от удара и смогла ответить по достоинству, но все равно такое не забывают. И вот теперь эта мерзавка будет жить в моем доме.

— Ты с ума сошел? — сурово сказала я, глядя в небесно-голубые глаза мужа.

— Мне не нужен этот дом, — скривил он презрительно губы, разумеется, из чистого упрямства. — Хочешь, живи в нем, не хочешь — я его продам.

— Хорошо, — улыбнулась я, призвав на помощь все свое мужество. — Продавай.

Лилька жалобно ойкнула и съездила мне ногой по щиколотке, я улыбнулась еще шире, а Максим начал покрываться пятнами.

— И продам.

— Э-э, — вмешалась Лилька. — Давайте не будем спешить в этом вопросе. Такой дом продать нетрудно, а вот купить...

— Пусть продает, — не выдержала я, достала платок из сумки и аккуратно заплакала: — Разве ты не видишь, он нарочно мучает меня.

— Садист! — фыркнула Лилька, хватая мои руки, и тоже заплакала.

— Я не стал бы его продавать, если бы ты не мыкалась по подругам, — устыдился Максим.

— Я не мыкаюсь.

— Нет, мыкаешься.

— Хорошо, я куплю себе квартиру, то есть ты мне ее купишь.

— А сам останусь в доме? На кой он мне черт?

— Ты можешь жениться, — заявила Лилька, а я нахмурилась и взглянула на мужа с подозрением.

— Чтобы жениться, надо для начала развестись. А я этого делать не собираюсь.

Подружка усмехнулась, а я кивнула не без удовлетворения.

— Все-таки с домом спешить я бы не стала, — произнесла я примирительно.

— Хорошо, — туманно согласился он. — Я покупаю тебе квартиру и каждый месяц выплачиваю алименты до тех самых пор, пока ты не устроишься на работу. Если суд нас разведет, мы продаем дом, а деньги делим пополам. Думаю, это справедливо.

— Она обойдется без твоего пособия, — влезла Лилька, и я кивнула, хотя очень сомневалась, что обойдусь.

Дома подружка сразу же взялась меня поучать.

— Где твоя гордость? — воздевая руки, повизгивала она, бегая по комнате. — Я бы на твоем месте хлопнула дверью и ни копейки не приняла от этого чудовища. Пусть бы подавился своими деньгами. Рабовладелец... Я бы лучше жила на вокзале... — Тут Лилька малость притормозила и посмотрела на меня с сомнением.

— Я не могу жить на вокзале, — на всякий случай предупредила я. — И если по закону мне что-то положено...

— О Господи! — Лилька тяжко вздохнула. — Прав твой муженек, ты совершенно... — Она махнула рукой и добавила: — Кактус.

— Сама ты кактус, — разозлилась я.

— И нечего обижаться. Возвращайся к мужу. Ты из тех женщин, что без этих волосатых мерзавцев дня не проживут.

— Еще чего. Очень даже хорошо проживу, и Максим вовсе не волосатый. Он симпатичный и, когда ведет себя прилично, просто душка, а ты моя лучшая подруга и не должна называть меня всякими обидными словами, иначе придется с тобой поссориться, хотя мне этого вовсе не хочется, потому что я тебя люблю и очень уважаю за твой характер, возможно, у меня нет твоего характера, но это дела не меняет, и ты...

— Заткнись, — нахмурилась Лилька. — Короче: квартиру берем самую дешевую, этим я сама займусь. А пособие пятьсот рублей, и пусть посылает по почте, нечего ему к тебе шастать.

— Как это пятьсот? — испугалась я. — Что за глупости ты говоришь...

— Пятьсот, — отрезала Лилька. — И ты от них откажешься, как только устроишься на работу. Будешь зарабатывать сама. Решительная женщина, способная постоять за себя...

— Лилечка, а квартира? В нее же надо мебель?

— Возьмешь все необходимое из дома, только необходимое, — насторожилась она. — К тому же я сомневаюсь, что тебе потребуется много мебели.

— Почему это? — потихоньку начала впадать я в панику.

— Приличную квартиру ты купишь потом сама. А пока берем однокомнатную «хрущевку». Это будет хорошим стимулом начать новую жизнь и взяться за себя всерьез.

— Может, не стоит? — пролепетала я.

— Стоит, — ответила Лилька. — Будем делать из тебя человека.

Не знаю, что тогда имела в виду подружка, но сейчас она взирала на меня с очень постным видом, тяжело вздыхала и время от времени хмурилась.

— Ты могла бы к нему вернуться, — заявила она наконец, сверля меня взглядом.

— Ни за что, — ответила я, и Лилька успокоилась.

— Ладно, гербалайф не очень удачная затея, позвоню Арсеньеву, может, у него есть место...

— Какое? — насторожилась я.

— Господи, да какая разница, лишь бы деньги платили.

Ободренная таким образом, я отправилась домой, с облегчением подумав, что сегодня моя судьба вряд ли решится. Я покинула Лилькин кабинет, а также здание, где он размещался, и направилась в сторону кафе, на ходу заглянув в кошелек. Его содержимое меня озадачило. Два дня назад Максим выдал мне тысячу (уже четвертую в этом месяце, знай об этом Лилька, она непременно бы меня убила, но она, слава Богу, не знала), но эта самая тысяча каким-то непостижимым образом опять испарилась. Я попыталась вспомнить, что я купила: тапочки, лак для ногтей, шапочку для душа (она оказалась не очень удобной, хотя шла мне необыкновенно), сухой корм для Ромео и два килограмма мяса ему же. Больше я ничего не покупала... как будто. «Придется опять звонить Максиму, — опечалилась я, вздохнула и с горя съела пирожное и выпила молочный коктейль, хотя сидела на диете и строго-настрого запретила себе сладкое. — Максим прав, — думала я при этом с грустью. — Я кактус. И Лилька права: у меня нет характера, есть только дурные привычки. Я ни на что не годное, никчемное создание». Через полчаса мне стало так жаль себя, что пришлось покинуть кафе, дабы не расплакаться.

Я брела по улице и чувствовала себя бесконечно одинокой. Ноги сами собой вынесли меня к «губернаторскому» дому, и я буквально зарыдала, так мне стало жалко себя, а потом взяла такси и поехала к мужу в офис.

По дороге я смогла успокоиться, перестала вздыхать, а затем разозлилась на себя: следов безутешных рыданий в лице не наблюдалось, но и косметики практически не осталось, она вся была на платке. Приводить себя в порядок рядом с совершенно незнакомым мужчиной я сочла неуместным, а появляться в офисе мужа в таком плачевном виде — тем более. Поэтому на половине дороги я неожиданно передумала и отправилась домой, где выпила чаю, подкрасилась и только тогда поехала к мужу, но за это время мне в голову успело прийти столько разных мыслей, что я забыла, по какой такой нужде я к нему собиралась, и поэтому я, конечно, разозлилась.

В приемной сидела секретарша. Я подумала, что это место могло бы принадлежать мне, и с удовлетворением решила, что выглядела бы гораздо лучше этого бледного создания с неопределенного цвета волосами. Девушка хмуро посмотрела в направлении двери и тут же расцвела в улыбке.

— Здравствуйте, — пропела она, и я пропела в ответ:

— Добрый день.

— Максим Сергеевич один, проходите, пожалуйста.

— Спасибо, — скривилась я, можно подумать, если б муж был не один, я бы осталась сидеть в приемной.

Я вошла и кашлянула, а муж поднял голову от каких-то бумаг на столе.

— Привет, — сказала я и на всякий случай нахмурилась. Он поднялся, подошел, обнял меня за плечи и поцеловал, правда, вполне невинно, то есть по-братски. После чего усадил в кресло и сам пристроился рядом.

— Очень рад тебя видеть, — наконец изрек он.

— У меня почему-то кончились деньги, — вздохнула я. — Просто напасть какая-то. Только-только были в кошельке и раз... куда-то улетучились, я даже не знаю куда...

— Бог с ними, — сказал Максим. — Я рад, что ты пришла. Хочешь, куда-нибудь съездим? А можем просто погулять в парке. Сегодня хорошая погода. А потом прокатимся по магазинам.

— Я не хочу по магазинам, — запротестовала я, заподозрив мужа в намерении дать мне взятку.

— Хорошо, в магазины не поедем. Знаешь, я очень скучаю, — сказал он, а я вздохнула:

— Я тоже скучаю.

Татьяна Полякова

— По-моему, это глупо, — заметил Максим. — Я имею в виду скучать друг без друга, когда мы можем быть вместе.

— Ты... — нахмурилась я, но он меня перебил:

— Я знаю, что не понимал тебя. Я сожалею и приложу все старания... и мне больше в голову не придет сравнивать тебя... я имею в виду, говорить всякие глупости.

Я замерла, боясь, что он произнесет дурацкое слово и все испортит, но у Максима хватило ума вовремя прикусить язык, я перевела дух, и мы отправились в парк.

Муж был настоящей душкой, и я совсем уже решила к нему вернуться, но тут у него в кармане ожил сотовый, и я совершенно отчетливо услышала, как эта мегера из приемной назвала его Максимом. С какой стати, если для нее он Максим Сергеевич? Выяснению этого обстоятельства я и собиралась посвятить оставшееся время, а муж в очередной раз продемонстрировал все коварство своей натуры: во-первых, он нагло утверждал, что она сказала «Максим Сергеевич», а во-вторых, что у него важный разговор, именно им он и намерен заняться, а не выслушивать всякую чепуху.

Я смерила его ледяным взглядом и отправилась в сторону стоянки такси, муж бросился следом и хватал меня за руки, но делать это, одновременно разговаривая по телефону, было все-таки неудобно, и я смогла загрузиться в машину, вторично наградив его ледяным взглядом. Мне стало совершенно ясно: мы не подходим друг другу.

Размышляя об этом, я смотрела в окно и не заметила, как очутилась возле подъезда своего недавно приобретенного жилища. Расплатилась, вышла и в который раз с недоумением воззрилась на совершенно нелепое сооружение. Дом был старым, ветхим, облезлым, а еще здесь водились тараканы. Это было мне доподлинно известно, потому что три дня назад я ходила к соседям за молотком, когда у меня свалилась со стены Нефертити, и лично видела таракана, который расположился прямо над выключателем. С перепугу я забыла, зачем пришла, и попросила соли. Соль мне дали, но я сразу же выбросила ее в форточку, боясь, что в соли могут оказаться тараканьи яйца, или чем они там размножаются.

Надо сказать, что квартиру я не видела до самого своего заселения сюда. Квартирный вопрос решала Лилька и решила по своему разумению. Максим категорически возражал, что послужило веским аргументом «за», в результате мы победили, и я сюда въехала. Конечно, лучше бы мне этого не делать. Лилька хотела, чтобы у меня был стимул. Не знаю, что конкретно она имела в виду, у меня же, лишь только я переступила порог, было одно желание: сиюминутно скончаться. Однокомнатная «хрущевка», где кухня вовсе не была кухней, а прихожая прихожей. Я и одна там не смогла бы разместиться, а мои вещи — тем более. В квартире в рекордные сроки сделали ремонт, но выглядеть лучше она не стала. Ко всему прочему, находилось это чудо на пятом этаже, а так как было их всего пять, лифт отсутствовал.

Подумав об этом, я вздохнула и вошла в подъезд. Поднялась на один пролет, свирепо посмотрела на соседского кота, который не дал себя погладить, и на всякий случай заглянула в почтовый ящик. Газет я не выписывала, писем не ждала, но... В ящике лежал листок, вырванный из школьной тетради и сложенный вчетверо. Я машинально его развернула и прочитала: «Пожалуйста, в 19.00 подойди к кухонному окну». Я повертела записку в руках, скомкала, сунула в карман, потому что никогда не сорила в подъездах, и цыкнула на несчастного кота, точно он был во всем виноват. Потом стремительно поднялась на пятый этаж и вошла в квартиру, где меня, радостно виляя хвостом, встретил Ромео

(Ромео — такса, ему четыре года, он ужасный трусишка и обжора, а еще он не любит гулять, что мне в нем очень симпатично, потому что я гулять тоже не люблю, особенно по утрам).

— Привет, — сказала я и поцеловала его в нос. На сегодняшний день он был единственным существом мужского пола, не вызывающим у меня отвращения.

Ромео в ответ лизнул меня и немного поскулил, продолжая вилять хвостом, это могло означать все, что угодно. Сегодня это означало, что он разбил греческую вазу и стянул скатерть с кухонного стола. За такие деяния пес заслуживал хорошей взбучки, но вместо этого я села на диван, похлопала ладонью рядом с собой, приглашая Ромео присоединиться, и решила ему пожаловаться:

— Ты не знаешь, а я знаю: на самом деле я — кактус. Самое бесполезное и нелепое создание на свете.

Ромео посмотрел на меня, моргнул, лизнул руку, а потом сунул нос в карман и извлек комочек бумаги.

— Видишь, что здесь написано? — начала я к нему приставать. — В семь часов подойти к кухонному окну. Как думаешь, что за идиот написал такое?

Ромео ничего не думал. Он спрыгнул с дивана и стал играть с бумажкой, не скажу, чтобы игра его очень увлекала, он по натуре довольно ленивый, но лапой ее шевелил и вроде бы к чему-то прислушивался, а я добавила:

— Наверное, это дети.

Почерк детским не был, хотя с уверенностью утверждать это я бы не стала, то есть, может, и детский, конечно, но похож на взрослый, скорее мужской, чем женский. Может, записка адресована прежней хозяйке квартиры? Или ее по ошибке бросили не в тот ящик? Совершенно идиотская записка. Хотя, возможно, это приглашение к свиданию? Кто-то приглашает даму своего сердца подойти к окну, а он сам ровно в семь появится под балконом с гитарой... Балкона у меня не было, это я знала доподлинно, к тому же для романтического свидания место было явно неподходящее. Дело в том, что окна моей квартиры выходили на тюрьму. Не знаю, что имела в виду Лилька, заселяя меня сюда: может, она всерьез верила, что подобное соседство сподвигнет меня на свершение трудовых подвигов, а может, решающую роль сыграла цена: за однокомнатную «хрущевку» в ветхом доме просили копейки. Я поднялась с дивана, прошла в кухню и замерла возле окна, опершись ладонями на широкий подоконник.

От тюремной стены дом отделяло метров двадцать. Метров двадцать зеленой травки без единого деревца. Стена высоченная, сложенная из кирпича, сверху колючка в несколько рядов. Тюрьма была старой и славилась на всю Россию. Из моего окна мало что разглядишь: верхние этажи здания, построенного еще при Екатерине Великой, с толстенными решетками на узких окнах, да крыша, покатая, из светлого железа, ослепительно сверкающая на солнце. Рядом с центральным зданием угадывались другие, поменьше, я видела разноцветные кусочки крыш, по вечерам там горели мощные фонари и лаяли собаки. Только псих решит исполнить мне серенаду в таком месте.

— Все-таки это странно, — сказала я и даже нахмурилась, а потом добавила: — Это чья-то глупая шутка.

Вернувшись в комнату, я взяла записку, разгладила ее руками и принялась изучать почерк. Почерк как почерк, ни о чем он мне не говорил и ни о ком не напоминал.

— Глупая шутка, — с облегчением вздохнула я и выбросила записку в мусорное ведро. Накормила Ромео и устроилась в кресле с книгой, Ромео забрался ко мне на колени, закрыл глазки и принялся сопеть, а я улыбаться. Комната показалась уютной, а вечер расчудесным.

Зазвонил телефон, я насторожилась, но трубку снимать не спешила. Это скорее всего Максим, так и оказалось: автоответчик был включен, и я услышала голос мужа.

— Я знаю, что ты дома, — заявил он. — Заеду часиков в девять. Привезу деньги. Я тебя люблю. Давай мириться, а?

Шестьдесят секунд кончились, и ему пришлось заткнуться, я показала телефону язык, пропела дурашливо: «Давай мириться, а?», подражая мужниной интонации, поцеловала Ромео и углубилась в чтение. Однако где-то через час стала поглядывать на часы. Сначала время от времени и как бы между прочим, но чем ближе стрелка перемещалась к отметке «7», тем настойчивее я за ней наблюдала.

— Глупость какая, — презрительно фыркнула я и даже попыталась читать вслух, но как только старинные часы отбили один удар из положенных семи, переложила Ромео на диван и выскользнула в кухню, осторожно подобралась к окну и выглянула.

На зеленой лужайке внизу никого не было. Я стояла, пялилась на свежую травку и стала злиться по-настоящему. Стою у какого-то дурацкого окна из-за какой-то дурацкой записки. Да надо мной просто посмеялись, никто и не думал появляться под окнами. Однако шутка довольно глупая. Что же имел в виду этот самый шутник? В конце концов, он должен был проверить, удалась его шутка или нет, то есть появиться и посмотреть, торчу ли я возле окна или совершенно не обратила внимания на записку.

Я простояла не меньше десяти минут, таращилась то направо, то налево, но никакого подобия человека не заметила. Дом наш был последним в ряду, напротив него, как я уже сказала, располагалась тюрьма, а чуть дальше старое кладбище. Хоронить там перестали еще лет сорок назад, так как кладбище уже давно оказалось в черте города. Оно было обнесено невысокой кирпичной стеной, и если шутник, к примеру, на нее взобрался, то вполне мог различить в окне мой силуэт. Должно быть, хохочет от души. А если у него есть бинокль, то он прекрасно видит выражение моего лица. Надо полагать, выгляжу я сейчас очень глупо.

Я отпрянула от окна и опустила жалюзи. Потом юркнула в комнату и отыскала театральный бинокль, не Бог весть что, но все-таки. Вооружившись биноклем, я попыталась рассмотреть кладбищенскую стену. Под таким углом это оказалось нелегким делом и потребовало времени. Самое обидное, что ничего я углядеть не смогла, ну ничегошеньки. Если не считать двух ворон. Они сидели, нахохлившись, и в мою сторону даже не смотрели.

— Мальчишки озорничают, — твердо заявила я и убрала бинокль.

Вот тут и позвонили в дверь. Я вдруг испугалась и в прихожую вышла на цыпочках, посмотрела в «глазок» и увидела мужа. А может, это он так шутит? С него станется. Ромео, заметив мою нерешительность, робко выглянул из комнаты, а потом залез под стол.

— Трус несчастный, — прошипела я и открыла дверь.

Муж сунул мне в руки букет и быстро вошел, пока я не передумала.

— Ты оставлял записку в почтовом ящике? — спросила я, глядя на него с подозрением.

— Я? Нет. А что за записка?

— А... Глупость, одним словом. Ужинать будешь?

— Буду, — обрадовался муж, как выяснилось, преждевременно. В доме не было даже хлеба. Я развела руками и вроде бы устыдилась. — Ерунда, — отмахнулся Максим. — Сгоняем в универсам и все купим.

Уже в машине я, понаблюдав за мужем несколько минут, спросила:

Татьяна Полякова

— Ты хотел приехать в девять, а приехал в начале восьмого. Почему?

— Я нарочно сказал, что заеду в девять, чтобы ты не успела сбежать.

— С какой стати мне сбегать из собственной квартиры?

— Ну... например, для того, чтобы со мной не встретиться.

— Мне нечего бояться и вообще...

— Переезжай в наш дом, — вздохнул супруг. — У тебя никуда не годная квартира. А твоя Лилька чокнутая, и не возражай. Только чокнутая могла выбрать такое место. На улице ни единого фонаря, на кладбище бомжи... Я беспокоюсь за Ромео, он ведь гуляет один...

— Ну и что? — нахмурилась я.

— Ничего. Боюсь, как бы его не сожрали.

— Кто? — выпучила я глаза.

— Бомжи. Говорю, их полно на кладбище.

— Они могут сожрать Ромео? — пролепетала я.

— Конечно. Он трус и за себя постоять не сможет. Давай хотя бы его переселим в наш дом. Ты будешь заходить и кормить его, а он будет бегать в саду, там совершенно безопасно.

— Не могу поверить, что такое возможно... — все еще тараща глаза, сказала я.

— Ну, моя дорогая... открой любую газету. Этот район крайне неблагополучный. Такой женщине, как ты, здесь совершенно не место.

— Ты думаешь? — Я нахмурилась и стала смотреть в окно. Может, стоит рассказать Максиму о записке? Нет, не стоит. Выходит, я из-за любого пустяка должна обращаться к мужу. С дуралеями, которые так непонятно шутят, я разберусь и сама.

Ужин прошел в теплой и дружеской атмосфере, чему немало способствовала моя задумчивость. Половину из того, что говорил Максим, я попросту не слышала, на вторую половину не обращала внимания, должно быть, поэтому мы так и не поругались. Муж всучил мне деньги на текущие расходы и отбыл с некоторым сожалением после неоднократных намеков, что в гостинице ему страшно одиноко, а в моей квартире, весьма неудачно расположенной, женщине опасно оставаться одной.

Проводив мужа, я устроилась в кресле и немного поразмышляла. Очень похоже, что это происки супруга. Он хочет, чтобы я к нему вернулась и... Что «и»? Вот если бы в записке содержалась угроза — тогда понятно, а там какая-то дурацкая просьба. Я вышла в кухню и немного постояла возле окна, не зажигая свет. Зеленая травка внизу была ярко освещена, да и в кухне было довольно светло из-за прожекторов на тюремной стене.

Я нахмурилась и категорически запретила себе думать о записке. Потом позвонила Лильке.

— Как ты думаешь, бомжи могут съесть Ромео? — спросила я.

— Какие бомжи? — обалдела Лилька.

— Те, что живут на кладбище.

— А что, Ромео пропал?

— Слава Богу, нет, но когда он пропадет, будет поздно. Так могут или нет?

— С чего ты взяла, что они живут на кладбище?

— По-моему, это очень удобное место, — безо всякой уверенности заявила я.

— А по-моему, ты говоришь глупости. И не вздумай вернуться к мужу. Если ты уступишь, я перестану тебя уважать.

— О чем ты думала, черт возьми, когда засунула меня в эту дурацкую квартиру? — разозлилась я и бросила трубку. А потом отключила телефон, легла в постель и позволила несчастному Ромео лечь у меня в ногах. То, что животное в опасности, стало совершенно ясно.

Утром пес скулил и легонько покусывал меня за руку. Часы показывали восемь, и Ромео пора было идти на прогулку. Еще вчера это не доставляло хлопот, я распахивала входную дверь и отправлялась досыпать, открывать дверь подъезда было без надобности, в ней имелась дыра таких выдающихся размеров, что Ромео без труда оказывался на улице. Но сегодня, открыв глаза, я сразу же вспомнила про бомжей и опасность, нависшую над любимым существом, быстренько оделась, уговаривая пса не волноваться, подумала и прихватила газовый баллончик.

К моему удивлению, во дворе было довольно многолюдно: сразу три женщины развешивали белье, бабульки стояли возле подъезда с хозяйственными сумками, должно быть, собрались в магазин, а несколько мальчишек катались на скейте. Признаться, такая бурная жизнь меня удивила, ранее полудня мне не приходилось появляться на улице, и я слегка растерялась, а потом обрадовалась: вряд ли при таком обилии народа кому-нибудь придет в голову напасть на нас с собакой.

Я поздоровалась с соседками и не спеша пересекла двор, поглядывая на Ромео, тот нехотя плелся сзади, поражаясь переменам в привычном распорядке дня.

— Все-таки я не могу отпустить тебя одного, — сказала я, извиняясь, пес посмотрел на меня, вильнул хвостом, и мы пошли веселее. Ноги сами понесли меня к кладбищу, и вскоре мы оказались перед калиткой из металлических прутьев. Я толкнула ее, раздался жуткий скрежет, и мы вошли на кладбище. Ромео на всякий случай прятался за моими ногами. — Тут никого нет, — разозлилась я. — Нельзя же быть таким трусишкой.

Кладбище было небольшое, с заасфальтированными дорожками и чистенькими тропинками, в центре стояла церковь, возле которой на скамейке сидели три старушки и чинно беседовали. Обойдя все кладбище, я не смогла обнаружить ни одного бомжа.

— Надо же придумать такое, — покачала я головой, решив задать мужу хорошую трепку, и отправилась домой.

Поднимаясь к себе на пятый этаж, я задержалась возле почтового ящика. В ящике явно что-то было, клочок белой бумаги виднелся вполне отчетливо. Ключ был в сумке. Я стрелой поднялась в квартиру и через пару минут держала в руках сложенный тетрадный листок, для верности подколотый скрепкой. Посоветовав себе проявлять терпение и твердость, я вернулась в квартиру и только тогда развернула записку. На пол, плавно кружа, опустилась банкнота. Я подняла ее, повертела в руках и даже рассмотрела на свет. Сотня выглядела совершенно настоящей.

Я торопливо прочитала записку: «Спасибо (восклицательный знак). Сегодня в это же время».

— Черт знает что такое! — развела я руками. Шутка перестала быть просто чьей-то шуткой, а стала шуткой сторублевой. Мальчишек можно смело выбросить из головы. — Это Максим, — зло прошипела я и кинулась к телефону.

Максим уже был в офисе.

— Это ты, — заявила я.

— Конечно, — ответил он, а я перевела дух и уточнила:

— Твои шуточки?

— Что ты имеешь в виду? — переспросил муж и вроде бы даже испугался.

— Ты оставлял записку, говори честно, иначе... сам знаешь.

— Записку? — Нет, он не притворялся, уж я-то своего мужа хорошо знаю. — Что за записка? Ты вчера спрашивала про записку и сегодня. В чем дело? Тебе угрожают? Я сейчас приеду, дверь никому не открывай.

Я вздохнула и сказала:

— Ты соврал про бомжей. Сегодня утром я обследовала кладбище и никого не нашла.

— Сегодня утром? — не поверил Максим. — Хочешь сказать, что встала в семь утра?

— Хочу. И на кладбище вообще никто не живет. Только вороны.

— Ты в самом деле гуляла с Ромео?

— Конечно. Почему это тебя так удивляет? Я не хотела, чтобы моего друга сожрали, и пошла проверить. Ты меня обманул.

— Давай вернемся к запискам.

— Нет, к бомжам. Ты все это выдумал?

— Ничего подобного. Посмотри сегодняшние «Ведомости» и сама убедишься.

Второй раз за утро я покинула квартиру, чтобы купить газету. Ромео, который отправился вместе со мной, был поражен моим поведением, то и дело забегал вперед и поглядывал на меня вопрошающе.

Газету я купила и на первой же странице увидела заголовок «Зловещая находка». Плюхнулась на скамейку и, леденея душой, начала читать. Очень скоро мне стало ясно: Ромео грозит серьезная опасность. Бомжи на кладбище жили и действительно поедали несчастных животных. Возле старинного склепа были обнаружены останки более десяти собак разных пород, а жители окружающих кладбище кварталов уже давно жаловались на исчезновение своих питомцев.

— Боже мой! — пролепетала я, схватила Ромео и прижала его к груди. Он перепугался и начал скулить. Ромео обжора, а потому очень походит на колбасу с ножками, вид у него аппетитный и если бы он попался на глаза кому-нибудь из этих чудовищ с кладбища... Однако я сегодня утром никаких чудовищ не обнаружила. Опять же это не решает главной проблемы: кто мне пишет записки? Явно не бомжи, сотня для них сумасшедшие деньги, с чего бы им так шутить? Это не дети, и надо признать, не мой муж. Про опасность, грозящую Ромео, он не солгал, следовательно, ему можно доверять и в остальном.

В голову не пришло ничего заслуживающего внимания, и, держа на руках своего толстого друга, я зашагала домой.

Возле почтового ящика притормозила и, помедлив, проверила его еще раз. Он был пуст, что неудивительно. Постояв в замешательстве, я поднялась к себе и весь день размышляла, не обращая внимания на телефон. После обеда еще раз сходила на кладбище, нашла склеп, сверила с фотографией в газете и, убедившись, что он тот самый, принялась рыскать рядом. Ничего подозрительного не обнаружила, впрочем, это не удивило: останки животных, конечно, успели убрать. «А бомжи испугались и где-то спрятались», — решила я и немного успокоилась. Однако влезла на кладбищенскую стену и оттуда попыталась рассмотреть свое кухонное окно. Конечно, я его видела и даже без бинокля, но определить, что за человек стоит у окна (если бы он там, к примеру, стоял), было бы невозможно, между тем это самое удобное место, если переместиться чуть дальше, окно и вовсе не увидишь. Кто бы ни написал мне эти дурацкие записки, к кладбищу, точнее, к кладбищенской стене он отношения не имеет.

Неизвестно чему порадовавшись, я вернулась домой. Приготовила себе ужин, то и дело глядя на часы и изо всех сил стараясь не думать о записке.

Ровно в семь я была возле окна. На этот раз открыла створку и даже высунулась, надеясь, что таким образом смогу хоть что-нибудь да увидеть. Вблизи дома не было ни одного живого существа. Даже кот, посидев немного на углу, лениво поплелся в сторону кладбища, игнорируя зеленую лужайку.

Через десять минут я в большом гневе захлопнула окно, опустила жалюзи и вооружилась биноклем. Никого.

— Черт знает что такое! — выругалась я, швырнула бинокль на подоконник и ушла в комнату. Потом еще раз проверила сотенную купюру. Она была настоящая, сомнений нет, это не шутка: кому-то очень надо, чтобы я подошла к окну. Кому и зачем? За вчерашнее стояние возле окна мне сказали «спасибо» и даже прислали деньги. Сегодня я очень надеялась, что смогу разобраться с шутником и вот, пожалуйста, ничего не произошло. Изводя себя все теми же мыслями, я отправилась на прогулку с Ромео, а вернувшись, непривычно рано легла спать.

Утром, как только меня разбудила собака, я бросилась вниз и заглянула в почтовый ящик. Ничего. «Ага», — сказала я себе, взяв Ромео под мышку. Гуляли мы дольше обычного, и пес на обратном пути даже задремал на моих руках, домой я не спешила, а войдя в подъезд, сразу же проверила ящик. Он был пуст.

— Что это такое, в самом деле? — разозлилась я. Весь день я размышляла, стоит ли подходить к окну, и периодически проверяла почтовый ящик. Никаких указаний.

Время стремительно приближалось к семи, а я так ничего и не решила, но, как только часы начали отбивать положенные семь ударов, бросилась в кухню и замерла возле окна. Ни души.

— Да что же это такое? — вторично возопила я с отчаянием и на этот раз стояла не меньше двадцати минут, надеясь, что неизвестный шутник себя проявит. Потом со злости хлопнула кухонной дверью, решив, что ноги моей там больше не будет.

Ночью я спала плохо, а утром вышла на прогулку, игнорируя почтовый ящик. Возвращаясь уже ближе к десяти, сразу же заметила, что в нем что-то есть, сердце стремительно скакнуло вниз, а я досадливо поморщилась, но поспешила открыть ящик. Сотня и записка: «Сегодня в 8.15. Ты очень красивая».

— Удивил, — скривилась я. Ясно, записку писал мужчина, женщине ни к чему делать мне комплименты. — Это шуточки Максима, — кивнула я, ни на секунду в это не поверив. Максим, конечно, иногда ведет себя довольно глупо, но он точно не псих, уж я-то знаю, а когда я спросила его о записках, он очень удивился и даже испугался. Нет, это не он, это какой-то другой сукин сын, которому нечем заняться...

Весь день прошел в размышлениях. На звонки я по-прежнему не отвечала, а когда Максим оставил сообщение, что после работы заедет, я, подхватив Ромео, спешно покинула жилище: «после работы» это вовсе не значило после работы, он мог появиться в любой момент, а встречаться с ним я сейчас не хотела.

Ближе к восьми я возвращалась домой и замерла на углу в крайней досаде: возле моего подъезда стоял очень хорошо мне знакомый «Мерседес», а в нем сидел муж. «Какое свинство!» — гневно подумала я и решила отчитать его как следует, но в последний момент свернула в соседний двор и устроилась там на скамейке.

— Уезжай немедленно, — шипела я, очень надеясь, что обладаю хоть небольшим даром телепатии. — Уезжай...

Как бы не так. Мой муж — человек совершенно невозможный, ему надоело сидеть в машине, он ее покинул и начал прогуливаться возле дома, проскочить незамеченной не удастся, а время поджимало... Я взглянула на часы и охнула: 8.25. Даже удивительно, как меня это раздосадовало. Я кинулась к своему подъезду, совершенно не обращая внимания на Максима.

— Аня! — крикнул он и даже пробежал несколько метров веселой рысью.

— Что ты здесь делаешь? — сдвинула я брови.

— Жду тебя, — удивился он. — Я звонил. Ты проверяла автоответчик?

— Нет. У меня еще не было времени.

— А чем ты занята? — удивился муж.

— Как будто у меня нет дел, — проворчала я, косясь на часы. Можно было не торопиться, хотя... — Ладно, пошли, — вздохнула я и зашагала к подъезду.

Утром записки не было. Я топнула ногой, а потом устроила нагоняй Ромео за то, что он ленив и еле двигается. Пса стало жалко, и я взяла его на руки.

День выдался какой-то нервный, читать не хотелось, а все предметы непостижимым образом валились из рук. Около шести я задумалась, стоит ли подходить к окну? Почему бы и нет? Что я, к собственному окну не могу подойти? Например, в семь, а потом и в восемь пятнадцать. Мое окно, хочу — подхожу, хочу — нет... Я подумала о почтовом ящике и решила еще раз его проверить. До сих пор записки приходили утром, но кто знает... Записка была вместе с неизменной сотней, но почерк другой. Это насторожило, и я прочитала записку несколько раз: «Что случилось? Сегодня в 8.15. Ладно?»

— Ладно, — кивнула я и поднялась к себе, Ромео стоял на пороге и взирал на меня с непониманием.

В восемь пятнадцать я была возле окна и пялилась в никуда не менее получаса, но так и не приблизилась к разгадке происходящего. Потом села за стол и начала писать письмо или ответную записку, это уж кому как нравится. «Кто вы? — старательно выводила я на дорогой бумаге розового цвета. — Что означает эта странная шутка? Перестаньте посылать мне деньги, я в них совершенно не нуждаюсь. Если вы не пожелаете объяснить мне, в чем дело, я перестану выполнять ваши непонятные просьбы». Перечитав записку несколько раз, я осталась довольна, подколола к ней деньги скрепкой и спустилась к своему почтовому ящику. Положила в него записку, а дверцу прикрыла не очень плотно.

— Он должен это заметить и поинтересоваться, — решила я и удалилась.

Он не поинтересовался, записка три дня пролежала в ящике никому не нужная. Даже деньги никто не свистнул... Шутник никак себя не проявил, моей записки взять не пожелал и своей не оставил.

Я разозлилась и два вечера подряд ходила в театр одна. Ромео в театр не возьмешь, а видеться с кем-нибудь мне не хотелось. Наконец утром четвертого дня пришла записка. Я открыла ящик, увидела свое послание, стиснула зубы и тут заметила тетрадный лист. Почерк прежний. «Извини. Были проблемы. Жду ровно в семь».

— Вот и жди, — отрезала я и подумала, а не сходить ли еще разик в театр, но ровно в семь стояла возле окна, впрочем, опять-таки безо всякого толку.

В половине восьмого я заварила чай покрепче и сказала, глядя на собаку, за неимением другого собеседника:

— Хорошо. Он не желает показаться, но эти записки каким-то образом попадают в мой ящик? Мы выследим этого типа...

Утром я разбудила Ромео, и мы вышли гулять. Пес зевал и смотрел на меня без одобрения: Кроме нас, в такую рань на прогулку отправился только соседский кот, хотя, возможно, он с нее возвращался. Я села на скамейку возле подъезда и раскрыла книгу, предложив Ромео побегать по двору. Бегать он не любил, поэтому забрался под лавку и уснул. Где-то через час стали появляться люди. Я продолжала увлеченно читать, а Ромео спать. Ближе к обеду он выбрался из-под лавки и принялся застенчиво скулить. За время сидения я познакомилась с тремя соседками и их животными, но ничего полезного для себя не узнала. Проверила почтовый ящик: пусто, что неудивительно, личности подозрительной наружности в подъезд не входили.

Наспех перекусив и накормив пса, я вернулась на скамейку, предварительно проверив ящик. Сидела я до десяти вечера, объяснив любопытным старушкам, что накрасила в квартире полы и спасаюсь от запаха.

На скамейке в окружении старушек меня и обнаружил Максим. Мы поднялись в квартиру.

— Что ты там делала? — не выдержал он.

— Где?

— На скамейке.

— Дышала свежим воздухом. После статьи в газете я не отпускаю Ромео одного, это просто чудо, что его до сих пор не съели.

Муж долго меня разглядывал и безуспешно пытался что-то понять, совершенно напрасно, между прочим, я и сама себя не понимала.

Три дня я просидела на скамейке. За это время услышала потрясающие комментарии к последним политическим событиям, но к разгадке тайны, так занимавшей меня, не приблизилась даже на полшажочка. Почтовый ящик был пуст, а я, как частный детектив, терпела полное поражение.

Утром четвертого дня я спала до восьми и перед выходом на прогулку ящик принципиально игнорировала, но через час заглянула в него и ахнула: листок в клетку, скрепочка и на этот раз две сотни. «Что случилось? — вновь вопрошал неизвестный. — Сегодня в восемь. Хорошо? Очень прошу».

— Нет, ты полюбуйся! — всплеснула я руками, обращаясь к любимому животному. — Как, по-твоему, эта дрянь сюда попала? — Ромео начал скулить, преданно глядя мне в глаза, тряхнул ушами и тяжело вздохнул. Я стала подниматься по лестнице, рассуждая вслух, а Ромео неловко запрыгивал на ступеньки и поглядывал на меня с сочувствием. — Должно быть, он за нами следил и видел, что мы дежурим у подъезда. А сегодня ночью прокрался и оставил записку. Ужасно хитрый тип, ты не находишь? Пожалуй, сидение на скамейке нам ничего не даст. Тут требуются меры посущественнее.

Ближе к вечеру я стала размышлять, стоит ли подходить к окну. Три вечера подряд я сидела на скамейке и сторожила своего корреспондента, а он, видимо, надеялся меня увидеть... Черт возьми, откуда он за мной наблюдает?

Я придвинула телефон и принялась обзванивать всех знакомых, надеясь, что у кого-то найдется полевой бинокль. Он нашелся, но в настоящее время был довольно далеко, на даче моей подруги Наташки. Завтра она обещала его привезти, а вот сегодня нет — и все тут. В пустых разговорах время пролетело незаметно, часы начали бить восемь, а я бросилась в кухню, замерла, глядя в окно, пытаясь уловить хоть какое-то движение, и шептала побелевшими от злости губами: «Где же ты, черт тебя возьми? Ну давай, покажись мне!»

В половине девятого я покинула кухню в состоянии, близком к истерике. Так подло со мной еще никто не поступал. Устроилась в кресле, поразмышляла, глядя в потолок, и твердо решила: завтра же найму частного детектива. Он этого шутника мигом выведет на чистую воду. Утром куплю газеты и буду осваивать объявления.

Частный сыщик не понадобился. Возвращаясь с прогулки, я решила обследовать лужайку перед домом. Вдруг удастся обнаружить нечто, способное подтолкнуть меня к разгадке? Я совсем было собралась со всей тщательностью осмотреть каждый сантиметр лужайки, завернула за угол и совершенно неожиданно столкнулась с рослой брюнеткой неопределенного возраста, в бикини. Она обильно смазывала себя маслом для загара и что-то напевала под нос.

В том, что женщина решила позагорать, конечно, не было ничего особенного, но я-то привыкла видеть лужайку абсолютно необитаемой и, обнаружив здесь человека, смутилась и даже растерялась.

— Какая собачка, — сказала женщина, заметив Ромео, и перевела взгляд на меня, а я улыбнулась и поздоровалась.

— Решили позагорать? — спросила я, хотя можно бы и не спрашивать: чем еще может заняться женщина в бикини, если у ее ног разложено полотенце, а в руках баночка с маслом? Но женщина не сочла мой вопрос глупым и охотно кивнула:

— Погодка самая подходящая, у меня утро свободное, а на речку ехать далеко.

— Да... — неопределенно кивнула я, силясь что-нибудь придумать для объяснения вспыхнувшего интереса к лужайке перед домом.

— А вы, значит, с собачкой гуляете? — спросила женщина. Как видно, она не прочь была поболтать.

— Ромео потерял здесь мячик, вот хотела посмотреть...

— Посмотрите, только вряд ли чего найдете, все утро детвора бегала.

Женщина устроилась на полотенце, а я стала тщательно обследовать лужайку. Не знаю, что я ожидала обнаружить, но не нашла абсолютно ничего. Ромео с несчастным видом помогал мне изо всех сил, но успехом похвастать тоже не мог.

Я злобно посмотрела на свое кухонное окно и от души пожелала ему провалиться. Правда, быстро одумалась и попросила Провидение не принимать мои слова буквально, тем более что произнесены они были в сердцах и по большому счету на них вовсе не стоило обращать внимания. Женщина приподнялась на локте и крикнула:

— Нашли?

— Нет. Должно быть, действительно дети взяли...

— Конечно, дети... Костер задумали разжечь, в такую-то жарищу. Тетя Клава их прогнала, так они пререкаться начали. Из соседнего дома детня, все как на подбор шпана. Так через забор и просятся, — кивнула она на каменную стену тюрьмы, в погожий летний денек выглядевшую особенно мрачно.

Я слушала женщину, кивала и ждала, когда можно будет проститься и уйти.

— А вы из двадцать девятой квартиры? — без перехода спросила она. — Меня Машей зовут. А вас?

— Аня. Да, я из двадцать девятой.

— Недавно переехали?

— В общем, да...

— С мужем?

«Господи, какая любопытная».

— Я живу одна, — ответила я с достоинством.

— А окна сюда выходят?

— Да...

— Повезло, — вздохнула Маша с заметной печалью. — Пятый этаж, окна сюда выходят, и без мужа... А у меня три окошка и все во двор.

Я немного растерялась, не видя особого повода для переживаний, но разговор меня вдруг заинтересовал, я присела рядом и спросила:

— Чем же вам двор не нравится? Окна у вас на светлую сторону, и дворик, по-моему, очень симпатичный.

— Оно, может, и так, — согласилась моя собеседница, — только ведь от этого двора никакого проку.

— А какой прок от моего окна? — проявила я любопытство. Женщина посмотрела с озорством, хихикнула и спросила:

— А то не знаете?

— Нет, конечно, — растерялась я.

— Да? — она вроде бы тоже растерялась. — Ну... скоро узнаете...

— А нельзя узнать сейчас? — нерешительно сказала я, чувствуя, что нахожусь на пороге разгадки своей тайны. — Вы меня так заинтриговали... Так что ж хорошего в моих окнах?

Она хохотнула, покачала головой и задала очередной вопрос:

— Вам записки не передавали?

Тут меня просто оторопь взяла, и я с трудом промямлила:

— Да. Странные такие... Просили подойти к окну...

— А вы подходили?

— Да, — в этом месте я неожиданно пунцово покраснела.

— А раздеться просили?

— Как это? — опешила я.

— Ну... раздеться... стриптиз, одним словом?

— Нет...

— Странно... А деньги оставляли?

— Оставляли...

— Чего ж тогда раздеться не просили? Чудно...

— Да кто просил-то? — не выдержала я. — Я имею в виду, чьи это дурацкие шутки?

— Хороши шутки, — обиделась Маша. — Да у нас полдома на эти «шутки» живут. И как живут. Припеваючи. Вот Верка Тюлькина машину купила, а пятый год безработная.

— Как же она машину купила? — окончательно обалдев, спросила я.

— Так вот на эти деньги. Подойдет к окну, разденется, покрутится малость, и всех делов. Это не на фабрике возле станка горбатиться, да еще задаром...

— Конечно, задаром горбатиться ужасно, — согласилась я. — Только вы так и не объяснили, кому надо, чтобы эта Тюлькина так себя вела, раздевалась у окна и все прочее...

Маша посмотрела на меня так, точно я ляпнула величайшую в мире глупость, я даже глаза опустила и растерянно кашлянула, а она покачала головой, потом ткнула пальцем в стену напротив и спросила:

— Это что, по-вашему?

— Что? — испугалась я.

— Тюрьма, — вздохнула Маша. — Мужики сидят. Бывает, и подолгу. А тут дом совсем рядом. Свет включи, шторы не задергивай, и все как на ладони. В их-то положении и журнальчик полистать за радость, а тут живая баба...

— Боже мой! — простонала я, на этот раз бледнея. — Какая низость...

— Что? — нахмурилась Маша, а я решила прояснить еще кое-что:

— Но если человек в тюрьме, как же записки и деньги попадают к женщинам?

— А я почем знаю? Может, дружки на воле или еще чего... были бы деньги, а придумать можно что угодно... В вашей квартире раньше бабенка жила, так один тип ей пять лет письма писал. Она уж привыкла и вроде ждать его начала. Освободился и сразу к ней. И такой мерзавец оказался, не чаяла от него избавиться. Так и уехала в деревню к матери... Но ей просто не повезло. Остальные очень довольны. Акимова из двадцать восьмой квартиры с мужем, а тоже подрабатывает. Свой-то у нее пьяница, зенки зальет и на диване дрыхнет, а она по комнате бродит, вроде дело у нее какое, а шторы-то не задергивает. Так этот дурак, муж то есть, до сих пор ничего не знает. А у меня мужа нет, зато все окна во двор...

— Не повезло, — брякнула я, подхватила Ромео и зашагала к подъезду.

Моему возмущению не было предела. Боже мой, я, как последняя дура, торчала у окна, без конца думала об этих записках, и вдруг... Какой-то гнусный тип меня использовал... посмел прислать деньги... да я мужу нажалуюсь... Негодяй... Он у меня из этой тюрьмы не выйдет...

Я влетела в квартиру и опустила жалюзи на окнах. Потом вдруг вспомнила, что примерно месяц назад, когда отопление было включено, а на улице царила жара, я, вернувшись домой, целый вечер бродила нагишом, а жалюзи тогда у меня еще не было. Были тюлевые шторы, а вот свет горел... Боже, какой стыд... Должно быть, этот мерзавец заметил меня и решил, что я все делаю нарочно, вот и прислал деньги... Нет, я не переживу такого позора... Сколько их там на меня смотрело? Ужас какой... Я, дура несчастная, гадаю, кто этот странный тип, а все так просто, некрасиво и лишено романтизма.

Я совсем было собралась звонить Максиму, но

вовремя одумалась. Да если он узнает, я со стыда сгорю. Максим прав, я — кактус. Только человек, начисто лишенный мозгов, мог забыть, что у него под окнами тюрьма. А я-то подозревала кладбище... Не думать об этом, немедленно забыть, а главное — переехать! Повод есть: статья в газете, я не хочу, чтобы Ромео съели.

Выпив три чашки кофе, я еще немного пострадала, а потом решила написать письмо. Человек должен понять, как оскорбительно его поведение и сама мысль о том, что меня использовали. И пусть заберет свои деньги.

«Я не знаю вашего имени и не хочу знать, — так начала я. — Вы совершили отвратительный поступок...» — и далее в том же духе, письмо не очень длинное, но очень эмоциональное. Надеюсь, оно отобьет охоту совать в мой почтовый ящик всякую дрянь.

Закончив свои труды, я отнесла письмо вниз: у окна появляться не буду, в конце концов этому типу надоест швырять деньги на ветер, и он будет вынужден обратить внимание на мое письмо.

Я с облегчением вздохнула и, взяв с собой Ромео, поехала на речку, день чудесный, и погреться на солнышке будет приятно, а заодно избавиться от скверных мыслей.

Неделю ничего не происходило, то есть кое-какие незначительные происшествия были: к примеру, я потеряла ключи от квартиры, и пришлось менять замки, только-только их поменяли, как ключи сразу же нашлись, и не где-нибудь, а в моей сумке.

Еще я оставила Ромео в кафе. Он умудрился уснуть под столом, а я забыла, что вышла из дома с ним. Так как в квартире собаки не оказалось, я решила, что Ромео похитили, позвонила в милицию, а затем мужу. Милиция проявила равнодушие, а супруг примчался с какими-то подозрительными типами и решил вновь менять замки, я вспомнила про кафе, мы поехали туда и обнаружили Ромео, он тихо-мирно продолжал спать под столом.

Я немного поскандалила с хозяином кафе, указав на невнимательное отношение к клиентам, то есть к их собакам, мы вернулись домой, замки менять не стали, и слава Богу — у меня уже скопилось столько ключей...

Еще за эту неделю я трижды ссорилась с Максимом, потому что ощущала некоторую нервозность, а он всегда некстати оказывался под рукой. Жалюзи на окнах я не поднимала, в почтовый ящик не заглядывала и, проходя мимо него, принципиально отворачивалась.

Поздно вечером в воскресенье я возвращалась от Лильки. С Максимом мы поссорились накануне, и он уехал к своим родителям в соседний губернский город. Родителям он о предстоящем разводе не сообщил и очень настойчиво звал меня с собой, я отказалась, он разозлился и в результате уехал один, а я все воскресенье провела у Лильки на даче, где совершенно не знала, чем себя занять, потому что шел дождь, а подружка без конца приставала ко мне с расспросами о работе, вконец подрывая мою нервную систему.

Я подумывала, может, стоит рассказать ей о записках и деньгах, но не решилась и даже покраснела при мысли, что кто-то узнает о моем позоре. В общем, выходные прошли скверно, и, возможно, именно поэтому, возвращаясь от подружки, я заглянула в почтовый ящик. Он был пуст. Не меньше минуты я созерцала эту самую пустоту и вдруг начала злиться. То, что мое письмо прочли и вняли доводам разума, конечно, хорошо, но приличные люди в таких случаях извиняются. «Странно ожидать от подобного типа хороших манер», — мудро рассудила я, захлопнула ящик и быстро поднялась наверх, причем дважды умудрилась наступить Ромео на лапу, что говорило о некотором волнении.

Крохотная квартира вызвала раздражение, гора грязной посуды в мойке, оставленная со вчерашнего дня, — отвращение, а в целом жизнь казалась начисто лишенной смысла.

Я забралась в кресло, включила телевизор и попробовала посмотреть какой-то детектив, убийцу узнала за сорок минут до конца картины и начала злиться на непонятливость персонажей, а потом на глупость режиссера и сценариста. Положительно, мир сегодня ни на что не годился.

С горя я решила лечь спать. Вот тут и зазвонил телефон. «Максим», — подумала я, соображая, включить автоответчик или не стоит. В любом случае муж все равно приедет, чтобы лично убедиться в том, дома я или нет, так что хитрить не имело смысла. Я сняла трубку и без намека на любезность сказала:

— Слушаю.

— Привет. — Голос звучал хрипловато: то ли мужчина был простужен, то ли просто взволнован.

— Привет, — растерялась я, но тут же взяла себя в руки и спросила: — Кто вы?

— Какая разница, ты все равно меня не знаешь.

— В таком случае всего доброго, — отрезала я, собравшись повесить трубку, но он вдруг попросил:

— Пожалуйста, подожди... — причем голос звучал так, что отказать я не смогла и трубку не повесила. — Что-нибудь случилось? — помедлив, спросил он.

— В каком смысле? То есть что вы имеете в виду?

— У тебя жалюзи опущены...

Я хлопнулась в кресло от неожиданной догадки, отдышалась, прикрыв трубку ладонью, и сурово спросила:

— Так это вы?..

— Я, — очень просто ответил он.

— Вот что... не знаю вашего имени, впрочем, не имеет значения. Я хочу, чтобы вы знали: вы совершили бесчестный поступок. Это отвратительно. Это черт знает что такое. Мне рассказала соседка, что за гнусности у вас здесь творятся. Не смейте мне звонить и писать не смейте, не то я нажалуюсь мужу, он известный человек в городе, он вас...

— Я знаю, — вздохнул тип на том конце провода. — Он меня превратит в лягушку. Точно?

— Ну, в общем, да...

— Что гнусного в том, чтобы постоять у окна...

— Прекратите, — рассвирепела я. — И не считайте меня идиоткой. Ваши деньги у меня, скажите, куда их отправить?

— Можешь их просто выбросить, — посоветовал он, вздохнул и попросил: — Подойди к окну, пожалуйста... Очень прошу.

— Нет, это даже странно, — возмутилась я. — Я вам как будто бы все объяснила...

— Просто подойди к окну, что в этом плохого? И это совсем не трудно. Так ведь?

Тут я кое-что сообразила, нахмурилась и выпалила:

— Но вы не можете звонить, то есть не можете вы звонить из тюрьмы?

— Могу, — порадовал он.

— Такого не бывает, — разозлилась я. — Вы меня дурачите. Это вообще глупость какая-то и дурацкий розыгрыш.

— Это не глупость, — сообщил он, голос приобрел странное звучание, я бы сказала: он завораживал. — Если бы ты знала, чего мне стоил этот звонок... Я неделю тебя не видел. А здесь один день тянет на десять. Извини за эти деньги. И подойди к окну, пожалуйста.

— Сейчас подойти? — кашлянув, спросила я.

— Нет, через полчаса.

— Ваши окна напротив, то есть я хотела сказать...

— Примерно так, — хохотнул он. — Тебя зовут Аня?

— А это совершенно не ваше дело, — рассвирепела я, но тут же устыдилась и добавила спокойнее: — Я подойду к окну, если вы пообещаете, что прекратите все это, то есть что с подобной просьбой обращаетесь в последний раз.

— Не люблю я обещания, ты уж извини. А этот высокий парень твой муж?

— Муж, — ответила я. — А откуда... — Господи, сколько же времени этот тип следил за мной, а я, совершенно не обращая внимания на окна, то есть на отсутствие на них плотных штор, жила себе как ни в чем не бывало...

— Симпатичный, — заявил мой собеседник, в трубке на мгновение возник еще чей-то голос, и он торопливо со мной простился, скороговоркой попросив: — Через полчаса, ладно?

Я повесила трубку и уставилась на Ромео, он вильнул хвостом, а потом залез под стол и больше не показывался, между прочим, правильно сделал.

А я позвонила Максиму.

— Ты вернулся? — поинтересовалась я для приличия и спросила: — Скажи, а из тюрьмы можно позвонить?

— В каком смысле? — растерялся муж.

— В буквальном.

— Что-то я не понимаю...

— Чего ж не понять? К примеру, меня посадили в тюрьму. Я могу позвонить?

— Кому?

— Хотя бы тебе?

— О Господи... Что ты натворила? Что за странные мысли?

— Я ничего не натворила, я просто пытаюсь узнать, можно ли позвонить из тюрьмы, а ты начинаешь спрашивать всякие глупости...

— По-моему, это ты спрашиваешь глупости. И почему это вообще пришло тебе в голову? Немедленно расскажи, что случилось... Ты дома? Я сейчас приеду.

«Черт знает что такое!» — швырнув трубку, в сердцах подумала я.

Максим появился где-то через полчаса, я в это время как раз стояла у кухонного окна, так что ему пришлось немного понервничать. Он долго звонил, а потом принялся стучать в дверь, и я пошла открывать, пока он не разбудил весь подъезд. Максим влетел в квартиру, вцепился в мои плечи и спросил:

— Все в порядке?

— Ты же видишь, — нахмурилась я, опомнилась и опустила жалюзи.

Мой странный интерес к тюрьме не давал мужу покоя, несколько раз он подозрительно таращился на стену, а еще чаще на меня, хмурился и приставал с вопросами. Потом очень сурово заявил:

— Тебе здесь не место. Сначала чуть не сожрали Ромео, а теперь ты задаешь странные вопросы. Тебе кто-нибудь звонил? — помедлив, добавил он. А я подняла брови:

— Из тюрьмы?

— Не делай из меня идиота, почему-то этот вопрос пришел тебе в голову?

— В мою голову иногда приходят очень странные мысли.

С этим муж вынужден был согласиться, но все равно призадумался и все чаще и настойчивее стал повторять, что я должна переехать, то есть вернуться в наш дом. Если честно, я и сама об этом подумывала, но тут произошло нечто такое, что с возвращением пришлось повременить.

Шел двадцать четвертый день с того памятного звонка по телефону, я собиралась отдохнуть в Турции, но потеряла загранпаспорт, пока его выправляли, к Максиму приехал двоюродный брат из Германии. Отпускать меня на отдых одну муж не хотел, и перед родственником было неудобно, в общем, поездку отложили, и мы по этому поводу немного повздорили. Я целую неделю жила у Лильки, на звонки не отвечала и, так как была сильно расстроена, забыла о дате, на которую был назначен наш развод. Максим о нем тоже не вспомнил, и это меня очень разозлило. Хождение по инстанциям кому хочешь испортит настроение, а про меня и говорить нечего. Все складывалось просто из рук вон плохо, Лилька допекала с работой, мама советовала немедленно вернуться к мужу, и я сбежала на свою квартиру, чтобы никого из них не видеть и не слышать. Так как погода стояла скверная, шли дожди и столбик термометра не поднимался выше пятнадцати градусов, я запаслась провизией, купила пять любовных романов, десять детективов и намертво засела в доме.

Затворничество действовало на меня самым благотворным образом: я жила в ладу со всем миром, а главное, сама с собой. Существовало лишь одно неудобство. Надо было гулять с Ромео, следовательно, покидать жилище и встречаться с людьми. Чтобы до минимума сократить это общение, мы выходили очень поздно, когда двор пустел. Я садилась на скамейку и ждала, когда Ромео надоест общаться с природой. Ромео не любил дожди, поэтому много спал и прогуливался с заметной неохотой. В общем, мы прекрасно понимали друг друга.

В тот вечер разразилась настоящая гроза, молния сверкала так, что хотелось забраться под одеяло и не высовывать оттуда носа. Дождь бил в окно, а в комнате стало так темно, что свет пришлось включить в шесть часов вечера.

Ближе к десяти дождь чуть приутих, меня клонило в сон, но тут заволновался Ромео, и мы решили с ним немного пройтись.

Двор был совершенно пуст, даже машин на стоянке не было, мы шлепали с Ромео по лужам, он посматривал на меня, а я улыбалась. Возникло чувство, что во всем мире существуют только он и я, и это в те минуты казалось приятным.

Мы дошли до кладбища и, свернув, преодолели еще несколько кварталов. Не только мне, но и Ромео не хотелось возвращаться домой. Капли по моему зонту застучали чаще и настойчивее, вновь начался ливень, и мы бросились домой со всех ног, причем, я, хохоча, а пес, жалобно поскуливая.

Дома я вымыла Ромео и сама полежала в горячей воде, затем мы выпили по стакану теплого молока и легли спать. Ромео мгновенно заснул и начал похрапывать, я блаженно вздохнула и выключила настольную лампу.

Мне снилось море и белые яхты, сквозь этот сказочный сон до меня отчетливо доносилось тихое поскуливание. Ужасно не хотелось просыпаться, но пришлось.

Я открыла глаза и тихонько позвала:

— Ромео...

Затем села в постели. Пса в ногах не было, я позвала громче, и он откликнулся, высунул нос из-под кровати, стыдливо потупив глазки.

— Что ты там делаешь? — удивилась я и попробовала его вернуть на законное место, раз уж у меня хорошее настроение.

Пес заскулил громче и жалостливее, но из-под кровати не вылез.

— Ну и сиди там, — обиделась я. — И не вздумай меня разбудить, запру в ванной.

Я устроилась поудобнее, натянула одеяло по самые уши, и тут... Шорох, легкий ветерок, словно открылась дверь. Ромео жалобно всхлипнул, а я вдруг испугалась. Сердце запрыгало в ребрах, спина похолодела, а волосы вроде бы встали дыбом. «Что за чушь? — попробовала я урезонить себя. — Я не верю в привидения, а если этот мерзавец не прекратит скулить, в самом деле запру его в ванной».

— Ромео, — позвала я, но почему-то шепотом, потом приподнялась, осторожно повернулась и замерла, выпучив глаза. Рядом с постелью кто-то стоял, точнее, сидел на полу. Говорю «кто-то», потому что в первое мгновение в темноте, да еще с перепугу, я не поняла, что за чертовщина происходит, лишь почувствовала: совсем рядом, буквально в нескольких сантиметрах от моего лица, кто-то есть. Я даже чувствовала дыхание и смутно различала очертание головы. — Это что еще за глупость такая?! — собравшись с силами, крикнула я и протянула руку, чтобы включить лампу. Теплая ладонь легла на мои пальцы, и мужской голос тихо попросил:

— Пожалуйста, не включай свет.

«Вот это да», — мысленно ахнув, я дважды моргнула, а потом попыталась разглядеть лицо человека напротив, потому что голос я узнала сразу. Хрипловатый, точно мужчина был простужен, но звучал он нежно и даже умоляюще, должно быть, поэтому я перестала бояться и разозлилась на Ромео, который, забившись под кровать, продолжал жалобно скулить.

— Прекрати сейчас же и вылезай оттуда, просто невероятно, что ты такой трус.

— Как его зовут? — спросил мужчина.

— Ромео, — ответила я и добавила: — Если вам не трудно, подайте мне халат.

Халат он подал, для этого ему пришлось подняться и сделать несколько шагов в сторону кресла. По тому, как он двигался, я сделала вывод, что мужчина, должно быть, молодой, и сосредоточилась на его лице, изо всех сил пытаясь хоть что-то разглядеть.

— Это вы? — на всякий случай поинтересовалась я, надев халат.

— Я, — он вроде бы улыбнулся.

— И как вы считаете, это нормально, вот так,

среди ночи, без приглашения заявиться сюда, напугав до смерти мою собаку?

— Чего уж тут нормального, — вздохнул он. — Но у меня вроде нет другого выхода.

— Что за выход вы имеете в виду? — подняла я брови.

— Видишь ли, я сегодня уезжаю... далеко. И мне хотелось попрощаться.

— Со мной? — несказанно удивилась я.

— С тобой.

— Даже не знаю, что на это ответить. Но если это так важно для вас, хорошо, прощайте. И не забудьте запереть входную дверь, ключи у вас, наверное, с собой, раз вы смогли войти.

Он ничего не ответил, взял мою ладонь и легонько сжал. Глаза понемногу привыкли к темноте, и теперь я смутно различала его лицо. Парень сидел на полу, привалившись спиной к тумбочке, и смотрел на меня.

— И долго вы будете прощаться? — нахмурилась я.

— Ты очень красивая, — заявил он в ответ.

— Должно быть, зрение у вас, будто у кошки, я вот ничего не вижу.

— Можно включить лампу, — заметил он. — Но это опасно, наверняка обратят внимание...

— Кто? — не поняла я, и тут до меня наконец дошло: — Вы что, сбежали? — разом перешла я на зловещий шепот.

— К сожалению, отпуска там не положены, — мотнул он головой в сторону окна.

— Что, в самом деле сбежали? — Кажется, я совершенно неприлично вытаращила глаза, хорошо, что в темноте он меня плохо видел. — Да вы с ума сошли. А если поймают?

— Я сейчас уйду. К тому же им в голову не придет искать меня здесь.

— Вы сумасшедший, — покачала я головой. —

Вас могут поймать и, наверное, накажут. Зачем же ухудшать свое положение?

— Я не видел тебя месяц, — заявил он. — То есть двадцать четыре дня. Жалюзи всегда опущены, а угол дома мне не виден. Раньше ты ходила гулять со своим Ромео и шла в сторону «Гастронома», тогда я успевал тебя увидеть. Пара секунд, но и это здорово. А всю эту неделю ты там не показываешься, я подумал, вдруг ты уехала?

— Но ведь не поэтому же вы сбежали? — растерялась я.

— Мне там, в принципе, не нравилось, — заявил он. — А за эти дни вовсе тошно стало, хоть волком вой, вот я и решил...

— Что за чепуху вы говорите? — Он все еще держал мою ладонь в своей, и это начинало тревожить.

— Какая уж тут чепуха, — вздохнул он, усмехнулся и добавил: — Не гони меня, ладно? Я сам уйду. Пару минут, не больше. Мне давно пора рвать когти из города, но уж очень хотелось тебя увидеть.

— Да? — сказала я неопределенно, теряясь в догадках, как следует относиться к его словам. С одной стороны, это, конечно, безобразие: является среди ночи какой-то сумасшедший и говорит глупости, с другой стороны, выходит, в том, что он удрал из тюрьмы, есть и моя вина. — Слушайте, как вас зовут? — додумалась спросить я.

— Сергей, — ответил он, выпустил мою руку, приподнялся, обнял меня за плечи и поцеловал.

Ромео завизжал, тонко и жалобно, а я прямо-таки обалдела. Не в том смысле, что поцелуй произвел потрясающее впечатление, впечатление произвела чужая наглость. «Это что вообще такое?» — хотела спросить я, но не успела, мой новоявленный воздыхатель поднялся с пола и всецело сосредоточился на мне. Я попыталась высвободиться и даже сказать, что я об этом думаю, но говорил по большей части он, причем, надо признать, сумел-таки произвести впечатление. Хотя, далеко не все выражения я безоговорочно могла бы причислить к средневековой любовной лирике. Нет, некоторые слова слегка настораживали и даже смущали, наводя на размышления, а его поведение уже не просто настораживало, оно, черт побери, просто никуда не годилось. Но каждый раз, когда я собиралась заявить об этом, оказывалось, что сделать сие невозможно, в том смысле... ну, вы понимаете. Потребовалась вся сила воли, чтобы прекратить все это.

Я смогла освободиться, отодвинуться и даже сказать:

— Немедленно перестань. Я тебя знать не знаю. Твое поведение ни на что не похоже.

Я сидела в постели, тоже ни на что не похожая, растрепанная, растерянная, щеки пылали, дыхание не восстанавливалось, а голос предательски дрожал. Ответил он мне своеобразно, то есть словесно вовсе не стал отвечать и вообще очень беспокоил, поэтому я решила напомнить о насущном.

— Слушай, тебе опасно здесь находиться. Ты же сам говорил, что пора рвать ноги, или что там обычно рвут. Я думаю, самое время.

Неожиданно он включил настольную лампу, отчего я зажмурилась, а открыв глаза, наконец увидела его: он сидел напротив, щурился и смотрел на меня. Я захлопала ресницами и, запинаясь, произнесла:

— У меня есть муж. Правда, мы сейчас живем отдельно, но все это ерунда, просто у меня скверный характер и мне нравится портить людям жизнь.

Сергей протянул руку и коснулся пальцами моей щеки, коснулся так нежно, что я неожиданно для себя заревела, хотя лить слезы занятие глупое, я его очень не люблю и реветь могу лишь в исключительных случаях, причем только от обиды.

— Уходи, — попросила я. — Уходи, я боюсь...

Через полминуты я открыла глаза, он кивнул, подхватил с пола одежду и вышел из комнаты.

Я накинула халат и выскользнула следом. Включив в ванной свет, он торопливо одевался, а я ахнула:

— Ты не можешь идти в таком виде.

Он улыбнулся и пожал плечами, а я стрелой метнулась в комнату. В шифоньере были кое-какие вещи Максима, он их оставлял, вроде бы по забывчивости, а я делала вид, что этого не замечаю. На самом-то деле ему хотелось постоянно присутствовать в моей жизни, а я ничего не имела против.

Через несколько минут я появилась в ванной с ворохом одежды.

— Думаю, это подойдет, — произнесла я шепотом.

Одежда в самом деле подошла. Было странно видеть в джинсах и свитере мужа совершенно чужого человека.

Чтобы не забивать себе голову подобными соображениями, я вновь метнулась в комнату, отыскала шкатулку, в которой хранила деньги, и вернулась к Сергею.

— Вот, возьми. Тебе пригодится.

— Не надо, — он покачал головой, надевая куртку.

— Что значит не надо? — разозлилась я. — У тебя ведь нет денег? А у меня сколько угодно. И я совершенно не знаю, что с ними делать, так что бери, не стесняйся... К тому же здесь есть твои, те, что ты присылал.

— Этого добра у меня полно, — вдруг заявил он.

— Какого? — не поняла я.

— Денег, — пожал он плечами и добавил совершенно неожиданно: — Поедем со мной, а?

— Куда это? — растерялась я.

— Какая разница? Мир большой. Поедем? Клянусь, ты не пожалеешь...

— Да ты с ума сошел... — Я вздохнула и покачала головой. Как еще продемонстрировать удивление чужой бестолковостью, я не знала и, должно быть, поэтому нахмурилась, кашлянула и поинтересовалась: — Как ты собираешься покинуть город?

— Не беспокойся... — в ответ нахмурился он.

— Как это не беспокоиться? — удивилась я. — Я имею в виду... Черт знает, что я имею в виду... У тебя есть машина?

— Найду, — усмехнулся он.

— Это не годится. — Я еще немного побегала туда-сюда и заявила: — Я быстро.

Оделась я действительно в рекордно короткое время. Из-под кровати вылез Ромео и поплелся к двери, решив, наверное, что я собралась на прогулку.

— Чего тебе надо, несчастный трусишка? — возмутилась я, но вдруг передумала, взяла зонтик и подхватила на руки собаку. — Идем, — сказала я Сергею.

— Куда? — вроде бы удивился он.

— Куда-куда, за машиной. Не собираешься же ты рвать свои когти ногами? По-моему, это очень глупо и к тому же опасно.

— Слушай, не стоит тебе влезать во все это, — поморщившись, сказал он.

— Разумеется. Только когда ты вломился в квартиру, поинтересоваться моим мнением забыл, а теперь я уже влезла, так что держи Ромео и пошли. Мужчина поздней ночью под руку с женщиной, да еще с собакой, выглядит не так подозрительно, а машина у меня на стоянке, здесь недалеко.

Сережа взял собаку на руки, и мы покинули квартиру. До стоянки шли молча, чему я очень радовалась, так как совершенно не знала, о чем можно говорить в такой ситуации. На стоянке горели прожектора, лениво лаяла овчарка, а сторож не показывался, должно быть, спал в будке.

— Тебе лучше остаться здесь, — шепнула я Сергею и пошла за машиной.

Появился заспанный сторож и, накрывшись курткой, стал отпирать ворота, а я с трудом выехала на дорогу, стоянка была буквально забита машинами. Убедившись, что сторож не сможет нас увидеть, я посигналила и затормозила. Из темноты вынырнул Сергей с Ромео на руках, сел рядом, а Ромео привычно устроился на заднем сиденье.

— Куда? — спросила я.

— Прямо, — засмеялся он и пояснил: — Придется заехать в одно место.

Место оказалось очень и очень странным, мы спустились к городскому парку, слева было здание кукольного театра, которое уже лет пятнадцать безуспешно реставрировали, а чуть дальше глухой забор. Туда Сергей и направился, попросив остановить машину.

Отсутствовал он минут двадцать, я уже начала волноваться и даже вышла, намереваясь его позвать, но он как раз вынырнул из темноты откуда-то слева и бегом припустился к машине.

— Высади меня возле универмага и поезжай домой, — сказал он.

— А ты? — испугалась я.

— За меня не беспокойся.

Я подумала и заявила:

— Не беспокоиться у меня не получается. Может, ты скажешь, куда хочешь попасть, и я отвезу тебя туда?

— Аня, — улыбнулся он, глядя в мои глаза, — я ведь сбежал из тюрьмы. Не хочу, чтобы у тебя были неприятности.

— Вот еще, — возмутилась я. — Тебе надо покинуть город, так ведь? А на посту ГАИ могут остановить, ночью часто останавливают.

Он хотел что-то возразить, но я уже не слушала.

Из города мы благополучно выбрались, миновали поселок Первомайский и оказались на шоссе республиканского значения.

— В следующем поселке есть автостанция, — сказала я. Автостанция была закрыта, и ни один фонарь не горел, а я начала возмущаться: — Безобразие...

— Возвращайся домой, — сказал Сережа, собираясь покинуть машину. Я схватила его за руку.

— Садись за руль и поезжай, а я прекрасно доберусь до дома, со мной Ромео, у меня зонт, и дождь уже кончается.

— Если не ошибаюсь, твоя машина стоит недешево?

— Ну и что? Я ведь говорила, денег у меня много, а машина мне давно надоела. Будет повод купить новую. Я отдам тебе документы и напишу доверенность.

Он засмеялся и покачал головой, а я разозлилась:

— Интересно, что я такого смешного сказала?

— Я тебя сейчас посажу на какой-нибудь грузовик, идущий в город, а завтра ты первым делом заявишь, что машину у тебя угнали. Хорошо?

— Хорошо, — пожала я плечами, и мы вышли из машины.

Ромео зябко ежился, а Сережа держал над нами зонт. Несмотря на дождь, движение на дороге было весьма интенсивным, Сережа махнул рукой, огромный грузовик, скрипя тормозами, остановился, мой спутник открыл дверь и крикнул:

— Машина сломалась, подбрось жену до города.

Сунул водителю деньги, Бог знает откуда у него взявшиеся, подсадил меня, положил Ромео на сиденье и сказал:

— Пока...

Потом приподнялся на ступеньке и торопливо поцеловал меня.

— Прощай, — шепнула я. — Удачи тебе.

— До свидания, — ответил он. Дверь хлопнула, и машина тронулась. Я посмотрела в окно, но, кроме темноты и дождя, ничего не увидела.

Парень высадил меня на объездной, возле поста ГАИ. К счастью, мокнуть под дождем не пришлось. Я успела пройти метров триста, не больше, держа на руках толстого Ромео и пытаясь вместе с ним укрыться под зонтом, вдруг сверкнули фары, и рядом остановилось такси. Откуда оно взялось здесь

Татьяна Полякова

в такую пору, я не знала, но несказанно обрадовалась, а через двадцать минут уже входила в свою квартиру. Прошла в комнату, плюхнулась в кресло и воскликнула:

— Вот это да! — А Ромео беспокойно шевельнул ушами. — По-моему, — вздохнула я, гладя его по спине, — мы с тобой Бог знает что успели натворить. Как считаешь?

В этот момент в комнате вдруг сделалось светло, а под окном завыла сирена.

— Что такое? — растерялась я и метнулась к окну, а через минуту добавила: — Мамочка...

За окном творилось что-то невообразимое, все прожектора были включены, сирена продолжала выть непереносимо для моих ушных перепонок, в комнату доносились крики и обрывки команд, а я в страхе поежилась, наконец сообразив, что происходит.

— Он точно сбежал, — озадаченно пролепетала я, глядя на любимого пса, тот кивнул и завыл, подражая сирене.

Захлопали двери квартир, послышались шаги и громкие голоса. Я прокралась к входной двери и прислушалась.

— Чего там? — спрашивал мужской голос.

— Чего-чего, — проворчала соседка. — Или не слышишь? Тревога. Видно, сбежал кто-то.

— Может, не сбежал, — степенно заметил мой сосед-пенсионер. — Разве оттуда сбежишь?

— Помнишь, у Вовки Савельева свадьба была? Тогда тоже из тюрьмы сбежали. Трое.

— Ну и что? Поймали уже к обеду. И этих поймают. А может, и не сбежал никто. Мало ли...

— Сбежал, сбежал, вон шум-то какой, зря шуметь не станут, — затараторила какая-то женщина. — Смотрите, что делается! Теперь из квартиры не выйдешь, страх-то... А ну как эти по соседству прячутся?

— Кто эти? — спросил мужчина с усмешкой.

— Кто-кто, беглецы...

— Дураки они, что ли? Уж если и впрямь сбежал кто, так по улицам бродить не станут, либо из города уйдут, либо где-нибудь укроются.

— Все равно страшно, — вздохнула женщина.

Они еще немного поболтали и начали расходиться, а я перевела дыхание и на цыпочках вернулась в комнату.

Сирена смолкла, тишина неожиданно оглушила и даже испугала. Я забралась в постель, позвала Ромео и закрыла глаза.

— Это меня не касается, — сказала я самой себе, словно пытаясь убедить в чем-то, и честно попробовала уснуть. Но мысли возвращались к одинокому беглецу, к дождю за окном и к моей сегодняшней роли укрывательницы. Что, если он какой-нибудь маньяк? Просто так людей в тюрьму не сажают. А я даже не спросила... Ну и спросила бы, а он соврал... Нет, на маньяка Сережа не похож, а в жизни всякое бывает. Вот я недавно кино смотрела, так там мужчина десять лет отсидел в тюрьме за убийство, которого не совершал. Жену убил ее любовник и все подстроил таким образом, что подозрение пало на мужа... Про жену Сережа ничего не говорил... А про что он вообще говорил? То-то... Нет, лучше всего не думать о происшедшем. Чего доброго и сама в тюрьме окажешься за пособничество... или как там это называется. О Господи, как же меня угораздило? Еще и машину ему отдала... Машину не жалко, а ну как его поймают и он им все выложит? Тогда меня точно в тюрьму посадят.

Ситуация пугала неожиданно открывшимися перспективами, я затосковала и, как всегда в подобных случаях, подумала о муже. В конце концов, кто, как не он, обязан спасать меня от всяких неприятностей?

Я уже протянула руку к телефону, но через мгновение поспешно сунула ее под одеяло. Что, интересно, я скажу Максиму? И вообще встречаться с ним в настоящий момент мне совершенно не хотелось. Завтра я поведаю ему о побеге, о том, что ночная тревога здорово меня напугала, и перееду в наш дом.

Решив это, я успокоилась и вскоре уснула.

В дверь звонили очень настойчиво и довольно долго. Я вскочила, едва не наступив на Ромео, и почему-то испугалась. А вдруг это милиция? Тут я вспомнила, что в ванной лежит одежда Сергея, бросилась туда и, не придумав ничего умнее, запихнула ее в стиральную машину, потом, собравшись с духом, пошла открывать. На пороге стоял Максим.

— В чем дело? — спросил он хмуро.

— В каком смысле? — растерялась я.

— Во всех. Где ты находишься вообще? Я без конца звоню, ты не отвечаешь, приезжаю сюда, тебя нет, подруги тоже не знают, где ты. Вот я и спрашиваю, в чем дело?

— Я размышляла, — с серьезным видом ответила я. — И перестань кричать. Ты пугаешь Ромео.

— Вот что, мне все это надоело. Либо ты сию минуту отправляешься домой, либо я...

— Что? — проявила я интерес, заметив, что к концу фразы прыти в благоверном поубавилось.

— Извини, — вздохнул он. — Я здорово нервничал. Не мог понять, что происходит. На следующей неделе мы можем отправляться в путешествие.

— Твой брат уехал?

— Нет еще, собирается в среду.

— Отлично. Значит, до среды нет смысла торопиться.

— У тебя совершенно невыносимый характер, — разозлился Максим, а я усмехнулась:

— Ты меня еще кактусом назови.

— Нет уж... — хмыкнул он, после чего мы прошли в кухню и выпили по чашечке кофе.

Супруг некоторое время разглядывал меня и вдруг спросил:

— Что с тобой?

Я нахмурилась, прикидывая, что бы такое ответить, дабы разом отбить охоту задавать дурацкие вопросы, одновременно восхищаясь мужниной проницательностью: что ни говори, а нюх у него великолепный.

— Я плохо выгляжу? — решила я схитрить.

— Ты выглядишь прекрасно, но что-то не так. О чем ты, например, думаешь?

— Ну, так сразу не ответишь. У меня много мыслей. — Я почесала нос и добавила: — Знаешь, я, кажется, где-то потеряла свою машину.

— Что? — не понял Максим. — У тебя угнали машину?

— Вовсе нет. Просто я никак не вспомню, где она. И ключи куда-то подевались. Ты случайно не знаешь, где она может быть?

— Кто? — спросил Максим, наливаясь краской.

— Моя машина, естественно.

— Немедленно домой! — рявкнул муж. — Хватит этих глупостей. Я сыт по горло. Немедленно домой, пока ты саму себя где-нибудь не потеряла.

Все-таки странные существа люди: всего несколько минут назад я и сама собиралась вернуться к Максиму, а стоило ему сказать об этом, и возвращаться совершенно расхотелось. Мы немного поскандалили, после чего муж покинул мою квартиру довольно поспешно, причем заявил, что ноги его здесь больше не будет. В это я совершенно не поверила. Он хлопнул дверью, а я сказала Ромео:

— Твой хозяин невоспитанный человек.

На следующий день я прогуливалась во дворе, когда ближе к вечеру к моему подъезду подкатил «БМВ», почти новый и выглядевший очень прилично, хотя я видела и получше. Подкатил, остановился, и из него показались две совершенно нелепые личности, то есть сами по себе ничем таким особым они не впечатляли, но в паре выглядели прямо-таки комично.

Один был невысок, широк в плечах и очень неповоротлив. Руки ему заметно мешали, а с ногами он вовсе не знал, что делать, передвигался нелепыми перебежками, тяжело дыша, что немудрено, так как весу в нем было килограммов сто, не меньше. Голова его была огромной и совершенно круглой, темные очки зрительно немного уменьшали большой череп, но не делали его привлекательнее. Одет был этот достойный представитель гомо сапиенс в спортивный костюм (очень приличный) и кроссовки (дорогие).

Второй тип был выше первого на целую голову, при этом отличался невероятной худобой. Ранняя лысина, козлиная бородка. Растительность имела ярко-рыжую окраску, цвет лица нежно-розовый с россыпью веснушек, черты необыкновенно мелкие, а личико в целом крохотное и остренькое. Если первый был похож на быка, то второй на лисицу, правда, лысина все портила. Это невероятное существо было одето в костюм-тройку темного цвета, в кармашке платочек в горошек в тон галстуку.

— Как думаешь, кто это? — спросила я Ромео. Пес повел ушами и вильнул хвостом.

Между тем гости исчезли в подъезде, но через несколько минут появились вновь. Примерно столько времени потребовалось бы, чтобы подняться на пятый этаж, а затем спуститься вниз.

В машину парочка не вернулась, стояла возле подъезда и вертела головами.

— Это не милиция, — с облегчением вздохнула я и, взяв Ромео на поводок, не спеша пошла им навстречу. Худосочный, заметив меня, широко улыбнулся и попытался расправить плечи. Крепыш облизнул губы и, когда я поравнялась с ними, пробасил:

— Вы в каком подъезде живете?

— А что? — улыбнулась я, Ромео сел копилкой и тоже улыбнулся.

— Приехали в гости, а хозяйку не застали, — влез худосочный.

— Бывает, — посочувствовала я.

— Двадцать девятая квартира, — сказал он.

— А-а, — я кивнула и продолжила свой путь.

— Не видели? — крикнул он вдогонку.

— Она гуляет, — ответила я.

Оба сели в машину, но уезжать не собирались, а мы с Ромео отправились на кладбище, где и бродили ровно час.

Вернувшись во двор, мы обнаружили, что «БМВ» исчез. Поднялись к себе, поужинали на скорую руку и вновь вышли во двор.

На скамейке появились старушки, и я охотно присоединилась к ним, Ромео бегал с приятелем, персиковым пуделем по кличке Чапа, а я слушала рассказ Валентины Степановны о личной жизни нашего мэра. Валентина Степановна не была с ним знакома, но о его личной жизни ей было известно буквально все.

Тут вновь подкатил «БМВ», и всё те же личности выбрались на асфальт, крепыш торопливо вошёл в подъезд, а худосочный слегка притормозил и вежливо поздоровался.

— Здрасьте, — недружно ответили старушки, а я вовсе промолчала, что было извинительно, поскольку сегодня мы уже встречались.

На этот раз парочка задержалась в подъезде, а появившись, выглядела слегка раздосадованной. Худосочный обратил свой взор на меня и теперь уже без улыбки спросил:

— Вы не видели вашу соседку?

— Она гуляет, — ответила я.

«БМВ» лихо развернулся и исчез за углом, а Валентина Степановна продолжила свой рассказ.

Где-то через час старушки начали потихоньку расходиться, подзывая внуков, пудель вместе с хозяйкой тоже ушел, а «БМВ» появился опять. Определенно, у них важное дело.

На сей раз выходить из машины они не стали, здоровяк, сидящий за рулем, открыл окно и спросил, обращаясь ко мне:

— Не вернулась?

— Нет, — покачала я головой.

Машину приткнули на стоянке и заглушили мотор, намереваясь провести остаток вечера в ожидании, а я подозвала Ромео и пошла домой.

Мы посмотрели телевизор, выпили чаю, после чего я выбралась на лестничную клетку и выглянула в окно подъезда: «БМВ» все еще был на стоянке. Я покачала головой и совсем было собралась звонить Максиму, но вовремя передумала. Появление этих личностей придется объяснять, а делать это мне совершенно не хотелось.

Так как оба моих окна выходят на тюрьму и со двора их увидеть невозможно, я не стала себя утруждать и таиться, включила свет и с удобствами устроилась в кресле, почитала, потом проверила замок, с сомнением минут пять разглядывала дверь, которая не показалась мне теперь особенно надежной, и, вздохнув, отправилась спать.

Звонок телефона поднял меня в семь утра. Какой идиот мог объявиться в такую рань, в ум не шло. Должно быть, спросонья я дала маху, не включила автоответчик, а сняла трубку. Разговаривать со мной не пожелали, зато ровно через пять минут раздался звонок в дверь. Я неторопливо оделась, прошла в ванную, чтобы привести себя в порядок, а звонок продолжал настойчиво трещать.

— Сейчас, сейчас, — утешила я настырного посетителя, выпила чашку кофе и только после этого открыла.

На пороге стояла вчерашняя парочка. Лично я

их появлению не удивилась, а вот они, как по команде, вытаращили глаза.

— Это вы? — спросил худосочный и немного похватал ртом воздух, тем самым демонстрируя возмущение.

— Конечно, — пожала я плечами.

— Я же вчера спрашивал...

— Что? — удивилась я.

— Про хозяйку двадцать девятой квартиры.

— Правильно, — вынуждена была я согласиться. — Вы спросили, не видела ли я ее, а я ответила, что она гуляет. Вы сами могли в этом убедиться.

— Черт знает что, — проворчал он, должно быть забыв, зачем пожаловал, потому что до сих пор стоял на пороге и входить как будто вовсе не собирался. Я уж хотела сказать «до свидания» и закрыть дверь, но тут очнулся крепыш. Рявкнул что-то неразборчивое и пошел на меня, точно кабан. Я, пятясь задом, оказалась в комнате, входная дверь хлопнула, и вслед за нами появился худосочный.

— Перестаньте рычать, — заявила я крепышу, села в кресло и отвернулась. Ромео осторожно выглянул из-за стола и на всякий случай тявкнул.

— Смотри у меня, — заявил крепыш в ответ и даже погрозил пальцем, неизвестно к кому обращаясь.

— Замолчи, — сказала я Ромео, он затих, а я улыбнулась и пояснила: — Он вообще-то послушный.

Крепыш плюхнулся в кресло и нахмурился, но так как я упорно продолжала улыбаться, начал томиться, а потом и вовсе стал смотреть в окно.

Его дружок пристроился на диване, глядя на меня с большим удовольствием, и спросил исключительно вежливо:

— Так, значит, вы и есть Шервинская Анна Станиславовна?

— Возможно. А вы кто? И по какой надобности?

— Вы, наверное, знаете, что накануне из тюрьмы был совершен побег?

— Нет, не знаю, — нахмурилась я. — В самом деле кто-то сбежал? Сколько человек? Когда? Их поймали?

— Сбежал один человек, причем, что любопытно, вам он хорошо известен.

— Да? — обрадовалась я. — А кто это?

— Трофимов Сергей Львович.

— Трофимов? — Я устремила взор в потолок. — Это из «Менатепа», что ли? А когда его успели посадить? Я на днях встретила их с супругой... вид у нее был кислый. Может, и вправду посадили? Так этой мымре и надо, нечего нос задирать... Вы не возражаете, я позвоню?

— Куда? — насторожился худосочный, крепыш сверлил меня взглядом и сопел.

— Подруге, — пожала я плечами. — Она должна знать. Она всегда все знает.

— Не стоит, — вздохнул тип с козлиной бороденкой. — Это совершенно не тот Трофимов.

— Не тот? А какой же?

— Ты долго будешь из себя дурочку строить?! — рявкнул крепыш, но худосочный его урезонил:

— Не надо, Григорий, мы ведь пришли поговорить по-хорошему. Верно, Анна Станиславовна?

— Вот уж не знаю, — пожала я плечами. — Что вы мне голову морочите? Говорите, что Трофимова посадили, а потом заявляете, что он это вовсе не он. Нельзя над людьми издеваться, сначала обнадежите, а потом...

— Ты у меня сейчас дождешься, — проворчал упитанный Григорий, поднялся, шагнул к шкафу и, ни слова не говоря, швырнул на пол вазу из чешского стекла. Между прочим, дорогую. К тому же подарок... Я нахмурилась и обратилась к его приятелю:

— Может, вы его утихомирите, или стоит позвонить 03, у меня есть знакомые, ему помогут...

— Ничего-ничего, — противно улыбнулся в ответ худосочный. — Григорий чувствует себя превосходно, просто терпеть не может, когда его не понимают.

— А-а, тогда ладно, — кивнула я, наблюдая за действиями Григория.

Он немного пошвырялся моими вещами, но я даже бровью не повела. Зато в стену постучали соседи, как видно, шум их обеспокоил, и они начали волноваться. Худосочный насторожился и сказал Григорию:

— Прекрати.

А тот огрызнулся:

— Да пошел ты... — Из чего я сделала вывод, что они партнеры на равных и особого согласия между ними нет.

— Ни к чему, чтобы кто-то вызвал милицию, — укоризненно заметил худосочный, а я добавила:

— Да, вызвать милицию в самом деле не помешало бы.

Крепыш шагнул ко мне, наклонился к самому лицу и рявкнул:

— Где Трофим? Где деньги? Он их оставил тебе?

— Мне он ничего не оставлял, если хотите, я ему позвоню и спрошу про деньги, или сами спросите?

— Говори телефон, — чему-то обрадовался Гриша.

— Телефон мне, конечно, неизвестен, но узнать не трудно, через 09.

— Чей телефон? — начал хмуриться Григорий.

— Трофимова, — пожала я плечами. — Он вам нужен?

— Ну, все, — выдохнул крепыш и собрался примерно меня наказать, но для этого он должен был выпрямиться, что и попытался сделать. Так как до этого незваный воспитатель почти упирался носом в мой нос, а теперь слегка повернул голову, я совершенно свободно смогла ухватить его зубами за ухо, после чего он взвыл и попытался высвободиться, упершись мне в грудь руками. Это было болезненно, и, наверное, с перепугу челюсти у меня сомкнулись, точно у добермана. При всем желании я не могла их разжать. Григорий ослабил давление на мою грудь и почему-то завизжал. Я услышала злобное рычание, а потом с некоторым удивлением сообразила, что Ромео, против обыкновения, демонстрирует мужество и невероятную решимость: он больше не сидел под столом, а вцепился моему обидчику в щиколотку, тот забавно дрыгал ногой и головой одновременно, но не в такт и делал себе этим только хуже.

Худосочный кружил рядом и увещевал меня:

— Отпустите Григория, вы ему ухо откусите.

— Не могу, — промычала я.

— Я ее убью, — заорал Гриша и замахнулся кулаком, я зажмурилась в ужасе и еще теснее сцепила челюсти. — Отпусти, идиотка! — вновь перешел он на визг, а его дружок сунул мне под нос стакан воды, жалобно бормоча:

— Выпейте, выпейте воды и успокойтесь.

Успокоиться я не могла, зато подхватила вазу, которая валялась слева от кресла и почему-то не разбилась, и огрела ею Григория по голове за секунду до того мгновения, когда его кулак, нацеленный в мое ухо, мог бы в него попасть.

Григорий крякнул и обмяк, а я наконец-то смогла расцепить челюсти, Ромео отскочил в сторону и залаял, а потерявший сознание враг сполз на ковер.

Худосочный стоял, сложив ладошки на груди, и вращал глазами.

— Что же это такое? — вымолвил он.

— Это безобразие, — ответила я. — Он меня спровоцировал. А между тем мне совершенно нельзя волноваться, я очень нервная. Даже мой психиатр перестал задавать мне вопросы, когда увидел, как я реагирую на некоторые из них. Вы заметили, этот ненормальный хотел меня ударить. Немедленно вызывайте милицию.

— Не надо милиции, — ожил тип с бороденкой.

— Может, тогда «Скорую»? — предложила я. — Как считаете, он очнется?

— Думаю, да... — ответил тот с сомнением.

— У меня есть нашатырь в ванной. Надо привести вашего друга в чувство, он лежит без движений, и меня это беспокоит.

Худосочный сбегал в ванную и принес нашатырь, а я в кухне намочила полотенце холодной водой и присела рядом с Григорием. О том, чтобы переложить его на диван, не могло быть и речи, единственное, что мы сумели, это прислонить его к креслу, поудобнее пристроив голову.

На затылке у Гриши наметилась выдающихся размеров шишка, и в целом парень выглядел неважно. Я обмотала его голову полотенцем и сунула под нос пузырек с нашатырем, Григорий хрюкнул, слабо дернулся и открыл глаза. Сфокусировал зрение, наверное, увидел меня и свел глаза у переносицы с очень характерным стоном.

— Ничего, нам уже лучше, — зашептала я, радуясь, что мои труды не пропали даром, не в смысле шишки, а в смысле, что открыть глаза он все-таки смог. — Хотите воды? Нет? А чего вы хотите?

Парень сел, сорвал с головы полотенце и посмотрел на меня с большой суровостью. Его приятель сидел рядом и перемене в самочувствии Гриши как будто вовсе не обрадовался.

— Как вы меня напугали, — укоризненно покачала я головой. — Вам лучше прилечь на диван. Я заварю чаю покрепче, а на шишку надо положить старый пятачок, у меня был где-то в шкафу. Поищите, — кивнула я худосочному. — Не сидите как пень.

Он кинулся к шкафу, а Григорий, наблюдая за мной, заметно помрачнел.

— Я тебя убью, — заявил он.

— У него есть оружие? — повернулась я к худосочному.

— Нет, конечно, — обиделся он.

— Что ж вы мне тогда голову морочите?

— Я тебя убью безо всякого оружия, — заметил Гриша и поморщился, а я обрадовалась: вряд ли он сейчас способен на решительные действия.

— Помолчите немного, вам нельзя волноваться. Голову вот сюда... Так удобнее? А чаю все-таки стоит выпить.

Худосочный не нашел пятачок и теперь крутился рядом.

— Как вас зовут? — спросила я.

— Вячеслав.

— Очень хорошо, Славик, позаботьтесь о чае, все необходимое в кухне, а я присмотрю за Гришей, мне не нравится цвет его лица.

Минут через двадцать мы пили чай. Гриша ожил, Славик убрал с пола осколки вазы и, отказавшись от второй чашки чая, возился с пылесосом. Спросил как бы между делом:

— Анна Станиславовна, а вы ведь хитрите...

— Что? — удивилась я, пожалев, что за ухо я цапнула Григория, а не эту скользкую личность.

— Трофимова-то вы знаете. Как же, вспомните, Анна Станиславовна, он ваш воздыхатель. Все просил к окну подойти. Записки писал.

— Так это вы совали всякую дрянь в мой почтовый ящик? — Я слегка нахмурилась.

— Не мог отказать другу. Он буквально лишился разума от любви к вам. Вообще-то его можно понять. Кто из мужчин устоит перед такой красотой... — Он противно хмыкнул, а Гриша кисло улыбнулся.

— Значит, Трофимов — это тот самый тип, который писал дурацкие записки?

— Он и есть. Хотя записки, конечно, не всегда сам писал, затруднительно это в его положении. Но мы с ним связь поддерживали, поэтому я в курсе всей вашей истории.

— Если вы в курсе, то должны знать: я этот почтовый роман не приветствовала и впредь просила меня не беспокоить.

— Конечно, конечно, Анна Станиславовна, ваше письмо я читал. Прекрасный слог... Сейчас мало кто так пишет. Но на Трофима это, должно быть, не произвело впечатления, или любовь его воистину не знала границ, иначе совершенно непонятно, отчего он подался к вам, страшно рискуя при этом.

— Когда подался? — фыркнула я.

— Ну... как из тюрьмы-то сбежал. Представьте, его ждут друзья, можно сказать, места себе не находят, пребывая в сильнейшем волнении, а он прямехонько к вам.

— Ко мне? — вторично фыркнула я.

— Анна Станиславовна, — развел руками Славик. — Одежда-то его в вашей ванной...

«Подумать только, а я про нее совершенно забыла».

— Как же вы так? — продолжал веселиться худосочный. — Неосторожно... А если бы милиция, не приведи Господи... Ведь за соучастие-то в побеге срок положен. Такая женщина, как вы, и вдруг в тюрьме...

— Перестаньте меня шантажировать, — посуровела я. — Я действительно помогла вашему товарищу. Он явился среди ночи и до смерти меня напугал. Я дала ему вещи мужа и вернула его деньги. Честно скажу, когда за ним захлопнулась дверь, я вздохнула с облегчением.

— Разумеется... вы душевная женщина и не сделали ничего плохого. Акт человеколюбия... А Сергей не сказал вам, куда отправился?

— Я не спрашивала. А потом, с какой стати ему со мной откровенничать?

— Ой, не скажите, Анна Станиславовна, ведь форменным образом лишился человек разума. Такая любовь... Я по натуре скептик, но признаюсь, его чувства к вам произвели впечатление. И на

Григория, между прочим, тоже. Записки вам передавал он.

— В самом деле? — позволила я себе удивиться, Гриша в ответ промычал что-то неопределенное. — Конечно, мне небезынтересно, что мужчина питает ко мне определенные чувства, но ваш друг... как бы это выразиться, беспокоил меня. Мне совершенно не хочется быть замешанной в неприятной истории.

— Мы понимаем, — вздохнул худосочный. — Вашему мужу ни к чему знать, кто в настоящий момент ходит в его вещах, поэтому, Анна Станиславовна, если уж Сергей успел вам шепнуть что-нибудь, будьте добры, скажите...

— Совершенно ничего не шепнул, — развела я руками, посмотрела на Гришу и добавила: — Все-таки вы меня обманываете. Говорите, что он ваш друг, что вы его где-то ждали, из чего я делаю вывод, что его побег был организован вами. А потом являетесь ко мне и спрашиваете всякие глупости. Кому же знать, где он, как не его друзьям.

— Говорю же, Анна Станиславовна, ждали мы его совершенно напрасно: не явился. Просто не знали, что думать. Из тюрьмы он, так сказать, удалился, а нигде не возник. Беспокоимся.

— Я думаю, проявлять беспокойство еще рано. Объявится. Позвонит или напишет. Ведь вы друзья.

— Конечно-конечно. Но ведь душа-то не на месте, вот и хотелось бы знать наверняка.

Сколько бы мы еще продолжали в том же духе, неизвестно, но тут в дверь настойчиво позвонили. Из коридора доносился разноголосый хор голосов, среди них выделялся один с явно командирскими нотками.

— Вы кого-нибудь ждете? — спросил Славик, а Гриша впервые за долгое время смог шевельнуться в кресле.

— Нет, — честно сказала я и потопала в прихожую, Славик забежал вперед и заглянул в «глазок». Увиденное ему чем-то не понравилось, я открыла дверь и поняла, чем. На пороге стояли милиционер и двое в штатском, тоже похожие на милиционеров, а также жильцы двух квартир в полном составе, громко обсуждавшие недавний побег.

— Здрасьте! — гаркнул тот, что в форме, но, заметив худосочного и Григория, добавил тише: — Извините, я вижу, у вас гости...

— Нет-нет, — улыбнулась я. — Проходите, пожалуйста.

— Проходите-проходите, — обрадовался Славик. — Мы уже уходим. Всего доброго, Анна Станиславовна. Спасибо за чай.

— Заходите еще, — улыбнулась я со всей возможной приятностью.

— Придем, — пообещал Гриша, коснулся своего уха и поморщился.

После десяти минут довольно мирной беседы с милицией я спешно собрала Сережины вещи и отнесла их на помойку, а потом задумалась. Возвращаться в квартиру было опасно. Славик с Гришей могли вернуться, а я еще не успела соскучиться по ним. Разумнее пожить у Лильки. Ромео со мной согласился, и мы отправились к подружке.

Однако дома ее не оказалось, она уехала в Москву по каким-то неизвестным делам. Я загрустила и целый день болталась по городу без видимой цели, ближе к вечеру подумала, а не вернуться ли к мужу, но в конце концов отправилась домой.

На стоянке неподалеку от подъезда стояла машина, подозрительно похожая на мою.

— Тебе это ничего не напоминает? — спросила я Ромео и на всякий случай подошла поближе. Сомнения меня оставили: это была действительно моя машина. В целости, как говорится, и сохранности. Но ведь кто-то ее сюда перегнал?

Я вприпрыжку бросилась в свою квартиру, по пути заглянула в почтовый ящик. Ключи от машины были завернуты в клочок тетрадной бумаги. Вряд ли о машине позаботились Славик с Гришей, выходит, либо Сережа вернулся в город, либо есть у него друзья, кроме этой колоритной парочки.

Оказавшись в квартире, я сразу пооткрывала все двери (в том числе и двери шкафов) и даже позвала:

— Эй, есть кто-нибудь? — А когда никто не откликнулся, вроде бы огорчилась. — Что ж, надеюсь, он нашел машину получше, — пожала я плечами и немного погрустила, разглядывая потолок.

Где-то около девяти Ромео, который весь день выглядел каким-то сонным, а ел более обыкновенного, вдруг стал проявлять признаки небывалой активности, то есть вертелся в прихожей, жалобно скулил и даже корябал дверь.

— Что ты себе позволяешь? — удивилась я, пес не собирался успокаиваться, и я была вынуждена отправиться на прогулку. Так как весь день был для меня сплошной прогулкой, особо усердствовать я не стала. Быстренько пробежалась до кладбища и обратно и сурово пресекла попытки Ромео остаться во дворе.

Поднялась на пятый этаж, вставила ключ в замок, и тут случилось нечто совершенно неожиданное: ключ взял да и сломался. Надо заметить, что с этим замком вечно были проблемы: дверь надлежало приподнимать и в нужный момент дергать на себя, но такой неприятности я не ожидала и в первую минуту прямо-таки остолбенела, держа в руках часть ключа и таращась на проклятущий замок. Интересно, как я теперь попаду в свою квартиру?

Постояв с глупым видом минут пять, я чертыхнулась и спустилась на четвертый этаж к соседке с намерением позвонить мужу. Ничего умнее мне в голову не приходило.

Соседка пила чай в компании нашего участкового и соседа из пятнадцатой квартиры, который по совместительству был слесарем жэка, что выяснилось чуть позже.

Сосед чинил кран и задержался у Лидии Васильевны выпить и поболтать по-дружески (он был одинок, и она совершенно свободна). Участковый зашел к соседям, на которых Лидия Васильевна продолжительное время жаловалась, но их не застал и заглянул к ней с намерением узнать, куда те отбыли в столь неурочное время и когда предположительно вернутся, так как Лидия Васильевна все про всех знала. Лидия Васильевна еще раз перечислила свои претензии, а Кузьмич, то есть слесарь, ее охотно поддерживал, и разговор затянулся.

Я вошла, извинилась и попросила разрешения позвонить мужу, но телефон у соседки по неизвестной причине не работал, я тяжело вздохнула, пожаловалась на проклятый замок и даже продемонстрировала часть ключа.

— Замок мы мигом откроем, — неизвестно чему обрадовался Кузьмич. Вот тут-то и выяснилось, что он слесарь. Я подумала и согласилась: дверь изнутри запирается на щеколду, на одну ночь сойдет и она, а завтра можно что-то решить с замком, сейчас главное — попасть в квартиру.

Вчетвером мы поднялись ко мне, и Кузьмич, открыв видавший виды чемоданчик, приступил к работе. Опыт у него был немалый, поэтому буквально через несколько минут он распахнул дверь и весело произнес:

— Прошу! — После чего подмигнул мне и первым вошел в прихожую. Я тоже вошла и вторично за этот вечер остолбенела: в моей комнате находились Слава с Гришей и очень приветливо мне улыбались.

— Добрый вечер, Анна Станиславовна, — пропел Славик, а я заорала «караул!», Лидия Васильевна ко мне присоединилась, Кузьмич сказал «мать честна» и поскреб в затылке, а участковый выразился несколько нелитературно, после чего рявкнул, обращаясь к моим гостям:

— Вы кто ж такие будете?!

— Воры, — ответила Лидия Васильевна. Мы дружно заорали каждый свое, причем весьма неразборчиво, а гости попытались сбежать. Гриша очень походил на слона, и остановить его даже не пробовали, а вот тщедушного Славика поймали сразу и устроили настоящий допрос. Так как я отказывалась от знакомства с ним, а он на нем настаивал, получилась некоторая путаница, но то, что Григорий сбежал, явилось своеобразным доказательством моей правоты, и участковый позвонил в милицию. Его коллеги приехали неожиданно быстро, и прения возобновились с новой силой.

В самый разгар беседы, когда Лидия Васильевна в третий раз объясняла, как все было на самом деле, в квартире появился Максим. Он тоже остолбенел, побледнел, потом вдруг начал краснеть, вмешался в разговор, и прения быстро прекратились.

Я что-то подписала, милиционеры удалились, прихватив Славика, а еще через некоторое время удалился участковый с Лидией Васильевной. Кузьмич ненадолго задержался, пошептался с Максимом и тоже исчез, а муж начал гневаться. Правда, молча. Посверлил меня свирепым взглядом и стал собирать вещи, заметив не без ехидства:

— Твоя машина на стоянке.

— Это ты ее нашел? — удивилась я. Максим нахмурился еще больше и сказал:

— Нет. Может, ты ее не теряла?

— Может, — вздохнула я. Муж чертыхнулся, сунул Ромео под мышку, схватил меня за руку и потащил из квартиры. Я возражала, Ромео скулил и дрыгал лапами, но Максим, не обращая на это внимания, дотащил нас до своей машины и без намека на вежливость запихнул внутрь.

Я сделала вид, что немного рассержена, но в общем-то осталась довольна: моя квартира стала казаться мне чересчур опасным местом.

Следующие два дня прошли совершенно неинтересно. Я слонялась по нашему дому, скандалила с Ромео и пыталась найти себе занятие. Муж то и дело звонил с работы, отвлекая меня от мыслей, должно быть, поэтому никакого занятия я так и не нашла и оттого заскучала. Обзвонила всех подруг: ни одной достойной новости. Это окончательно испортило настроение, и в полном отчаянии мы с Ромео пошли в кино.

В кинотеатре я не была несколько лет и успела забыть, что с собаками туда не пускают. Для меня Ромео вовсе не был собакой, он был другом, это я и попыталась внушить двум женщинам в униформе и одному мужчине в легком костюме, они охотно меня выслушали и предложили оставить Ромео на улице. Поняв, с кем имею дело, я в гневе покинула кинотеатр и стала осматриваться, одновременно пытаясь решить, куда хочу попасть, раз уж с кинотеатром мне так не повезло.

Взгляд мой упал на кафе «Мороженое», и я побрела туда, Ромео с виноватым видом плелся рядом.

— Все из-за тебя, — ворчала я довольно громко и даже показала ему язык.

В кафе Ромео устроился под столом, а я пошла к стойке, потому что официантки здесь не полагалось, взяла два мороженых, вернувшись, быстро огляделась и одно из них сунула под стол, шепнув при этом:

— Только не чавкай.

Я съела половину порции, прежде чем сообразила, что Ромео ведет себя странно: он не только не чавкал, он просто не подавал признаков жизни.

Я заглянула под стол и ахнула: мороженое не тронуто, а Ромео нет. О том, что пес сбежал, не могло быть и речи. Ромео ужасно ленив, к тому же трус, каких поискать. Стало ясно: моего друга похитили.

— У меня пропала собака! — взвыла я так, что

женщина за стойкой выронила блюдечко с мороженым. — Кто-нибудь видел рыжую таксу?

Конечно, никто не видел, раз в кафе находились только продавщица да я, и обе в момент исчезновения Ромео были заняты.

Я бросилась на улицу и позвала жалобно:

— Ромео...

В трех шагах от меня стоял парень с немецкой овчаркой на поводке. Он спросил:

— Таксу ищете?

— Да.

— Она побежала в подворотню.

— С какой стати ему бегать в подворотню? — подозрительно поинтересовалась я.

— Да его Лайма напугала, — равнодушно пожал плечами парень и отвернулся. А я бросилась в подворотню. Нырнула в низкую арку, где было почти темно, крикнула «Ромео!» и тут же рухнула на грязный асфальт, поскольку что-то очень тяжелое опустилось на мой затылок, надолго лишив меня способности гневаться, да и всех прочих способностей тоже.

Последующие за этим событием сутки прошли как в тумане. Страшная качка, тошнотворный запах и чей-то визг — вот и все мои впечатления. Я то ли спала, то ли пребывала без сознания, а на мгновение очнувшись, не могла понять, где я и что, черт возьми, происходит. Голова невыносимо болела, и постоянно хотелось пить. И вдруг все разом прекратилось. Я открыла глаза, пробудившись и уже зная, что я — это я и кто-то, чтоб ему пропасть, огрел меня по затылку, а теперь я лежу в просторной, светлой комнате с огромным окном, две створки которого приоткрыты, и белые шторы плавно колышутся на ветру.

Я лежала в голубом платье, в котором вышла на прогулку, а мои туфли стояли на коврике рядом. Кровать была огромной, полукруглой, застелена пушистым пледом, поверх которого я и лежала на горе подушек.

— Чудеса, — сказала я, радуясь, что не потеряла способности удивляться, приподнялась на локтях и еще раз огляделась: серебристо-серый ковер на полу, бельевой шкаф, прикроватная тумбочка с ночником, все очень прилично, но на гостиницу не похоже. Слева застекленная дверь, должно быть, в ванную, чуть дальше еще одна дверь, широкая, с золочеными ручками и зеркалами.

Я поднялась и осторожно, стараясь не производить никакого шума, подошла к окну. Выглянула из-за занавески и открыла рот от удивления: в нескольких метрах от окна плескалось море. Самое что ни на есть настоящее: с волнами, чайками и кораблем на горизонте. А между тем я точно знала, что в моем родном городе ничего подобного просто не могло быть. Высунувшись в окно, я смогла увидеть бухту с крупной галькой вместо песка и тремя яхтами у причала, горы, заросшие деревьями, названия которых были мне неизвестны, и белое сооружение возле самой воды, которое можно было принять за что угодно: от ресторана до загородного дома какого-нибудь чудака. Над его плоской крышей высоко в небе гордо развевался флаг: бело-сине-красные полосы. Я зажмурилась, пытаясь вспомнить, как выглядит флаг Отечества, а потом с облегчением вздохнула: я на Родине.

Из-за зеркальной двери послышался неясный шум, я на цыпочках вернулась в постель и устроилась на подушках, сложив на груди руки и лихорадочно соображая при этом, куда меня угораздило попасть. Море скорее всего Черное, обстановка дома довольно богатая, а атмосфера гаремная. Интересно, кто здесь хозяин? А главное: зачем я ему понадобилась?

Дверь осторожно приоткрылась, я приоткрыла левый глаз, продолжая изображать бессознательное состояние, и увидела голову Гриши, она возникла из-за двери, посмотрела на меня и исчезла со словами:

— Еще не очухалась.

«Мерзавцы», — мысленно прошипела я и приготовилась терпеливо ждать, что последует дальше.

Где-то через полчаса в комнате появился Славик, прошелся, насвистывая, затем устроился в моих ногах и, маслено улыбаясь, заявил:

— Анна Станиславовна, что-то подсказывает мне, что вы давно пришли в себя.

— Где Ромео? — не открывая глаз, прошептала я, подумала и добавила: — Убийца...

— Помилуйте, Анна Станиславовна, ваш песик жив и здоров, хотя, признаюсь, мы всерьез подумываем от него избавиться.

— Только попробуйте! — рявкнула я, села, поудобнее разместившись среди подушек и сверля Славика гневным взглядом. — Я думала, вы в тюрьме, — заметила с сожалением.

— С какой стати? — удивился он и позвал: — Григорий...

Григорий незамедлительно возник в комнате, покосился на постель, но сесть не решился и замер у окна, опершись на подоконник.

— Как ваше ухо? — нахмурилась я.

— Здесь тебе не там! — прорычал он. — Так что не выкаблучивайся. Не то без башки останешься. — И прибавил обиженно: — Стерва.

— Может, и стерва, — вздохнула я, — но кормить меня вы обязаны. Для чего-то я вам понадобилась? Так как я в гости не напрашивалась и это всецело ваша инициатива, проявляйте гостеприимство. Что у нас сейчас, утро?

— Утро, — расплылся в улыбке Славик.

— Значит, я хочу свой завтрак.

— Вот тебе, — ехидно заявил Григорий, продемонстрировав мне кукиш.

— Хорошо, — кивнула я. — Умру от голода, — и на всякий случай закрыла глаза.

— Умирать совершенно необязательно, — медовым голоском заговорил худосочный. — Григорий немного нервничает. Что ты, Гриша? — повернулся он к компаньону. — Анна Станиславовна у нас в гостях, и мы ей рады. Ведь рады, верно?

— Рады, рады, — хмыкнул Гриша и скорчил премерзкую рожу.

— Я не поняла, будет завтрак или нет? — попробовала я внести ясность.

— Будет, — проникновенно пискнул Славик и через несколько минут лично вкатил в комнату сервировочный столик. Два яйца, хлеб с шоколадным маслом, кофейник и стакан сока. Я выпила кофе и блаженно прикрыла глазки, потом сообщила хмуро:

— На завтрак только кофе и французскую булку. Ананасовый сок чуть позднее.

Григорий хмыкнул, а худосочный с готовностью кивнул.

— Конечно-конечно. Все, что угодно, Анна Станиславовна, все, что угодно...

— Где Ромео? — спросила я, прикидывая, чему это Славик так радуется.

— Э-э-э... Ромео — это ваша собачка, я полагаю?

— Само собой.

— Так вот. Мы пока не решили, стоит ли возвращать вам животное.

— Я его утоплю, — подло хмыкнув, сообщил Гриша.

— Да, такое возможно, — опечалился Славик. — Если вы в ответ на наше гостеприимство не проявите добрую волю.

— Вот оно что, — кивнула я. — Шантажируете? Хорошо. Говорите, что надо делать?

— Да почти ничего. Немного пожить здесь, вместе с нами...

— Выходит, вы меня похитили? — обрадовалась я и с улыбкой добавила: — Десять лет как минимум. Мой муж уважаемый в городе человек, он вас в порошок сотрет.

— Никакого выкупа мы не требуем, если вы имеете в виду это, — вроде бы обиделся Славик. —

Мы только хотим вернуть свои деньги, которые знакомый вам человек незаконно присвоил.

Я перевела взгляд с одного на другого и спросила:

— Сережа?

— Сережа, — тяжко вздохнул Славик, пригорюнившись, точно враз осиротел.

— Он взял у вас деньги?

— Да. — Худосочный все больше кручинился, а Григорий у окна сурово хмурился.

— Ясно, — кивнула я. — А зачем вам понадобилось меня похищать?

— Как же, Анна Станиславовна, нам ведь доподлинно известно о его большой любви к вам. Не хочу повторяться, но все-таки замечу: любви совершенно понятной, я бы даже сказал, естественной, ибо вы, Анна Станиславовна, женщина редчайшей красоты. — Григорий в этом месте попробовал ухмыльнуться, но под моим взглядом вдруг с особой тщательностью начал рассматривать ковер под ногами.

— И что? По-вашему, он за мной явится?

— Несомненно, уважаемая, несомненно.

— А почему мы здесь, а не устраиваем засаду в родном городе?

— На это есть причины.

— То есть вы уверены, что этого места ему не миновать?

— Не миновать, — обрадовался Славик.

— Значит, так, я ничего не делаю, только ем, сплю, отдыхаю и жду, когда появится Сережа. Так?

— Так, — закивал Славик, и даже Григорий один раз кивнул головой, подтверждая его слова.

— Отлично. Я согласна. Где Ромео?

— И никаких хитростей, уважаемая...

— Не то я утоплю тебя в море! — рявкнул Гриша.

— Запретите ему это делать! — возмутилась я.

— Что? — не понял Славик.

— Рычать. У меня собака и то не рычит. И не входите без приглашения в мою комнату. Прошу помнить, что я замужем. Ромео немедленно сюда. Пару часов я отдохну, затем перекушу что-нибудь, желательно овощное, и немного позагораю.

— Отлично, — вскочил Славик и зашагал к двери, кивнув Григорию. Тот снова состроил злобную рожу, а я в отместку показала ему язык.

Через минуту в комнате появился Ромео, упитанный более обыкновенного, чем меня изрядно порадовал, забрался на постель, и мы, обнявшись, молча полежали рядом. В такие минуты слова не нужны.

— Ну что, — через некоторое время сказала я. — Покажем этим типам, на что мы способны?

Пес моргнул, что могло означать только одно: полное и абсолютное согласие.

Для начала мы решили осмотреть дом. Он был двухэтажным, с большой открытой террасой и невысоким каменным заборчиком. В целом все выглядело очень прилично.

К морю вела асфальтовая тропинка. Под домом размещался гараж, но есть ли в нем машина, узнать не удалось. Из людей в доме жили трое: я и мои похитители. В настоящий момент они сидели на веранде, увитой виноградом, что создавало прохладу и уютный полумрак, и пили шампанское.

— Что это за поселок? — ткнув пальцем в направлении россыпи домиков на горе, спросила я.

— Я не запомнил название, — вежливо ответил Славик.

— А какой-нибудь город поблизости есть?

— Зачем это вам, Анна Станиславовна? — удивился он.

— Удрать хочет, — влез Гриша.

— Какой дурак удирает с юга в разгар сезона, если жилье и стол совершенно бесплатны? — хмыкнула я и добавила с удовольствием: — И погода замечательная. Пляж далеко?

— Метров сто вдоль горы, — разулыбался Славик и добавил: — Вам надо побольше быть на людях.

— Конечно, — кивнула я, а потом нахмурилась: — А где мой багаж?

— Что? — Оба переглянулись.

— Багаж, — терпеливо повторила я.

— Какой багаж? — начал злиться Гриша.

— А в чем, по-вашему, я должна появляться на людях? У меня даже купальника нет.

— Ну, это легко поправить. — Славик хохотнул и поднялся. — Посидите с Гришей, выпейте шампанского, а я съезжу в магазин.

— Зачем? — начала свирепеть я.

— За купальником.

— Разумнее поехать вместе...

— Нет-нет, Анна Станиславовна, не беспокойтесь, — сложив ручки на груди, заявил он и поспешно удалился.

Через некоторое время я могла наблюдать, как он выходит из калитки и направляется к серебристому «БМВ», стоявшему на шоссе недалеко от дома. Было довольно жарко, но Славик щеголял в джинсах и рубашке с длинными рукавами, зато на ногах у него красовались пестрые сланцы.

— Никакого вкуса, — вздохнула я и перевела взгляд на Григория.

Тот сидел в одних шортах, выставив на обозрение внушительных размеров живот. Заметив мой взгляд, он подобрался, но особого впечатления все равно не произвел.

— Если он решит на мне экономить, — в пустоту сказала я, — так только выбросит деньги на ветер. — Григорий молчал и даже как будто не шевелился, а я ни с того ни с сего пленительно улыбнулась и попросила: — Пожалуйста, налейте мне шампанского.

Я дала глоточек Ромео и сама с удовольствием выпила целый бокал, затем еще раз улыбнулась Григорию, сообразив, что он молчит и не дышит по причине живота, в том смысле, что, удачно втянув его один раз, боится испортить впечатление.

— Ваш компаньон выглядит нелепо, — заметила я с сожалением. — Просто какое-то тщедушное создание. И ужасно болтливое к тому же. Мне больше по душе мужественные мужчины, одно плохо, что они зачастую путают мужественность с дурным воспитанием и иногда бывают излишне грубоваты... Налейте еще шампанского... Выпьете со мной? — Гриша кивнул и выпил, но смотрел на меня с недоверием, видно, ухо еще побаливало. — На чем мы сюда прибыли, на машине? — завела я светский разговор. — Смутно припоминаю...

— Да, на машине, — разжал он челюсти.

— Что за гадость вы мне подсунули? Не могла я находиться без сознания столько времени.

— Хлороформ, — процедил Гриша.

— А это не очень вредно для здоровья? — забеспокоилась я.

— Нет, даже полезно, — заявил он без улыбки.

— Надеюсь, что так оно и есть. — Я поскучала, глядя на дорогу, и спросила: — А что у нас там со вторым завтраком?

— Холодильник забит продуктами, — порадовал Гриша.

— А кто здесь готовит? — На этот вопрос ответа он не знал и закручинился, а я сообщила: — Ромео по утрам ест молочную кашу, а я на ночь непременно выпиваю стакан теплого молока. И вам рекомендую. Так что молоко в доме должно быть всегда.

На дороге появился «БМВ», и через некоторое время к нам присоединился Славик. В руках он держал увесистый сверток.

— Здесь все необходимое для вас, — сказал он и изобразил улыбку, а я несказанно удивилась:

— Здесь все необходимое? Несите ко мне в комнату.

О необходимом у худосочного было весьма своеобразное представление. Я разложила вещи на постели, покачала головой, а потом, потребовав карандаш и листок бумаги, составила список из шестидесяти двух пунктов, после чего передала его Славику. Гриша, заглянув через плечо в реестр необходимых товаров, пошел пятнами и, рявкнув: «Утоплю твоего кобыздоха!» — удалился, хлопнув дверью, а я сказала Славику:

— У вашего друга дурной характер, и это при полном отсутствии воспитания. Форменный мужлан. Если хотите, чтобы наше мероприятие увенчалось успехом, избавьте меня, пожалуйста, от этого дикаря. Мне всегда нравились интеллигентные мужчины, которые умеют поддержать разговор и хорошо знают, как вести себя с женщиной, поэтому я предпочитаю иметь дело с вами.

— Разумеется, Анна Станиславовна. Не стоит обижаться на Гришу, он немного расстроен из-за черепно-мозговой травмы, да и ухо его все еще беспокоит.

— Зовите меня просто Анна, — милостиво улыбнулась я. — Аня, если вам так удобнее.

— Польщен! — гаркнул Славик и попробовал щелкнуть каблуками, но щелкнул голыми пятками и слегка смутился.

Я улыбнулась еще шире и заметила со вздохом:

— То, что вы купили, никуда не годится. Мне совершенно не в чем появиться на пляже.

— На пляже можно появиться в купальнике, мне он необыкновенно понравился, представляю, как он будет выглядеть на вас. Уверен, ни один мужчина не устоит.

— Вы так думаете? — мурлыкнула я. — Что ж, верю вам на слово...

— Шорты и та розовая маечка тоже, по-моему...

— Ну, хорошо. — Я на всякий случай поморщилась, давая понять, что лишь мое расположение к Славику вынуждает меня согласиться надеть подобные шорты и майку. — Вообще это не мой стиль... — вздохнула я.

— Конечно-конечно. Я понимаю, но у меня совсем не было времени...

— Не стоило бить меня по голове, я и так собиралась отдохнуть и с удовольствием поехала бы с вами. И проблем с одеждой не возникло бы.

— Как только выберу свободную минутку, непременно отправимся в город, где вы сможете купить все, что пожелаете.

— Отлично, — от души порадовалась я. — Надеюсь, Григорий уже позаботился о втором завтраке, и мы наконец-то пойдем к морю.

Григорий в самом деле позаботился, потому что любил покушать и о пище телесной не забывал никогда. Повар он был неплохой, но мои пожелания не учел, завтрак получился чересчур плотным, и я осталась недовольна. Съела крохотную порцию салата из помидоров и крылышко цыпленка, небрежно поблагодарила и скрылась в своей комнате.

— Могла бы посуду помыть, — проворчал Григорий, но Славик укоризненно нахмурился и суетливо начал убирать со стола. Я сделала вид, что не услышала неуместной реплики.

Через полчаса мы встретились на веранде. Славик облачился в шорты и выглядел страшно забавно. Тщедушный, с голубоватого цвета кожей, лысиной и бородкой. Придумать что-нибудь более нелепое было бы довольно трудно. На фоне упитанного Гриши худоба Славика трогала до слез. Хотелось прижать его к груди, сказать что-нибудь ласковое, а главное: кормить, кормить и кормить... Ромео, раз взглянув на него, заскулил и спрятался за мои ноги.

— Что мы будем делать на море? — задала я вопрос.

— Ничего, — проворчал Гриша. — Твое дело болтаться по пляжу, чтоб тебя заметили.

— Кто заметил? — насторожилась я.

— Кто надо...

— Что это он говорит? — Я нахмурилась. — Звучит как-то двусмысленно... и запретите ему хамить...

— Утоплю эту жирную гадость, — хмыкнул Гриша, глядя на Ромео, а я ласково улыбнулась:

— На вашем месте я бы заботилась о себе, на море всякое случается. — Гриша насторожился, а Славик разулыбался в ответ и затараторил:

— Ну, что ты в самом деле, Григорий, Анечка согласилась нам помочь, мы компаньоны и должны жить дружно.

— Ага, — не поверил Гриша, и мы отправились к морю.

Миновали причал, по тропинке вдоль скал преодолели несколько метров и оказались на пляже. Пляж был небольшой, а вот отдыхающих предостаточно. Я не люблю тесноты, и настроение у меня мгновенно испортилось.

Место мы отыскали довольно быстро. Славик с Гришей устроились на полотенцах, а я пошла в кабинку переодеваться. Почти сразу Гриша устремился за мной, это тоже не прибавило настроения, потому что я собиралась немного поболтать с отдыхающими и для начала выяснить, в какой части света нахожусь. Грише это вряд ли понравится, и в реализации своей затеи я начала сильно сомневаться. Вошла в кабинку, пылая праведным гневом и слыша, как совсем рядом сопит Григорий.

— Мерзавец, — прошипела я, переоделась в купальник и громко сказала: — Эй, вы там, перестаньте пыхтеть и идите сюда!

— Чего еще? — проворчал он.

— Говорю, идите сюда.

Гриша осторожно заглянул в кабинку, точно ожидал подвоха.

— По-вашему, это купальник? — зло спросила я.

— А что это?

— Нет, вы скажите, это купальник? И я могу в нем выйти к людям? Вам самому-то не стыдно, что рядом с вами будет женщина в этой половой тряпке?

— Не стыдно, — честно сказал он и даже облизнулся, потом опомнился и добавил: — По-моему, неплохо, лично мне нравится.

— А мне — нет, — отрезала я. — Позовите Вячеслава.

— Зачем?

— Если он хочет, чтобы я появилась на пляже, пусть немедленно едет за купальником... Нет, лучше я сама поеду, иначе опять купит какую-нибудь дрянь.

— Ага... Еще чего... нашла дураков. И этот сгодится.

— Нет, не сгодится, — упрямо заявила я.

— А я говорю, сгодится. А не нравится, топай нагишом.

Данные слова произносить не следовало. Терпеть не могу, когда мне ставят ультиматум.

— Хорошо, — улыбнулась я, сняла купальник и отправилась вслед за Гришей. Он шел не оборачиваясь, а я шла за ним, но кое-что в поведении граждан его насторожило, он обернулся и вытаращил глаза.

— Да что ж это такое? — пробормотал он жалобно, тут подскочил Славик с полотенцем и попытался прикрыть мою наготу.

— Анечка, пляж нудистов довольно далеко отсюда.

— Неужели? А Гриша сказал, что я могу загорать нагишом.

— Гриша, наверное, пошутил.

— В следующий раз, когда начнет шутить, пусть предупредит заранее.

— Хорошо, хорошо. А где ваш купальник?

— Это не купальник, это черт знает что. И я его не надену. Либо буду загорать нагишом, либо вы мне купите что-нибудь приличное. И перестаньте на мне экономить, это всегда выходит дороже...

— Помилуйте, какая тут экономия...

Татьяна Полякова

— Всё! — отрезала я. Мужчины переглянулись и стали собирать вещи.

Всю дорогу до дома Григорий ворчал:

— Я с ней долго не выдержу. Пришибу под горячую руку ее рыжую свинью, ей-Богу, пришибу, и плевать на деньги... Он два раза в моей машине нагадил. Разве не сволочь?

— Прекратите выражаться, — разозлилась я. — А с собакой надо было вовремя гулять. Он интеллигентный пес и ведет себя прилично в отличие от вас.

— Это я веду себя неприлично? — ахнул Гриша. — А кто по пляжу нагишом расхаживал? Самой-то не стыдно?

— Это вам должно быть стыдно, довести женщину до такого состояния, когда она вынуждена ходить голой. Возмутительно...

— Давайте не будем ссориться, — попытался урезонить нас Славик, при этом сладким голосом и бородкой он здорово походил на дьячка, вечно пьяненького и слезливого. Ромео вперевалку плелся рядом со мной и время от времени хитро щурился. Я взяла его на руки.

— Маленькая моя собачка, злой дядя говорит гадости. Дядя мерзкий, и мы его искусаем.

Григорий, услышав это, насторожился и замолчал.

Примерно через полчаса мы выехали из ворот дома. За рулем был Гриша, а мы с Ромео и Славиком разместились сзади, я смотрела в окно, пытаясь сориентироваться на местности.

Поселок, состоящий примерно из тридцати домиков, симпатичных, беленьких, почти полностью увитых виноградом, протянулся вдоль шоссе по одну его сторону. Справа было небольшое кладбище и еще несколько домов, а также два магазина и баня. Дальше по склону горы начинались виноградники, они же отделяли старый поселок от домов, построенных совсем недавно. Дома эти разительно отличались и видом и размерами. Двух-, трехэтажные, в большинстве своем из красного кирпича, они образовали целую улицу, выходящую прямо к морю. Наш был последний в ряду, а всего я насчитала одиннадцать особняков.

— Приятный вид открывается отсюда, — миролюбиво заметила я. Мы как раз поднимались в гору, дорога петляла по склону, и вид действительно открылся прекрасный: горы, море, виноградники, земной рай, да и только.

Тут мое внимание привлек указатель. «Озерный» — значилось на щите, перечеркнутом красной полосой. Это означало, что мы оставили этот самый Озерный позади, иначе говоря, поселок, где мы сейчас проживали, именно так и назывался. «Уже кое-что», — удовлетворенно подумала я и задала вопрос:

— А почему такое странное название? Никакого озера я не заметила.

— Оно в двух километрах от поселка, в горах, — ответил Славик.

— Очень интересно. Надо непременно съездить.

— Не получится, — вздохнул он. — Дороги туда нет. Но место, говорят, чудесное.

— Как жаль, — поджала я губы, не уточняя, чего именно мне жаль, а Григорий мстительно ухмыльнулся.

Местность, через которую мы стремительно проносились, была густонаселена, то и дело встречались большие поселки или несколько домишек вразброс, притулившиеся у горы.

Шоссе заметно расширилось, через каждые сто метров возникали бензоколонки, и я сообразила, что стою на пороге величайшего открытия. Так и оказалось. «Новороссийск» — прочитала я на очередном щите и вздохнула с облегчением. Новороссийск отделяет от моего города примерно две тысячи километров, но это все-таки Россия, и я хоть и без паспорта, но имею шанс добраться до дома. Окажись я в Крыму, это было бы просто невозможно:

без документов границу не пересечешь. Настроение у меня заметно улучшилось, и остаток пути я ласково улыбалась.

— Куда? — ворчливо поинтересовался Григорий, как только мы въехали в город.

— Я раньше не была в Новороссийске, — принялась щебетать я. — Думаю, следует начать с обзорной экскурсии. Ромео просто необходимо размяться. Потом магазины и какой-нибудь ресторан, поужинать.

— Разумеется, — кисло улыбнулся Славик.

Город мне понравился, о чем я не преминула заявить. Магазины понравились меньше, в двух из них я немного поскандалила, потому что служащие стали придираться к Ромео, в третьем магазине его носили на руках и называли «песиком», потому что количество выбранного мною товара внушало уважение. Одно платье мне особенно понравилось, я подобрала к нему туфли и решила в ресторан идти в нем. Я, Ромео и обслуживающий персонал были очень довольны, а вот мои спутники — не очень. Гриша заметно побледнел, а Славик под конец даже слегка заикался. Неинтеллигентные люди. Мой муж, к примеру, из-за такой малости даже бровью бы не повел.

— Ну вот, как будто ничего не забыла, — нахмурилась я, когда мы покинули магазин, нагруженные покупками. То есть это Слава с Гришей были нагружены, я-то вела на поводке Ромео и размахивала новенькой сумочкой.

— Косметики на триста баксов, да за это убивать надо, — простонал Григорий.

— Опять? — удивилась я. — Кажется, мы уже обсуждали это. Я могла бы прихватить свои вещи, но вам почему-то очень захотелось стукнуть меня по голове, и вот результат... Я не могу обходиться без привычных вещей, и уж вовсе не моя вина, что они стоят дорого. В конце концов, не голой же мне ходить.

— Надо быть скромнее, — фыркнул Гриша, устраиваясь за рулем.

— Ничего-ничего, — разулыбался Славик, желая погасить назревавший конфликт. — Теперь, надеюсь, мы уже все купили и...

— На пару недель этого хватит, — кивнула я, оба нахмурились и притихли.

— Что ж, едем ужинать? — вздохнул Славик, я заметила вывеску «Салон красоты» и попросила остановить машину.

— Что еще? — сразу же начал злиться Гриша, а я вытаращила глаза.

— Мне надо в парикмахерскую.

— Не надо! — рявкнул он, но я уже распахнула дверь и наполовину выбралась на тротуар. Гриша остался в машине, а Славик увязался со мной, но в салоне сразу же почувствовал неловкость и удалился, к сожалению, прихватив с собой Ромео, под тем предлогом, что он меня отвлекает. Интересно, от чего? Бедный мой Ромео сидел в машине вместе с нашими похитителями, а я ломала голову, как себе помочь.

— У вас есть телефон? — спросила я.

— Конечно, — ответила девушка-парикмахер.

— Мне надо срочно позвонить в другой город. Разумеется, я оплачу переговоры в двойном размере.

Меня проводили к телефону, я набрала код, а потом номер мужниного телефона.

— Слушаю, — без намека на любезность ответил Максим.

— Это я, — на всякий случай прикрыв трубку ладонью, зашептала я.

— Где ты? — разозлился муж.

— В Новороссийске.

— Здорово. А что ты там делаешь, скажи на милость?

— Сижу в парикмахерской. Слушай, ты можешь не поверить, но нас с Ромео похитили. Меня стукнули по голове, представляешь? Выкуп еще не требовали?

— Кто тебя похитил? — обиделся Максим.

— Два каких-то типа...

— Похитить тебя, они что, сумасшедшие?

— Возможно, — уловив в словах мужа намек на издевку, тоже обиделась я. — Меня в самом деле похитили, я без денег и без паспорта, скажи на милость, как я смогу удрать? И они грозятся утопить Ромео. Ты же знаешь, плавает он плохо и вообще побаивается воды. Я не могу рисковать жизнью любимого существа.

— Что ты болтаешь? — рассвирепел муж. — Я места себе не нахожу, обзвонил всех знакомых, собрался заявлять в милицию, а она ни с того ни с сего укатила в Новороссийск.

— Не в Новороссийск, а в поселок, километрах в сорока от него...

— Имей в виду, это твоя последняя дурацкая выходка...

Тут я заметила, что Славик покинул машину, и торопливо зашептала:

— Он возвращается. Нельзя их злить, иначе они убьют Ромео.

— Что? — ахнул муж, но я уже повесила трубку и вернулась в кресло.

Славик заглянул в открытую дверь, улыбнулся и пристроился на диване. Хорошо, что раньше до этого не додумался. Максиму я сообщила о своем бедственном положении, он немного понервничает, а потом начнет соображать. Он найдет меня и устроит этим типам такую головомойку, будут знать, как говорить гадости моей собаке.

Я попросила девушку приплюсовать деньги за переговоры к общему счету. Услышав, сколько он должен заплатить за маникюр и прическу, Славик даже не побледнел, обреченно кивнул, вроде бы уже смирившись, но чувствовал себя неважно, о чем-то думал, и мысли эти его не радовали. Чтобы немного улучшить человеку настроение, я взяла его под руку, и мы проследовали к «БМВ». Два морячка протяжно свистнули, проводив нас взглядами, а Славик порозовел и как будто ожил.

— Теперь можно и в ресторан, — сказала я, устраиваясь в машине, и спросила Гришу: — Как вам нравится моя прическа?

— Лучше скажи, сколько это стоит?

— Послушайте, если вы решили экономить, вам надо было похитить кого-нибудь другого.

— Поехали в ресторан, — вздохнул Славик.

В ресторане поначалу все складывалось неважно, швейцар придирался к Ромео, и мы немного поскандалили. В результате мой пес не сидел под столом, как обычно, а устроился в кресле и весело на всех поглядывал.

— Мерзкое животное, — проворчал Гриша, а я нахмурилась.

— Еще раз позволите себе нечто подобное и останетесь без уха.

— Черт возьми, почему я должен это терпеть? — рассвирепел крепыш. — Вот сейчас всыплю тебе как следует, и будешь шелковая...

— Не советую, — проронила я сочувственно, а Славик опять разулыбался и хитро подмигнул дружку:

— Гриша, надо иметь терпение. Мы причинили Анечке определенные неудобства, и ее претензии вполне понятны. — Ну и далее в том же духе, из чего я сделала следующий вывод: им непременно хотелось встретиться с Сережей, а деньги, которые они надеялись получить в результате этой встречи, очень большие, раз они приехали сюда, сняли дом и готовы основательно раскошелиться.

Григорий увлекся едой, а мы со Славиком — беседой, ужин в целом прошел вполне успешно, в атмосфере братской дружбы. В зале царил приятный полумрак, звучала тихая музыка, пары потянулись ближе к эстраде, и я выразительно посмотрела в ту сторону. Славик сразу же поднялся и проникновенно произнес:

— Анечка, вы позволите?

Конечно, я позволила, и мы пошли танцевать. Мужчины мне ласково улыбались, а женщины, глядя на меня, хмурились. Славик распрямил узкие плечи, вздернул бороденку и посматривал на меня с удовольствием, я улыбалась и даже сделала ему комплимент, заявив, что он прекрасно танцует.

К столу мы вернулись довольные друг другом, Гриша взирал на нас с сомнением.

— А вы не хотите потанцевать? — спросила я.

— Не хочу, — ответил он презрительно и даже отвернулся, но глазки скосил и посмотрел на меня с большим сожалением.

Но танцевать со мной ему все-таки пришлось. Ромео заволновался, я захотела вывести его на улицу, но мужчины запротестовали, как видно, решив, что я задумала удрать. Вот ведь олухи. Я была далека от этакой мысли. Происходящее начинало мне нравиться, глупо удирать, так и не разобравшись, в чем тут дело. В общем, гулять с Ромео отправился Славик.

Не успел он покинуть зал, как возле нашего стола появился очень симпатичный мужчина и пригласил меня танцевать. Я с возможной ласковостью ему отказала, сославшись на то, что уже приглашена, и кивнула Грише. Тот кисло улыбнулся, но пошел за мной и некоторое время усердно топтался на одном месте, чуть не отдавив мне ноги. Хоть он и пытался делать вид, что моя близость его ничуть не тревожит, и один раз даже выразительно зевнул, но меня на мякине не проведешь. Я еще немного поразмышляла и окончательно решила никуда не сбегать, а досмотреть спектакль до конца.

Вернулся Славик, неся под мышкой Ромео, и я предложила отправиться домой, сославшись на усталость.

— Неважно себя чувствую, — пожаловалась я и

тут же спросила: — А кто из вас стукнул меня по голове?

— Э-э-э, — замялись мужчины, с сомнением поглядывая друг на друга, и заторопились к выходу.

Я пошла в туалет, а они ждали меня возле двери. Ромео изловчился выскочить на улицу, и оба компаньона, с опозданием это обнаружив, кинулись его ловить, а я, воспользовавшись их занятостью, незаметно покинула ресторан и пристроилась в кустах, неподалеку от нашей машины. Ромео они поймали, а вот меня потеряли и очень разнервничались. Минут пятнадцать носились кругами, то и дело возвращаясь в ресторан.

— Куда она делась? — рычал Славик.

— Откуда мне знать? Еще эта скотина... — Гриша хотел пнуть Ромео, но не рискнул, между прочим, правильно сделал.

— Сбежала... мать ее.

— Не могла она сбежать без собаки. Эта тварь у нее вместо ребенка...

— Может, не такая она и дура, как хочет казаться? — опечалился Славик.

— Собака?

— Нет, баба.

— Я убью эту стерву, — пообещал Гриша, но кого он имел в виду, я тоже не поняла.

Они вновь бросились к ресторану, а я подошла к «БМВ» и стала нервно прохаживаться рядом. Наконец вернулись мои кавалеры. Увидев меня, они вроде бы удивились и даже растерялись, а я нахмурилась и грозно спросила:

— Где вас черт носит?

— Честно говоря, Анечка, мы испугались, что вы лишили нас вашего общества, — ядовито улыбнулся змей с бороденкой, а я нахмурилась еще больше.

— С какой стати? Мне нравится море, и я способна оценить хорошее к себе отношение.

— Вот именно, — пробубнил Гриша, отворачиваясь. — Чтобы баба сбежала от таких шмоток...

Еще немного попрепиравшись, мы загрузились в машину и отбыли.

Уже лежа в постели, я подвела итог первому дню. В целом его можно было считать успешным. Мне попались жуткие недотепы, к тому же совсем не страшные. И справиться с ними женщине моего темперамента особого труда не составит.

Утро началось с кофе и французской булки, чуть позже появился ананасовый сок. Гриша в доме отсутствовал, а Славик заливался соловьем.

— Анечка, — крутясь вокруг меня, точно кот возле кринки со сметаной, распевал он, — как считаете, сегодня не слишком жарко для небольшой прогулки? Здесь есть чудное место, и я хотел бы вам его показать.

Предложение выглядело заманчиво, и я сразу же согласилась. Так как Гриша по непонятной причине все еще отсутствовал, на прогулку мы отправились вдвоем.

— Что это за чудное место? — спросила я. Мы шли по камням вблизи моря, огибая скалу, идти было неудобно, и я уже начала злиться.

— Сейчас увидите, — весело отозвался Славик. В некоторых местах идти приходилось по щиколотку в воде, камни были скользкими, и я сурово спросила:

— Далеко еще?

— За поворотом, — подхалимски сообщил мой спутник. — Еще чуть-чуть...

«Чуть-чуть» растянулось минут на десять, наконец очам моим предстала живописнейшая бухта с песчаным пляжем, я ахнула, а Славик довольно заметил:

— Я знал, что вам понравится.

Однако нас поджидал сюрприз. С вершины холма к самому морю шла металлическая ограда. Для бестолковых в нескольких местах висели таблички с надписью «Посторонним вход воспрещен».

— Ну и куда вы меня привели? — взглянув на одну из таких табличек, ядовито спросила я.

— Ограда не мешает любоваться красотами, — заметил Славик. — А здесь прекрасное место и можно отдохнуть в тишине. Хотите поплавать?

— Хочу, — кивнула я и внимательно огляделась. Посмотреть было на что. Во-первых, сам пляж: песчаный, как я уже сказала, а вокруг камни. И дурак поймет, что песок привозной, а пляж тянулся метров на двести в длину и метров на тридцать в ширину, такая затея явно стоила немалых денег. У причала красовалась яхта с надписью «Чайка» на белом борту. Яхта в самом деле была похожа на чайку. У меня никогда не было яхты, и сейчас это очень огорчило. Надо сказать Максиму... На скале, ближе к вершине, стояла вилла с двумя круглыми башнями, вроде бы отделанная белым мрамором, или не мрамором, но чем-то похожим, ослепительно сверкающим на солнце. От виллы к морю шла широкая лестница с коваными перилами, вдоль нее, с обеих сторон, радовали взор кусты роз. — Это частное владение, — присвистнув, сказала я.

— Думаю, что так, — улыбнулся Славик.

— И вам надо, чтобы я подружилась с его хозяевами или хозяином? — Он кашлянул, открыл рот и забыл его закрыть. — Я не права? — устав ждать, задала я вопрос.

— Правы, Анна Станиславовна. Конечно, правы.

— А что за тип здесь живет и зачем мне с ним знакомиться?

Он только-только собрался ответить в своей обычной иезуитской манере, но я опередила его:

— Я готова помочь вам, но сначала хотела бы кое-что узнать. Так что не вздумайте хитрить, а говорите начистоту.

— С вами хитрить невозможно, — противно посмеиваясь, заявил он, а я добавила:

— Не тратьте попусту время...

— Видите ли... — немного покусав нижнюю губу, начал Славик. — Наш общий знакомый, по имени Сережа, мы его называем Трофим, непременно должен здесь появиться. В этом доме живет близкий ему человек... — Славик замолчал, решив, что сказал достаточно.

— Что-то не похож он был на парня с богатыми родственниками.

— Я ведь не сказал «родственник». Я сказал: близкий человек. А главное, человек, способный помочь. Мы ведь с вами знаем, что Сергей отдыхал отнюдь не на курорте... Его ищут, ему понадобится надежное убежище и документы.

— Ясно. А в доме на скале живет тип, которому не в диковинку предоставлять убежище убежавшим из тюрьмы близким людям и снабжать их документами. Так?

— Вы на редкость сообразительная женщина...

— Еще бы. Особой сообразительности не надо, чтобы понять, что хозяин этой виллы мафиози, или как там у вас называются подобные типы. Следовательно, заводя знакомство с ним, я, во-первых, рискую репутацией законопослушной женщины, во-вторых, просто рискую. И все это за здорово живешь.

— Никакого риска, — разулыбался Славик. — При всем желании я просто не способен подвергать опасности такую красавицу. А в остальном... я слышал, ваш муж очень богатый человек...

— Деньги меня не интересуют, — отмахнулась я. — У меня другой грех — любопытство. Договоримся так: я вам помогаю в меру сил, а вы время от времени отвечаете на мои вопросы. Идет?

— Идет, — обрадовался он, видно, считая меня совсем дурой.

Мы искупались, затем выбрались на скалы и почти с удобствами устроились на гладких камнях.

Они успели изрядно нагреться, и пришлось поливать их морской водой.

— Красота, — заметила я, водрузив на голову широкополую шляпу.

— Да, — неопределенно ответил Славик.

— Вернемся к нашим делам. Допустим, Сережа здесь действительно объявится, но, встретив меня в доме своего друга, сразу же заподозрит неладное. Я бы, к примеру, точно заподозрила и насторожилась.

— Ну и что? Главное — увидев вас, он захочет поговорить с нами.

— Зачем? — не поняла я.

— Как зачем? Вы в наших руках, придется ему договариваться.

— Надеюсь, вы не планируете отсылать ему мой палец или другие подобные глупости.

— Что вы, конечно, нет. Мы на это просто не способны.

— Хорошо, если так. А с чего вы взяли, что он решит договариваться, даже если поверить вам и согласиться с утверждением, что он влюблен в меня? Он может поступить проще: натравить на вас хозяина этой виллы. Лучше поделиться денежками со своим другом, чем с шантажистами. Вы не находите?

— Я ведь не сказал, что хозяин виллы его друг. Вовсе нет. Скорее уж наоборот. Но даже если бы и был другом, вмешивать его в свои дела Трофим не станет. Не такой он человек. Дружеская услуга предполагает ответную дружескую услугу, а Сергей по натуре волк-одиночка.

— Но здесь появится? За помощью, то есть за документами, и рассчитывая найти убежище?

— С вами тяжело говорить, — хихикнул Славик. — Я недооценивал ваш ум...

— Оставьте комплименты, вчера я прекрасно слышала, как вы с дружком называли меня дурой. Лестью меня не возьмешь. А вот на вопрос отвечайте, иначе я заподозрю вас в жульничестве и уж тогда точно не стану вам помогать.

— Несколько лет назад Сергей спас этому человеку жизнь. Так что помочь он ему обязан.

— Не убедили, — хмыкнула я. — Думаю, все значительно проще: он будет о вас помалкивать, потому что ему придется объяснять причину вашего появления. А причина одна: деньги. Он будет молчать, потому что не захочет делиться ни с вами, ни с хозяином виллы. С вами-то он надеется справиться, а вот с типом из этого дома вряд ли. Я права?

— Конечно, — кивнул Славик и даже нахмурился, а я спросила:

— Много там?

— Чего?

— Денег, естественно.

— Много, — горестно вздохнул он.

— А откуда они взялись?

— Не слишком ли много вопросов на сегодня? — не очень уверенно заявил он, а я согласно кивнула.

— Ладно. Надеюсь, вы знаете, что делаете. Лично у меня появление здесь Сергея вызывает сомнения. После побега он должен был где-то встретиться с вами, но не встретился. Вполне вероятно, что он смог решить все свои проблемы самостоятельно.

— Говорю вам, он где-то здесь, — начал злиться Славик, а я отмахнулась от его слов, положила на лицо шляпу и даже немного вздремнула. Поразмышляла, потом поплавала, наблюдая за рыбками, мелькавшими среди камней, и заявила:

— Лежать возле сетки, огораживающей частное владение, глупейшее занятие. Так мы можем неделю не увидеть хозяина. А если и увидим, то вызовем у него недоумение: места сколько угодно, а мы устроились рядом с его забором.

— Но перемахнуть через забор мы тоже не можем: нас весьма невежливо вытолкают вон.

— Я подумаю над этим, — заявила я. — А пока убираемся отсюда, не то нас заметят из дома, и знакомство вообще станет проблематичным. Славик кивнул и начал собирать вещи.

Возвращались мы другой дорогой, через горы, поднялись по петляющей тропинке на самую вершину и минут десять любовались открывшимся видом. Вилла отсюда просматривалась плохо: часть парка, крыша и веранда. Возле гаража на три машины стояли черный «Мерседес» и огромный джип.

— Какая из них хозяйская? — на всякий случай поинтересовалась я.

— «Мерседес», хотя джип у него тоже есть, а это, наверное, гости пожаловали...

— Гостей много?

— Когда как... Видите ли, Анечка, я человек довольно далекий от данной среды и особо точными сведениями не располагаю...

— Да, водить компанию с подобными типами весьма странное занятие для интеллигентного человека. Как же вы вляпались?

Славик потупился в притворном смущении, а я укоризненно покачала головой.

Остаток дня я лежала на веранде и размышляла. К ужину появился Гриша, компаньоны с полчаса совещались при закрытых дверях, время от времени переходя на повышенные тона. Победил Славик, это стало ясно, как только они появились в гостиной: худосочный улыбался, а крепыш недовольно хмурился.

— У меня есть идея, — заявила я. — Я имею в виду знакомство. Но торопиться не следует: мы только-только приехали на побережье и уже проявляем интерес к вилле на скале. Разумнее некоторое время посидеть на пляже, то есть вовсе не сидеть, а вести активный образ жизни. Тогда и интерес к частным владениям не вызовет подозрения. Вы понимаете, о чем я? Завтра с утра отправляемся в поход, например, на озеро.

Предложение было принято без восторга, но и без возражений. Однако утром выяснилось, что в поход придется отправляться вдвоем: мне и Грише, теперь настала очередь Славика исчезать в неизвестном направлении. Меня открывшаяся перспектива ничуть не опечалила, потому что справиться с ними по отдельности было намного проще, а вот Григорий демонстрировал недовольство.

Завтракали мы молча, то есть это он завтракал, а я пила сок. Утолив голод, Гриша заявил:

— Ну что, идем на пляж?

— Идем к озеру. Вчера решили. Я ведь сказала, ведем активный образ жизни: бродим по всему побережью. Такие уж мы непоседливые.

— Какая, к черту, разница, где болтаться? Я даже не знаю, где это озеро.

— Вот и хорошо: поищем. Приготовьте бутерброды и возьмите побольше воды.

— А ты что возьмешь? — съязвил он.

— Все свое обаяние.

Через час мы топтались у подножия горы и приставали к местным жителям с расспросами. Мнения насчет озера разделялись примерно поровну. Одни считали, что идти надо вдоль моря, это дольше, но надежнее. Возле следующей бухты будет поселок, от него взять левее, выйти на тропинку, она-то и приведет нас к озеру. Другие утверждали, что есть короткий путь: подняться на самую вершину горы и от дороги к виноградникам взять правее, там будет тропинка, она и выведет нас к заветной цели.

— Какой маршрут предпочитаете? — спросила я Гришу.

— Я предпочитаю лежать на пляже брюхом кверху.

— Не сомневаюсь. Можете спокойно отправляться на пляж, а мы с Ромео найдем озеро сами...

Гриша взглянул на гору перед собой и со вздохом произнес:

— Ладно, пойдем вдоль моря. Хоть искупаться можно...

Вскоре выяснилось, что идея была не совсем

удачной. Как мы умудрились пропустить нужную бухту, ума не приложу, но часа через четыре, измученные и совершенно несчастные, оказались на турбазе нефтяников Сибири. Здесь нас поджидал сюрприз: от турбазы до Озерного прямого сообщения не было. Попасть в поселок можно только через Новороссийск. Ближайшая маршрутка ожидалась только через три часа, поэтому мы с Гришей решили добираться автостопом.

Дорога была пустынной, тишина стояла такая, что уши закладывало, так что рассчитывать на то, что из-за поворота вдруг появится машина, не приходилось. Стоять на раскаленном асфальте дело не из приятных, и мы тихонько побрели в нужном направлении.

Минут через пятнадцать вышли к крохотному поселку и возле магазина увидели микроавтобус. Шофер сидел в тени раскидистого дерева и лениво наблюдал за нашим приближением. На беседу с ним мы потратили минут пятнадцать и узнали много полезного. Нужную бухту мы действительно умудрились проворонить, а ехать в Новороссийск смысла нет, проще добраться до соседней турбазы, от нее есть дорога к Озерному. Очень возможно, что там есть и маршрутки. До турбазы шофер согласился нас подвезти, и через двадцать минут мы вновь оказались на раскаленном асфальте, в совершенно незнакомой местности и по-прежнему далеко от родного дома. Слева до линии горизонта тянулись виноградники, оттуда появилась собака, а следом ее хозяйка, и мы уже в который раз принялись выяснять, как добраться до Озерного.

— А напрямую, — сказала женщина. — Через озеро.

— Далеко оно? — радоваться я не спешила, хотя озеро меня все еще интересовало, в конце концов, наши мучения должны быть компенсированы.

— Два километра. Вот по этой тропинке, видите? — махнула она рукой. — А там в гору, потом с горы, и вы в поселке.

— Пойдем? — ласково спросила я Гришу, он пожал плечами и отвернулся, но, когда я направилась по тропинке, потрусил за мной.

Идти здесь было одно удовольствие, тропа вела вниз, кроны деревьев защищали от солнца, создавая иллюзию прохлады. Где-то совсем рядом весело журчал ручеек. Даже Гриша приободрился и начал что-то насвистывать. Ромео весело бежал впереди, в кафе на турбазе он плотно перекусил, в автобусе немного подремал и теперь выглядел превосходно.

Через полчаса я поняла, что у местных жителей весьма своеобразное представление о расстоянии. Два километра мы, безусловно, уже прошли, а тропинке не было видно конца, она весело петляла в долине, то расширяясь, то почти исчезая в траве.

— Мы не заплутаемся? — на всякий случай спросила я, чтобы Гриша потом не смел валить все с больной головы на здоровую.

— Тропинка одна, — пожал он плечами, но насторожился.

Тут Ромео, скрывшийся за очередным поворотом, радостно тявкнул, мы поспешили за ним и вдруг увидели озеро. С первого же мгновения стало ясно: мучились мы не зря, увиденное того стоило. Озеро было небольшое, почти круглое и казалось изумрудным. Тишина вокруг царила совершенно фантастическая, ни малейшего дуновения ветерка, вода точно стекло: ровная, гладкая поверхность. Мы спустились поближе. Озеро было довольно глубоким, но вода настолько прозрачна, что со своего места я различала дно в нескольких метрах от берега.

— Господи, такого не бывает, — восторженно прошептала я.

Ромео выскочил на берег, вильнул хвостом и сунул мордочку в воду.

— Местечко класс, — вдруг заявил Гриша, оглядываясь. — И народу ни души... чудеса.

— Наверное, мало кто о нем знает, к тому же добираться сюда сущее мучение. Искупаемся?

— Конечно, раз мы топали сюда семь часов.

Вода была прохладной именно настолько, чтобы доставить удовольствие в жаркий день. Даже Григорий выглядел успокоенным. Поначалу он держался в стороне, принципиально не глядел на меня, затем немного подобрел, и мы наперегонки доплыли до противоположного берега. Разумеется, я его обогнала, а он сделал вид, что проиграл нарочно. В общем, мы остались довольны друг другом.

— Потрясающее место, — трещала я, развалясь на солнышке. — Вода здесь есть, ставь палатку и живи в свое удовольствие.

— Какой смысл отдыхать на озере, когда рядом море, — проворчал Гриша.

— На море полно народу, а здесь тишина, просто рай для влюбленных. — При этих словах Гриша заметно шевельнул ушами и посмотрел на меня с подозрением, я ответила абсолютно невинным взглядом. — Вы отдыхайте, — сказала я ласково. — А мы с Ромео пройдемся, очень уж здесь красиво. Жаль, нет фотоаппарата...

Гриша без видимой охоты поднялся с полотенца и заявил:

— Я, пожалуй, тоже пройдусь.

Неужто он думает, что я сбегу?

Мы вошли в лес и огляделись, едва заметная тропинка поднималась в гору.

— Поднимемся чуть-чуть? — предложила я и подумала вслух: — С вершины, должно быть, видно море.

До вершины мы не дошли. Тропинка резко свернула в расщелину между гор, и мы увидели открытое пространство, заросшее виноградом. Виноградник был небольшим и явно заброшенным. Столбики с проволокой во многих местах упали, а общий вид свидетельствовал о запустении.

— Странное место для виноградника, — заметила я.

— Почему странное? — спросил Гриша, обнаруживая подозрительное желание поболтать.

— Далеко от поселка. И дороги нет.

— Если верить старухе, поселок вон за той горой. Совсем недалеко. Может, и дорога есть...

Мы пошли вдоль виноградника и вскоре вновь оказались в лесу.

— Слышите? — спросила я. — Здесь где-то ключик.

И точно, через минуту я увидела навес из шифера, в нескольких местах дырявый, на гвозде справа висела армейская кружка.

— Вот здорово, — обрадовалась я и вслед за Ромео припустилась в ту сторону.

Вода была холодной и необыкновенно вкусной. Мы выпили по целой кружке.

— Что это? — спросил Григорий, вытирая рот рукой. Я проследила за его взглядом: впереди за деревьями что-то виднелось. — Посмотрим?

Мы стали подниматься вверх по склону и вскоре вышли к огородам, точнее, это когда-то было огородами, судя по изгороди, наполовину сгнившей.

— Не так давно здесь жили люди, — с умным видом заметила я.

— Может, и сейчас живут, — нахмурился Гриша, и мы прошли еще немного по тропе. Сразу после огородов появились сараи, завалившиеся на одну сторону, с обрушившимися крышами, и огромная железная бочка. Вывернув из-за нее, мы замерли в растерянности: прямо напротив стоял дом. Не какая-нибудь рухлядь, а добротный и крепкий. Стены были сложены из серого камня, высокое крыльцо с деревянными перилами, тяжелая двустворчатая дверь, двенадцать стрельчатых окон. Очень большой дом, чем-то напоминающий средневековый замок, по крайней мере, впечатление он производил именно такое.

— Здесь кто-то живет, — заявила я и направилась к дому.

— Вряд ли, — сказал Гриша и добавил едва ли не испуганно: — Тишина какая.

Ромео, приближаясь к дому, то и дело поглядывал на меня, такое поведение не удивляло, он ужасный трусишка, но и я вынуждена была признать: дом выглядел жутковато. Бог знает почему. Замок на двери отсутствовал, я поднялась по скрипучему крыльцу и толкнула дверь, она медленно открылась, тоже со скрипом, и я заглянула внутрь. Если в доме все-таки есть хозяева, мою навязчивость придется как-то объяснять.

Длинный гулкий коридор, справа лестница, наверное, на чердак, настежь распахнутая дверь в одну из комнат... Сомнения отпали: дом давно покинут людьми. Я переступила через порог, а Ромео вдруг завыл, громко и протяжно. У меня мороз пошел по коже, а Гриша нахмурился:

— Пойдем отсюда. Чего здесь смотреть?

Если честно, меня его предложение порадовало, я взяла Ромео на руки и поспешно сошла с крыльца. На меня напал безотчетный страх, захотелось как можно скорее покинуть это место.

Видно, те же чувства охватили и Григория, он торопливо шел по тропинке, не оборачиваясь, и молчал.

Мы обогнули дом и стали спускаться к озеру. С этой стороны были хорошо видны выбитые окна и даже часть комнат, разоренных, с клочьями обоев на стенах.

— Жуть, — честно сказала я, и Гриша, по-видимому, со мной согласился.

Почти бегом мы достигли озера, но покой обрели далеко не сразу, то и дело пристально вглядывались в ту сторону, стараясь среди деревьев увидеть дом.

— Пора возвращаться, — кашлянув, сказал Гриша, и я с ним согласилась.

— Надо еще найти дорогу в поселок, — заметила я, почувствовав некоторое беспокойство, день близился к концу, а мы Бог знает где находимся, вокруг ни единой живой души и еще этот жуткий дом...

Поглядывая по сторонам, мы направились вдоль озера, пытаясь отыскать дорогу, которую нам обещала женщина, а вместо нее обнаружили следы недавней стоянки: угли костра, самодельный стол, запас дров, с которым можно продержаться неделю, ложе из сухой травы и даже кольцо для баскетбола с разноцветными ленточками, прибитое к одному из деревьев.

Все это необычайно меня порадовало, потому что страх, неожиданно возникший на крыльце дома, не отпускал и я всерьез начала думать, что весь мир куда-то провалился, а мы с Гришей остались одни на всей планете.

— Кто-то здесь отдыхал, — сказала я громко, желая себя подбодрить, но вышло совсем наоборот. Положительно, такие заброшенные уголки не лучшее место для прогулок.

— Никакой дороги, — заявил Гриша. — Бабка шутница.

— Что же делать? Вернемся на турбазу?

— Бабка сказала: надо подняться в гору, потом спуститься, и будем в поселке. Гора невысокая, несколько минут — и мы на вершине, с нее должен быть виден поселок.

— Хорошо, — кивнула я. Спорить с Гришей не хотелось, зато очень хотелось оказаться в цивилизованных местах или хотя бы увидеть вдали человеческую фигуру.

Мы полезли в гору. Делом это оказалось нелегким, хоть и была она невысокой, зато очень крутой. Я взбиралась почти на четвереньках, а Грише пришлось и того хуже, потому что он тащил несчастного Ромео. Мы стали брать правее, туда, где склон был более пологим, время шло, а вершиной и не пахло. Мы остановились передохнуть, Гриша опустил Ромео на землю, а пес вдруг завыл.

— Чего это он? — шепотом спросил Григорий. Я сделала пару шагов в сторону, раздвинула ветки и замерла, вытаращив глаза: прямо под нами был заброшенный дом. Выходит, мы сбились с курса и поднимались вовсе не на ту гору. Я инстинктивно схватила Григория за локоть и даже прижалась к нему.

— Этого не может быть, — сказал он. — Мы все время двигались на север. Чертовщина какая-то.

— Будем подниматься? — прошептала я и на всякий случай прижалась к нему покрепче.

— Вот что, давай возвращаться на базу, — сказал он и добавил: — Не нравится мне здесь.

Я была с ним полностью согласна.

Подниматься в гору было тяжело, но и спускаться оказалось делом нелегким, тем более что, не сговариваясь, мы решили обойти дом, не желая к нему приближаться, времени на это потратили слишком много, и, когда оказались возле озера, стало ясно: через несколько минут зайдет солнце. Мы торопливо выбрались на тропинку, ведущую к турбазе, и вошли в лес. Не учли мы одного: на юге тьма опускается мгновенно. Солнце исчезло за горой, и мы оказались в абсолютной темноте. Ромео завыл, а мы очень скоро сообразили, что заблудились. Я начала дрожать и уже не выпускала локоть Григория.

— Ничего, — тихо сказал он, как видно, желая меня подбодрить. — Турбаза недалеко, сейчас должны появиться огни. По ним и выйдем.

— Ага, — пролепетала я.

Огни так и не появились, лес неожиданно кончился, а я в трех шагах от себя увидела покосившуюся ограду. Стало ясно, куда мы опять вышли.

— Вот черт, — охнул Гриша, Ромео испуганно заскулил, а я торопливо перекрестилась.

— Разве его к ночи поминают?

— Кого?.. Ну надо же...

Дружно охнув, мы, не разбирая дороги, почти кубарем спустились к озеру.

— Что будем делать? — дрожа и даже слегка заикаясь, пролепетала я. Гриша в тяжелые минуты жизни показал себя настоящим мужчиной. Он не стал упрекать меня в наших бедах, а, немного подумав, заявил:

— Как думаешь, мы сможем найти эту стоянку? Ну, где костер жгли?

— Попробуем, а что?

— До утра лучше оставаться там. Бродить по горам ночью пустая затея. На стоянке полно дров, и у нас есть собака.

Не знаю, что он имел в виду, называя так Ромео, то есть какую пользу он ожидал получить от бедного испуганного создания, но в целом вроде бы говорил дельные вещи.

К счастью, место стоянки мы обнаружили очень быстро, к ней нас вывел Ромео (выходит, Гриша прав, и Ромео вполне способен поддержать честь собачьей породы). Григорий развел костер, и мы устроились возле него почти с удобствами, перетащив ближе к огню ворох сухой травы.

— Ну вот, — вздохнув с облегчением, заметил мой спутник, неизвестно кого желая успокоить.

Я расстелила полотенца и поежилась, глядя в сторону дома. Хотя ночь была душная, о том, чтобы потушить костер, не могло быть и речи. Мы легли, Ромео прижался ко мне, а я попыталась успокоиться и уснуть. Утром все страхи покажутся нелепыми, и мы с легкостью выберемся отсюда.

Костер догорал, Гриша вскоре захрапел, Ромео посапывал рядом, а я лежала и смотрела на звезды. На смену страху пришло странное спокойствие и предчувствие необыкновенного, словно вот-вот мне должно было что-то открыться... Сквозь тишину моего уха коснулся невнятный шум, как будто где-то вдалеке ехала машина по гравийной дорожке. «Это море шумит, — решила я. — Море совсем рядом, вот за той горой, сейчас ночь, а звук в темноте далеко разносится...»

Невольно я посмотрела в сторону дома и буквально остолбенела — там горел свет. Вспыхнул, погас и вновь загорелся через несколько минут. «Это что ж такое?» — возмутилась я и села, пристально вглядываясь в том направлении. Последние сомнения меня покинули: это шумела машина, и она остановилась возле дома. Свет фар потух, затем вспыхнул еще огонек, поменьше и не такой яркий, наверное, фонарик. «Дьявол на машине не ездит, и фонарь ему ни к чему», — разумно рассудила я и осторожно поднялась. Уснуть все равно не удастся, а этот дом не давал мне покоя. Такого страха напустил... а я никому не позволю забивать мою голову всякими глупостями.

Я подумала, стоит ли будить Гришу или Ромео, и решила, что это, во-первых, нечестно, им здорово досталось, и они имеют право отдохнуть, если уж уснули, а во-вторых, толк от них вряд ли будет. Именно поэтому к дому я отправилась в одиночку.

Огонек мерцал впереди, так что заблудиться я не боялась и очень скоро вышла к огородам. Дом темной громадой возник из-за поворота, в одном из окон горел свет. Потом вдруг потух, и стало так темно, что я зажмурилась. «Может, мне все приснилось?» — через несколько минут подумала я. Идти в дом, чтобы проверить свои догадки, я не рискнула, уж очень таинственно и страшно он выглядел, но по кругу решила обойти. Возле сарая наткнулась на машину. В темноте не разглядишь, что за марка, но одно ясно: джип. А что еще сюда пролезет? Я с облегчением вздохнула, никакой мистики, все объяснялось крайне просто: родные пенаты приехали навестить бывшие хозяева дома или туристы, ищущие уединения, а может быть, кто-то так же, как мы, сбился с дороги и решил заночевать здесь.

Я немного поразмышляла, стоит ли позвать хозяина джипа? Мы могли бы поболтать немного, и он, возможно, объяснит, как выбраться к поселку. Только-только я собралась крикнуть, как появился хозяин. В одной руке фонарик, а в другой... о, черт, в другой руке винтовка. Точно винтовка. Он вынырнул из темноты со стороны сараев и сейчас стоял на крыльце, озираясь по сторонам и прислушиваясь. Я сползла на землю и решила не дышать. Постояв не меньше минуты, парень вошел в дом, а я, переведя дух, осторожно пробралась к огородам, а дальше бегом напрямую к озеру. «И чего я так испугалась? — урезонивала я себя, укладываясь рядом с Гришей. — Может, этот парень охотник? К тому же в таком месте и без оружия просто жуть берет». В общем, я смогла себя успокоить и очень скоро уснула. Правда, ненадолго.

— Аня, — кто-то шептал мне на ухо, я подняла голову и увидела Григория. Костер совсем потух, было очень темно, а в трех шагах от меня сидел Ромео и жалобно скулил. — Смотри, что собака выделывает. — Судя по всему, Гриша был здорово напуган.

— Ромео, замолчи, — рассердилась я. Пес вздохнул и лег рядом, положив морду на лапы. — Не обращай внимания, — бодро заявила я. — На него иногда находит.

— Там кто-то есть, — сказал Гриша.

— Где? — не поняла я.

— В доме. Я видел огни. А потом... чувствую...

— Правильно, есть. — Я беззаботно зевнула, бояться мне уже надоело, а вот спать очень хотелось. — Туда джип подъехал.

— Откуда ты знаешь? — удивился он.

— Ходила смотреть. Тоже огни заметила.

— Ты одна ходила туда? — не поверил Гриша.

— Да я только до огородов. Завтра у этого типа спросим, как отсюда выбраться. — Гриша замолчал, но дышал тревожно, а я предложила: — Хочешь, лягу рядом, а ты меня обнимешь? — И, не дождавшись ответа, перебралась к нему. Мы обнялись, и через пять минут я уже уснула, потому что Ромео успокоился, да и Гриша задышал ровнее.

Пес лизнул меня в нос, и я открыла глаза. Григорий возвращался с озера и улыбался. Солнце еще не поднялось над горой, но уже было тепло, а день обещал быть жарким.

— Доброе утро, — сказала я приветливо.

— Доброе утро, — ответил Гриша, садясь рядом. — Выспалась?

— Как будто... А который час?

— Восемь. Давай собираться. Славик небось нас потерял и уже места себе не находит.

Сборы заняли несколько минут, Ромео сладко потянулся и по очереди посмотрел на нас.

— Как думаешь, выберемся мы отсюда? — весело спросил Григорий.

— Надо подняться к дому и спросить у парня, как выйти к поселку, не то опять начнем плутать.

Гриша кивнул, и мы друг за дружкой стали подниматься в гору.

Машина возле сараев отсутствовала, а дом выглядел еще более заброшенным, чем вчера. Входная дверь была приоткрыта и тихонько поскрипывала.

— Эй, есть кто в доме? — крикнул Гриша, мы немного подождали ответа и еще покричали. — Зайдем? — спросил Григорий, но я отрицательно покачала головой, мне не хотелось, чтобы он входил в дом.

— А ты уверена, что кого-то здесь видела?

— Конечно, — пожала я плечами. — Машина стояла вон там, а парня я заметила, когда он поднялся на крыльцо.

— Может, тебе это приснилось? — спросил он с сомнением.

— Если это сон, то довольно странный... — заявила я.

Вскоре сомнения отпали, сон или нет, а машина здесь была. Отпечатки шин отчетливо виднелись на земле. Гриша присел, посмотрел внимательно и сказал:

— Точно, джип. По крайней мере, очень похоже. Пошли по следам, может, здесь есть дорога.

Дорога в самом деле была, конечно, «Жигули» здесь не прошли бы, а вот джип... Мы преодолели не более километра и оказались возле виноградника, теперь дорога шла вдоль него и уже более заслуживала такого названия. Она спускалась вниз, и где-то совсем рядом мы услышали детские голоса.

— Пойдем напрямую, — сказал Гриша, взял меня за руку и сошел с дороги. Спуск был не очень приятным, зато быстрым, и мы совершенно неожиданно для себя оказались на шоссе справа от кладбища.

— Это поселок? — удивилась я. — Наш поселок?

— Точно, — кивнул Гриша, оглядываясь. — Всего-то пара километров... Вот и говори потом, что чертей не бывает... — Последнее замечание он пробормотал себе под нос. Мы торопливо зашагали к дому, точно боясь, что шоссе, дорога и поселок вмиг исчезнут, а мы вновь окажемся в лесу.

Славик сидел на веранде и, судя по всему, здорово нервничал.

— Где вас носило? — спросил сердито.

— Мы были на озере и заблудились на обратном пути. Пришлось жечь костер и играть в индейцев, — сообщила я. Так как на вопросы Гриша отвечал уклончиво и с заметной неохотой, Славик начал хмуриться и присматриваться к нам. То, что мы с Гришей перешли на «ты» (точнее, я перешла), от него не укрылось, и он посуровел еще больше. Гриша тоже нахмурился и усиленно избегал взглядов дружка, а оставшись со мной наедине, мялся и помалкивал. Двусмысленность положения его явно угнетала.

Позавтракав, я заявила, что намерена как следует отдохнуть после ночных приключений, а Славик разозлился.

— Помнится, вы, уважаемая, говорили, что должны быть побольше на людях? И даже на озеро отправились именно с этой целью...

— Успокойтесь и имейте терпение. После обеда пойдем на пляж, а сейчас мне необходимо выспаться.

В своей комнате я плюхнулась на кровать поверх одеяла и попыталась привести мысли в порядок. Не такое это легкое занятие.... Что бы ни говорил Гриша, а ночной тип с винтовкой мне не приснился, и следы шин на земле это подтверждали. Мужчина был довольно высоким... Пожалуй, больше ничего определенного я о нем сказать не могу. С другой стороны, заброшенный дом идеальное убежище для беглеца. Крыша над головой, сараи, где без труда укроешь машину, родничок с питьевой водой... Там можно прожить довольно долго, никого не встретив. Но откуда взялись джип и винтовка? Не стоит забивать себе голову. У Сережи, безусловно, были сообщники, ведь как-то он смог вернуть мне мою машину. Если Сережа здесь, он найдет способ связаться со мной, а вот бдительность моих похитителей следует усыпить, то есть быть с ними поприветливее и продолжать изображать идиотку, которая от безделья готова приударить во все тяжкие.

— Решено, — кивнула я и спустилась в кухню. Оттуда шел запах свежих булочек, я замерла на пороге, теряясь в догадках, кто из компаньонов додумался сделать мне подарок. Возле плиты стояла пожилая женщина в цветастом сарафане. Услышав шаги, она повернулась ко мне и ласково улыбнулась. — Здравствуйте, — не пытаясь скрыть удивления, сказала я.

— Здравствуйте. Вы Анна Станиславовна?

— Да. А вы?

— Катерина Васильевна. Можно тетя Катя. Мы

с Вячеславом Сергеевичем договорились: я буду приходить готовить, ну и прибраться, конечно, тоже... Обедать будете?

— А где мужчины?

— На веранде. Пиво пьют. Жара сегодня, страсть...

Оба моих приятеля в самом деле пили пиво, лениво поглядывая на море. При моем появлении Славик посмотрел сердито, а Гриша вроде бы смутился и поспешно отвел глаза. Интересно, чего его так разбирает? Мог бы просто сказать Славику, что ночью обнимал меня с сыновней любовью оттого, что такого страха натерпелся... Впрочем, возможно, это обстоятельство как раз и заставляло крепыша краснеть.

— Вы долго будете скрытничать? — вздохнула я. — Для дела больше пользы, если бы я знала, что вы затеяли.

— У вас, Анна Станиславовна, задание уже есть, странно, что вы о нем забыли, — сухо заметил Славик. После ночевки с Гришей под открытым небом я вновь стала для него Анной Станиславовной.

Я решила порадовать худосочного, подошла, села рядом и заявила:

— У меня есть идея. Простая, а потому гениальная. Мы берем моторку и отправляемся нырять с аквалангом. Невдалеке от нужного нам дома моторка неожиданно выходит из строя, мы вынуждены причалить к берегу и просить помощи. Как вам?

— А у вас нет менее дорогостоящих проектов? — ядовито осведомился Славик. — И будьте добры, любезнейшая Анна Станиславовна, объяснить, кой черт вы поперлись на это озеро?

— Честно? — вздохнула я.

— Конечно. Мы ведь говорим о доверии.

— Я и сама не знаю, — несколько смущенно ответила я. — Григорий вел себя грубо, постоянно дерзил, вот я и решила, что длительная прогулка пойдет ему на пользу. Разумеется, я не предполагала, что мы заблудимся и прогулка получится слишком продолжительной.

— А мне кажется, причина в другом, — по-прежнему с ехидством проронил Вячеслав. — Мне кажется, вам очень не хотелось, чтобы вчера кто-то из нас находился в поселке.

— Это вы сами придумали или кто подсказал? — съязвила я, дурной пример, как известно, заразителен, а потом повернулась к Грише: — Григорий, мое поведение было настолько подозрительным, что вам пришло такое в голову? — Гриша не ответил, но заметно расстроился и принялся громко сопеть. — Со всей ответственностью заявляю, — решительно закончила я, — никакой коварной цели у меня не было.

Славик сверлил меня взглядом, а Гриша пожал плечами.

— Екатерина Васильевна звала всех обедать, — сказала я, поднимаясь, и не спеша отправилась в столовую.

Мужчины на мой призыв не откликнулись, я обедала в одиночестве и пригласила тетю Катю разделить со мной трапезу. От приглашения она отказалась, а вот поболтать была не прочь. Воспользовавшись тем, что мы одни, я решила кое-что выяснить об интересовавшем меня доме.

— Места у вас очень красивые, — издалека начала я.

— Да, многим нравятся. Откуда только не едут... Вот у меня сейчас живут из Сыктывкара шесть человек и из Тюмени семья. Это ж какая даль...

— Да... — согласилась я, пытаясь припомнить, где находится Тюмень и этот самый Сыктывкар. Если пожилой человек говорит — далеко, значит, так оно и есть.

— А вы из Москвы? — задала она вопрос, я поспешно кивнула, потом устыдилась и сказала торопливо:

— Не совсем, то есть по соседству.

— Я по говору слышу, московские...

— Наверное, нелегко жить на побережье, шумно, людно...

— Это как посмотреть... Конечно, и шумно, и людно, и грязи после себя оставляют много, и виноград сторожить приходится, а разве детню усторожишь? Но без отдыхающих тоже беда. Жить-то на что? Пенсию ждать — замучаешься, да и в совхозе денег не платят. А тут я за сезон заработаю и полгода живу спокойно, еще и внукам помогу... У нас ведь в каждом доме человек по десять стоят. Без удобств, конечно, зато берем недорого. И людям в радость, и нам хорошо. Такой дом снять, как этот, не каждому по карману... — хитро усмехнулась тетя Катя. Я решила, что мы уже достигли взаимопонимания, и перешла к насущному.

— Жаль, особых развлечений здесь нет...

— Как нет? — вроде бы обиделась старушка. — И лодки, и яхты эти, с парусами, велосипеды... ресторан есть на самом берегу с музыкой... Молодежь каждый вечер там...

— Да? Может быть, заглянем... А мы вчера на озеро ходили, вот за этой горой.

— На озеро? — вроде бы удивилась тетя Катя. — Почто оно вам?

— Ну... интересно. Из-за него ваш поселок Озерным называется?

— Озера-то по левую сторону, целых три, их с дороги видно. Только одно название от них осталось. Взялись там какую-то рыбу разводить, то воду спустят, то еще чего-нибудь, в общем, развели вместо рыбы болото. Теперь, чтобы к винограднику попасть, приходится крюк делать.

— Вот оно что. Надо будет прогуляться в ту сторону.

— Зря время потратите. Лучше на море. Там все отдыхающие.

— Кому что нравится, — пожала я плечами, все еще не теряя надежды направить разговор в нужное русло. — Вчера на озере мы чудесное место нашли. Там кто-то с палаткой останавливался.

— Неужто на ночь оставались? — недоверчиво покачала она головой. — Может, рыбаки заезжие... Местные туда не ходят.

— Почему? — сразу же ухватилась я.

— Место дрянное. Гиблое.

— Как это? — вытаращила я глаза.

— Вот так... дурное место, и все тут...

— Я видела дом на холме, вроде бы нежилой...

— Пятый год как дом пустует, — охотно заговорила Екатерина Васильевна. — Тетка моя там жила, предложили квартиру в поселке, вот и переехала.

— А как это место называется?

— Хутор.

— Просто хутор?

— Хутор на озере. Слава у него дурная. Тетка моя не жила там, а только мучилась, ни одна скотина не выдерживала, то заболеет, то заблудится, то ногу сломает. Куры и те все передохли. И сама тетка болеть начала. Дом-то ей по наследству достался, туда и перебралась, а свой в поселке сыновьям оставила, не очень они между собой ладили. Только на год ее и хватило. Хорошо, квартиру дали, а то хоть в озеро вниз головой.

— Что ж там такого особенного в этом доме? — удивилась я.

— А кто ж его разберет? Лихо там. Жуть. По ночам половицы скрипят да ворон каркает. После войны две сестры жили, одна слепая совсем, а другая парализованная, еле-еле ходила. Люди говорили, Бог их наказал. За убийство.

— Кого же они убили? — насторожилась я, история начала подозрительно напоминать какой-нибудь сериал.

— Ребенка. Младшая прижила ребенка от румына, они здесь во время войны стояли. Конечно, понять ее можно, но тогда такое не приветствовали. Вот они от ребеночка-то и избавились. Старшая-то

Татьяна Полякова

сущая ведьма была, потом рассказывала, что мальчик от воспаления умер... А люди слышали, как на хуторе по ночам ребенок плачет. А кое-кто и видел...

— Ребенка? — ахнула я.

— А это уж как хочешь, так и понимай. Огни, плачет кто-то, и вроде ребятенок впереди бежит, голенький. Одно слово, жуть. И кончилось все это скверно: старшая сестра со скалы упала, а младшая утонула в озере.

— Но ведь такое бывает, — невольно поежилась я. — Тонут люди, а тропинки здесь крутые...

— Конечно. Только почто слепой на скалу лезть, а парализованной в озере купаться?

— Да уж... — согласилась я и опять поежилась, вспомнив ощущение, охватившее меня, когда я увидела дом. Мрачное место, я бы даже сказала — зловещее...

— Так что нечего там делать, — вздохнула тетя Катя. — Местные туда ни ногой, а кто забредет, так непременно заблудится.

— Но ведь тропинки там есть, значит, кто-то ходит? — усомнилась я.

— Туристы, — пожала плечами тетя Катя. — А вы не ходите, ни к чему.

Она покинула кухню, а я пила чай и пробовала рассуждать здраво, не поддаваясь впечатлению от услышанного. Огни я видела, но это были вполне материальные огни, безо всякой там мистики. Ни ребенка, ни плача, ни карканья ворона. Правда, мы заблудились и дважды выходили к проклятому дому, что неудивительно: в незнакомом месте, в горах да еще ночью.

Другое дело, что местные считают хутор опасным и стараются его избегать. Для человека, вынужденного скрываться, это просто идеальное убежище. Беглец лишен предрассудков, и зловещий вид дома его не пугает, зато преимущества налицо. «Это надо проверить», — решила я. Тут появился

Ромео, я покормила его и стала бродить по дому, ожидая, когда компаньонам надоест сидеть на веранде и они что-нибудь решат.

— Анна Станиславовна, — позвал меня Славик где-то через полчаса. — Я думаю, самое время идти на пляж, жара спала, а море просто великолепное...

— Пожалуйста, — пожала я плечами, демонстрируя обиду от недавнего недоверия. — Идемте на пляж, мы с Ромео готовы...

К некоторому моему удивлению, Славик появился на крыльце в одиночестве, в цветастых трусах, футболке и со спортивной сумкой. Сумка билась о тощие щиколотки при каждом шаге, а сам Славик при желании вполне бы мог в ней уместиться, если бы его, конечно, удалось сложить в несколько раз.

— Что это вы набрали? — не смогла я скрыть удивления.

— Все необходимое, — хмыкнул он. — Я помню, что вы женщина, которая обожает делать сюрпризы.

— Да? В таком случае прихватите мой надувной матрас, а я понесу Ромео, он с утра неважно себя чувствует.

Матрас Славик взял и с тоской обратил свой взор к машине, но отправились мы пешком: во-первых, до пляжа было всего несколько метров, во-вторых, машин на узком асфальтированном пятачке возле моря было столько, что еще одна просто бы не поместилась.

Мы нашли свободное место, приткнули зонтик и устроились под ним. Накануне Славик успел обгореть, его пергаментная кожица приобрела красноватый оттенок, и он, стягивая футболку, морщился, оттого сегодня и решил устроиться в тени. Впрочем, солнце уже не было таким жгучим, как в полдень, и особенно опасаться его не стоило.

Мы немного поплавали и вернулись под зонт. Я взяла книжку и стала делать вид, что читаю. На самом деле думала о Грише, точнее, пыталась отгадать, чем он занимается в настоящий момент. Вчера отсутствовал Славик, сегодня Гриша, что у них могут быть за дела? Надо выяснить.

— О чем задумались? — поинтересовался худосочный, глядя на меня из-под очков.

— Я читаю, — ответила я.

— Возможно, только вот странички забываете переворачивать.

— Хорошо, вы правы, — не стала я спорить. — Женщине в моем положении есть над чем задуматься. — Как бы в подтверждение моих слов Ромео приподнялся со своей подстилки и слабо тявкнул. — Вот и Ромео переживает, — кивнула я.

— О чем же вы переживаете? — усмехнулся мой собеседник.

— К примеру, меня беспокоит вопрос безопасности. Я не отношусь к категории лиц, обожающих рисковать.

— Какой риск? — Славик вроде бы даже обиделся. — Ваше дело лежать на пляже.

— И все? — улыбнулась я. — А как же вилла? — Для большей убедительности я кивнула головой в ту сторону. — Что-то подсказывает мне, что предприятие намечается хлопотное.

— Не преувеличивайте. Ваша задача войти в доверие к хозяйке виллы и попытаться узнать, когда там появится... э-э-э... ее друг.

— Вы рассчитываете, что я смогу настолько войти в доверие, что люди будут со мной откровенничать?

— Я рассчитываю, что, узнав о вас, Трофим проявит интерес.

— Тогда нам следует посетить ресторан.

— Какой? — Славик вроде бы растерялся.

— Насколько мне известно, он здесь один. Вон там, ближе к скалам, видите белое здание?

— Я знаю, где находится ресторан, — ответил он с достоинством. — Меня интересует, откуда о нем знаете вы?

Я возмущенно пожала плечами.

— Вроде бы он не замаскирован, живописно расположен и ни на что другое не похож.

— Похвальная наблюдательность, Анна Станиславовна.

— Хоть мы и провели с Гришей ночь возле костра, но выглядело это совершенно невинно, так что уж если вы называли меня Анечкой, то могли бы продолжать звать и дальше. Не то я, чего доброго, заподозрю вас в ревности.

— А вы опасная женщина, — сделал Славик вывод и улыбнулся, должно быть, хотел, чтобы я поняла его слова как комплимент. В комплиментах я сейчас нуждалась меньше всего, меня интересовало иное.

— Может быть, вы все-таки расскажете мне об этом Трофиме?

— Он не оставил вас равнодушной?

— Как вам сказать... Сергей произвел впечатление. Опять же неплохо бы знать, чему я обязана своим пребыванием почти в двух тысячах километров от родного города.

— Все, что нужно, вы уже знаете, — хмыкнул Славик и отвернулся.

«Ну ладно», — зло подумала я и начала приглядываться к окружающим.

С моей точки зрения, Вячеслав Сергеевич вел себя не по-джентльменски, а эта черта предосудительная и требующая возмездия. Вот о возмездии я и решила позаботиться.

Вскоре мое внимание привлекли трое молодых людей, в кафе под открытым небом они пили пиво. Шумные ребята и ведут себя по-хозяйски. И выпили немало, а на такой жаре это вредно для здоровья, хотя, может, это мне вредно, а им как раз полезно. Основательно приняв на грудь, молодые люди устроились в нескольких метрах от нас, с интересом поглядывая по сторонам. Интерес носил ярко выраженный сексуальный характер, так как глаза они пялили исключительно на женщин, что, в общем-то, понятно, раз отдыхали в мужской компании, не друг на друга же им пялиться.

Где-то через полчаса стало ясно: ребята заскучали. Одиноких женщин подходящего возраста в радиусе километра не наблюдалось. Матери семейств и дамы в теле. Были, конечно, и молодые девушки, я, например, но с мужчинами, внешность которых не предполагала, что вот так запросто можно подойти и увести у них подружку.

Я покосилась на Славика, который дремал рядышком, и мстительно улыбнулась. Несколько человек начали игру в волейбол, мне эта идея пришлась по душе, и я ласково спросила своего спутника:

— Не желаете составить компанию?

— Нет, — лениво ответил он.

Я поднялась и не спеша направилась к играющим, на отдыхе люди легко сходятся друг с другом, а на пляже церемонии вообще излишни. Играли пятеро мужчин и две женщины, я подошла и попросила разрешения присоединиться, на что мне дружно в пять голосов ответили:

— Пожалуйста.

Я обожаю пляжный волейбол, это всегда хороший повод обратить внимание на свои таланты, ну и на достоинства фигуры, конечно, тоже. Достоинства не остались незамеченными, причем не только игроками, но и троицей любителей пива. Пару раз я не смогла отбить мяч, и он улетал прямо к их ногам. Конечно, я не из тех женщин, что особенно обращают внимание на мужчин, но и о воспитании всегда помню, и раз уж потревожила людей, то не грех им и улыбнуться. Мои улыбки были восприняты в высшей степени благосклонно, сначала один из парней присоединился к нам, а затем и его друзья. Игра стала шумной, веселой и очень азартной, мужчины вроде бы соревновались в ловкости и остроумии, а я продолжала улыбаться. Через час энтузиазм пошел на убыль, и я, поблагодарив компанию и помахав рукой, отправилась купаться, любители пива увязались за мной. Не скажу, чтобы они могли похвастать умением вести беседу, но ребятами были неплохими, а главное — веселыми.

Мы успели познакомиться и обменяться планами на вечер. Ребята чисто мужской компанией приехали из Краснодара на выходной, не учтя контингента отдыхающих. Все трое тут же пригласили меня в ресторан, поинтересовавшись, нет ли у меня подруги, а лучше двух. Я их не порадовала. Ромео заметил, что я плескаюсь в воде, и стал бегать вдоль берега, жалобно тявкая, пришлось выходить.

Подхватив его на руки, я пробежалась немного и не без удивления обнаружила, что Славика нет на его полотенце. Повертев головой, я увидела, что он как раз возвращается из туалета. Двое любителей пива прошли мимо, улыбнувшись мне, а третий, по имени Толик, растянулся рядом и спросил:

— Так что мы делаем вечером?

— Вечером мы ничего не делаем, — засмеялась я.

— А как же южная ночь, шампанское, прибой и все такое?

— Я рано ложусь спать.

— Ни за что не поверю...

Что он хотел сказать этой фразой, я так и не узнала, потому что подошел Славик, лег и посмотрел на молодого человека поверх очков весьма нелюбезно.

— Так как насчет вечера? — опять спросил Толик.

— Я подумаю, — улыбнулась я.

— Может, в волейбол? Или в кафе посидим? Познакомимся поближе...

— Молодой человек, — заявил Славик, — не пора ли вам отправиться к своим друзьям?

Толик растерялся, но лишь на мгновение, затем сказал, понизив голос:

— Это ваш муж?

— С ума сошли, что ли? — возмутилась я.

— Ага, — озадачился молодой человек, а потом спросил громко: — Тебе чего, дядя?

— Я вам не дядя, а от этой девушки держитесь подальше.

— А ты, что ли, будешь держаться поближе?

Все-таки Славик сумел удивить меня. Мало того, что он проявил несдержанность и вопиющую невоспитанность, он повел себя крайне глупо, потому что изо всех сил помогал Толику превратить перебранку в неприятный инцидент, попросту в мордобой, и на что он при этом рассчитывал, ума не приложу. Даже мне не составило бы особого труда отправить Славика в нокаут, а уж для Толика это вовсе было бы шутейным делом. Я отослала Ромео купаться, чтобы он не набрался дурных манер, накрыла лицо шляпой и немного вздремнула. Скандал между тем приобрел опасный размах, я имею в виду опасный для Славика. На нас уже обращали внимание, а он все никак не желал угомониться. Оскорбленное достоинство явно перевешивало здравый смысл. Через несколько минут возле нашего зонта образовалось свободное пространство, где мой неразумный друг принялся выделывать акробатические номера или попросту кувыркаться, к огромной радости Ромео, прибежавшего на шум. Пес решил, что взрослые дяди играют, и принял участие в поединке, хватал Славика за ноги и повизгивал. Славик вскоре тоже начал повизгивать, точнее, поскуливать, и мне пришлось обратить на это внимание.

— Пожалуйста, оставьте в покое моего друга, — с этой просьбой я обратилась к Толику, явив миру лицо из-под шляпы, а Вячеславу укоризненно заметила: — Вам следовало бы держаться поскромнее...

После данного инцидента нам пришлось срочно покинуть пляж под возмущенные реплики граждан и крики женщин «Безобразие!» и «Что же это такое делается?». Славик выглядел неважно, почему-то припадал на правую ногу и сильно гневался, причем гнев свой обратил на меня, что, с моей точки зрения, было странным и свидетельствовало о пробелах в его воспитании.

Он ковылял по дороге к дому, смотрел зло, обозвал Ромео «противным псом» и отказался нести мой надувной матрас, который пришлось оставить на пляже. Правда, через несколько минут Славик за матрасом все-таки вернулся, из чего я заключила, что он немного скуповат. Запыхавшись, худосочный с трудом догнал меня и неожиданно прорычал:

— Ты это сделала нарочно...

— В чем дело? — вытаращила я глаза. — С каких это пор мы с вами перешли на «ты»?

— Дрянь, — заявил он убежденно.

После такого оскорбления говорить с ним было ниже моего достоинства, и я презрительно замолчала. Гриши в доме не оказалось. Я отправилась в душ, а Славик скрылся в своей комнате.

Встретились мы только за ужином, он продолжал гневно смотреть в мою сторону, а я напевала, игнорируя его присутствие. В отместку он стал придираться к Ромео. Терпеть такое издевательство над животным я не могла и на повышенных тонах предложила Славику убраться ко всем чертям.

— Если ты думаешь, что тебе это сойдет с рук, то совершенно напрасно, — прямо-таки взбеленился он.

— Может, вы и со мной драку затеете? — решила я внести ясность. — Не советую. Во-первых, я способна постоять за себя, в чем вы уже имели возможность убедиться, во-вторых, нанеся мне увечья, трудно было бы ожидать потом сотрудничества. Помнится, я, по вашему собственному утверждению, являюсь чьей-то мечтой, а мечта с синяками — это уже не мечта, а черт знает что такое. Так что сдерживайте свой темперамент.

Тут возле дома затормозила машина, и появился Гриша, а я опять задумалась, куда они ездят по очереди и зачем? Гриша, переодевшись в спортивный костюм, присоединился к нам. Увидев Славика, он нахмурился и нерешительно спросил:

— Что это? — Надо полагать, он имел в виду синяк, в настоящее время украшавший лицо компаньона.

— Спроси у нее, — зло ответил Славик, кивнув в мою сторону. На лице Гриши отразилось недоумение, он кашлянул и робко произнес:

— Неужели она?

— Нет. Но именно она спровоцировала скандал...

— На самом-то деле, — вмешалась я, — Вячеслав Сергеевич просто затеял жуткую перепалку с нетрезвыми молодыми людьми, в результате чего и получил незначительные увечья. Спровоцировала его на это собственная глупость. Интеллигентные люди потасовок не устраивают. — После этого вступления я поведала Грише о приключениях на пляже, разумеется, изложив события по-своему. Гриша слушал и изо всех сил старался не смеяться, но, судя по всему, мой рассказ поднял ему настроение, и правильно: во всем должно быть равновесие, к Гришиному уху прибавился Славин глаз — справедливость судьбы, не более.

Но худосочный думал иначе и стал ядовито комментировать мой рассказ. Выходило, что на пляже я вела себя неприлично, заигрывала с мужчинами и все такое. Отвечать на глупые выпады пострадавших от неумеренного самолюбия людей было бы ниже моего достоинства, поэтому я, презрительно улыбаясь, удалилась с веранды и, пользуясь тем, что мужчины продолжили беседу, заглянула в Гришину комнату.

Первое, что бросилось в глаза, его кроссовки. Они стояли у порога и вид имели плачевный, в том смысле, что были целиком покрыты белым налетом.

— Обувь надо мыть, — буркнула я и ушла к себе. Замерла у окна, глядя на море, и сказала Ромео: —

Немного дедукции, мой друг. Пошевелите ушами и подумайте, куда мог ездить Гриша? Судя по его кроссовкам, он лазил по скалам. А вилла, которой они так заинтересовались, как раз и стоит на одной из этих скал. Вопрос: почему она им так интересна? Славик сказал, что там должен появиться Трофим, но при этом хочет, чтобы я познакомилась с хозяевами. Согласись, это немного нелогично: мы можем встретиться на вилле с Сережей и оставить компаньонов с носом. — Ромео вильнул хвостом и слабо тявкнул, я еще немного порассуждала в том же духе, тут в дверь моей комнаты постучали, и на пороге возник Славик.

— Собирайтесь, Анна Станиславовна, — заявил он. — Пойдете в ресторан. — Я с сомнением посмотрела на его физиономию, а он торопливо добавил: — С Григорием...

— У меня нет вечернего платья, — всполошилась я.

— У вас десяток платьев, и уж одно точно сойдет за вечернее. К тому же ваша красота так бросается в глаза, что на платье уже никто не обратит внимания.

— Вы так думаете? — насторожилась я.

— Разумеется. И не я один. — В этом месте Славик машинально коснулся ладонью заплывшего глаза, кашлянул и торопливо удалился, а я стала готовиться к выходу в ресторан.

Платья полетели на кровать, а я вертелась перед зеркалом и не могла решить, какое выбрать. Ко всему прочему у меня не было украшений. Конечно, мы на южном берегу, в небольшом поселке, где нравы должны быть демократичными, но отсутствие самого необходимого расстроило меня, и я немного приуныла. Гриша трижды стучал в дверь, а я трижды просила еще немного подождать. В конце концов выбор пал на платье лимонного цвета, с открытыми руками и спиной. Скромно и вместе с тем элегантно, к тому же не требует особой прически.

— Ты когда-нибудь выйдешь оттуда?! — рявкнул Гриша.

Все мужчины одинаковы, никакого терпения. С тяжелым вздохом я покинула комнату. Разве так собираются в ресторан? Гриша ждал на веранде, одетый в светлые брюки и легкую рубашку, выглядел очень внушительно, брюки и рубашка хорошего качества и стоили денег, я с облегчением вздохнула, по моим представлениям, Грише ничего не стоило отправиться в ресторан в спортивном костюме. Он взглянул на меня, кашлянул и спросил нерешительно:

— Ну, идем, что ли?

После нашей ночевки под открытым небом Григорий заметно переменился, говорил, понизив голос, и старательно отводил глаза. А еще краснел. Что и сделал незамедлительно после моего комплимента:

— Ты очень интересный мужчина.

Коварный Славик, услышав это, скроил премерзкую физиономию и удалился, я взяла Григория под руку, и мы покинули дом.

Ресторан располагался у подножия горы. От закрытой террасы вверх шла лестница к еще одной террасе, уже открытой. Надо полагать, оттуда был прекрасный вид. Верхняя терраса служила как бы естественным продолжением горы, от деревьев заасфальтированную площадку отделяла невысокая ограда из белого камня, с одной стороны террасы стояла легкая плетеная мебель, с другой были расставлены скамейки, там же находилась площадка для танцев, а чуть выше над ней располагались сами музыканты. Сюда вело множество тропинок, которыми охотно пользовались мальчишки. Они устраивались на ограде, слушали музыку и наблюдали за танцующими. Таким образом, ресторан совмещал две функции: ресторана как такового и танцплощадки. На верхней террасе подавали только прохладительные напитки и пиво. Развешанные на деревьях лампочки уже включили, и они призывно подмигивали, создавая праздничное настроение.

К ресторану мы шли пешком по тропинке вдоль виноградника, это заняло не больше пяти минут. Гриша за это время не сказал ни слова, а руку, согнутую в локте, к которой я усердно прижималась, держал так, точно участвовал в какой-то сложной и исключительно важной церемонии.

Ромео трусил следом за нами. Несмотря на увещевания Григория, я не позволила оставить его дома.

— Собаку в ресторан не пустят, — вздохнул он.

— Ромео что-нибудь придумает, — утешила я.

Желающих посетить ресторан было не так много, в основном люди поднимались на верхнюю террасу, может быть, поэтому администратор встретил нас чрезвычайно любезно.

— С нами собака, — сверкая всеми своими зубами, сообщила я. — Его совершенно не с кем оставить. Надеюсь, вы не будете возражать, если он немного полежит под столом?

— Э-э, — начал молодой человек, я кивнула и сказала с благодарностью:

— Спасибо.

Мы устроились у окна с видом на бухту. Ромео попытался взобраться на стул, я нахмурилась, и он залез под стол.

— И не вздумай тявкать, — предупредила я. — Мы здесь отдыхаем или по делу? — задала я вопрос Грише после того, как он сделал заказ.

— Мы ведь не просто так пожаловали за две тысячи километров, — кашлянув, точно извиняясь, заметил он.

— У тебя есть конкретные планы на сегодняшний вечер или это выстрел наудачу?

— Пока у нас все выстрелы наудачу... — вздохнул он.

— Ты сегодня следил за виллой? — перешла я в атаку.

— С чего ты взяла? — попробовал он удивиться.

— Брось... я видела твои кроссовки, а еще бинокль.

— Ты заходила в мою комнату? — не поверил он.

— Так... заглянула. Видишь ли, я любопытна. И ужасно не люблю, когда мне морочат голову. Что там с этой виллой?

— Ничего, — пожал он плечами слишком поспешно для того, чтобы я поверила в его искренность.

— Ты можешь мне доверять, — сказала я, глядя на него самыми правдивыми глазами на свете. — После того, что мы вместе пережили, глупо секретничать...

— Ну... Мы действительно приглядываемся к этой вилле.

— Вас интересует ее хозяин? — решила я закрепить успех. — Кто он такой?

— Крутилин Иван Андреевич, — зашептал Гриша, перегибаясь через стол ближе ко мне. — Больше известен под кличкой Жженый...

— Никогда не слышала, — пожала я плечами.

— Откуда тебе слышать? — хмыкнул Гриша. — Очень серьезный человек.

— Так зачем вам этот серьезный понадобился? — продолжала я настойчиво задавать вопросы.

— Он нам без надобности. Зато здесь обязательно должен появиться Трофим.

— За документами и помощью? — подсказала я.

— Ага, — хмыкнул он с таким видом, что сразу стало ясно: это «ага» следует понимать в ироническом смысле.

— Тогда зачем ему здесь появляться?

— Ты что-нибудь про Трофима знаешь? — нахмурился Гриша.

— Нет, откуда?

— Ну и не надо... все это... в общем, не для женских ушей. Язык у вас, как известно, длинный, а ум короткий.

«Ты бы о своем уме переживал», — очень хотелось сказать мне, но обижать Гришу не стоило, чтобы не нарушить шаткое взаимопонимание, возникшее между нами.

— Я умею хранить тайны, — сказала я серьезно. — К тому же ты должен понять: женщины более мужчин склонны подмечать все вокруг. От меня может быть явная польза. Узнала же я по пыльным кроссовкам, что ты следишь за виллой?

С этим он не мог не согласиться и задумался. Нам принесли заказ. Дождавшись, когда официант отойдет от столика, я зашептала:

— А какое вы имеете отношение к Трофиму? Славик хоть и пакостный мужичонка, но на уголовника не похож, а ты вообще производишь впечатление порядочного человека.

— Э-э... — Он оглянулся, вздохнул и сказал: — Давай поговорим о другом...

— О чем, к примеру? — нахмурилась я. — Славик хочет, чтобы я свела знакомство с хозяином виллы для каких-то неясных мне целей. Теперь выясняется, что человек этот опасен. И что я должна думать о вас в таком случае?

— Славик сказал, что ты должна свести с ним знакомство? — не поверил Гриша.

— Конечно, он сам сказал: откуда бы мне это взять?

— Да... на самом деле мы просто хотим... э-э-э... быть к нему поближе, чтобы в случае чего... — Он запнулся, а я нахмурилась:

— Чего? — спросила я, подождав немного и ничего не дождавшись.

— Ну... это долго объяснять... Если мы не сумеем договориться с Трофимом, он должен знать, что у нас есть возможность предупредить Жженого.

— Попахивает шантажом, — насторожилась я. — Только я все никак не разберусь, в чем тут дело?

— А тебе и не надо, — вдруг разозлился Гриша. — Сиди себе спокойно или лежи на пляже. Если Трофим появится, а он здесь обязательно появится, он тебя заметит и захочет помочь.

— То есть спасти? Вырвать из ваших рук? — сказала я, радуясь, что хоть что-то способна понять.

— Ну, мы просто рассчитываем, что, увидев тебя, он решит вернуть нам деньги...

— Ваши деньги?

— Конечно... то есть...

— То есть деньги, которые вы считаете своими, но которые на самом деле не совсем ваши. Трофим в этом уверен, а вы уверены в обратном, а я здесь для того, чтобы он прислушался к вашей точке зрения.

— Он нам должен, и все дела, — окончательно рассвирепел Гриша, обиженно сопя.

— Ладно, — я взяла его за руку и легонько пожала. — Я же не в обиду спрашиваю, а чтоб понять, что к чему.

Он посмотрел исподлобья, вздохнул и кивнул, словно соглашаясь.

Мы выпили шампанского, причем он провозгласил тост: «За тебя!» Я ответила: «За тебя!», и в результате мы выпили за нас. Гриша приналег на еду, а я стала смотреть в окно, наслаждаясь открывающимся отсюда видом.

Очень скоро мое внимание привлекла яхта. Белоснежная, узкая, вся устремленная вперед, она двигалась на малой скорости и плавно пристала к берегу. Я внимательно присмотрелась и смогла разобрать название на борту — «Чайка». В общем-то это меня не удивило: если есть яхта, отчего ею не воспользоваться?

— Посмотри, — тихо сказала я Грише. — Думаю, это должно заинтересовать тебя.

Он подался вперед, пытаясь разглядеть, что происходит на яхте. Через несколько минут на берег сошла женщина в светлом брючном костюме. Ее сопровождал молодой человек, очень высокий и широкоплечий. Даже крепыш Григорий рядом с ним показался бы малышом. Женщина и мужчина прошествовали к ресторану, стали подниматься по лестнице и через минуту вошли в зал.

На вид женщине было лет тридцать пять, капризное выражение лица, губы презрительно кривятся. По тому, как подскочил к ней администратор, стало ясно, что гости они здесь частые и уважаемые.

Женщина села за стол в трех шагах от нас, а молодой человек хмуро оглядел зал и устроился возле дверей за столиком на двоих. Ему принесли бутылку боржоми и стакан, с ними он и просидел все время. Я внимательно пригляделась к парню, пытаясь определить, кто он, и вскоре пришла к выводу, что он может быть только охранником. Должно быть, у его хозяйки здесь назначена встреча, иначе ее появление в ресторане выглядело бы довольно странно: лично мне не пришло бы в голову сидеть вот так в полном одиночестве. Впрочем, она могла рассуждать иначе, например, ей надоело стоять у плиты, стряпая себе ужин, и она отправилась в ресторан... Хотя вряд ли эта женщина стояла у плиты хотя бы последние полгода. Очень уверенная в себе особа.

— Кто это? — склонясь к Грише, прошептала я.

— Подруга Жженого. Говорят, она актриса. Даже в кино снималась.

— Да? — спросила я с сомнением и еще раз посмотрела на женщину. По мне, она больше похожа на разбогатевшую торговку. — А кто ее спутник?

— Охранник, — кивнул Гриша.

— И что, ее в самом деле необходимо охранять? — «Тоже мне ценный груз», — подумала я презрительно, а Гриша пожал плечами:

— Да брось ты, это больше для понта...

— Для чего? А... Ясно. Все-таки странные у людей фантазии.

Женщина с отсутствующим видом ковыряла вилкой в тарелке, глядя при этом в окно, затем неожиданно резко поднялась и вышла из зала. В ее движениях ощущалась нервозность, даже некоторая истеричность. Охранник неторопливо встал из-за стола, не выказывая абсолютно никаких эмоций, и пошел следом. Пользуясь тем, что хозяйка его не видит, он презрительно ухмыльнулся, и я сообразила: между ними что-то есть.

— Сколько лет Жженому? — задала я вопрос Грише.

— Что? — не сразу понял он. — А... Не знаю. Лет шестьдесят, наверное.

— Отлично.

— Что отлично? — нахмурился Григорий.

— Ничего. Просто это соответствует моим догадкам. Благодетель у этой актрисы старый, а вот охранник молодой, к тому же довольно интересный парень, я имею в виду, что некоторым женщинам нравится такой тип мужчин. Агрессивность они принимают за мужественность. Она наверняка делала ему авансы, и он пренебрег ее вниманием из чувства преданности хозяину, а может, и по какой другой причине. Лично я его прекрасно понимаю: в ней отсутствует шарм. Да и одета безвкусно, дорогие тряпки и никакого стиля. В общем, они не обрели взаимопонимания, в результате она его унижает, делая вид, что он вроде мебели, а парень платит ей презрением.

Гриша в продолжение моей речи сидел, открыв рот. Думаю, мой экскурс в психологию произвел на него впечатление.

— Почему ты так решила? — все-таки спросил он.

— Я наблюдательна, — ответила я, глядя в окно. На пристани парочка не появилась, значит, либо они решили прогуляться (то есть женщина решила), либо поднялись на верхнюю террасу, где уже играла музыка. Очень сомнительно, что прогулка по шоссе, забитому машинами, покажется такой мадам привлекательной, значит: терраса. — А не пойти ли нам потанцевать? — предложила я.

— Думаешь, она там?

— Думаю. Вдруг удастся с ней познакомиться?

Гриша расплатился, взял Ромео на руки (тот неожиданно зарычал, но под моим взглядом мигом успокоился), и мы стали подниматься по лестнице.

Танцевало всего несколько пар. Вход сюда стоил двадцатку, плюс обязательная выпивка. Подростки и те, у кого не было желания потратиться, сидели под деревьями, бесплатно наслаждаясь музыкой, южным небом и разноцветными огнями. Только один столик был занят. Разумеется, женщиной с яхты. Она смотрела вдаль пустым взглядом, лицо — точно маска, а бутылка пепси рядом не тронута. Охранник стоял в нескольких шагах от ее стола, привалившись к ограде, на лице скука и смирение перед судьбой.

Быстро стемнело. Черное небо украсилось россыпью звезд. Когда стихала музыка, слышался шум моря и стрекот цикад. Ночь, созданная для любви. Уверена, Гриша думал так же, потому что неожиданно начал вздыхать и задерживать взгляд на моих достоинствах. Поскольку я целиком состою из достоинств, пялился он практически непрерывно.

Ромео остался за столом, а мы пошли танцевать. Вскоре стало ясно, мой спутник совершенно забыл о важной миссии, с которой сюда прибыл. Он заглядывал мне в глаза и пытался извлечь из своего словарного запаса что-нибудь подходящее к случаю. К счастью, нужных слов он не находил и продолжал просто вздыхать. Женщина обратила на нас внимание, взглянула сначала мельком, потом взгляд задержала. По ее губам скользнуло что-то похожее на улыбку, она осторожно посмотрела на охранника и нахмурилась. Пожалуй, тут присутствовало не только оскорбленное самолюбие, парень ей по-настоящему нравился.

— Тебе надо посетить туалет, — сказала я Грише.

— Зачем? — испугался он.

— Затем, что одной мне будет проще с ней познакомиться.

— Не хочу я тебя оставлять, — насторожился он, а я обиделась:

— Что за недоверие? Инициативу в массах надо приветствовать. Иди. В конце концов, можешь за мной подглядывать.

Последние слова Гришу обидели, он проводил меня к столу и довольно громко сказал:

— Я на минуту. — И поспешно удалился.

А я сняла обнаглевшего Ромео со стула (он положил лапы и морду на стол и грустно наблюдал за тем, как мы танцевали. Ромео очень ревнивый, он даже близость Максима не всегда приветствовал, а тут совершенно чужой нам человек). Я наклонилась к нему и зашептала в ухо, приподняв его на должную высоту:

— Я хочу познакомиться вон с той дамой. Пожалуйста, помоги мне. Ты же умный пес. Ну...

Есть люди, скептически относящиеся к уму собак, лично я в интеллекте своего пса никогда не сомневалась. И сегодня он меня не подвел. Зевнул и, лениво перебирая короткими лапками, устремился к столу, за которым сидела женщина. Когда до ее ног осталось не более метра, сел копилкой, приподнял уши и осторожно тявкнул. Один раз и очень тихо. Но женщина услышала и повернулась. Ромео склонил голову сначала налево, потом направо и улыбнулся. На самом-то деле он чуть приоткрыл пасть, но это здорово похоже на улыбку. Пес поднял передние лапы, сложил их у груди и уставился глазами-сливами в глаза женщине. Только совершенно бесчувственное существо не улыбнулось бы в ответ. Женщина улыбнулась и сказала:

— Здравствуй, песик. — А я, услышав ее слова, повернулась и позвала:

— Ромео, не мешай, пожалуйста, людям...

— Это ваша собачка? — обратилась она ко мне.

— Да. Его зовут Ромео. Правда, он душка? И умеет улыбаться. А его еще не хотели пускать в ресторан.

— Какая нелепость, не пускать такого пса... — Женщина погладила Ромео, и он благодарно лизнул ее ладонь. Он не любит фамильярности, но задание есть задание, поэтому он терпел и даже демонстрировал привязанность, правда, взглянул на меня с укором: мол, смотри, приходится страдать для общего дела.

— Он вам не мешает? — продолжила я разговор.

— Что вы, он такой милый. Можно его угостить чем-нибудь?

Это уж слишком. Ромео, услышав такое, заскулил, а я поторопилась прийти ему на помощь.

— У него строгая диета. Но все равно спасибо. Ромео отлично понимает, о чем мы говорим, и благодарен вам. Правда, Ромео? — В ответ он тявкнул и кивнул головой, чем привел женщину в настоящий восторг. — Вы верите в переселение душ? — спросила я.

— Как-то не думала об этом...

— Я уверена, что Ромео в прежней жизни был человеком. Причем известным. Ученым или художником. Он мой друг, и я отношусь к нему очень серьезно.

— Еще бы. Он действительно умница. Вы здесь отдыхаете?

«Ну, наконец-то», — мысленно вздохнула я, и наш разговор пошел оживленнее. На лестнице появился Григорий, увидев, что мы разговариваем, он поспешно отступил в тень.

Женщина была не прочь поговорить и оказалась вовсе не такой надменной, как выглядела, вопросы из нее так и сыпались.

— Вы здесь с мужем?

— Нет, — слегка смутилась я. — Это мой жених.

Мы приехали на пару недель. Остановились вон в том доме. Кажется, я забыла выключить утюг, и он ушел проверить. А это ваша яхта? Я видела, как вы причалили.

Поспешность всегда наказуема. Лицо женщины мгновенно переменилось.

— Это яхта одного моего знакомого, — скороговоркой ответила она и, добавив: — Хорошая собачка, — отвернулась, тем самым давая понять, что разговор окончен.

Я мысленно чертыхнулась, и тут за моей спиной кто-то очень тихо позвал:

— Аня. — Я вздрогнула, мгновенно узнав этот голос, а он поспешно предупредил: — Пожалуйста, не оборачивайся.

— Ты здесь, — брякнула я несусветную глупость. Разумеется, он здесь, раз я с ним разговариваю. Я сидела почти вплотную к ограде из белого камня, Сережа, должно быть, стоял в тени деревьев. Со стороны освещенной террасы его трудно было увидеть. Этому обстоятельству я очень порадовалась, отыскала глазами Гришу и вздохнула с облегчением: тот терпеливо ждал, стоя рядом с компанией подростков, наверное, надеялся, что наш разговор с женщиной возобновится.

Ромео подошел ко мне, я наклонилась, почесывая его за ушами. Теперь, если Гриша заметит, что губы мои двигаются, решит, что я говорю с собакой.

— Завтра утром я отправлю тебя домой, — сказал Сережа.

— Если бы я хотела избавиться от твоих друзей, то давно бы так и сделала. Это совсем не трудно.

— Тогда почему ты здесь?

— Мне нравится море. И я хочу тебе помочь.

— Спасибо. Только у меня все отлично.

— И ты не хочешь меня видеть?

— Ты же знаешь, очень хочу. Но дело не в этом...

— Только не говори мне всякие глупости про

опасность, — предупредила я. — Ничего не желаю слушать. К тому же я тебе не верю: твои слова о том, что у тебя все в порядке, не более чем слова. А от помощи отказываться глупо.

— Аня, тех двоих, что привезли тебя сюда, бояться не стоит. Они просто мелкие жулики. А вот вилла на скале — очень опасна. Не смей туда соваться. Ты поняла?

— Поняла, — проворчала я и добавила поспешно: — Осторожно, Гриша идет.

— Увидимся, — шепнул Сергей, я услышала слабый шорох и выпрямилась, а Гриша появился возле стола.

— Потанцуем? — предложила я с улыбкой.

Женщина, понаблюдав немного за танцующими парами, которых заметно прибавилось, поднялась и, улыбнувшись мне на прощание, исчезла вместе со своим спутником. Пристань была освещена, и вскоре я заметила две фигуры, поспешно скрывшиеся на яхте. Через несколько минут яхта отчалила от берега.

— Пожалуй, нам тоже пора, — сказала я Грише.

По дороге я дословно передала нашу беседу с женщиной и пожаловалась:

— Не надо было мне спрашивать про эту яхту, она сразу насторожилась. Теперь, если мы встретимся вновь, мое внимание может показаться ей подозрительным.

— Да... — неопределенно кивнул Гриша, мы как раз подошли к калитке.

— Славику ты сам все расскажешь? — вздохнула я. — У меня нет ни малейшего желания встречаться с ним еще раз.

— Из-за скандала на пляже?

— Конечно, он вел себя как последний идиот.

— Кому ж приятно, когда пристают к его девушке? — встал Гриша на защиту друга.

— Это я его девушка? В жизни не слышала большей глупости. А ты тоже способен затеять драку на пляже?

— Идем-ка в дом, — смутился Григорий и толкнул калитку.

Я выключила свет в своей комнате и немного полежала поверх покрывала на огромной постели. Ромео задремал, ко мне же сон не спешил. Я думала о Сергее. Он здесь, совсем рядом. Рискуя жизнью (это я малость преувеличивала, но ведь рисковал же чем-то), так вот, рискуя, он встретился со мной, чтобы предупредить об опасности. По-моему, это очень благородно. К тому же меня одолевало любопытство, должна я, в конце концов, знать, что здесь происходит? Самое время Сереже просветить меня.

Я немного пошевелила мозгами и поздравила себя с правильной догадкой: в брошенном доме на озере наверняка прятался Сережа. Место удачнее просто трудно отыскать. Десять минут — и он в поселке, жители избегают озеро, а отдыхающие предпочитают море. Значит, ночью я видела его... с ружьем или винтовкой, Бог знает как это называется. Ну и что? В горах ночью, да еще в таком жутком месте... Несмотря на некоторые сомнения, Сережа казался мне благородным человеком, неспособным на преступление. Тут было бы уместно вспомнить, при каких обстоятельствах мы познакомились, но ведь иногда в тюрьме оказываются совершенно невинные люди. Посадили же Сильвестра Сталлоне... забыла, как называется этот фильм. Впрочем, не важно, главное, что такое бывает. А чтобы не мучили сомнения, надо немедленно встретиться с Сережей.

Я тихонько поднялась и проследовала на цыпочках к двери. В доме стояла тишина, такая глубокая, точно мои нежданные друзья взяли да и вымерли. «Вот было бы здорово», — вздохнула я и вернулась к постели. Ромео заворчал, а я, наклонившись к его уху, шепнула:

— Мне надо уйти. Я не могу взять тебя с собой. Ты очень неповоротливый, а у меня нет времени и нет фонарика, на руках я тебя нести не смогу, потому что в темноте набью шишек. Так что не ворчи и оставайся здесь. Дверь заперта, если эти типы начнут в нее скрестись, подойди и тихонько тявкни, чтоб они знали, что ты здесь. Где ты, там и я, им это хорошо известно, потому что я тебя никогда не оставляла... А сейчас оставлю, и не злись, это бесполезно, я все уже объяснила. Ты остаешься и делаешь вид, что мы вместе. Я включу воду в ванной, и они подумают, что я там и не слышу их стука. — В этом месте я вздохнула и спросила Ромео: — Как тебе план? Согласна, полное дерьмо. Придумай что-нибудь получше. — Пес загрустил, а я сказала: — Я пошла, не беспокойся обо мне, я только найду Сережу и сразу назад.

Поцеловав Ромео в нос, я направилась к окнам. Надо сказать, что я еще в первый день водворения в эту комнату тщательно их обследовала. А сегодня утром позаимствовала у Екатерины Васильевны подсолнечного масла и смазала петли, чтобы не заскрипели в случае чего.

Окно открылось практически без шума. Я шмыгнула в ванную, включила воду и переоделась: шорты цвета хаки, черная футболка и тапочки на резиновой подошве. Постояла некоторое время у окна, чутко прислушиваясь. Тишина. Только море рядышком плещет.

Я взобралась на подоконник и отважно шагнула во тьму. Маршрут был мною продуман заранее, еще когда я хотела сбежать от своих компаньонов. Днем мне казалось, что сделать это будет проще простого, но в темноте совсем другое дело. Дважды моя нога повисала в воздухе, а меня охватывал столбняк (должно быть, это и спасло от падения). По тонкой жердочке, точно канарейка, я достигла перил балкона и вздохнула с облегчением. Дальше было проще. Балкон снизу поддерживали два деревянных столба, по одному из них я и спустилась на землю. Присела на корточки и выждала несколько минут. Никаких подозрительных звуков.

Я выпрямилась и побежала в дальний угол сада. Металлическая сетка в одном месте слегка отстала, при известной ловкости выбраться ничего не стоило. Слегка пригнувшись, я побежала к шоссе и, только почувствовав асфальт под ногами, вздохнула с облегчением. Здесь, в тени горы, меня вряд ли заметят из дома.

Возле кладбища я свернула и стала подниматься в гору. В темноте дело это нелегкое, несколько раз я споткнулась, а один раз даже больно ударилась коленом о торчавшие корни. Я очень торопилась, а потому не стала обращать внимания на подобные мелочи. Беспокоило меня другое: смогу ли я в темноте обнаружить дорогу, ведущую от виноградника к брошенному дому? Но мне повезло: только-только я вышла к винограднику, как выплыла луна, заливая все ярким, каким-то совершенно фантастическим светом. Было немного жутковато, зато дорогу я увидела сразу, вошла в лес под кроны деревьев и сказала себе:

— Все эти рассказы — полная чушь. Вот Сережа живет в этом доме, и ему на всякие бредни наплевать. И мне наплевать.

Однако, как только я увидела темную громаду дома, все мои сомнения разом вернулись. Правы были жители поселка: место действительно дурное. В кустах что-то зашуршало, и мне стоило большого труда не заорать во весь голос. «Надо позвать Сережу», — решила я и уже открыла рот, но вдруг передумала. Что, если рядом есть еще кто-нибудь и он меня услышит? Надо ведь соблюдать конспирацию. Придется все-таки идти к дому.

Я свернула к сараям, решив кратчайшей дорогой достигнуть высокого крыльца с деревянными перилами. Стена сарая была обита рваными кусками толя. Я не удержалась, приблизив лицо к стене, за-

глянула в одну из дыр и тут же испуганно отпрянула. В сарае стояла машина. Вне всякого сомнения.
Крыша дырявая, а луна светила прямо над головой,
я отлично видела темные полированные бока. «Конечно, это машина, — урезонила я себя. — Сережи-
на машина, которую он спрятал от любопытных
глаз, и это только лишний раз подтверждает факт,
что мои догадки верны и я сейчас его увижу». Но,
несмотря на это, идти к дому упорно не хотелось.
«Вот ведь чертово место», — подумала я с досадой.
Где-то совсем рядом каркнула ворона, и я буквально осела на землю. «Ну, надо же, — ахнула я. —
Только привидений мне не хватало... Или подни-
майся на крыльцо, или иди домой, совершенно не-
зачем сидеть здесь на земле с глупым видом».

Я взяла себя в руки, то есть зажмурилась, боясь
пошевелиться, а потом вдруг резко выпрямилась и
сделала первый шаг, бормоча под нос:

— Первый шаг — самый трудный.

Если честно, второй был не легче, да и третий
тоже. Но, как бы там ни было, а крыльца я достигла
и поднялась на него. Половицы противно скрипе-
ли, а ворона каркнула еще раз, но я уже была так
напугана, что стало не до нее. Я толкнула створку
двери, и она открылась с жутким скрипом.

— Петли надо смазывать, — сказала я, чтобы
себя успокоить, а еще надеясь, что Сережа, услышав шум, выйдет мне навстречу.

Длинный темный коридор. Ни единого звука.
А что, если я ошиблась и никого здесь нет? Как же
нет, а машина? Кто-то ее здесь оставил? Я шагнула
и торопливо преодолела несколько метров до первой двери. Она была распахнута настежь. Заглянула
в разоренную комнату. Сквозь разбитое окно светила луна, ветерок перекатывал по полу какой-то
мусор.

— И чего я боялась? — сказала я самой себе. —
Это просто заброшенный дом. Глупо ждать, что я

Татьяна Полякова

155

вдруг увижу жуткую старуху с клюкой или призрак ребенка. Все это глупости, и я совсем не боюсь.

Ободренная этими мыслями, я, ступая уверенно и даже с отвагой, заглянула во вторую комнату, а затем в третью. Картина та же: мусор, клочья обоев на стенах, выбитые стекла. «Ни за что не осталась бы здесь ночевать», — решила я, открыла дверь в четвертую комнату и замерла, выпучив глаза. Все стекла целы, а на полу спальный мешок ярко-красного цвета. Пустой. Но кто-то ведь его оставил?

Я шагнула вперед, с намерением коснуться мешка, чтобы старым как мир способом определить, был ли в мешке человек несколько минут назад, или мешок уже давно пребывает в одиночестве. Я наклонилась к нему, и вдруг что-то совершенно неясное, шорох, а быть может, предчувствие опасности, заставило меня обернуться. Я резко вскинула голову и заорала: в дверях стоял человек. Свет луны падал на его лицо, и в первое мгновение я решила, что передо мной призрак, таким неестественно бледным оно мне показалось.

— В чем дело? — спросил мужчина совершенно спокойно, а я перевела дух, прижав руку к груди, и пролепетала:

— Извините. Вы меня ужасно напугали.

— Это вы меня напугали, — возразил он. — Какого черта вы шляетесь по ночам?

Я внимательно присмотрелась к нему и вдруг поняла, что порадовалась рано. Было в его глазах что-то сигнализирующее мне о большой опасности. Не глаза, а два ярко-красных огня светофора. Может, поэтому я и замерла, точно соляной столп, таращась на него, а он между тем осторожно приближался. Шел он странно, абсолютно бесшумно и плавно, как будто плыл по воздуху. А лицо... узкое с пронзительными, глубоко посаженными глазами, оно выглядело бы смертельно усталым, если бы не эти глаза, резкие складки, прочерченные от носа к уголкам рта, и неожиданно мягкий рисунок губ, а над правым глазом длинный, в мелких рубчиках шрам, теряющийся в волосах.

Мужчина как бы между прочим и вместе с тем настойчиво начал оттеснять меня от двери. Сообразив это, я перепугалась еще больше и тоже стала двигаться по часовой стрелке, ему пришлось переместиться следом, и явного преимущества он лишился. Я все еще была вблизи двери, но, если он предпримет военные действия, это меня, конечно, не спасет.

— Я заблудилась, — выжав из себя улыбку, пояснила я. — Поссорилась со своим парнем. Там, на озере... увидела ваш дом и обрадовалась. Ночью в лесу очень страшно одной...

— Да? — Он меня не слушал, это ясно. Продолжал двигаться, заботясь только о том, как подобраться ко мне поближе.

— Вы мне поможете? — спросила я.

— Да, конечно. Так где, вы говорите, ваш парень?

— На озере. Слушайте, если вы подойдете ближе, я закричу.

— С чего это вам кричать?

«Еще шаг, о черт, он все-таки отжал меня от двери, в эту узкую щель ни за что не проскочить, а поворачиваться спиной к такому типу нельзя».

— Вы как-то странно себя ведете, — заметила я и нахмурилась.

— Я? Это вы ведете себя странно. Являетесь среди ночи...

— Я же вам объяснила. Не хотите помогать, не надо. Отойдите от двери, чтобы я могла выйти. Так и быть, вернусь к своему парню.

— А он точно есть, этот парень?

— Я вас просила отойти от двери. И не надо меня пугать. Только не говорите, что вы из этих чокнутых маньяков, у меня на них аллергия.

Он криво усмехнулся и шагнул вперед. Играть со мной ему уже надоело, и он надумал предпринять решительные действия. Но и я не дремала, то есть уступать кому-либо вообще не в моем характере, и я терпеть не могу, когда меня пугают, а насчет маньяков я сказала сущую правду. В общем, парень сделал шаг, а я, схватив кусок штукатурки с пола, швырнула ему в лицо. Он инстинктивно поднял руки, закрывая голову, а я проскользнула в дверь, воспользовавшись его замешательством, и на фантастической скорости рванула по коридору, крича во все горло:

— Помогите!

— Сука! — рявкнул он и бросился за мной.

— Помогите! — завопила я еще громче, выскочила на крыльцо, сбежала по ступенькам, споткнулась и упала, неловко повернулась боком и завизжала так, что у самой заложило уши.

Я ожидала, что на мою голову что-нибудь обрушится, кулак, например, или на моем горле сомкнутся цепкие холодные пальцы, или, что еще хуже, в лунном свете сверкнет лезвие ножа.

— Спасите! — заорала я и тут сообразила, что парню давно пора меня поймать, а он до сих пор так и не появился. Эта мысль необычайно воодушевила меня, я наконец вскочила и бросилась бежать. В это мгновение от сарая отделилась тень, и я увидела мужской силуэт. Мужчина спешил мне навстречу.

Такого я не ожидала: как этот тип мог покинуть дом и оказаться возле сараев? Взвыв, я бросилась в кусты и вдруг услышала знакомый голос:

— Ты что, рехнулась?

Я замерла, присев и осторожно выглядывая, потом крикнула:

— Гриша, это ты?

— Конечно, я. Куда ты делась?

Я вышла из кустов и вцепилась в рукав Гришиной ветровки.

— Идем отсюда, — зашептала я испуганно, косясь на дом, потом опомнилась и спросила: — У тебя есть оружие?

— Спятила, что ли? — обиделся он. — Чего ты орала, точно тебя режут? Напугала до смерти...

— Это я тебя напугала? Это меня напугали, ты бы знал, как... Идем отсюда, у этого психа ружье, по крайней мере, в прошлый раз оно было...

— Какой псих, чего ты болтаешь? — возмутился Гриша. Не обращая внимания на вопросы и легкое сопротивление, я тащила его по дороге в сторону виноградника. Только когда под нами появились огни поселка, я перевела дух и малость притормозила.

— Почему ты орала? — начал приставать Гриша.

— Потому что этот тип хотел меня убить.

— Кто? — Гриша так вытаращил глаза, что это было заметно в темноте.

— Тот, который прячется в доме. Говорю тебе, он хотел меня убить. Форменный маньяк. А взгляд какой... брр-р...

— Что ты выдумываешь? — обиделся Гриша.

— Ничего я не выдумываю. Если не веришь, сходи и посмотри.

— Куда, интересно?

— В дом.

— И что я там увижу, по-твоему?

— Маньяка. Только смотри, чтобы он не перерезал тебе горло.

— Ты чокнутая. Славик правильно говорит, у тебя точно не все дома. Скажи лучше, зачем ты сюда поперлась?

— Как зачем? Хотела проверить, кто здесь прячется.

— Тебе Серега сказал, что здесь будет?

— Когда он мне это мог сказать, интересно?

— Вот ты мне и объясни...

— Совершенно нечего объяснять... Прошлой ночью я видела здесь человека и подумала, что дом этот идеальное место для беглеца. Вот и решила проверить.

— Ты сбежала, чтобы здесь с ним встретиться?

— Я не сбегала. Мне пришла в голову мысль, я решила проверить свои догадки и пошла.

— Одна?

— Конечно. Не могла же я поднять тебя с постели среди ночи? По-моему, это было бы невежливо. Я быстренько хотела заскочить сюда и сразу домой. А здесь этот псих... Он точно маньяк и от кого-то прячется. Надо поспрашивать Екатерину Васильевну, у них здесь серийные убийцы не водятся? Уж очень он похож на такого... Слушай, а ты как здесь оказался? — наконец-то догадалась спросить я.

— За тобой следил. Славик еще вчера сказал, что-то ты задумала. Так оно и вышло.

— Спасибо тебе, — очень серьезно заявила я, притянула к себе Гришину голову и с чувством поцеловала его в подбородок. — Ты спас мне жизнь. Считай меня какой хочешь дурой, я-то знаю: этот тип хотел меня укокошить, и если бы не ты... даже страшно подумать, что бы со мною было... — Я всхлипнула, так меня разобрало в ту минуту. Гриша выглядел немного не в себе, посмотрел на меня повнимательней и заявил неуверенно:

— Что ты плетешь? Там никого не было.

— Как же, не было, — съязвила я. — А кто ж тогда, по-твоему, хотел меня убить?

— Может, ты там встретилась с Серегой? Заметили меня, испугались, и ты разыграла этот спектакль, чтобы Серега мог смыться?

— Нет там никакого Сереги, — разозлилась я. — Зато есть маньяк.

— А вот я сейчас пойду и посмотрю, — опрометчиво заявил Гриша, потому что я тут же присоветовала:

— Правильно. Иди и посмотри.

160

— Ага, — хмыкнул он, повернулся в сторону дома и дипломатично предложил: — Идем вместе.

— Нет уж. Решил проверить, иди один. Мне больше не хочется. Я здесь в кустах лягу, пойдешь назад, свистни два раза. Не то выходить не стану, буду лежать до утра. Утром маньяки не любят охотиться... хотя, может, есть и утренние маньяки, поди разберись...

— Дурочка ты и болтаешь всякие глупости. Только зря ты надеешься меня запугать.

Пугать я его не собиралась, ни к чему, он хоть и храбрился, но идти в дом один совершенно не хотел.

— Ты идешь проверять или нет? Может, лучше двинем домой, выпьем чайку горячего... Я бы выпила и чего-нибудь покрепче, нервы совсем разгулялись.

— Сиди здесь, а я пошел, — наконец-то решился Григорий и зашагал назад.

Как только он исчез в темноте, я начала дрожать мелкой дрожью, тревожно огляделась и заползла в кусты, но и здесь покоя не было: за каждым деревом мне виделись маньяки.

— Ужас какой-то, — прошептала я и на всякий случай перекрестилась. Гриши не было минут пятнадцать, не меньше, я начала тихонько поскуливать, а заодно подумывала: не броситься ли со всех ног в поселок с громким криком «Караул!»? Что, если маньяк схватил Григория? Если он тот, кого я видела вчера, у него точно есть оружие. О Господи, ну зачем Гриша туда поперся, и так все ясно: завтра утром надо звонить в милицию, пусть они со своими маньяками сами разбираются, а с меня хватит.

Я уже в самом деле собралась бежать в поселок, но тут услышала свист. Однако радоваться не спешила: маньяки очень хитрые ребята, этот мог подслушать наш разговор и теперь меня выманивает.

На тропинке появился мужчина, в свете луны

Татьяна Полякова

его было неплохо видно, и сомнения отпали: это Григорий, и, слава Богу, он жив-здоров.

— Гриша, — позвала я, выползая из кустов, и, подойдя к нему, торопливо зашептала: — Ну как, видел что-нибудь?

— Видел. Дом. Пустой. Что ты мне голову морочила?

— А спальный мешок видел? Допустим, парень тебя заметил и смылся через окошко, но не мог он вещи собрать. Красный спальный мешок в четвертой комнате...

— Никакого мешка там нет, — зло ответил Гриша, а я заподозрила: вряд ли он был в доме, просто заглянул в коридор или обошел дом по кругу...

— Ты в комнатах был? — посуровела я.

— Ну...

— И что?

— Ничего.

— Слушай, — осенило меня, — в сарае стояла машина. И сейчас, должно быть, стоит, мы бы услышали, если бы он уехал. Идем посмотрим.

— Отстань. Пошли домой. — В Григории чувствовалась какая-то нервозность.

— Нет уж, давай проверим, чтобы ты не говорил потом, что я все выдумала.

Немного попререкавшись, мы зашагали к брошенному дому. Лишь только он возник в лунном свете, как на меня снова напал лютый страх. Григорий, должно быть, чувствовал то же самое, потому что стал двигаться медленнее и тревожно оглядываться по сторонам.

Мы подошли к сараю, я первой заглянула в щель в стене и ничего не увидела. Луна как раз спряталась, и рассмотреть что-либо не представлялось возможным.

— Ты ее видишь? — прошептала я.

— Нет, — ответил Гриша. — А ты?

— И я нет.

— Хорошо, что не врешь, я бы все равно не поверил... Темнотища, как у негра... ну, ты знаешь, где...

— Оставь эти глупости... Может, попробуем открыть дверь?

— А где она?

— С той стороны...

Дверь в самом деле была, а на ней висел здоровенный замок.

— Тут лом нужен, — проворчал Гриша.

— Теперь ты мне веришь? — обрадовалась я. — Кому бы понадобилось вешать замок?

— Твоему дурацкому маньяку? Не смеши меня... Те, кто раньше жил в этом доме, оставили здесь что-нибудь: дрова, например, или велосипед...

— Велосипед, — передразнила я. — Ты в доме точно все осмотрел?

— Нечего там осматривать.

— Там должны быть следы его пребывания.

— Ага, черепа жертв...

— Перестань меня пугать, — разозлилась я. — Так мы идем или нет?

— Идем, — кивнул Гриша.

Я сделала пару шагов и замерла как вкопанная, такой на меня напал страх.

— Знаешь что, — попросила я, — иди один. А я тебя здесь подожду. Что-то мне боязно.

— Глупости это, — усмехнулся он.

— Ты храбрый мужчина, — произнесла я с уважением. Храбрый Гриша кисло улыбнулся и сделал еще несколько шагов.

Вдруг в кустах что-то зашуршало, и в тот же момент над нашими головами раздалось зловещее карканье. Не сговариваясь, мы резко развернулись и кинулись к поселку, отчетливо стуча зубами при этом.

В себя пришли только возле нашей калитки.

— Ну надо же, — покачал головой Гриша. — Ни в жизнь бы не поверил, что могу так испугаться.

— У тебя хоть была одна ворона, а у меня еще и маньяк, — пожаловалась я.

Свет горел только на веранде, и дом казался пустым. Гриша озадачился и даже покричал немного, стоя в кухне:

— Эй, ты где?!

Никто не откликнулся. Я выпила стакан молока, глядя в стену напротив, и изрекла:

— Надеюсь, Славику повезет больше, чем мне.

— В каком смысле? — насторожился Григорий.

— В том самом. Кстати, где он может околачиваться?

— Понятия не имею, — проворчал мой друг и компаньон, машинально посмотрев на гору, где, прилепившись к камням, стояла вилла (впрочем, с нашей веранды ее не было видно).

— А тебя это не беспокоит? — нахмурилась я и, не дождавшись ответа, добавила: — Я иду спать. Моим нервам требуется передышка. Утром непременно позвоню в милицию и расскажу об этом проклятом доме... Спокойной ночи.

Я покинула Гришу и в самом деле улеглась в постель, к огромной радости Ромео, который ожидал моего возвращения, забившись в подушки.

— Ты не представляешь, что со мной было, — пожаловалась я и начала рассказывать, а пес поскуливать. От этого времяпрепровождения нас отвлекли тихие шаги. Ночные приключения сделали меня необыкновенно чуткой, я тихонько поднялась и прокралась к окну. Славик как раз поднимался на крыльцо. Вскоре послышались приглушенные голоса, и я, кивнув Ромео, чтобы сидел тихо, отправилась подслушивать.

Славик с Гришей были на веранде. Я-то думала, что Григорий будет рассказывать о том, как я пыталась улизнуть из дома, но говорил Славик, причем очень взволнованно.

— Я видел машину... Пролетела по дороге в гору. Это он. Приехал ночью, чтобы никто не узнал.

— А по мне, мы здесь только зря время теряем, — проворчал Гриша. — Никто не знает, где сейчас Жженый. Может, на Багамах, а мы тут сидим...

— Он здесь. Говорю тебе... я взял бинокль и пошел на наше место. В доме все тихо, что неудивительно, прошло довольно много времени. Но я уверен, это он приехал. И в гараже горел свет. К тому же его любовница торчит здесь, значит, ждет. Это точно его машина, огни исчезли в направлении виллы...

— Завтра утром понаблюдаем, — вздохнул Гриша.

— Он может не выходить из дома. Он хитрый и очень осторожный.

— Ну и что ты предлагаешь?

— Пошлем девчонку.

— Куда? — удивился Гриша, а я насторожилась и даже нахмурилась, ночных приключений мне за глаза хватило, и я не спешила затевать новые.

— На виллу. Ей только и надо, что узнать: там машина или нет. Проще простого.

— А как она попадет на виллу?

— Это не проблема. Иди разбуди ее...

Гриша поднялся, а я заспешила в свою комнату, не хватало только столкнуться с ним нос к носу.

Только я устроилась на постели рядом с Ромео, как Гриша поскребся в дверь, а потом позвал тихонько:

— Аня... — Кстати, до сего момента он меня по имени не называл (обходился), и теперь я услышала его из уст Гриши впервые. Выходило у него трогательно. — Аня, — еще раз повторил он и, приоткрыв дверь, сунул в образовавшуюся щель голову.

— Ты чего? — вроде бы испугалась я.

— Выйди на минуточку, — попросил он застенчиво. — Разговор есть. Важный.

— С ума сошел? Какой разговор в такую-то пору? И чего тебе не спится?

— Выйди, а? — вздохнул он. Дверь закрылась, и я стала одеваться, громко ворча при этом, Ромео тоже ворчал и, спрыгнув с кровати, преданно смотрел мне в глаза, точно желая сказать: «Уж на этот раз ты меня здесь не оставишь».

— Пойдем, — вздохнула я. — Толку от тебя никакого, но вдвоем все же не так страшно. — Иногда я очень сожалею, что Ромео такой маленький и трусливый. Был бы он, к примеру, бультерьером... Пес, точно услышав мои мысли, жалобно вздохнул и повесил голову, а я устыдилась и примирительно пояснила: — Я вовсе не это имела в виду, то есть я тебя совершенно ни в чем не упрекаю. Ты не умеешь кусаться, а я не умею готовить. Что ж теперь поделаешь... В конце концов, любят не за то, что ты умеешь или не умеешь... Ладно, пошли, — кивнула я, окончательно запутавшись в извинениях.

Славик с Гришей ждали на веранде. Славик нервно метался от окна к двери, а Гриша сидел нахохлившись и о чем-то думал.

— Что случилось? — сурово поинтересовалась я.

— Анна Станиславовна, пробил ваш час, — обрадовал Славик.

— Это в каком же смысле? — не поверила я.

— Мы возлагаем на вас большие надежды, — не слушая меня, продолжил он.

— Возлагайте, я не против, — пресекла я глупую болтовню. — Только ни о чем не просите, мы с вами договаривались: я лежу на пляже и ничегошеньки не делаю.

— Ну, уважаемая. Кое-что сделать все-таки придется. Впрочем, это такой пустяк, что и говорить не о чем.

— Чего же вы тогда так много говорите? — не удержалась я. — В чем дело?

— Надо заглянуть на виллу. Заглянуть и узнать, нет ли там сегодня гостей. Интуиция подсказывает мне, что есть. В гараже должен стоять еще один джип.

— Вы предлагаете мне перемахнуть через ограду и заглянуть в чужой гараж? — искренне удивилась я.

— Не стройте из себя дурочку, — разозлился Славик. — Когда надо, вы соображаете очень неплохо. Вот и напрягитесь.

— Я не могу напрягаться среди ночи...

— Тогда просто слушайте. Сейчас мы на машине поднимемся на вершину горы. Затем вы, уже одна, будете возвращаться назад и рядом с виллой машина у вас сломается. Совершенно естественно обратиться за помощью.

— Среди ночи? Уверяю вас, это совершенно неестественно.

— Анна Станиславовна, вы ведь женщина, к тому же редкая красавица. Любой мужчина, увидев вас, почтет за счастье оказать вам услугу...

— Да? А что такого сломается в моей машине?

— Гриша что-нибудь придумает...

— А откуда я возвращаюсь среди ночи?

— С турбазы «Магистраль», предположим, там отдыхает ваша подруга, и вы ездили ее навестить. Засиделись допоздна, обычное дело...

— Чего бы мне тогда не остаться у подруги, а тащиться темной ночью по горной дороге?

— Так вы родственников не предупредили, они беспокоятся... Уверен, Анна Станиславовна, вы найдете, что сказать, а вам всего и надо-то, что заглянуть одним глазком в гараж и посмотреть: есть там джип или нет. Одевайтесь, уважаемая, и вперед!

— Что скажешь? — спросила я Ромео, когда мы вернулись в нашу комнату. Он вздохнул. — То-то... Сережа категорически запретил приближаться к этой вилле, но другого выхода у нас нет. Если я сейчас откажусь, они разозлятся и начнут грозить нам. Могут запереть тебя в подвал или еще куда... — Услышав такое, Ромео жалобно всхлипнул и уставился на меня, а я вздохнула: — Придется ехать. Тут уж ничего не поделаешь. А ты смотри в оба, не простая это вилла, раз Сережа не велел туда соваться.

Через полчаса я закончила свой туалет и вновь появилась на веранде.

— Готовы? — обрадовался Славик, я кивнула, и мы все вместе прошествовали к машине.

В гору поднимались без огней, за рулем сидел Гриша, а я, держа на руках Ромео, вздрагивала, то и дело чутко прислушиваясь. Дорога здесь очень узкая, вьется, точно серпантин, с бесчисленным количеством крутых поворотов. Если кому-нибудь придет в голову спускаться на приличной скорости, очень возможно, что он нас не заметит, и тогда... Я выглянула в окно, но мало что увидела... Может, оно и к лучшему...

Мы выскочили на обустроенную площадку с прекрасным видом на бухту внизу, и Гриша лихо притормозил. Вышел из машины и извлек из багажника запаску, оттащил ее в кусты и там спрятал, вновь сел за руль и пояснил:

— Может, у Ани ничего не выйдет, и запаска нам понадобится...

— Что за мысли? — хихикнул Славик. — У Анны Станиславовны все прекрасно получится.

Мы проехали еще с километр, где-то внизу должна была находиться вилла, Гриша проскочил опасный участок на бешеной скорости и не включал даже габаритов. Через несколько минут мы достигли вершины, где развернулись на узком пятачке, и мужчины поспешно вышли, а я заняла водительское сиденье. Гриша наклонился к заднему колесу, потом подошел к моему окну, открытому по случаю духоты, и сказал:

— Ну, давай... поосторожнее там, старайся особо не болтать и побольше улыбайся. В общем, коси под дуру, у тебя это классно выходит.

— Спасибо, — поблагодарила я с некоторым сомнением.

— Осторожнее на поворотах, — кивнул он и махнул рукой, а я завела мотор и тронулась с места.

Очень скоро двигаться стало затруднительно, заднее колесо основательно спустило, но тут внизу из-за очередного поворота мелькнули огни виллы, и я поняла, что приехала. От шоссе к вилле шла за-асфальтированная дорога, которая упиралась в металлические ворота. Возле ворот горел фонарь, очень яркий в темноте, вокруг росли деревья, отбрасывающие в свете фонаря причудливые тени.

— Мне совершенно не хочется туда идти, — пожаловалась я Ромео, и он со мной согласился.

Я заперла машину, потом передумала, вернулась в нее и подогнала вплотную к забору, прямо под фонарь. Ромео стоял на обочине и напряженно наблюдал за моими действиями. Я вздохнула и посигналила, один раз и даже не очень громко. Из-за забора раздался собачий лай (причем, лаяла точно не такса, потому что Ромео начал скулить и сделал попытку спрятаться за моими ногами). Мы стояли возле самого забора, рядом с машиной, и ждали, что последует за собачьим лаем. Раздались шаги, и резкий мужской голос спросил:

— Кто? — «Идиотский вопрос: я, конечно, хотя так ведь не ответишь...»

— Извините, — тоненько пискнула я. — У меня машина сломалась, можно оставить ее возле вашего забора?

Калитка распахнулась, и в свете фонаря я увидела верзилу неопределенного возраста в джинсах и черной рубашке. В руке он держал штуковину, подозрительно похожую на ту, из которой стрелял Арнольд Шварценеггер, будучи Терминатором.

— Ой, — совершенно непроизвольно икнула я и отступила на шаг, а потом забралась в машину, пропустив вперед Ромео, и совсем уж было хотела удрать, но тип оказался рядом с дверью, которую я так и не успела закрыть, и миролюбиво спросил:

— Ты чего перепугалась?

— Как же, — продолжая борьбу с икотой безо всякого, впрочем, успеха, ответила я. — Это что у вас в руке?

— А, это... Я здесь сторожем, места глухие, и

черт-те кто таскается ночами по дорогам. Вот и хожу...

— Вы извините, что я вас... побеспокоила... — пытаясь закрыть дверь, сказала я.

— Да ладно... Чего у тебя там сломалось?

— Заднее колесо спустило, а запаски нет. Я хотела оставить машину возле вашего забора, здесь свет и вообще... На дороге боюсь, колеса снимут.

— Очень даже может быть... Оставляй. Так и быть, пригляжу.

— Спасибо, — сказала я, вышла из машины, дождалась, когда выскочит Ромео, и заперла дверь.

— Тебе куда вообще надо? — не унимался парень, оказавшись на редкость болтливым.

— В Озерный. Это здесь, возле горы...

— Да знаю я, где это... Далековато, а ты ножками ходить не приучена, угадал?

— Ничего страшного, я прекрасно дойду, за машину беспокоюсь, потому что она чужая...

— Что ж ты без запаски-то?

— Я в багажник не заглядывала, пока колесо не спустило...

Только-только я вздохнула с облегчением, решив, что достаточно усыпила бдительность парня, как калитка вновь распахнулась, и появился высокий блондин в голубом свитере. Одного взгляда на него было достаточно, чтобы узнать охранника, который сопровождал в ресторан женщину при нашей памятной встрече.

— Что за дела? — спросил он, а мой собеседник принялся торопливо объяснять, причем по тому, как он это делал, стало ясно: блондин здесь за главного. — Колесо, говоришь, спустило? — Блондин подошел поближе, посмотрел на меня и криво усмехнулся: — А мы ведь уже встречались...

— Да? — спросила я нерешительно. — Возможно. Я живу в Озерном и...

— Не мудри, мы встретились в ресторане, ты очень хотела познакомиться с одной леди и для этого даже подослала к ней свою собаку... — Ромео, услышав такое, жалобно тявкнул. — А вот и песик, — обрадовался блондин. — Привет, блохастый. Так что вы опять затеяли со своей хозяйкой?

— Не пойму, о чем вы? И Ромео вовсе не блохастый. Что за глупость?

— Может, я тебя с кем путаю? — начал издеваться блондин, там, в ресторане, он произвел неплохое впечатление, но сейчас мне совсем не нравился.

— Может, и путаете, — с достоинством ответила я.

— Конечно, я вообще страшный путаник. Ты развлекалась с собачкой, а твой дружок, здоровенький такой, прятался на лестнице и ждал, что из этого получится.

Надо же, какой глазастый.

— Я не хочу с вами разговаривать, — твердо заявила я. — Вы меня пугаете, а я этого не люблю.

— Еще бы... я тоже не люблю, когда меня пугают, а еще я не люблю, когда кто-то сует нос в чужие дела.

— В какие такие дела я сунула свой нос? — не на шутку разозлилась я, вскинула подбородок и уставилась в глаза блондину. — У меня не оказалось запаски, и я хотела оставить машину возле вашего забора, чтобы ее не разграбили. Тут фонарь, и предполагаемые воры посчитают, что, если есть такой забор, значит, есть и сторож. Потому я и решила, что машина здесь будет в безопасности, только и всего.

— И ты считаешь, что это хорошая выдумка? — хмыкнул блондин.

— Я могу оставить здесь машину? — возвысила я голос. Сторож таращил глаза, переводя взгляд с меня на блондина, мало что понимая, но заметно посуровел, а я по-настоящему испугалась: а что, если они решат поговорить со мной всерьез? Здесь, в горах, «караул!» можно кричать довольно долго. Есть слабая надежда, что Славик с Гришей придут мне на помощь, но особо я на них не рассчитывала, у Гриши только кулаки, а здесь оружие, а на Слави-ка вовсе глупо надеяться.

Я попятилась к машине и попробовала сесть в нее. Блондин схватил меня за руку, а второй тип чем-то щелкнул. У меня мороз пошел по коже и я, пытаясь справиться с дыханием, заявила:

— Если я через пятнадцать минут не буду дома, мой муж поднимет по тревоге ВВС России, а также задействует ФСБ, пограничников и ОМОН. Он очень важный человек, и у него большие связи. А несколько минут назад на повороте я едва не столкнулась с машиной, думаю, мой «БМВ» они разглядеть успели, значит, с вершины я спустилась, а вот к поселку не выбралась, потому что ни одной машины за это время вниз не проехало, а мой муж сейчас стоит на веранде и огни на дороге, конечно бы, заметил. Вы сообразили, к чему я это толкую? Он догадается: между вершиной горы и поселком со мной что-то произошло, а здесь, поблизости, только ваш забор и ничего больше. Так вот, предупреждаю, как бы вы ни хитрили, он сотрет вас в порошок. — Когда я это говорила, то твердо верила самой себе, даже в то, что Максим стоит на веранде и высматривает огни на дороге.

Ромео, уловив в моем голосе громовые раскаты, поставил шерсть дыбом и злобно зарычал, а блондин засмеялся, надо заметить, довольно подло.

— Ну и что в этом смешного? — поинтересовалась я.

— Ничего, — хмыкнул он, положив руку на открытую дверь машины и таким образом прижав меня к ней. Почувствовав его в опасной близости, я насторожилась, а он наклонился к моему лицу и почти прошептал: — Муж, говоришь?

— Говорю, — отрезала я, исходя внутренней дрожью. Господи Боже, ну что за наказание, за одну ночь два маньяка подряд. Да такого даже в кино не бывает. — Отойдите от машины, — потребовала я.

— На спущенном колесе поедешь?

— Не ваше дело. Я обратилась за помощью, а вы стали болтать всякую чепуху и напугали мою собаку. Очень сожалею, что побеспокоила вас, а теперь уберите руки, иначе я вам их прищемлю.

Я все-таки изловчилась нырнуть в кабину, для этого пришлось почти вплотную приблизиться к парню, точнее, к его груди, Ромео запрыгнул на сиденье чуть раньше. Выражение глаз блондина вдруг сменилось, теперь он смотрел на меня с интересом, но без подозрения и вот-вот готовился улыбнуться.

— Ладно, — сказал он весело. — Ты меня убедила. Я дурак, а ты умная. Заходи в гости, выпьем чего-нибудь, а Вова пока поменяет колесо.

— Спасибо. Только из машины я не выйду. Я вас боюсь.

— Да? Неужто я такой страшный?

— Внешне вы даже очень симпатичный, но человек, судя по всему, плохой и успели меня напугать. Отойдите и дайте мне закрыть дверь, не то я вам нос прихлопну.

— На таком колесе ты далеко не уедешь.

— Ну и что, скоро утро, кто-нибудь поедет мимо и поможет.

Словно в подтверждение моих слов, небо на востоке заметно посветлело, звезды пропали, а на дороге появились огни. Заметив машину, я стала отчаянно сигналить, к сожалению, она проехала мимо, а блондин, ухмыльнувшись, сказал:

— Не дури. Сейчас колесо поставим и проводим тебя домой.

Вова исчез в калитке, а через несколько минут вернулся уже без оружия, зато с запаской. Он катил ее двумя руками и вроде бы улыбался, по крайней мере, мне так показалось.

— Домкрат есть?

— Не знаю, — пролепетала я, а блондин наконец-то отлепился от двери и пошел к багажнику.

Я захлопнула дверь с громким стуком и перевела

дыхание, до конца не веря, что избавилась от страшной опасности. Колесо поменяли в рекордные сроки, а я начала понемногу успокаиваться. Блондин опять возник рядом, я приоткрыла окно, и он сказал:

— Порядок.

— Спасибо, — нерешительно ответила я. — Как вам вернуть запаску?

— А мы тебя сейчас проводим, в своем гараже и отдашь.

Что возразить на это, я не знала и молча кивнула, завела мотор и тронулась с места.

Через десять секунд после этого огромные металлические ворота раздвинулись, и появился темный джип. Я как раз выехала на шоссе, когда он пристроился сзади и буквально сел мне на хвост.

— Видишь, какие дела творятся? — проворчала я, точно это Ромео был во всем виноват. — Не зря Сережа говорил: к этому дому даже близко подходить не стоит.

Тут я достигла смотровой площадки и в то же мгновение увидела Славика с Гришей, они было собрались кинуться мне навстречу, но, вовремя заметив джип, юркнули в кусты. Однако еще вопрос, видел ли их глазастый блондин. Я покосилась на джип, он не остановился и даже не притормозил. Может, действительно не заметил.

Через несколько минут я уже сворачивала к нашему дому. Джип неотступно следовал сзади, а я с опозданием сообразила, что не только мужа, но и просто ни одной души в доме нет, а Славик с Гришей, да еще с запаской, не скоро сюда доберутся. Но в поселке это все-таки не в горах, и, тормозя возле ворот, я чувствовала себя гораздо увереннее.

Джип тоже притормозил, дверь распахнулась, и показался блондин. Кто сидел за рулем, разглядеть не удалось, да это, в сущности, и не имело значения.

— Ну и где твой муж? — хмыкнул блондин, наклоняясь к моему окну.

— Прекратите так разговаривать со мной, — разозлилась я. — А начнете пугать, я подниму на ноги весь поселок.

— Не сомневаюсь, — хохотнул он и зашагал к калитке. Через некоторое время ворота открылись, и я вновь увидела его ухмыляющуюся физиономию. — Прошу, — дурашливо поклонившись, крикнул он, и я подогнала «БМВ» вплотную к гаражу.

— Забирайте свое колесо, — сказала я сурово.

— А где благодарность? — съязвил он.

— Вы имеете в виду ее денежный эквивалент? Так у меня нет ни копейки. Приезжайте к обеду, муж с вами расплатится.

— А словесная благодарность?

— Вряд ли вы на нее всерьез рассчитываете. Нечего было запугивать несчастную женщину.

— Нет у тебя никакого мужа, — заявил он и добавил с пакостной интонацией: — Давай подружимся?

— Дружите со своей хозяйкой, — не удержалась я и тут же чертыхнулась с досады. Блондин приподнял бровь, посмотрел пристально и отошел от машины.

Дальше было вот что: появился еще один тип (должно быть, шофер) и стал возиться с проклятущей запаской, то есть снимать ее, я на всякий случай вместе с Ромео вышла за калитку ближе к шоссе и с удовольствием констатировала возобновление движения на нем, одновременно пытаясь наблюдать за блондином, он куда-то исчез, и это начинало по-настоящему беспокоить. Парень закончил возню с запаской, поставил проколотое колесо на прежнее место и, подхватив свое одной рукой, зашагал к джипу. Казалось, ничто на свете его больше не интересовало. Он устроился на водительском сиденье и лениво зевал, что было неудивительно, утро раннее, и мне, несмотря на пережитые волнения, тоже смертельно хотелось спать. Мой толстый друг прилег у меня в ногах и тоже откровенно зевал.

— Где этот мерзавец? — прошипела я, имея в виду блондина, не выдержала и зашагала к дому. Моей отваге способствовал тот факт, что солнце уже поднялось достаточно высоко и поселок ожил. Мимо прополз трактор с тележкой, в саду соседнего дома появилась женщина, решив, как видно, немного поработать до жары, а на винограднике показались люди, наверное, рабочие совхоза. Вряд ли при таком количестве свидетелей со мной решат разделаться, тем более что джип стоит на самом виду и его даже не пытаются укрыть от любопытных глаз. Потенциальные убийцы, по моему мнению, так не поступают. В общем, я направилась к дому в робкой надежде на то, что сегодня не умру.

Дверь в дом была распахнута настежь. Это слегка удивило. Я осторожно прошла по коридору, заглянула в кухню и вздрогнула от неожиданности: из комнаты Гриши вывернул блондин.

— Что вы здесь делаете? — попробовала разозлиться я, но вышло как-то неубедительно.

— Осматриваюсь, — без тени смущения ответил он, впрочем, я не ожидала, что он покроется с головы до ног краской стыда, но все равно это разозлило, и я поинтересовалась с ехидством:

— Нашли что-нибудь интересное?

— Нет, — покачал он головой вроде бы без сожаления, затем приблизился вплотную, вынудив меня прижаться к стене, Ромео зарычал, но парень не обратил на это внимания, руки его уперлись в стену на уровне моих плеч, а физиономия оказалась слишком близко от моего лица. Он смотрел мне прямо в глаза и ухмылялся, а я почувствовала себя крайне неуютно. Во-первых, мужчины со мной подобным образом никогда не обращались, во-вторых, что в следующий момент предпримет блондин, угадывалось с трудом, он и сам, должно быть, не знал: то ли залепить мне пощечину, то ли поцеловать, а это, согласитесь, не радует женщину моих взглядов и воспитания. Я отвела глаза и даже отвернулась. Он уткнулся носом в мой висок и зашептал:— Послушай меня, деточка, может, ты очень наглая стерва, а может, кто-то ловко тебя дурит. В любом случае забудь про виллу и никогда там не появляйся. Даже если разом четыре колеса спустят прямо напротив забора. Поняла?

— Еще полчаса назад, — ответила я. — Можете не тратить свое красноречие понапрасну, вы меня больше никогда не увидите.

— А вот это вряд ли, — хохотнул он, щекоча мне ухо дыханием. — Мне очень нравятся блондинки.

— Я крашеная, и отлепитесь от стены. Вылили на себя флакон одеколона, меня может стошнить.

Он отлепился, хмыкнул и заявил:

— Увидимся. — Сделал ручкой и исчез в направлении входной двери, а я сползла на пол и заявила Ромео:

— Видишь, что творится? Кругом одни психи. Воспитанную собаку и то одну не выпустишь. — Ромео кивнул со вздохом и жалобно ткнулся носом в мою ладонь.

В таком виде нас и застали Славик с Гришей, вернувшиеся через некоторое время.

— Чего это ты тут сидишь? — с некоторым испугом поинтересовался Григорий.

— Меня чуть не убили, — заявила я. — И все благодаря вам. Мы не договаривались, что мне придется рисковать жизнью. — Ромео при этих словах сел копилкой и тявкнул. — Ромео тоже не договаривался, — кивнула я.

— Что это вы болтаете? — ядовито осведомился Славик, но Гриша его перебил:

— Помолчи. Что случилось, Аня?

Я вздохнула и начала рассказывать, правда, избрав для рассказа более удобное место: мы вчетвером переместились в кухню и даже выпили кофе.

— Блондин явный псих, — закончила я и поежилась, вспомнив недавнюю сцену в коридоре, почему-то его слова продолжали беспокоить.

— Он все понял, — с легким намеком на испуг, сказал Гриша.

— Чепуха, — отмахнулся Славик. — Что он мог понять? Он у Жженого начальник охраны, ему положено быть подозрительным. Если бы у него в самом деле был повод заподозрить ее... — В этом месте Славик неожиданно замолчал и отвел глаза, а я насторожилась, происходящее нравилось мне все меньше и меньше.

— Теперь он начнет следить за нами, — не унимался Гриша, я разделяла его беспокойство и согласно кивнула.

— Перестань, — поморщился Славик и сурово посмотрел в мою сторону, точно это я была во всем виновата. — В гараж ты, конечно, не заглядывала? — спросил он.

— Интересно, как бы я смогла это сделать? — разозлилась я. — Да меня даже за забор не пустили. Я не знаю, что у вас за дела с этими типами с виллы, но могу сказать одно: связываться с ними не стоит.

— Мы в ваших советах не нуждаемся, — съязвил Славик, Гриша нахмурился, а он торопливо продолжил: — Не вижу повода для беспокойства. Ну, обратили на нас внимание, что ж... в конце концов, нас интересует вовсе не хозяин виллы.

— Хотелось бы знать, что вас в действительности интересует, — поинтересовалась я. — Уж если мы оказались в такой ситуации, вы могли бы хоть кое-что мне рассказать. В конце концов, этого требует элементарное чувство приличия... — Славик мои слова проигнорировал, а Гриша тяжело вздохнул. — Хорошо, — кивнула я. — Как вам угодно. Но в этом случае помощи от меня не ждите.

— Хозяин виллы нам действительно не нужен, — нерешительно начал Григорий. — Мы же просто хотели узнать, здесь ли он...

— Уж очень мудрено, — не поняла я. — Зачем же узнавать, если он вам не нужен?

— Очень много вопросов, — возвысил голос Славик, а я решила с ним не церемониться.

— Я обещала содействие при условии, что это будет безопасно — раз, что делать ничего не придется — два, и что на море будет хорошая погода — три. Погода действительно хорошая, все остальное — ни к черту. Помнится, вы говорили, что пытаетесь отыскать Сережу, заметьте: мы здесь несколько дней, а он себя никак не проявил. Кажется, мы напрасно теряем ваши деньги. Про время я ничего не говорю, у меня его сколько угодно, но деньги по-прежнему ваши, и вы их швыряете на ветер. Трофима, как вы его называете, нет, зато полно маньяков, еще одно подобное испытание — и я увольняюсь... И не надо делать такое лицо, — заявила я Славику. — Вы мелкие жулики, мне это доподлинно известно, можете грозить сколько хотите, только я вас не боюсь, ничегошеньки вы мне не сделаете, а вот я могу доставить вам массу неприятностей, к примеру, взять и заорать на весь пляж, что меня похитили. Или попрошу Екатерину Васильевну позвонить моему мужу, он приедет, и остаток жизни вы, Вячеслав Сергеевич, просидите в тюрьме, уж мой-то муж об этом позаботится. Гришу я, конечно, сажать не стану, потому что он меня спас и вообще он милый, а вот вы мне очень несимпатичны, и я хочу, чтобы вы об этом знали.

Славик с Гришей переглянулись и уставились на меня.

— Ты ее спас? — наконец вымолвил худосочный.

— Ну... — невнятно промычал его компаньон, а я закивала:

— Спас, спас...

— От кого?

— От маньяка, — охотно ответила я.

— Что за чушь... какой маньяк?

Вот тут-то и выяснилось, что Гриша до сих пор

ничего не рассказал о моем визите к заброшенному дому и о встрече с тем самым психом.

Славик слушал недоверчиво и хмурился. При моем описании маньяка неожиданно проявил интерес:

— Шрам на лбу?

— Да... вот здесь, — показала я пальцем. — В мелких зубчиках.

Славик помолчал, потом, точно очнувшись, хмыкнул и заявил уверенно:

— Ерунда... А зачем вы, Анна Станиславовна, ночью туда отправились?

— Я уже объяснила Грише: решила, что там прячется ваш Трофим...

— Наш, Анна Станиславовна, наш...

— Хорошо, если вам так больше нравится, я никогда не спорю по пустякам. Но Трофима там не было, зато был маньяк, а встреча с ним не входит в круг моих обязанностей, раз уговор был, что я лежу на пляже. А потом еще и этот блондин...

— Хорошо, уважаемая, — устало согласился Славик. — Лежите себе и дальше на пляже. Ни о чем другом мы вас больше не попросим.

— Да? — Такая покладистость вызвала подозрение. Я посидела, подумала, не нашла что бы еще сказать и отправилась спать.

После обеда мы с Ромео встали, перекусили на скорую руку и пошли искать компаньонов. Екатерина Васильевна, которая убиралась в кухне, сообщила, что Григорий Иванович только что откуда-то вернулся, а Вячеслав Сергеевич только что куда-то ушел.

— Гриша! — крикнула я, устав бродить по дому. Он отозвался с веранды, и через полчаса мы пошли на пляж.

Кроссовки Гриши, стоявшие возле двери, были с характерным белым налетом, из чего я сделала вывод, что их хозяин до обеда нес вахту где-то в горах, судя по всему, наблюдал за ненавистной виллой. Далась она им, уж вроде бы намекнули людям, что лезть туда не стоит...

Подобным мыслям я предавалась остаток дня до самого вечера. Пляж мы покинули поздно, потому что, спасая от жары, дул легкий ветерок, а на волнах было очень приятно кататься на матрасе, то есть это я каталась, а Гриша, держась одной рукой за матрас, плыл рядом, поглядывая на меня с умилением. Вообще я вынуждена признать, что проводить с ним время было довольно приятно. В отличие от моего мужа, Гриша, к примеру, никогда не спорил и, подозреваю, считал меня очень умной, что мне, конечно, льстило, потому что, если честно, умной меня мало кто считал. При этом Гриша не забывал, что я замужем, и хоть смотрел на меня с заметным томлением, но никаких попыток к сближению не предпринимал. Наверное, до сих пор помнил о черепно-мозговой травме и надкушенном ухе.

Когда солнце стало садиться за гору, мы собрали вещи и вернулись домой. Дом был пуст, Екатерина Васильевна давно ушла, а Славик еще не вернулся. Поначалу Гриша не выказывал беспокойства. Мы поужинали холодным цыпленком и разошлись по комнатам. Где-то около полуночи я услышала шаги возле дома и на цыпочках пробралась к окну. Весь день я ощущала безотчетную тревогу, почему-то мне казалось, что сегодня ночью непременно появится Сережа. Однако меня ожидало разочарование: по тропинке, ничуть не таясь, шел Гриша, причем шел от калитки к дому, то есть явно откуда-то возвращался.

— Гриша! — крикнула я, а он поднял голову. — Что случилось?

Он сделал мне знак, что сейчас подойдет, и скрылся из поля моего зрения. Хлопнула входная дверь, он стал подниматься по лестнице, а я вышла ему навстречу.

— В чем дело? — спросила я шепотом.

— Славка до сих пор не вернулся...

— Что это может значить? — испугалась я. — Он следил за виллой?

— Следил. — Гриша принял покаянный вид.

— Вот именно: следил... Что я вам говорила, там одни психи. Вдруг они его поймали?

— Кто? — вытаращил Гриша глаза.

— Ну эти, с виллы. По-моему, они способны на все.

— Да мы даже близко к вилле не подходим, мы ж следим за дорогой...

— Следим, следим, — передразнила я. — Куда ж он делся?

— Не знаю. И машины на месте нет. Должно быть, куда-то уехал, то есть что-то углядел, сидя на горе, ну и...

— В милицию заявим?

— С ума сошла? — испугался Гриша и заговорил с нотками подхалимства в голосе: — Зачем в милицию? Объясняй им, кто да что... Славка утром вернется, и нечего о нем беспокоиться. — Говорил он вроде бы убедительно, но ни меня, ни себя почему-то не убедил.

Утром я проснулась довольно рано и сразу же пошла узнавать, вернулся ли Славик. Гриша в полном одиночестве завтракал в кухне. Мы с Ромео к нему присоединились, вопросов задавать я не стала, и так все ясно.

— Мне надо отлучиться... ненадолго, — заявил Гриша где-то через полчаса.

— Пойдем вместе, — сказала я, и он кивнул. Я уже давно заметила, что Гриша и Ромео немного похожи: оба толстенькие и трусоватые. В общем, я предложила свою помощь, и Гриша не отказался. Мы пошли в горы, прихватив и Ромео. Гриша сказал, что там кругом тропинки и пес вполне справится с подъемом. Ромео, наверное, с этим не согласился, но его никто не спрашивал.

Мы поднимались по шоссе в гору, пока еще молча, но я очень надеялась, что совместные поиски сблизят нас и мне удастся что-нибудь узнать. Где-то через пару километров, не доходя до виллы, мы сошли с дороги и начали двигаться по тропинке в тени деревьев.

— Ты говорил, он уехал на машине? — задала я вопрос.

— Точно. Есть дорога от турбазы «Нефтяник» вот через эту гору. Но так мы скорее доберемся, машины-то у нас нет, а пешком много не находишься.

Последнее утверждение показалось мне очень мудрым. Подъем особого удовольствия не доставил. Одно хорошо, склон горы зарос лесом, и здесь, в тени деревьев, было все еще прохладно, хотя день, судя по всему, обещал быть жарким. Ромео пыхтел и семенил по тропинке впереди меня, то и дело оглядывался и смотрел укоризненно, точно спрашивал: «И долго мы будем здесь дурака валять?» Порадовать любимого пса я не могла, потому что сама не знала.

Через полчаса мы достигли дороги, которая вывела нас к площадке, со всех сторон скрытой от глаз деревьями и склоном горы.

— Машина стояла здесь? — проявила я догадливость.

— Здесь, — кивнул Гриша. — А за шоссе мы наблюдали вон оттуда. — Он ткнул пальцем над своей головой.

— Надо здесь все как следует осмотреть, — с умным видом решила я и вместе с Ромео уставилась на дорогу. Дорога была каменистая, узкая и, с моей точки зрения, для езды совершенно непригодная. — Куда она ведет?

— Я ж сказал, к турбазе «Нефтяник».

— А с другой стороны?

— В дельфинарий, то есть это старая дорога,

дельфинарий километрах в пятнадцати отсюда. Раньше здесь кругом были посты пограничников.

— Зачем это? — удивилась я.

— Как зачем? — Гриша тоже удивился. — Здесь граница совсем рядом, морская... Ну вот, были посты. И по дороге не больно-то разрешали ездить, вот ее и не асфальтировали. А потом к одному из поселков пустили рейсовый автобус, и добираться оттуда до дельфинария стало гораздо удобнее. И эту дорогу вообще забросили...

— А пограничники куда делись?

— Не знаю... хотя, может, и сидят где. Раньше строго было, а сейчас... — Он махнул рукой, выражая тем самым презрение к наступившим временам.

— А откуда ты все так хорошо знаешь? — насторожилась я.

— Да я здесь, можно сказать, вырос. Родители возили отдыхать. Каждый год.

Я озадаченно посмотрела на Гришу: в то, что у него были любящие родители, а он сам был маленьким мальчиком, верилось с трудом.

— Ладно, пойдем по дороге.

— Может, сначала посмотрим наверху? — предложил Григорий.

— Машины-то нет, выходит, Славик куда-то на ней уехал.

Гриша кивнул, и мы начали спуск по дороге, вглядываясь в камни под ногами. Больше всех, конечно, старался Ромео, он даже что-то вынюхивал, изображая служебного пса. Таким образом мы шли довольно долго, пока каменистая дорога не вывела нас на шоссе.

— Ничего, — расстроилась я, и Гриша со мной согласился, хотя ни я, ни он понятия не имели, что мы, собственно говоря, ищем. — Надо вернуться и идти в другую сторону, к вершине.

— Зачем? — нахмурился Гриша.

— Мы ведь не знаем наверняка, в какую сторону он поехал. Так вот, давай проверим.

Предложить что-нибудь более толковое Гриша не мог и потому со мной согласился, мы побрели назад, солнце поднялось довольно высоко, и ни о какой прохладе под ветвями деревьев мечтать не приходилось.

Мы достигли места, где Славик с Гришей обычно оставляли машину, передохнули немного и отправились дальше. Чем выше в гору мы поднимались, тем хуже становилась дорога.

— Здесь невозможно проехать, — ворчала я, а Ромео, решив, что я злюсь, сердито зарычал.

Прошли мы не менее восьми километров, и все без толку. Никаких следов машины. Дорога то поднималась вверх, то падала вниз, и конца-краю ей, казалось, не будет.

— Не в дельфинарий же он поехал? — возмутилась я. Гриша обливался потом и молчал. В конце концов решено было вернуться.

Обратный путь давался с трудом, Ромео вывалил язык и тяжело дышал, а один раз даже тявкнул на Гришу, считая его во всем виноватым. Дорога опять пошла в гору, и мы окончательно вымотались.

— Давай передохнем, — предложила я и устроилась на большом камне у обочины. Огляделась безрадостно и вздохнула, хотя вид отсюда открывался потрясающий: море у берега изумрудное, а дальше к горизонту серебристо-голубое с мелкими барашками волн. — Надо уметь наслаждаться природой в любой ситуации, — сказала я Ромео, он в ответ кивнул, но наслаждаться не стал, лег возле меня и закрыл глаза.

Гриша потоптался рядом, потом стал спускаться по еле заметной тропинке в сторону от дороги, виновато проронив:

— Я сейчас...

Я с отвращением посмотрела на свои потные ладони, а потом на ноги, успевшие за пару дней основательно загореть. Казалось, белая пыль забила все поры на моем теле и избавиться от нее никогда не удастся, а нам еще идти и идти.

— Только дураки шастают по горам в такую жару, — мрачно заметила я, в этот момент Гриша где-то внизу отчаянно крикнул. Я вскочила, испуганно замерла, а потом бросилась по тропинке.

Гриша стоял метрах в двадцати и выглядел совершенно целехоньким, что, признаться, удивило меня. Заслышав шаги, он повернулся ко мне и, ткнув пальцем вниз, сказал:

— Там.

Я посмотрела в направлении его пальца и нахмурилась, потому что в первое мгновение ничего не заметила и, лишь присмотревшись, увидела ниже по склону завалившуюся на бок машину. Цветом и формой она подозрительно напоминала «БМВ», на котором совсем недавно раскатывали компаньоны.

Не сговариваясь, мы спустились, что было нелегким делом, я без конца спотыкалась о торчащие из земли корни и даже умудрилась наступить Ромео на хвост, но, несмотря на это, «БМВ» мы достигли в рекордно короткие сроки. Левая передняя дверь была распахнута настежь, я опасливо заглянула в кабину и с облегчением вздохнула: она была пуста.

— Его тут нет, — вроде бы удивился Гриша, осмотрев машину и прилегающую к ней территорию.

— Как машина могла сюда попасть? — начала я рассуждать вслух. — Она километрах в двух от того места, где вы ее обычно оставляли, и с какой стати ей было скатываться вниз?

— Откуда мне знать? — вроде бы разозлился Гриша.

— Что будем делать? — не отставала я. — Сообщим в милицию?

— Много толку от твоей милиции, надо Славку искать.

Идея стоящая, только вот как ее осуществить? Может, Гриша знает, а вот я нет. Мы выбрались к дороге и зашагали по ней с удвоенным рвением. Гриша молчал, хмурился и даже кусал губы. Через несколько минут, добравшись до места, где должна была стоять машина, мы начали подниматься по тропинке на вершину горы и вскоре достигли почти ровной площадки. Отсюда хорошо просматривалось шоссе, склон горы и даже вилла.

— Это здесь? — спросила я и оглядываясь.

— Здесь, — неохотно ответил Гриша, в нем ощущалась нервозность и даже, по-моему, страх. Глядя на него, я вдруг тоже начала бояться и еще раз огляделась, на сей раз с подозрением.

Рассматривать было особенно нечего. Нагромождение камней, за ними тщательно расчищенное пространство, как видно, здесь и лежали наблюдатели, а в нескольких шагах небольшая пещера, тоже заваленная осколками камней, сползающими со склона. Ромео, глядя в ту сторону, начал мелко дрожать, а потом вдруг зарычал. Шерсть на нем встала дыбом, и он даже попятился.

— Ты чего? — еще больше испугалась я, а Григорий насторожился, приглядываясь к собаке.

Ромео, жалобно поскуливая, принялся разгребать камни и ухватил что-то зубами. Я не сразу поняла, что это, протянула руку и высвободила из пасти собаки тонкий ремешок.

— Что за дрянь ты нашел? — рассердилась я, а Гриша вдруг побледнел и заявил:

— Ремешок от бинокля. — И добавил испуганно: — У Славки был бинокль.

Рухнув на колени, мы стали помогать Ромео, Гриша выругался, потом сказал: «О Господи», а я, заглянув через его плечо, завизжала: из камней торчала ладонь. Человеческая. Рукав джинсовой рубашки и часы на запястье.

— Славка! — выпалил Гриша и откатился в сторону. Я завизжала громче и, не помня себя, побежала по дороге, нелепо размахивая руками. Ромео бросился за мной и тоже визжал. Гриша догнал меня, чуть не сбив с ног своим весом. — Не ори, — сказал он грозно, и я мгновенно заткнулась. Похватала ртом воздух и выпалила:

— Как не орать, когда он там...

— Вот именно. Надо закопать эту руку, — мрачно шепнул он.

— Зачем? То есть я ничего закапывать не буду, хоть убей. И нам надо в милицию. Ведь он... мертвый?

— Конечно, чего б ему в камнях лежать? Жди здесь, я сейчас.

Я переминалась с ноги на ногу, поскуливала и смотрела на море, изо всех сил стараясь ни о чем не думать. Гриша вернулся очень быстро, схватил меня за руку и торопливо зашагал, увлекая за собой. Глаза его были совершенно безумными, а лоб покрывала испарина.

Несколько километров мы преодолели в рекордное время, даже Ромео несся с небывалой для него скоростью.

— Надо позвать людей на помощь, — пролепетала я, ходьба немного привела меня в чувство, и я начала соображать.

— Спятила совсем? — зловеще зашептал Гриша. — Молчать надо, и про машину, и про Славку. Пропал и пропал, мы знать ничего не знаем.

— Как это? — ахнула я.

— А вот так. Что мы ментам скажем? Как объясним, что здесь делали?

— На горе?

— Нет. В этом поселке.

— А что мы здесь делали? — додумалась спросить я.

— Отстань. Молчи и никуда не суйся.

Тут стало совершенно ясно: как ни была я напугана, а Гриша испугался еще больше, толку от него сейчас не добьешься, и инициативу надо брать в свои руки, иначе... черт знает что еще может произойти.

До самого дома я молчала, но как только мы оказались на веранде и Гриша залпом выпил подряд три стакана воды, я, глядя в его глаза, сурово заявила:

— Немедленно объясни, что происходит?

— А то непонятно? — вновь разозлился он. — Этот гад выследил Славку и укокошил.

— Какой гад?

— Трофим.

Я осела на стул и до неприличия широко открыла рот.

— Сережа?

— Конечно, Сережа. Кто ж еще?

— Сережа убийца? — Поверить в такое было невозможно. Это что же выходит: я помогла сбежать из тюрьмы человеку, который тут же убил другого человека, так подло обманув мое доверие? — Не может быть, — твердо заявила я.

— Ты что, труп не видела?

— Нет. То есть да. То есть я видела руку... мамочки... да с чего ты взял, что его убил Сережа?

— С того, что больше некому. Он, точно он. Выследил Славку и убил. Вот гад, а...

— Подожди, успокойся, выпей еще воды и расскажи по порядку. Иначе я сию минуту заору «караул!» и соберу весь поселок.

Гриша посмотрел с сомнением, как видно прикидывая, смогу ли я действительно заорать, кивнул, решив, что смогу, и правильно сделал, потому что в ту минуту я была способна на что угодно. Он сел за стол, потер ладонями лицо и уставился на меня, а открыв рот, уже не мог остановиться: люди в сильнейшем волнении либо замыкаются в себе, так что из них слова не вытянешь, либо болтают как заведенные. Гриша относился ко второму типу.

Я слушала, попеременно то бледнея, то наливаясь краской, а под конец просто начала трястись, словно осиновый лист, и вновь почувствовала себя кактусом. Суть рассказа свелась к следующему:

Крутилин Иван Андреевич, по кличке Жженый, был человеком весьма опасным, могущественным и соответственно пользовался большим авторитетом в определенных кругах. Однако авторитет не спасает от врагов, были они и у Жженого, причем враги тоже могущественные, слово которых не расходилось с делом. Вот эти самые враги и решили укокошить Жженого. Избавить мир от пакостной личности должен был Трофим в паре со своим другом, за что и получил очень приличное вознаграждение, которое выплачивалось в два этапа: до убийства и после. Получив аванс, Трофим с другом отправился на задание, и тут случилось непредвиденное: приятель Трофима погиб, а он буквально через несколько минут после перестрелки был арестован правоохранительными органами. Однако во время ареста денег при нем не оказалось. Вот тут и началось самое интересное. Вячеслав Сергеевич, адвокат по профессии, близко к сердцу принял судьбу Трофима, продолжая помогать ему не только до суда, но и после, надеясь получить за это солидное вознаграждение, так как Трофим откровенно рассказал ему о деньгах. Срок Сергею дали не то чтобы большой, но и его отсиживать не хотелось. Славик тоже горел нетерпением получить деньги. В общем, мысль о побеге возникла неизбежно и сразу в обеих головах. Об остальном я уже знала: Трофим сбежал, но со Славиком встретиться не захотел, и тот в сильнейшей обиде решил его отыскать. Расчет адвоката был прост: Трофиму ничего не останется делать, как выполнить «заказ», иначе его собственное существование стало бы чрезвычайно проблематичным. Сергей решит разделаться с Крутилиным и получить вторую часть причитающихся ему денежек, а так как Крутилин, или Жженый, большую часть времени проживал на своей вилле под усиленной охраной, а свои передвижения окутывал покровом тайны, вероятность появления здесь Трофима была почти стопроцентной. Поэтому Славик с Гришей и отправились сюда, прихватив меня с собой в качестве приманки, поэтому и следили за виллой, пытаясь определить: здесь Крутилин или в одном из своих загадочных отъездов.

Кое-что в рассказе Григория мне совсем не понравилось, точнее, не понравилось мне буквально все, но кое-что откровенно испугало: первое — мы с Сережей в ночь его побега заезжали в одно весьма неподходящее место, к которому он, однако, стремился всей душой и откуда появился уже с деньгами, а второе — то, что он незамедлительно возник здесь, чему я была безусловным свидетелем. Выходит, Гриша прав, и Сережа в самом деле наемный убийца... Быть этого не может... Я глухо простонала, напугав Ромео. Гриша взглянул на меня с недоумением.

— И ты думаешь, что Славика убил он? — жалко спросила я.

— Конечно. Трофим наверняка тоже следил за виллой, каким-то образом наткнулся на Славку и укокошил его.

— Боже мой! — снова простонала я и мысленно добавила: «Никому нельзя верить, а я кактус. Только такое нелепое существо, как я, способно вляпаться в подобное дело. Киллеры, авторитеты, а теперь еще и убийство...» Последнее особенно досаждало. — А может, его не убили? — вздохнула я. — Может, его случайно засыпало?

— Что ты болтаешь? — обиделся Гриша. — Ему голову проломили, я проверял.

— Не может быть, — на всякий случай сказала я и вновь подумала о Сергее: если так пойдет дальше, от его романтического образа ничего не останется. Гриша хмыкнул и затих, не желая со мной соглашаться, а я опять спросила: — Что ж мы будем делать?

— Надо поймать этого гада.

— Кого?

— Трофима, естественно. — Было ясно, что Гриша смутно представляет, как он собирается его ловить.

— Зачем поймать, чтобы отнять деньги? — поинтересовалась я.

— Может, и деньги, но перво-наперво засадить его в тюрьму.

— В тюрьму сажает милиция, значит, надо звонить туда.

— Не надо, — заупрямился Гриша. — Я ведь сказал уже: придется им объяснять, сами вляпаемся, а Трофима они фиг найдут, он умный и очень осторожный. Славку укокошил, чтоб о нем никто не знал.

— Слушай, — после минутного размышления заявила я, — если Сергей укокошил Славика, очень вероятно, что он захочет избавиться и от нас.

— Не от нас, а от меня, — обиделся Григорий. — На тебе он в самом деле помешался, это точно, и убивать не станет. Но со мной у него ничего не выйдет, я не Славка, и вообще...

— Гриша, я полностью доверяю твоим знаниям и опыту, но не слишком ли мы рискуем? Я бы все-таки сообщила об убийстве в милицию...

— Я знаю, кому надо сообщить, — вдруг воодушевился Гриша, да так, что глаза его буквально засверкали. — Жженому. Ему-то будет очень полезно узнать, что его хотят укокошить, и тогда Трофиму крышка...

— Ты хочешь отправиться на виллу? — При одной только мысли об этом я поежилась.

— Придется, — тоже поежился Гриша.

— Извини, но я бы не стала так поступать. По-моему, там находятся крайне опасные люди, и совершенно неизвестно, как отнесутся они к нам.

— Трофим знает, где я, а я, где он, нет. Это дает ему большие преимущества. Придется все-таки обратиться к Жженому.

— А вдруг тебе там не поверят? Решат, что ты

192

хитришь? — Тут я еще немного пошевелила мозгами и выпалила: — А что, если Славика укокошил блондин? По-моему, он вполне способен на такое. Жуткий тип и очень подозрительный. Он обнаружил, что Славик следит за виллой, и избавился от него, а чтобы замести следы, спрятал труп и столкнул с горы машину. — Эта версия мне очень понравилась, блондин, по моим представлениям, — форменный убийца, а вот видеть в этой роли Сережу я упорно не желала.

Гриша нахмурился и минут пять размышлял, уставившись в одну точку.

— Нет, — наконец проронил он.

— Почему нет? — обиделась я.

— Не знаю, почему. — Гриша просто упрямился, мне это стало совершенно ясно.

— Подумай как следует, — начала урезонивать я его. — Если ты ошибаешься, на вилле тебе грозит смертельная опасность.

— Это точно, — крякнул Гриша.

— Вот-вот, давай звонить в милицию.

— В милицию нельзя, — страдальчески вздохнул он. — У меня это... биография неподходящая.

— Ты что, тоже сбежал из тюрьмы? — выпучила я глаза.

— Нет, чего ты... — испугался Григорий, мысль о тюрьме так его взволновала, что он даже сделал слабую попытку перекреститься. — Но все равно я ментов не люблю... а они меня.

— Любишь, не любишь, глупость какая, здесь человека убили и вполне могут укокошить нас.

— И вовсе не глупость... тебе хорошо... Спросят тебя менты, что ты здесь, к примеру, делаешь без документов? А ты им в ответ: «Меня сюда Гриша привез», а Грише сразу срок за такие дела... Хорошо Славке, — чуть не плача заявил он, одумался и добавил: — В смысле голова не болит.

— Это уж точно, — согласилась я и утешила Гришу: — Зря ты обо мне так плохо думаешь, я на

Татьяна Полякова

тебя стучать не стану, мы же подружились. Скажу, сама поехала, а паспорт потеряла. — Тут я вспомнила о Максиме и прикусила язык. Да, ситуация... Гриша еще с полчаса думал, потом заявил:

— Нам надо узнать, кто убил Славку. Если это Трофим, сдам его Жженому, а если люди Жженого, тогда пусть Трофим его укокошит, это будет справедливо.

— А как ты собираешься искать убийцу? — насторожилась я, Гриша заметно смутился:

— Что-нибудь придумаю. Не все сразу.

Чего он там надумает, еще вопрос. Мне стало ясно: особо рассчитывать на его мыслительные способности не стоит, и я самой себе предложила немного пошевелить мозгами.

— Слушай, — начала я приставать к Григорию, — ты сказал, что Славик был адвокатом Трофима. А когда они познакомились, до или после ареста?

— А что?

— А то. С чего бы это Трофим взял да и рассказал своему адвокату, что собирался укокошить Жженого? Я ваших нравов не знаю, но, по-моему, такие вещи хранят в тайне. Или нет?

— Хранят, — пожал Гриша плечами, отвечать на вопросы он все-таки не любил.

— Так почему Сергей рассказал? Или Славик узнал о готовящемся покушении как-то иначе?

— Видишь ли, — кисло начал объяснять Григорий, осознав, что я от него не отстану и отвечать все равно придется. — Когда Трофим влип, Славка специально прибыл к нему на выручку.

— Они что, были друзьями?

— Вовсе нет. Просто Славка выполнял поручения, ну... одних людей...

— Тех самых, — подсказала я, — что хотели смерти Жженого.

— Ну... Трофим хорошо знал этого типа и никто лучше, чем он, такую работу выполнить не мог...

— Ты еще говорил о друге...

— Ну... Только Трофимова дружка убили почти сразу, я ж рассказывал, а Трофим сел. Славку послали на выручку и, конечно, узнать, где деньги.

— А Славик решил схитрить и работать на себя, — сделала я разумный вывод. Лицо Гриши приобрело страдальческое выражение. — Ты-то как во все это вляпался? — вздохнула я.

— У меня нужные знакомства, и вообще... а со Славкой мы учились в одном классе...

— Та-а-ак, — протянула я. — Всем не терпелось увидеть Трофима на свободе, хозяевам из-за Жженого, а вам из-за денег, никто ждать не хотел, в том числе и сам Сережа, которому тюрьма не приглянулась. В ход пошли большие деньги, и он бежал, причем Славик делал вид, что работает на хозяев, а на самом деле хотел сорвать крупный куш...

— Ну и что? — чуть не плача сказал Гриша. — Чего в этом плохого? Мы о нем заботились, и вообще... надо делиться.

— Теперь тебе и к хозяевам нельзя. Как ты объяснишь, зачем вы потащились сюда? — Григорий не ответил, но и так было ясно, о чем он думает, положение у парня в самом деле создалось незавидное. — Ладно, решай сам, что делать, — покачала я головой. — В конце концов, я в любой момент могу уехать отсюда, забыв про эту историю...

— Но ты ведь не уедешь? — спросил Гриша жалобно.

— Пока нет. Хочу встретиться с Сергеем и задать ему несколько вопросов. И если окажется, что он... в общем, я ему не завидую. Будет у меня в тюрьме сидеть до конца жизни.

Я так разозлилась, что для успокоения выпила большую рюмку коньяка, Гриша тоже выпил. Солнце село, и мы отправились спать, так и не решив ничего путного. Я все еще злилась, то ли на Сережу, то ли на себя, а досталось Ромео. Я категорически запретила ему лечь со мной, и несчастный пес устроился возле двери, точно сиротка. Едва не заревев, я все-таки решила проявить характер. Закрыла глаза и приказала грозно:

— Немедленно спать!

Разбудил меня Ромео. Пес, ухватив мою ладонь зубами, тихонько поскуливал.

— Ты чего? — удивилась я, приоткрыв один глаз. В комнате было темно, следовательно, сейчас ночь, я уснула совсем недавно, и маловероятно, что Ромео захотел выйти на прогулку. Пес продолжал беспокоиться. — Ладно, — смилостивилась я. — Ложись рядом, — и хлопнула рукой по постели. Но Ромео, не обращая внимания на мой жест, скулил, причем так жалобно, что я испугалась. Села и прислушалась. Где-то рядом скрипнула дверь. «Это Гриша», — подумала я, но сердце вдруг скакнуло вниз, а потом застучало с невероятной скоростью.

Гришина комната была в другой стороне, возможно, он просто бродил по дому, не в силах уснуть... Шаги... очень осторожные. Гриша топает, как слон, и с какой стати ему осторожничать, если он в своем доме? Шаги приближались.

— О, черт, — прошептала я, неожиданно для самой себя вскакивая, схватила Ромео и бросилась в ванную. Только я с величайшей осторожностью прикрыла дверь, как в спальню вошел человек. Сначала я почувствовала это и только потом увидела. Скрипнула дверь, штора на окне колыхнулась от сквозняка, и человек начал двигаться к кровати медленно и абсолютно бесшумно. Сделал еще несколько шагов, и я смогла увидеть его темный силуэт, застывший посреди комнаты, рядом с моей постелью.

— Черт, — произнес он отчетливо, должно быть, имея в виду пустое ложе, затем начал поворачиваться, а я увидела его правую руку, неестественно длинную, и только через пару секунд сообразила, что он держит пистолет да еще и с глушителем.

При виде такого зрелища Ромео рухнул на бок и

закрыл глазки. Хорошо, что мой пес такой толстенький, и шлепок вышел негромким.

Человек насторожился, постоял, некоторое время глядя на окно, и вновь начал осматриваться. Сейчас он заметит дверь в ванную и непременно решит сюда заглянуть. Я схватила Ромео и бросилась к двери напротив, которая вела в спальню, точную копию моей собственной. Бесшумно двигаться я не умею, парень меня услышал, потому что больше не прятался и кинулся за мной.

— Гриша! — истошно заорала я, несясь к входной двери. — Гриша! — А потом крикнула: — Караул!

Я орала, Ромео лаял и создавал много шума, через пару секунд мы оказались на улице. Не знаю точно, бежал ли кто за мной, наперегонки с Ромео я выскочила за калитку, и тут мне повезло: сверкнули фары, из-за поворота вынырнула машина, а я, размахивая руками, бросилась к ней.

— Помогите! — орала я, кажется, так громко, что могла разбудить весь поселок.

— Что случилось? — испуганно спросил женский голос.

— Ради Бога, вызовите милицию, в мой дом забрались воры...

Через пять минут в ближайших домах зажегся свет, появилась соседка, я крикнула, чтобы она вызвала милицию, а мужчина с женщиной, под чью машину я едва не попала, поехали за участковым, который жил в селе в восьми километрах отсюда.

Решив, что предполагаемый убийца, оценив плоды моей деятельности, не стал рисковать и смылся, я осторожно приоткрыла калитку. Ромео залаял и бросился по дорожке, а я заспешила за ним, на всякий случай еще раз позвав:

— Гриша...

Он лежал у веранды, возле самой двери, выходящей в сад, сейчас распахнутой настежь. Лежал на спине, прижимая левую руку к груди и странно вращая глазами. Ромео завыл, а я спросила испуганно:

— Гриша, ты чего? — Губы его шевельнулись, но звука я не услышала, села на землю, коснулась рукой его ладони и вздрогнула: она была липкой. — Гриша, — пролепетала я, собираясь упасть в обморок, он попытался приподнять голову, я торопливо наклонилась, а он прошептал:

— Скажи Сереге, он... он... — Гриша кашлянул, рывком поднял руку и пальцем провел по лбу, повторив еще раз: — Он... — Рука упала на грудь, а глаза закатились.

— Ромео, сиди здесь! — крикнула я и побежала к калитке, размахивая руками, чтобы соседка на крыльце обратила на меня внимание, и крича во все горло: — Вызовите «Скорую», быстрее!..

И тут от нашего забора отделилось что-то огромное, черное и рухнуло на меня. Я жалко вскрикнула и повалилась на землю, в то же время пытаясь решить, что же это такое? Все объяснилось слишком просто: чьи-то руки сомкнулись на моей шее, и на этот раз я не смогла даже вскрикнуть, ноги оторвались от земли, несколько метров меня протащили по воздуху и швырнули в недра машины. Хлопнула дверь, машина тронулась с места, мгновенно набирая бешеную скорость, а я вновь попыталась закричать, скорее для собственного успокоения, нежели всерьез надеясь на помощь. Пальцы на моей шее разжались, но крика все равно не получилось, да и я к этому моменту уже поняла всю его бесполезность, потому что сообразила: рядом со мной находятся двое мужчин, и раздражать их по пустякам не стоит.

В общем, меня второй раз за несколько дней похитили, а я даже понятия не имела, кому на этот раз пришло в голову такое. Сидела на полу огромного джипа и пыталась не потерять сознание от испуга. Машина, глухо урча, поднималась в гору, в окно упал луч фонаря, я смогла разглядеть сидевшего впереди парня и даже не удивилась, узнав в нем блондина с виллы.

От этого открытия мне стало не по себе, парень

по прошлой нашей встрече оставил неприятное впечатление, и встречаться с ним впредь я совершенно не планировала, и вдруг такая незадача. Тут я вспомнила о Ромео и глухо простонала: мой бедный толстый друг сидит рядом с истекающим кровью Гришей... Надеюсь, «Скорая» приедет незамедлительно и Гришу сумеют спасти, а что будет с собакой? Кто позаботится о нем, кто утром сварит ему манную кашу и почешет за ухом? Ромео не выносит одиночества, ему и несколько часов тяжело провести в пустой квартире, а здесь две тысячи километров от дома и ни одной родной души рядом. Несчастный пес будет бегать по поселку, искать меня и жалобно скулить, заглядывая в лица прохожих. И никто ему не поможет... Надеюсь, все-таки найдется добрый человек, но разве кто-нибудь заменит Ромео меня? Мы так прекрасно понимали друг друга...

Мысли о собаке до такой степени меня расстроили, что о своей собственной участи я совершенно не думала. Потом вспомнила о муже. Быть может, Максим в конце концов поверит, что меня похитили, явится сюда и отыщет мою собаку... несчастный похудевший пес бросится ему в ноги и... Я тихо заплакала и сразу же пожалела об этом, потому что на меня обратили внимание.

— Девочка плачет, — скуксился блондин. — Бедная маленькая девочка вляпалась в такое дерьмо...

— Если с Ромео что-нибудь случится, — мгновенно разозлилась я, — вам не поздоровится... Так поступить с моей собакой...

Блондин посмотрел на меня и хмыкнул:

— Ты бы лучше о себе подумала...

— Это вы убили Славика?! — рявкнула я. — И пытались убить Гришу. Негодяй.

— Коля, заклей-ка ей пасть, чтоб не вякала.

Коля, сидевший справа от меня, молча извлек из кармана моток лейкопластыря, оторвал кусок и заклеил мне рот. Я все-таки успела цапнуть его за палец, он потряс им в воздухе, потом поднес к моему лицу здоровенный кулак и сказал грозно:

— Видела? Лучше не дергайся, — и мерзко хихикнул, наблюдая за тем, как я в бессильной злобе дико вращаю глазами.

Джип притормозил, впереди открылись ворота, и мы плавно въехали на территорию виллы. Слева горел мощный прожектор, мы оказались возле гаража, и через минуту джип встал окончательно.

Железные двери сомкнулись, а я смогла оглядеться, потому что в гараже было светло. Помещение огромное и почти пустое, если не считать джипа и каких-то железок возле стен. Водитель вышел из кабины и, ни слова не говоря, удалился, блондин выволок из машины меня, а Коля покинул джип сам, что, разумеется, не вызвало удивления.

Вдоль одной из стен тянулась металлическая труба, блондин подтащил меня к ней, извлек из кармана наручники и приковал к этой самой трубе.

— Отдыхай, детка, — шепнул он мне на ухо. — Я скоро вернусь.

Я промычала в ответ «урод», но получилось нечленораздельно, что очень меня огорчило. Коля стоял в сторонке и ковырял спичкой в зубах, просто омерзительная привычка. Взгляд его блуждал по цементному полу гаража, ни на чем не останавливаясь, в общем, парень произвел впечатление. Дождавшись, когда блондин поравняется с ним, Коля развернулся на пятках, и оба покинули гараж через металлическую дверь в нескольких шагах от меня. А я с облегчением вздохнула, хотя радоваться, в сущности, было нечему. «А они довольно наглые типы, — с тоской думала я. — Торчали возле нашего дома, не очень беспокоясь о свидетелях... Стоп, стоп, стоп... Когда я первый раз выскочила на дорогу, джипа у забора не было, это абсолютно точно. Я кинулась под машину, в которой находились мужчина с женщиной, с намерением просить о помощи, мужчина ехал с дальним светом, и не увидеть

200

джип я бы просто не могла. Значит, когда они бродили по дому, джип стоял в другом месте, а уж потом, ранив Гришу и не найдя в доме меня, переместились к забору... Но тот тип в доме с оружием в руке не был похож ни на одного из троих парней. Он был высоким и довольно худым, а из этой троицы высокий только блондин, но это был точно не он. А на кого был похож тот тип с оружием? Ну-ка, напрягись, вспомни, что ты подумала, когда он возник из темноты? Темнота, силуэт мужчины, оружие... Черти бы меня слопали: это был парень из брошенного дома... Вот это да!.. Ему-то что надо? Предположим, в ту ночь он выследил нас с Гришей и узнал, где мы живем. Только зачем ему это? Возможно, он преступник и не хотел, чтобы кто-то знал о том, где он прячется. Так, хорошо... но зачем же было стрелять в Гришу? Не проще ли сменить убежище? И как этот тип связан с блондином? Может, у них здесь какая-то сверхсекретная операция? Чушь, вот что это... сверхсекретная операция, что они, вражеские шпионы? Нет, не годится... Так, еще раз: парень из брошенного дома является к нам, чтобы нас убить... непонятно по какой причине... Допустим, он просто маньяк и убийство доставляет ему удовольствие? Он ранил Гришу и искал меня, но не нашел, вместо этого я подняла шум, и ему пришлось скрыться. Если он заодно с блондином, почему его не было в машине? Не мог же он остаться в доме, когда я подняла по тревоге половину поселка? Опять никакой логики. Но если он сам по себе, то зачем к нам пожаловал блондин? Предположим, что-то я смогу узнать, только вот не было бы хуже...»

Я вздохнула и совсем было собралась зареветь по-настоящему, но вовремя вспомнила, что я это дело в принципе не люблю. Надо держаться, быть мужественной, не раскисать... что еще я должна делать? Ах да, собраться с силами и попытаться освободиться. Очень умно, а главное, реалистично. Стою с заклеенным ртом, прикованная к здоровущей трубе... может, мне выдрать ее из стены? Кто-то из любимых персонажей такое проделывал. Я на всякий случай немного подергалась и смогла убедиться, что затея дохлая. Ладно, все не так плохо: Гришу спасут, Ромео накормит Екатерина Васильевна, Максим приедет и... и всем тут мало не покажется. Вот именно. А я умру достойно, плюнув в лицо своим мучителям, хоть мне совсем этого не хочется, я имею в виду умирать, да и плюнуть затруднительно, если рот у меня заклеен... Сказано, не раскисать, и все...

Долго мне тут стоять, интересно? Даже сесть не получится, а у меня от страха и душевных переживаний ноги просто подкашиваются. Вот ведь мерзавцы, так обращаться с женщиной. Я закрыла глаза и стала считать: один, два, три, четыре... Говорят, это успокаивает, может быть, я усну? Лошади спят стоя, чем я хуже? «Наверное, все-таки хуже», — решила я через некоторое время и, наплевав на все свои принципы, совсем было собралась зареветь, но тут металлическая дверь со скрипом открылась, и вошел блондин.

Поначалу я его появлению даже обрадовалась, хоть какое-то разнообразие, но чем ближе он подходил, тем меньше оставалось во мне этой самой радости. Как же можно было принять его за симпатичного парня в первую нашу встречу? Ничего себе симпатичный, с таким-то взглядом и ухмылкой?

Блондин подошел почти вплотную и улыбнулся во всю ширину рта, а я что-то замычала и даже немного подергалась, бряцая наручниками, чтобы человек в конце концов осознал, что с женщинами надо вести себя по-джентльменски... Наверное, парню об этом никто не рассказал... Он дернул пластырь, а я взвыла, чувствуя, как слезы брызнули из глаз. Ну вот, пожалуйста, меня еще даже мучить не начали, а я уже вою, и где мое мужество?

— Мерзавец, — сказала я с обидой. — И убийца.

— Кого же я убил, по-твоему? — хихикнул он.

— Славика, и пытался убить Гришу (тут я немного сама себе противоречила, но в ту минуту мне было не до этого).

— Славик — тощий, рыжий придурок? Ясно...

— Конечно, ясно, и ты его убил.

— Еще чего? Я его нашел, труп то есть. Вспомнил, что он на дороге руками махал, когда у тебя колесо спустило, и решил, что вы малость заигрались. Поэтому отправился к тебе в гости, чтобы задать пару вопросов. А ты выскакиваешь навстречу как полоумная и вообще мешаешь спать окружающим. Стало ясно, что вопросы придется задавать в другом месте.

— Ты не врешь? — нахмурилась я. Парень хохотнул и покачал головой:

— С какой стати?

— А кто стрелял в Гришу? — спросила я подозрительно.

— Гриша — это мордастый? И в него сегодня стреляли?

— А то ты не знаешь?

— Откуда мне знать? — удивился он вполне искренне. Может, зря я о нем так плохо думала? Вдруг он действительно душевный парень и, кстати, симпатичный...

— Может, ты освободишь мне руки? — нерешительно поинтересовалась я.

— Может, — кивнул он. — Как себя вести будешь.

— То есть честно отвечать на вопросы?

— Само собой, но это сейчас не главное. — Руки его оказались на моих бедрах, а одна даже переместилась под подол моей ночной сорочки, я вытаращила глаза, буквально лишившись дара речи от такого наглого поведения.

— Прекрати сейчас же! — опомнившись, рявкнула я. Блондин противно засмеялся, а потом стал меня целовать, я попробовала подрыгать ногами, но это его только развеселило. «Что ж это делается-то?» — испуганно подумала я, совершенно не зная, чем себе помочь, а как только смогла отдышаться, заявила: — Убирайся отсюда, не то начну кричать, — испугала, называется, что ему с моих криков, если он здесь главный?

— Не советую, — покачал он головой. — Иначе придется опять заклеить тебе рот. Честно скажу, мне бы этого не хотелось, я бы даже наручники с тебя снял при условии, что ты будешь хорошей девочкой. Ну что, будешь хорошей девочкой? — Он навалился на меня всей тушей, а я таращила глаза, вертела головой и дрыгала ногами. Ничего себе оборона... Блондин перестал болтать, решив заняться мною всерьез, а на меня точно столбняк напал, если мне сию минуту кто-нибудь не поможет, если только... да что ж это делается?

Отчаяние мое достигло критической точки, когда звонкий женский голос зло позвал:

— Генрих!

Блондин замер, а затем весьма неохотно повернулся, и я смогла увидеть женщину, с которой на днях пыталась познакомиться в ресторане. Она стояла возле той самой двери, через которую вошел блондин, бледная от гнева, с сжатыми кулаками и перекошенным ртом. Вот это темперамент, фурия да и только, не хотела бы я иметь с ней дело.

— Генрих, — повторила она презрительно. «Значит, так зовут блондина, ну и имечко». — Ублюдок, — проронила женщина. — Ублюдок. — Она повторяла это слово с каким-то наслаждением, грациозно, по-кошачьи, приближаясь к блондину, явно готовая вцепиться ему в горло. А что, это неплохая идея, лишь бы меня оставили в покое.

— Заткнись! — презрительно бросил он и отвернулся, потом хохотнул и добавил: — Пришла понаблюдать? Или ждешь, что и тебе перепадет?

— Я тебя убью! — отчаянно крикнула женщина, а блондин засмеялся:

— Разумеется. А сейчас убирайся и оставь меня в покое. Мне нравится эта девчонка, она красивая, молодая, и я хочу ее. А ты мне осточертела. Ос-то-чер-те-ла, — по слогам произнес он.

Совершенно неожиданно женщина всхлипнула, как-то очень по-бабьи взмахнула руками и процедила плаксиво:

— Как ты можешь? После всего, что между нами было?

— Было — сплыло, — разозлился он и еще раз повторил: — Убирайся. Иначе я вышвырну тебя отсюда.

— Из-за какой-то стервы ты... — Женщина судорожно сцепила руки у груди, а я решила вмешаться:

— Мне ваш Генрих даром не нужен, просто тошнит от его лап и одеколона. Чем меня оскорблять, лучше б вам проявить женскую солидарность. Огрейте этого типа по башке и освободите меня. Мужчины любят гордых женщин, а вы перед ним унижаетесь. По-моему, это некрасиво и даже глупо.

— Заткнись, дрянь! — взвизгнула она. — Я прикажу — и ты окажешься в море с камнем на шее. Что ты понимаешь? Гадина... он просто, он...

Я думала, она захлебнется собственной злобой, чего ей от души и пожелала.

— Убирайся, — с подлой усмешкой повторил ей Генрих и повернулся ко мне. — Так каких женщин любят мужчины?

— Прекрати! — взвизгнула она. — Отойди от нее. Зачем тебе эта дрянь, зачем?

Стало ясно, от гражданочки помощи не дождешься, но тут произошло кое-что в высшей степени интересное: небольшая дверь в глубине гаража бесшумно открылась, и появился мужчина лет шестидесяти, вслед за ним так же бесшумно вошли еще двое, в них мой наметанный глаз узнал охранников, все трое встали в тени и наблюдали за спектаклем, а он между тем шел полным ходом. Вопли мадам мешали Генриху сосредоточиться на мне, и он начал злиться:

— Катись отсюда! — рявкнул он, наливаясь краской, и добавил: — Потаскуха...

Как раз в этот момент он и увидел вошедших. Замер на мгновение, неестественно вытянувшись, и вдруг как-то обмяк, будто из него выпустили весь воздух. Мадам пока еще ничего не видела, так как стояла к вошедшим спиной, а я решила ускорить процесс и поэтому вмешалась:

— Повторяю еще раз, я совершенно не претендую на вашего любовника. Он мне даром не нужен. Имей вы чувство собственного достоинства, никогда бы с таким не связались. Он мерзавец, и, раскрыв ему свои объятия, вы здорово просчитались.

— А вот это точно, — кивнул мужчина и приблизился. Женщина вздрогнула, испуганно повернулась к нему и пролепетала побелевшими губами:

— Ваня? Ты вернулся?

— Да, милая. Если честно, уже довольно давно.

Значит, я не ошиблась, налицо любовный треугольник: мафиози, его подружка и его охранник. Интересно, как это скажется на моей судьбе? Я повнимательнее пригляделась к Крутилину, или Жженому (сообразить, что вошедший тип он и есть, особой догадливости не требовало). Среднего роста, подтянутый, прямоугольное лицо с квадратной челюстью, совершенно лысый. Одет с претензией на элегантность: светло-коричневые брюки и лимонного цвета пиджак. Сидит на нем очень неплохо. На первый взгляд Крутилин был похож на модного писателя или преуспевающего режиссера, но только на первый взгляд. Через пять минут становилось ясно: он не джентльмен. Наверное, мадам это было известно слишком хорошо, потому что выглядела она так, что я всерьез забеспокоилась, не хватит ли ее удар.

— Ваня... — пролепетала она, не в силах произнести что-нибудь более вразумительное.

— Я все понимаю, — улыбнулся он. — Ты молода, ты заблуждалась... бывает.

Я бы на месте мадам не доверяла таким улыбкам и постаралась поскорее удрать отсюда. Но сил на это у нее не было, она закрыла лицо руками, а затем кинулась в ноги бывшему возлюбленному, я поморщилась, подобные сцены я и в кино не выношу, а в гараже они попросту неуместны.

Крутилин, ухватив женщину за локти, поднял с пола и сказал примирительно:

— Мы еще успеем поговорить, без свидетелей. И молодой девушке вовсе ни к чему знать о наших маленьких секретах. — «Вот уж что верно, то верно». Он что-то шепнул охраннику, тот направился ко мне, освободил от наручников и, взяв за плечо, повел из гаража. Я прошла в нескольких шагах от блондина, он здорово напоминал соляной столп: белая маска вместо лица, остекленевший взгляд, и пульс наверняка не прощупывается.

Охранник вывел меня из гаража в узкий коридор, мы поднялись по лестнице, миновали огромный холл и вновь пошли по коридорам. Путешествие закончилось примерно через пять минут, парень толкнул дверь, и я оказалась в комнате, дверь закрылась, ключ в замке дважды повернулся, и послышались удаляющиеся шаги, а я бросилась к единственному окну, подергала ручку, окно распахнулось, я выглянула и тут же приуныла: окно было метрах в двадцати от земли, причем земля в этом месте землей не была: часть скалы с торчащими острыми камнями. Нечего было и думать о том, чтобы попытаться удрать.

— Ничего, — решила я себя утешить. — Полчаса назад было гораздо хуже. Главное, не раскисать, а выход всегда найдется.

Я оглядела комнату и, обнаружив еще одну дверь, решила в нее заглянуть. Дверь вела в ванную. Очень кстати, я вся пропахла дурацким одеколоном блондина. Одно радует: Генриху сейчас намного хуже, чем мне.

Приняв душ, я посмотрела на свою ночную сорочку и нашла ее совершенно неприличной, потому соорудила из полотенца одеяние наподобие саронга, после чего с удобствами устроилась на диване. Сейчас должно быть шесть часов утра, не больше, и мне пора спать, а мафиози, их охранники и любовницы пусть катятся к черту. С этой мыслью я и уснула.

Взгляд был настойчивый. Кто-то стоял совсем рядом и смотрел мне в лицо, а между тем просыпаться совсем не хотелось. Я прикрыла глаза ладонью и осторожно из-под нее выглянула. Так и есть, господин Крутилин собственной персоной. Впрочем, нет, гражданин ему подходит больше. Сейчас он был одет в джинсы и белую футболку с крохотным золотым вензелем на груди. Да, граждане живут неплохо. Но и мне грех жаловаться.

— Как вы относитесь к животным? — спросила я.

— Что? — Он вроде бы растерялся, не сразу сообразив, о чем я.

— Вы любите животных? Собак, например. Маленьких, — я внесла ясность, с опозданием сообразив, что овчарки ему могут быть несимпатичны.

— Я больше люблю котов, — улыбнулся он.

— А свой кот у вас есть?

— Был. Сдох год назад.

— Все равно, если вы любили своего кота, то должны меня понять. Ромео здесь совершенно одинок, и я за него беспокоюсь.

— Ромео — это собака? — сообразил Крутилин.

— Да. Рыжая такса. Ваш Генрих меня похитил, а Ромео остался в доме, и у меня сердце кровью обливается, когда я думаю о том, что он сидит в одиночестве и... — В этом месте я торопливо отвернулась.

— Собачке поможем, — кивнул Крутилин, устраиваясь в кресле по соседству.

— Да? — не очень поверила я и, подумав, добавила: — Я на вас очень рассчитываю... И еще за Гришу беспокоюсь, можно узнать, как у него дела?

— Гриша — это тоже собака? — проявил он интерес. Я хотела вспылить: издевается он, что ли, но передумала и ответила спокойно:

— Гриша мой друг, в него стреляли, я думала стрелял ваш Генрих (что за дурацкое имя, в самом деле), но он от этого отказывается. Я надеюсь, что Гриша сейчас в больнице.

— Узна́ю, — с подозрительной готовностью согласился Жженый, а я немного подумала, вздохнула и решила, что больше просьб у меня нет. Кроме одной и самой главной: шел бы этот лысый хмырь к черту. — Ну а теперь давай знакомиться, — улыбнулся Крутилин. — Меня зовут Иван Андреевич, можно просто Иван, а ты у нас кто?

— Я Аня, то есть Шервинская Анна Станиславовна. Мой муж... — начала я, но мысленно себя одернула: «Оставь в покое Максима, хоть раз постарайся что-то сделать сама, раз уж умудрилась впутаться в скверную историю».

— Что муж? — поднял брови Иван Андреевич.

— Ничего, — нахмурилась я. — Хороший человек.

— А где он сейчас?

— Он сейчас работает, а меня отправил отдыхать, морской воздух мне полезен, я, знаете ли, очень нервная...

— Морской воздух всем полезен, ясное дело... А вот друзья, что тут с тобой были, они как?

— Они тоже здоровье поправляли, одной снимать дом довольно дорого, а втроем значительно дешевле.

— Ага, — он кивнул, задумался и заметил со вздохом: — Ты, Анюта, не хитри со мной, не люблю я это... — «Анюта, глупость какая, меня так в жизни

никто не называл, Анюта... Что, барыня? Я тута!»...
Я нахмурилась и совсем было собралась поставить
нахала на место, но он опять улыбнулся и спросил: — Что, назвал неловко? Это я по-стариковски,
знаешь ли... Ты ведь мне в дочки годишься... —
«Ага, а мадам в гараже в племянницы. Ох уж, эти
мне богатые старички в желтых пиджаках...»

— Мне больше нравится Анна Станиславовна,
но если уж вы разглядели во мне дочку, так и быть,
зовите Анной.

— Спасибо, — произнес он серьезно.

— Пожалуйста, — так же серьезно ответила я, подумала и улыбнулась.

— Так вот, Аня, дружка твоего, рыженького,
нашли тут неподалеку...

— Какого? — пролепетала я.

— Рыженького, — напомнил Жженый. — Лы-
сенький, худой да длинный...

— Славик? — выпучила я глаза. — Как нашли,
почему? То есть чего его искать, если он уехал на
своем «БМВ», потому что ему позвонили... он адвокат, — закончила я, точно это все объясняло.

— И «БМВ» нашли, — кивнул Иван. — И про
то, что адвокат, — знаю. А ты глазки-то зря тара-
щишь, ты ж Генриху говорила: убил, мол, ты Славика и Гришу хотел.

— Я говорила? — не поверила я.

— Ты, Аня, ты... Может, напутала чего?

— Может, — согласилась я. — У меня такое бывает. Его правда убили?

— Угу. И знаешь, зачем-то сидел он рядом с
моей виллой, да еще с биноклем в руках.

— Думаете, хотел ограбить?

— Кто знает... времена нынче такие, и ограбят, и
убьют... за милую душу.

— А вы его не убивали? — насторожилась я.

— Нет, кто-то до меня постарался. Не знаешь,
кому такое в голову пришло?

— Нет, конечно. И почему Славик там сидел,

меня не спрашивайте, мне не докладывали. Я сюда приехала на пляже загорать, а не сидеть с биноклем.

— Но ведь зачем-то они тебя привезли?

— Я сама приехала. А в чужие дела не лезу. И не вздумайте мне грозить, я вас все равно не боюсь.

— А чего меня бояться? — удивился Кругилин. — Я совсем не страшный. — Он подмигнул мне, поднялся и пошел к двери. — Ты, Аня, подумай немножко, а потом мы еще поговорим. Время, слава Богу, есть. — Он закрыл за собой дверь и дважды повернул ключ в замке.

— Вот негодяй, — возмутилась я и начала носиться по комнате, уж очень разволновалась. Про Сережу говорить нельзя ни в коем случае, даже если Гриша прав и тот действительно хотел убить этого Жженого (нисколечко мне его не жалко, гнусный тип)... и все же убить человека... Про Сережу молчать, хотел убить или нет, разберемся позднее... О Господи, а если меня начнут пытать? К примеру, каленым железом... брр-р... Способны они на это? Да, незадача, проверять совсем не хочется... А что ж тогда делать? Что же такое придумать, чтобы и Сережу не выдать, и самой остаться без серьезных увечий... Если б не каленое железо, я еще согласна потерпеть... недолго. Чувствуешь себя такой героической... Быть героиней здорово, но это сопряжено с большими неприятностями. Кто-то должен меня спасти, это самое подходящее. Или я должна сбежать... Я подошла к окну и еще раз его распахнула: они, конечно, знали, в какой комнате меня запереть, только дурак будет прыгать из этого окна. С досадой я его захлопнула и вернулась на диван.

А не поспать ли мне еще немного? — решила я отчаянно. Заняться мне в этой комнате нечем, а сон полезен для здоровья, он укрепляет нервы и способствует хорошему цвету лица. Только бы Ромео не сидел голодный... бедный мой пес.

За весь день произошло только одно событие: меня накормили. Солнце скрылось за горизонтом, в комнате стало темно, и мне ничего не осталось, как снова укладываться, теперь уже на ночь. Интересно, как долго Крутилин намерен держать меня здесь? Вот ведь нахал, уверена, меня уже ищут, а он запер меня в комнате, как будто вовсе никого не боится. Жуткий тип.

Только я о нем подумала, как дверь распахнулась, и он появился. На этот раз пиджак был белым, похожим на капитанский китель, и фуражка тоже была белая, черные брюки, ботинки начищены так, что блестят даже в темноте. Куда это он так вырядился? Со мной поговорить? Напрасно себя обеспокоил.

Крутилин щелкнул выключателем и шагнул ко мне, а я приподнялась на локте, слегка щурясь, и тут заметила в его руках одежду: брюки и свитер, он положил их на диван, поставил теннисные тапочки на пол и сказал:

— Должны подойти.

— Вы меня куда-то приглашаете? — догадалась я.

— На морскую прогулку. Я жду за дверью.

Поразмышляв немного, я вынуждена была пожать плечами и быстро одеться. Тапочки были немного великоваты. Я понюхала свитер, от него шел едва уловимый запах духов. Неужели это вещи мадам? И она добровольно решила поделиться? Я в ее доброте не нуждаюсь, однако выбирать не приходится. Я юркнула в ванную, привела себя в порядок и осторожно вышла из комнаты. Иван Андреевич, подозрительно похожий на богатого английского баронета, сидел на диване в дальнем конце коридора, раскачивая ногой и увлеченно глядя на свой ботинок. Увидев меня, поднялся и пошел навстречу.

— Черный цвет тебе к лицу, — сказал он без улыбки. Я знала это и без него, поэтому не удивилась.

Он взял меня за руку и повел через огромный

холл к зеркальным дверям, предусмотрительно распахнул их передо мной, мы спустились по мраморной лестнице к причалу, здесь нас ждала яхта, плавно покачиваясь на волнах.

Было немного ветрено и прохладно, я поежилась в своем свитере. Крутилин, заметив мой жест, спросил:

— Озябла? Может, дать тебе куртку?

«Меня не утопят», — с облегчением подумала я, чего б ему тогда беспокоиться? И ответила:

— Спасибо. Не нужно.

Поднялись на борт, яхта тут же плавно отошла от причала, а мы устроились на корме. Небо было безлунным, а море почти черным, и я решила, что для морской прогулки время выбрано не совсем удачно. Яхта столь стремительно удалялась от берега, что вскоре я не могла различить даже огней виллы, впрочем, мы скорее всего обошли мыс, и увидеть ее отсюда было бы невозможно. Неожиданно двигатель заглох, яхту плавно покачивало, а Крутилин, повернувшись ко мне, сказал:

— Вот и прибыли.

«Куда, интересно?» — хотелось спросить мне, но вместо этого я нахмурилась.

Так как я смотрела на море, появление новых действующих лиц заметила не сразу, а когда заметила... кровь буквально застыла в жилах. На палубе стояли двое крепких парней, держа в руках концы веревок. Но леденило кровь, конечно, не это. Дело в том, что рядом с каждым из них стоял человек в надетом на голову мешке, и другой конец веревки был обмотан у него вокруг шеи.

— Что это? — пролепетала я.

— Знаешь, какой самый большой грех, Аня? — поинтересовался Крутилин.

— Не знаю. Их, наверное, много.

— Самый большой грех — неблагодарность.

Крутилин небрежно махнул рукой, парни сняли веревки со своих жертв и стянули мешки, а я увидела Генриха с заклеенным пластырем ртом и его недавнюю возлюбленную.

Генрих был смертельно бледен и стоял с закрытыми глазами. Руки и ноги у обоих были связаны. Смотреть на женщину мне не хотелось, я старательно пялилась на море за бортом и думала о своем муже. Что, если бы, к примеру, Максим решил подобным образом отомстить за измену? Как я вела бы себя в данном случае? Послала бы его к черту, вот как... Сунуть меня в мешок, точно шелудивого кота... Слава Богу, в мешок сунули не меня, но все равно было жутко.

Крутилин подошел к Генриху, обнял его и сказал:

— Простимся, брат... — после чего сделал шаг в сторону, а стоящий рядом парень надел на шею Генриха веревку с тяжелой металлической болванкой. Генрих перегнулся вперед под ее тяжестью, мешок вновь водрузили ему на голову, оба парня подхватили блондина и перебросили за борт. Раздался всплеск, и все стихло.

Парни замерли, наблюдая за Крутилиным. В глазах у обоих таилась тягучая пустота, ни один мускул не дрогнул. Если бы кто-то из них вдруг зевнул, я бы не удивилась. Жженый улыбнулся, продолжая паясничать, развел руками и сказал, обращаясь к женщине:

— Вот видишь, Вика, какие дела...

Она глухо застонала и упала на колени, а Иван Андреевич махнул рукой. Веревка, мешок и всплеск, все заняло не больше минуты. Жженый посмотрел мне в лицо и заявил с тяжким вздохом:

— Неблагодарность — худший из грехов.

— Черт-те что, — рявкнула я. — Когда вы найдете мою собаку?

Яхта пришвартовалась, и мы вновь оказались на причале. Жженый попытался взять меня под локоток, но я отдернула руку. Мы вошли в дом, и он сказал, распахивая дубовую дверь:

— Что ж, Аня, теперь поговорим.

Мы были в просторном кабинете, огромное окно с видом на море неплотно зашторено. Крутилин устроился за столом, и я села напротив.

— Что надумала? — спросил он, закуривая.

— Что вы имеете в виду? — нахмурилась я, а он усмехнулся:

— Не играй с огнем, девочка.

— Если вы рассчитывали меня запугать, то зря старались. На ваш любовный треугольник мне плевать, ваша мадам, должно быть, знала, с кем связалась, хотя такой участи она все-таки не заслуживала. А вам, Иван Андреевич, надо бы к психиатру... Отвечать на ваши дурацкие вопросы я не собираюсь, потому что мне теперь доподлинно ясно: живой мне с этой виллы не выбраться, я свидетель двойного убийства, детективы читаю и потому знаю: вы бы при мне такого творить не стали, если бы планировали отпустить. Выходит, скажу я чего или нет, значения не имеет. Вот и идите к черту.

— Ну, выход всегда есть. Ты не только жива останешься, ты будешь жить припеваючи.

— С вами, что ли? — скривилась я. — На что вы мне сдались? Я психов и садистов даже в кино видеть не могу. Премного вам благодарны, найдите кого-нибудь другого в мешок засовывать.

Он посмотрел на меня и противно засмеялся, а я на всякий случай призвала на помощь всю свою выдержку.

Тут штора за спиной пожилого весельчака слегка колыхнулась, и появился Сережа, а я скромно потупила глазки, чтобы ненароком его не выдать.

Совершенно бесшумно он приблизился, ткнул Жженого пистолетом в затылок, тот вздрогнул, скорее от неожиданности, на мгновение в его глазах мелькнул страх, но мерзавец быстро взял себя в руки. Чуть приподнял голову и спросил:

— Это ты?

— Я, — просто ответил Сережа.

— А это твоя девчонка? — улыбнулся Жженый.

— Моя.

— Хорошая у тебя девчонка, Трофим... — Он вздохнул и насмешливо поинтересовался: — Неужто в затылок выстрелишь?

— Мне твоя смерть даром не нужна, — ответил Сережа. — Без меня охотники найдутся всадить в тебя пулю. Но фокусничать не вздумай, сразу пристрелю.

— Зачем пришел? Неужели за девчонкой?

— Что это ты взялся вопросы задавать, точно следователь? Скажи лучше, как на виллу тайком попадаешь?

— А-а, — хихикнул Жженый. — Ишь чего захотел. Стреляй, если хочешь, а отвечать не буду.

— Ну и не надо, — вроде бы вовсе не огорчился Сережа. — Придется тебе с нами прогуляться.

— Не дури, Трофим, давай по-хорошему...

— Ты кому это вкручиваешь, Жженый? Если на охрану рассчитываешь, то зря, мальчики сильно заняты.

— Чем? Свои мозги с пола соскребывают?

— Кончай трепаться, и потопали, — вздохнул Сережа. Жженый нехотя поднялся, а он предупредил: — Аня, держись от этого типа подальше.

Мне бы и в голову не пришло приближаться к нему, не люблю я психов, и все тут.

Через холл мы спустились в гараж, Сережа спросил:

— Где ключи от «мерса»?

— На гвозде висят.

— Аня, садись за руль.

Сережа со Жженым сели сзади, а я открыла ворота и устроилась на водительском сиденье. На вилле царила тишина, никто не появился, тревоги не поднял и нашему отъезду не препятствовал.

Через несколько минут мы уже стремительно миновали поселок, Жженый не выдержал и спросил:

216

— Куда везешь?

— А ты уже приехал. Аня, останови. — Он кивнул, я притормозила, Сережа распахнул дверь, вытолкнул Жженого на асфальт и приказал мне: — Гони!

В полуобморочном состоянии я рванула с места, но буквально через пять минут Сережа положил мне руку на плечо и сказал:

— Сейчас свернешь налево.

Я свернула на указанную им дорогу, ведущую к виноградникам, проехав по ней километра два, мы оказались на хуторе: дом, явно заброшенный, два сарая, гараж. Сережа вышел, снял замок с гаража, распахнул ворота и кивнул:

— Загоняй.

— На чем же мы поедем отсюда? — оглядевшись и не обнаружив другой машины, спросила я.

— Сейчас нам лучше остаться здесь, — пояснил Сережа. — Вряд ли мы сможем добраться даже до Новороссийска.

— Будем здесь прятаться? — неуверенно поинтересовалась я.

— Нет. Придется прогуляться километров семь. Как ты, не очень устала?

— Я совсем не устала. Спала целый день.

— Отлично. Тогда пошли, — кивнул он и взял меня за руку.

Мы пересекли виноградник и стали подниматься в гору. Не знаю, что видел Сережа, я, если честно, ничего, кроме темноты, и очень опасалась, что мы заплутаемся, как недавно с Гришей. Однако то ли зрение у Сережи было словно у кошки, то ли ориентироваться здесь он мог с закрытыми глазами, но шел уверенно и ни разу даже не остановился, чтобы оглядеться. Мы продолжили подъем, пока вдруг совершенно неожиданно не вышли на открытое место. Слева под деревьями стоял шалаш или нечто похожее на него, брезентовый навес, грубо сколоченный стол, скамейка, а на ней примус. На столе аккуратно расставлена посуда, соль в банке и сахар, все это прикрыто полотенцем. Вид стоянка имела невинный и совершенно безопасный. На горе, той, что рядом с поселком, я насчитала более тридцати палаток, там было что-то вроде лагеря, но на этой горе туристы останавливались только пешие, на машине сюда не подъедешь, а стоянка в поселке.

— Ну, вот мы и дома, — сказал Сережа.

— Очень хорошо, — заявила я, устраиваясь на скамью.

Всю дорогу я молчала, потому что подъем был тяжелым и на ходу важные разговоры не заводят, зато подготовила дюжину вопросов и сейчас собиралась их задать. Отсюда, должно быть, прекрасный вид на море, и я невольно вздохнула, глядя на восток: близился новый день, небо серело, и последние звезды уже исчезли. Сережа взглянул на часы, достал из шалаша бинокль и махнул рукой, приглашая меня присоединиться. Мы спустились метров на пять, обходя невысокие деревья, и оказались на каменистой площадке. Я посмотрела вниз и едва не вздрогнула: под нами была дорога и чуть ниже вилла.

— Зачем мы здесь? — насторожилась я.

— Скоро узнаешь.

— Я и так все про тебя знаю. Ты хочешь его убить?

— Кого? — удивился Сережа.

— Жженого, конечно.

— Тебе Гришка все разболтал? Вот сукин сын... — он покачал головой, а я загрустила.

— Гришу так жалко и Ромео.

— Гришка в больнице лежит, операцию сделали и сказали — выкарабкается. А Ромео с вашей хозяйкой, утром его заберешь.

Конечно, эти сообщения прибавили мне настроения, но главная проблема все равно осталась.

— Скажи мне правду, — попросила я. — Кто ты?

— Тебе ж Гришка все рассказал...

— Нет, не все. Я тебя послушать хочу. — Сережа вздохнул, а я добавила: — Ты мог убить Жженого, но отпустил его. Почему? То есть мне его нисколечко не жалко, но я очень рада, что ты его не убил, потому что я не верю... Немедленно объясни, в чем тут дело, не то я тебе... глаза выцарапаю, — обрадовалась я, а Сережа засмеялся. Протянул руку, погладил мое лицо и сказал:

— Ты очень красивая. Я здорово скучал по тебе.

— Прекрасно, — нахмурилась я. — Только спрашивала я не об этом. Имей в виду: я терпеть не могу, когда меня водят за нос. Начнем с самого простого: вы давно знакомы с этим самым Крутилиным?

— Давно.

— Славик сказал, ты ему жизнь спас?

— Ну... однажды этого сукина сына пристрелили, и я тащил его на себе километров шестнадцать до ближайшей больницы. Врачи его спасли, а менты сразу сцапали. Так что он мне вроде бы благодарен, но не очень.

— Но, несмотря на эту романтическую историю, ты согласился его убить?

— Видишь ли, мне не оставили выбора. Был у меня дружок, Костя Завазальский, а у него любимая девушка. Один мерзавец увез ее в неизвестном направлении, а потом связался со мной. Вот и все. Костя места себе не находил, он вообще последний год был психованный. Попал в аварию, и ему здорово раскроило череп, ну а тут такое... В общем, я согласился. Получил большие деньги в задаток. Костя отправился со мной. В восьми километрах от города появилась машина, и нас обстреляли, Костя психанул и, выскочив из кабины с пистолетом в руке, пытался остановить парней на джипе. Его расстреляли в упор, а я попробовал уйти. И километра не прошел, дорога перегорожена, меня уже ждут, а в машине, на которой я ехал, оказался целый арсенал оружия. Машину пригнал Костя, на кой черт этому психу понадобились гранаты, ума не приложу...

— Странная история, — нахмурилась я.

— Очень, — усмехнулся Сережа.

— Такое впечатление, — продолжила я, — что тебя нарочно подставили: оружие, гибель друга, милиция точно по уговору.

— Прибавь еще деньги. Они исчезли.

— Деньги, которые ты получил за ликвидацию Жженого?

— Задаток. Где они, знал я и Костя. И они исчезли.

— После побега мы заезжали на пустырь за театром, они были спрятаны там?

— Нет. В тайнике хранилось немного денег и документы. Гришке с адвокатом я не верил, не потому что ребята плохие, наоборот. Они чудики и могли все завалить просто по глупости. А у меня было важное дело.

— Узнать, кто тебя подставил?

— Конечно.

— Но ведь выбор не такой уж большой. Некто принуждает тебя совершить убийство, платит деньги и очень рассчитывает, что миссию ты провалишь. Вопрос, почему?

— Потому что деньги очень приличные, а рассчитывал не тот, кто платил.

— Выходит, проговорился человек заказчика, вас выследили, узнали, где вы спрятали деньги, а потом подставили?

— Точно, — засмеялся Сережа.

— Тебя интересует этот тип или деньги? — нахмурилась я, потому что одно дело справедливое возмездие, и совсем другое — корыстолюбие. Последняя черта была мне несимпатична.

— Аня, я бы мог пристрелить Жженого и получить вторую часть денег, — вздохнул Сергей.

— Конечно, — обрадовалась я и опять нахмурилась. — А как же девушка, подруга твоего Кости?

— Она исчезла. Никто ничего о ней не слышал.

— Какой ужас! — пролепетала я, вдруг вспомнив о ночной расправе, мешках и железной болванке на шее... Просто чудо, что я до сих пор жива, — и спросила без перехода: — А что ты здесь делаешь?

— Все вертится вокруг Жженого, — почесав нос, ответил Сергей. — Деньги надо отработать, понимаешь?

— То есть этот человек придет сюда? — попробовала я быстро сообразить.

— Конечно, и попытается убить Жженого или решит, что это попытаюсь сделать я.

— А ты?

— А я узнаю, кто он.

Теперь кое-что стало мне понятно, я вздохнула и посмотрела на дорогу.

— Ты рассчитываешь, что это произойдет сегодня?

— Думаю, да. Видишь ли, Жженый очень хитрый тип, с уверенностью никто никогда не скажет, где он. Сейчас, к примеру, Жженый официально в Праге. Этому есть много свидетелей.

— Вот почему он так нагло расправился со своей любовницей и Генрихом, — догадалась я и покачала головой: — Сукин сын...

— А сегодня ему пришлось прогуляться, — продолжил Сережа. — И тот, кому надо, мог узнать, что он здесь.

Только-только Сергей произнес это, как послышался вой милицейских сирен, и через некоторое время из-за поворота выскочили три машины. Они остановились у ворот виллы и принялись сигналить.

Из первых двух показались люди в форме, а из третьей мой муж, а вслед за ним и Ромео.

— А этот откуда? — ахнула я, имея в виду супруга.

— Он вчера появился в поселке, искал тебя, — сообщил Сережа и добавил вроде бы виновато: — Я не знал, чем закончится моя прогулка на виллу, и на всякий случай подстраховался, сообщил, что ты здесь.

— И что, по-твоему, я должна сказать в милиции? — начала злиться я.

— Не знаю, — пожал плечами Сережа. — Если сможешь, молчи обо мне, но если проболтаешься, я не в обиде.

— Тогда я пошла, — в некоторой растерянности пролепетала я, а он кивнул:

— Иди. Муж волнуется, сейчас лбом прошибет ворота.

— Это он может, — вздохнула я и добавила: — Удачи тебе... постарайся больше не попадаться.

— А если вдруг не повезет, подойдешь к окну?

— Конечно. У меня полно свободного времени.

Он обнял меня и торопливо поцеловал, а я побежала по тропинке, размахивая руками, потому что спуск был крутой и я боялась упасть.

Первым меня увидел Ромео и с радостным визгом бросился навстречу, я подхватила его на руки и расцеловала:

— Бедный мой пес...

— Анна! — рявкнул Максим, прямо-таки зеленея, а милиционеры насторожились. — Где ты была? — Он ухватил мой локоть, встав спиной к стражам порядка, и при этом даже не пытался сделать вид, что рад встрече со мною.

— На горе, — кивнула я головой в нужном направлении.

— А что ты там делала?

— Пряталась. К нам ночью залезли воры и застрелили Гришу, потому что он их заметил. Представляешь? Я испугалась, убежала и пряталась на этой горе в шалаше.

— Ты сбежала, бросив Ромео? — насторожился Максим, а я мысленно чертыхнулась.

— Вовсе нет, это он от меня удрал, потому что проголодался, на горе ведь есть нечего. Правда, пес? — Ромео вытаращил глаза, потом жалобно всхлипнул и отвернулся, а я порадовалась: — Видишь, теперь ему стыдно... (Представляю, как разозлился Ромео, но с ним мы потом разберемся.)

Между тем лица людей в форме становились все мрачнее, а тут еще открылась калитка, и появился заспанный охранник.

— Чего шумим? — спросил он лениво. Милиционер крякнул и зло проворчал:

— Да вот один бизнесмен жену потерял, говорит, на этой вилле, а она, видишь, на горе сидела.

— Бывает, — нагло зевнул парень. — У бизнесменов вечно с бабами проблемы, работают много, некогда за женой присмотреть...

Максим пошел пятнами и поволок меня к машине.

— Немедленно домой, и что это, черт возьми, за Гриша?

— Это парень, который меня похитил, точнее, их было двое, но Славика убили.

— Идиотизм какой-то, — рассвирепел муж, сунул меня на заднее сиденье, а сам пошел объясняться с милицией. Это заняло довольно много времени, наконец он вернулся, и мы поехали в направлении поселка, пропустив вперед две милицейские машины.

За рулем сидел совершенно незнакомый мне парень, поэтому я не стала сразу же скандалить с мужем, а спросила вполне миролюбиво:

— Где ты пропадал столько времени? Кажется, я звонила несколько дней назад?

— Звонила, но забыла сказать, в каком ты поселке, а здесь их довольно много, и все надо было объехать. Только вчера какой-то тип на пляже опознал тебя по фотографии и при этом заявил, что ты здесь разгуливала нагишом.

— Ну, это он преувеличивает, — заверила я, Максим нахмурился, но продолжил гораздо спокойнее:

— Ближе к вечеру, когда я уже обнаружил дом, в котором ты жила, и нашел несчастного Ромео, прибежал мальчишка и сказал, что какой-то дядя велел передать, будто тебя похитили и увезли на виллу.

— Ага, — кивнула я без особого интереса.

— Будь добра, объясни, что все это значит? — нахмурился Максим.

— Я и сама толком ничего не понимаю. Видишь ли, меня в самом деле похитили, но с какой целью, понятия не имею. Ты ведь говорил, что выкупа не требовали? Позавчера мы нашли в горах убитого Славика и машину, это было просто ужасно... А ночью какой-то тип забрался в дом и стрелял в Гришу. Слава Богу, мне удалось сбежать. Совершенно безумная история.

Муж еще больше нахмурился и озадаченно молчал, потому что о Грише, конечно, уже знал и выходило, что я говорю правду, но поверить в такое все же не мог, и правильно, я бы тоже не поверила.

— Только не надо говорить в милиции, что Гриша меня похитил, — опомнилась я. — Он не сделал мне ничего плохого и уже достаточно настрадался.

— Твой Гриша дал показания, что ночью нос к носу столкнулся с вором и тот в него выстрелил. Он очень беспокоился о тебе. С чего бы это?

— Говорю, он хороший парень, хоть и недотепа.

Мы немного помолчали, глядя на дорогу. Максим продолжал злиться и даже покусывал нижнюю губу, что намекало на крайнюю озабоченность.

— С тобой захотят поговорить в милиции, — наконец сказал он и добавил раздраженно: — Придется задержаться здесь на пару дней...

— Что ж, — пожала я плечами. — А сейчас дай мне, пожалуйста, немного вздремнуть, я всю ночь не спала на этой дурацкой горе и стучала зубами от страха.

Я погладила Ромео, лежащего на моих коленях, и прикрыла глаза, хотя спать мне совершенно не хотелось. Пес глухо ворчал, не желая простить мне недавнюю клевету, а я думала о Сереже. Сможет ли он узнать, кто его так подло подставил? Сережа совсем один... у него нет даже собаки. Наверное, я могла бы что-то для него сделать... Чепуха, вся эта история меня совершенно не касается, и я рада, что она наконец-то закончилась... вряд ли мы еще встретимся... Надо бы узнать, в какой больнице Гриша, и навестить его. В конце концов, это просто визит вежливости...

— Я хотела бы заехать к Грише, — сказала я Максиму, а он поморщился.

— К нему никого не пускают, кроме милиции. Я пытался прорваться, чтоб узнать о тебе, но не смог...

Ну уж если Максим не смог... И тут меня словно током ударило: раненый Гриша успел сказать: «Передай Сереге...» Что передать? И еще, кажется, впервые он назвал его Серегой, а не Трофимом. Может, Гриша решил, что в него стрелял Сергей? Чепуха, тогда логичнее просто сказать: это Серега. А он сказал: «Передай и еще...» Господи, как я сразу не догадалась: он ведь показал на лоб, провел пальцем поперек лба, потому что уже не мог говорить и показал... шрам... точно, шрам. У психа из брошенного дома был шрам на лбу, и к нам той ночью точно наведался он. Шрам, вот что хотел мне сказать Гриша, и это почему-то очень важно для Сергея. Может быть, жизненно важно.

Я выглянула в окно, ближайший указатель сообщил, что до Новороссийска осталось пятнадцать километров. Впереди был поселок, я увидела кафе и попросила:

— Остановите, пожалуйста, мне надо в туалет.

Максим вышел первым, помог выйти мне, а потом направился за бутылкой пепси к девушке, торговавшей тут же, у дороги, а я, сунув голову в машину, поцеловала Ромео и шепнула ему в ухо:

— Извини, друг.

Пес вздохнул и посмотрел на меня печально, точно хотел сказать, мол, все понимаю, а я заспешила в кафе.

— У вас есть другой выход? — спросила я официантку.

— Есть, — недоверчиво ответила она.

— Вон те типы ко мне пристали, — решила я пожаловаться, ткнула пальцем в окно и через минуту, выскочив на улицу с другой стороны, бросилась бежать. Главное, не попасть на глаза Максиму.

Я благополучно обогнула поселок и вскоре вышла на дорогу. Здесь мне сразу же повезло: владелец первых «Жигулей», которые соизволили остановиться, как раз направлялся в Озерное. Я устроилась сзади и зорко посматривала по сторонам, опасаясь, что не успею заметить машину мужа, однако до поселка мы добрались без приключений. Возле первого дома я вышла и сразу же зашагала к виноградникам.

В прошлый раз мы были здесь ночью, и все же я надеялась найти дорогу. Хутор, гараж и машина Жженого в нем. Машину я разглядела сквозь щель в воротах. Надо же, до сих пор не свистнули, вот ведь пустынное место... Теперь, главное, тропинка. Ее я тоже нашла сразу и начала подниматься в гору. Днем это гораздо легче, чем ночью, направление я приблизительно знаю, и Сережину стоянку, безусловно, найду.

Я почти бежала и при этом лихорадочно пыталась свести воедино обрывки сведений. Что-то ведь мелькнуло в моем мозгу, когда Сережа рассказывал о друге, какая-то догадка... вот черт! Я замерла на мгновение, покачала головой, а потом бросилась по тропинке с еще большей прытью.

Дважды я немного поплутала, пришлось подняться на самую вершину, чтобы сориентироваться. Вот она, вилла, подо мной, значит, надо брать левее. Никакой паники, я обязательно выйду на стоянку.

Через полчаса я озиралась, стоя возле шалаша. За несколько минут до этого я уже отчаялась его обнаружить и вдруг, сделав несколько шагов в сторону, оказалась в нужном мне месте. Однако лагерь был пуст. Очень осторожно я спустилась на каменную площадку. И там никого. Я едва не заревела с досады, но тут же посоветовала взять себя в руки. Вернусь к шалашу и оставлю Сереже какой-нибудь знак, чтобы он был в курсе: я рядом и никуда не уехала. Может, стоит покричать его? Нет, опасно... а если он в ближайшее время не появится? Буду разгуливать по пляжу голой, может быть, он обратит внимание на это?

Я шагнула на тропинку под деревьями, и тут чья-то рука легла на мое плечо, а вторая сжала мне рот. Я еще не успела испугаться, как Сергей прошептал:

— Это я.

Он разжал руки, а я повернулась к нему. Не могу сказать с уверенностью, чего я ожидала, но прием меня несколько огорчил. Никаких тебе жарких объятий. Сережа сделал мне знак говорить тише и увлек подальше от тропинки.

— Почему ты вернулась? — спросил он без улыбки.

— Я забыла сказать тебе кое-что очень важное, — затараторила я, чувствуя неловкость, потому что с опозданием сообразила: моего возвращения не ждали. — Скажи, у твоего друга, который погиб, был шрам на лбу?

— А, — изрек он невесело. — Я думал, ты пришла сказать, что любишь меня.

— Нашел время для шуток, — разозлилась я, мысленно вздохнув с облегчением, и повторила настойчивее: — Был или нет?

— Был, конечно. И это не шутки, я имею в виду твое отношение ко мне.

— Не мешай и слушай. Когда его расстреляли в упор, ты видел его мертвым, то есть подходил к нему?

— Я был в машине, а потом смылся, потому что, если в тебя в упор стреляют из автомата, невозможно остаться в живых.

Татьяна Полякова

— Разумеется, — обрадовалась я и торжественно произнесла: — Так вот, твой друг жив. Он прятался в заброшенном доме у озера, и это он стрелял в Гришу. Думаю, и Славика убил он, потому что кое-что вспомнила: когда я рассказала Славику о встрече с маньяком в брошенном доме, его очень заинтересовал шрам, он задумался, а потом сказал: «Не может быть», вроде отмахнулся от мысли, показавшейся ему нелепой. А мысль была верной. Твой друг жив.

— Конечно, — кивнул Сережа, я остолбенела на несколько секунд, а потом нахмурилась:

— Что значит «конечно», ты что, знал об этом?

— Догадывался. Я ведь тебе рассказывал: о том, где спрятаны деньги, знали только он и я. И деньги эти исчезли. Все очень просто, как видишь. Славка с Гришей были неосторожны, наблюдая за виллой, потому что мой дружок тоже за ней наблюдал, это уж наверняка, а его фотография фигурировала в моем деле, и Славик, будучи моим адвокатом, ее видел, а Гришка был с ним знаком. Но ты все равно молодец. — Он легонько притянул меня к себе и поцеловал в нос.

— Постой, — начала я злиться. — Но если деньги у него, кой черт он здесь болтается? Ведь все считают его мертвым, значит, взяв деньги и не выполнив заказ, он ничем не рискует?

Сережа хохотнул и сказал:

— Видишь ли, мне это дело не нравилось с самого начала. Поэтому я подменил деньги. Вот только здорово дал маху и не обыскал его машину, поэтому и вляпался. А Костя получил кучу старых газет.

— Поэтому он здесь?

— Конечно. Поквитаться со мной, вернуть деньги... еще он надеется укокошить Жженого, чтобы получить вторую половину. И это, вполне возможно, ему удастся. У Жженого сейчас проблемы с охраной, ему надо выметаться отсюда, ведь за ним два убийства, а свидетель, точнее, свидетельница гуляет на свободе.

— О Господи, — прошептала я, мгновенно бледнея.

— Теперь уж ему точно придется умереть, — пожал плечами Сережа, а я поежилась и на всякий случай прижалась к нему потеснее.

— Куда мы идем? — спросила я, точно опомнившись.

— Тут есть одна пещера с хорошим обзором. Мне она очень понравилась, надеюсь, не только мне...

— Что-то я не пойму. — Вот тут меня озарило: — Слушай, но если в твоего Костю стреляли, а он между тем остался жив, значит, у него были сообщники, ведь кто-то помог ему разыграть спектакль.

— Само собой. Я даже догадываюсь, кто они, эти самые помощники, и, честно скажу, это мне больше всего и не нравится... — Он вдруг улыбнулся и добавил: — Было бы лучше, если бы ты уехала, но все равно я рад, что ты вернулась.

— Далеко еще идти? — вздохнула я.

— Я тебя люблю, — сказал он.

— Я тебя тоже. Почему ты думаешь... — Я не успела договорить, Сережа засмеялся и спросил:

— Ты поняла, что сказала? — А я густо покраснела.

— Послушай, — начала я торопливо, — я замужем. Он очень хороший человек. Правда хороший... А девяносто девять женщин из ста дружно скажут, что я чокнутая, вздумай я с ним развестись...

— Само собой, зато одна из ста тебя поймет...

Мы устроились на каменистом выступе прямо над виллой, Сережа наблюдал за ней, а я, признаться, задремала. Ночь была слишком бурной, и моим нервам требовалась передышка. Солнце начало припекать по-настоящему, но камни еще не нагрелись, и полулежать, привалившись к ним спиной, было довольно приятно. После того, как я сбежала от мужа, мне оставалось только ждать окончания всей этой истории под защитой Сережи. Он считал, что, пока Крутилин жив, мне грозит серьезная опасность: как-никак я свидетель двойного убийства, а у свидетелей всегда проблемы с долголетием.

В том, что Жженый скоро скончается, Сережа был абсолютно уверен и просил немного потерпеть неудобства.

Особых неудобств я не ощущала, хотя благоразумно помалкивала, не стоит приучать мужчин к мысли, что рядом с ними существо покладистое, готовое терпеть различные лишения, лишь бы следовать за любимым. Не стоит, потому что себе дороже.

Я щурилась на солнце, дремала и время от времени поглядывала на Сережу. Разные интересные мысли приходили мне в голову, например, как я объясню Максиму свой побег? Скажу, что у меня было важное дело, а начнет приставать, обижусь и замолчу...

— Черт, — процедил сквозь зубы Сергей, а я насторожилась.

— Чего там?

— Еще неясно, но что-то намечается.

Я осторожно выглянула из-за нагромождения камней и увидела движущиеся по дороге на большой скорости джипы. Через несколько секунд они свернули к воротам виллы, плавно тормозя. Калитка открылась, и появился охранник, а из машин высыпали отчаянного вида парни и принялись лениво оглядываться. Как по команде несколько человек посмотрели на скалы, и я на всякий случай торопливо спряталась, хотя увидеть нас без бинокля они не могли, но береженого, как говорится, Бог бережет, а у меня уже было столько приключений, что следовало подумать о безопасности.

Парни все еще толпились у ворот, только один из прибывших прошел через калитку, и вскоре мы вновь увидели его поднимающимся по ступенькам виллы. И тут на веранде появился Жженый, а Сережа ухмыльнулся:

— Перенервничал, сукин сын, а теперь расслабился, забыл про осторожность. — И добавил не к месту: — Ну давай, самое время...

Не успел он договорить, как раздался странный звук. В первое мгновение я решила, что со скалы на твердую поверхность упал большой камень, но это только в первую минуту, потому что Жженый, с моего места выглядевший игрушечной фигуркой, вдруг согнулся, точно его надломили пополам, и исчез из поля зрения, а Сережа схватил меня за руку и шепнул:

— Быстрее, он стрелял со скалы, со стороны моря, мы его сейчас перехватим...

Мы бросились по тропинке вниз, не дойдя до шоссе метров двадцать, вновь стали подниматься, забирая правее, и вскоре поднялись на скалу.

— Теперь очень осторожно, — шепнул Сережа. — Держись рядом и рта не открывай.

Идти было довольно легко, со стороны дороги и виллы увидеть нас не могли, поэтому я не очень боялась. Мы поднялись на самый гребень скалы, Сережа лег на живот и вооружился биноклем.

— Черт, — сказал он резко и совсем не так, как несколько минут назад, теперь в этом словечке чувствовалось настоящее беспокойство.

— Что случилось? — испуганно спросила я. Он передал мне бинокль.

— Метров тридцать вниз, прямо под нами.

Я посмотрела и не сразу поняла, что он имеет в виду, потому что среди нагромождения камней не сразу увидела человека. Он лежал на животе, раскинув руки, рядом валялась винтовка с разбитым прикладом.

— Это Костя? — запинаясь спросила я, возвращая бинокль.

— Костя, — вздохнул Сережа. — И на этот раз его действительно убили.

— Подожди. Это он стрелял в Жженого?

— Конечно.

— А кто-то...

— Уходим, — хватая меня за руку, сказал Сережа. — Они здесь, и они его переиграли.

— Кто они? — пролепетала я на бегу, едва поспевая за Сережей.

— Очень скверные типы.

— Те, что в прошлый раз помогли ему инсценировать убийство?

— Да, помогли... кое-кто хотел денег и разыграл забавную шутку. Только хозяева не приветствуют такие шутки. И теперь этот человек избавляется от соучастников, чтобы хозяева никогда ничего не узнали. Жженый мертв, и вслед за ним должны скончаться мы.

— О Господи, — прошептала я, впервые испугавшись по-настоящему.

Сережа притормозил, улыбнулся мне, потом торопливо поцеловал и заявил с уверенностью:

— Не бойся. Мы уйдем. — Надеюсь, он сам в это верил, а не просто желал успокоить меня.

Мы спустились со скалы и оказались в узкой расщелине. Идти стало легче, Сережа продолжал держать меня за руку и очень торопился.

Минут через десять мы вошли в лес, он остановился на несколько секунд, огляделся и уверенно зашагал вправо. Лично я уже запуталась. Где север, где юг, где море, а где поселок и куда мы идем, было для меня загадкой, но с вопросами я не лезла, в такое время лучше помолчать.

Совершенно неожиданно мы вышли к хутору, где ночью оставили машину Жженого. Гараж я узнала сразу, а также большую цистерну, наполовину врытую в землю, и порадовалась, что начала кое-что понимать.

— Мы... — Он вдруг зажал мне рот рукой, замер и тревожно повел головой.

— Правильно, Трофим, — услышала я совсем рядом. — Мы здесь...

В то же мгновение из-за сараев показались трое парней, а еще двое незамедлительно возникли сзади, но подойти к нам не рискнули. Ближе всех стоял наголо бритый тип с перебитым носом и скошенным на сторону ртом. Он пытался улыбаться, улыбка вышла неубедительной, и вообще тип настораживал.

— Привет, Захар, — в ответ вздохнул Сережа.

— Привет, привет. Брось-ка оружие, чтоб я не нервничал. Ты у нас парень бойкий... Чего ж тебе, бойкому, в тюрьме не сиделось, пожил бы подольше...

— Да ну ее, эту тюрьму... — Сережа бросил пистолет на землю, затем извлек из кармана черную коробочку, чем-то похожую на пейджер, улыбнулся и что-то на ней нажал.

В ту же секунду произошло столько событий, что я не на все смогла достойно отреагировать: со страшным грохотом взорвалась цистерна, Сережа толкнул меня и упал сам, кто-то дико заорал почти над самым ухом, нас обдало невыносимым жаром, меня рывком поставили на ноги и дернули за руку, а я наконец сообразила, что вокруг все полыхает, а мы с Сережей бежим в горы под прикрытие деревьев. В нескольких шагах от тропинки лежал парень, в груди его торчал кусок металла с рваными краями, и я в ужасе зажмурилась, представив, что такая же штука с большой вероятностью могла засесть во мне... Но особенно размышлять было некогда, Сережа на ходу подхватил автомат, который валялся рядом с парнем, и мы наконец достигли первых деревьев.

В спину нам стреляли и отчаянно матерились. А мне, несмотря на весь трагизм ситуации, вдруг сделалось смешно, и я хихикнула, довольно громко, но тут же прикрыла рот ладонью и затосковала, решив, что это нервное и есть повод беспокоиться о своем здоровье. Но в настоящее время о нем надо было не только беспокоиться, его надо было буквально спасать, потому что преследователи были у нас за спиной.

Надо отдать мне должное, я не была обузой Сереже, потому что летела, как на крыльях, и это несмотря на очень крутой склон. Через несколько минут стало ясно, что мы оторвались. Чем это объяснить, я не знала: их растерянностью от взрыва или нашим необыкновенным везением, а может, они просто чувствовали всю бессмысленность погони в таком месте, где прочесывать придется каждую выемку и каждый камень. Я надеялась, что они решили именно так, и собралась вздохнуть с облегчением, но Сережа меня разочаровал:

— Захар знает, здесь нам просто некуда деться.

— Как это? — испугалась я.

— На этой горе без воды и пищи долго не просидишь. Слева море, спуск к нему очень опасный, но если и спустимся, то по берегу выйдем к соседней турбазе, где нас и будут ждать.

— О Господи, — ахнула я, а Сережа продолжил:

— Топая по горам, выйдем все к той же турбазе. Можно взять правее, там шоссе на Новороссийск, после убийства Жженого и этого взрыва менты перекроют все дороги, но попробовать всегда стоит.

— Допустим, мы выйдем на шоссе, то есть я имею в виду, куда-то вообще выйдем, и что дальше?

— Посажу тебя на попутку и отправлю в Краснодар. Там купишь билет на поезд. Я очень сомневаюсь, что твой муж уехал. Мобильник у него есть? Значит, все еще проще: из Краснодара позвонишь ему...

— Замечательно, — нахмурилась я. — А что с тобой?

— Со мной будет полный порядок. Не забивай голову. Главное, не попасть нам вдвоем к ментам, они способны в гроб вогнать своими вопросами, а я не хочу, чтобы у тебя были неприятности.

— И я не хочу, только они уже есть. И давай выбираться из них вместе. Конечно, у меня нет желания быть обузой, но и... изводить себя мыслями, жив ли ты, тоже не слишком радостно. Доберемся до телефона, и я позвоню Максиму. Он поможет, — и добавила мысленно: «Никуда не денется...»

— Значит, попробуем выйти к дороге, — заявил Сергей.

Делом это оказалось нелегким. Места здесь были дикие, нехоженые, причем в буквальном смысле: я не обнаружила ни одной тропинки, а также населенного пункта. Причина этого была проста, и мы ее очень скоро осознали: здесь не было воды. Напрямую от хутора мы прошли не более десяти километров, но по горам этот путь увеличивался примерно в три раза, и я уже еле волочила ноги. Пить хотелось страшно, мы обливались потом и дышали с трудом, все чаще останавливаясь передохнуть.

В одном месте деревья вдруг расступились, и мы оказались на поляне, если так можно назвать пологий склон горы. К моему изумлению, здесь были явные следы человеческого пребывания: несколько разбросанных банок и выжженный пятачок земли в том месте, где горел костер. Совсем рядом валялась полиэтиленовая бутылка, до половины заполненная жидкостью. Сережа понюхал, осторожно попробовал и вздохнул с облегчением:

— Вода.

Она оказалась теплой, и в другое время я бы, конечно, ни за что не стала пить неизвестно кем оставленную воду из бутылки сомнительной чистоты, но сейчас выпила и ощутила что-то вроде блаженства, после чего глубокомысленно изрекла:

— Все познается в сравнении.

Пофилософствовать мне не удалось, меня окликнул Сережа. Он находился метрах в двадцати, в самой гуще деревьев, и что-то там разглядывал. Подойдя ближе, я смогла увидеть груду искореженного железа, на первый взгляд бесформенную и ржавую, и только через несколько минут поняла, что передо мной хвост самолета, точнее, то, что когда-то им было. Железо пытались избавить от ржавчины, а я несказанно удивилась, рассмотрев, что изображено на хвосте. Эмблема не сохранилась полностью, но и по фрагменту было ясно, это свастика.

— Надо же, — удивился Сережа. — С войны валяется. — И добавил со вздохом: — Ну и глухомань...

Становилось понятным наличие недавней стоянки: о самолете местные, должно быть, хорошо знали, и сюда наведывались дотошные туристы, а может, просто мальчишки из близлежащих поселков, что ни говори — экзотика.

Недолгий отдых у самолета был последним в тот день. Около шести часов мы вышли к дороге, но на дорогу соваться не стали, решив немного понаблюдать. Как будто ничего подозрительного. Еще с километр двигались параллельно шоссе, не теряя его из виду, и достигли развилки с указателем. По соседству с этим самым указателем стояла милицейская машина, и двое мужчин в форме, сидящие в кабине, лениво поглядывали по сторонам.

Через десять минут на дороге показались «Жигули», и сонную одурь с обоих как ветром сдуло. Они поспешно покинули машину, а я с крайним неудовольствием отметила, что один из патрульных вооружен автоматом.

— Их можно обойти, — без особой уверенности сказала я.

— Конечно. Но везде будет то же самое. Единственный шанс смыться — уйти горами как можно дальше отсюда и уж там попытать счастья.

Я вынуждена была с этим согласиться и кивнула: приключения не прошли для нас даром, вид у обоих был довольно дикий, первый же милиционер непременно обратит на нас внимание. Сережа посмотрел на меня и добавил:

— Обойдем ментов, выйдем на дорогу, я посажу тебя на автобус. — Он тяжело вздохнул. — Все вроде просто, да одно плохо: ты можешь нарваться на Захара. — Сергей долго хмурился и наконец кивнул: — Тебе лучше всего спуститься к ментам и просить защиты у них, скажешь, отбилась от группы и плутала в горах...

— А что, если они сумеют связать меня с тобой? — покачала я головой в ответ, хотя на мгновение предложение Сережи показалось мне заманчивым, но, говоря по чести, только на мгновение, и я отнесла этот эпизод на счет усталости. — В этом случае поймать тебя здесь труда не составит. В конце концов, они могут вызвать собак.

Сережа внимательно посмотрел на меня и протянул руку, я с трудом поднялась с камня, и мы начали подъем на вершину, я уже не помню, какую по счету.

Двигались довольно медленно, но и не останавливались до самого вечера. Проходя вдоль кромки скалы, я некстати посмотрела вниз, голова закружилась, почувствовав тошноту, я качнулась и, слабо охнув, полетела вниз. То есть так жутко и даже смертельно происшествие это не выглядело, потому что склон не был совершенно отвесным, но катиться кубарем между камней несколько десятков метров вещь в высшей степени неприятная, и неизвестно, какими бы увечьями все это закончилось, если бы Сережа не успел схватить меня за шиворот.

— Давай руку, — испуганно шепнул он, отбросив автомат в сторону. Я собралась с силами и через несколько секунд оказалась в его объятиях. Примерно в это же время зашло солнце, и мы обнаружили сразу два крайне неприятных факта: я с трудом могла ступить на левую ногу, а во время своего падения потеряла тапку, которая была мне великовата и потому слетела. Сережа попытался спуститься по склону и найти ее, но уже стемнело, и эта затея меня попросту испугала.

Два следующих километра были сущим кошмаром: идти с больной ногой в темноте, да еще босиком по каменистому склону, настоящая пытка, Сережа из своей футболки смастерил мне подобие онучей и лишь тогда заметил, что я повредила ногу.

Я об этом стоически молчала, но нога к этому моменту успела здорово распухнуть, и он сам все понял, как только коснулся лодыжки.

— Пожалуйста, прости меня, — ничего умнее я сказать не могла и очень хотела зареветь, но решила, что это нечестно, Сереже и так здорово досталось, а тут я со своими слезами.

— Потерпи немного, — попросил он. — Очень больно?

— Мне совсем не больно, только случилось то, чего я больше всего боялась: я теперь стала для тебя обузой.

— Ерунда. Рядом турбаза. Там должен быть фельдшер, если что, вызовут «Скорую»... Я успею уйти. Не волнуйся...

Он подхватил меня на руки, а я все-таки заревела, беззвучно, чтоб Сережа не услышал, но он почувствовал и осторожно меня поцеловал, потом сказал:

— Я люблю тебя. — А я, даже не видя его лица в темноте как следует, поняла, что он улыбается.

— Если бы я не вернулась, ты бы сейчас был уже далеко, — пролепетала я.

— Ты же хотела меня спасти. — Он тихо засмеялся, а я пожаловалась:

— А еще я боялась, что никогда тебя не увижу... я не могла в такое поверить и сбежала от мужа... И только все испортила.

— Ерунда, все просто отлично, перелома у тебя нет, походишь немного в тугой повязке, а я уйду... Отсижусь где-нибудь в безопасном месте, а потом за тобой приеду. — Он опять засмеялся и вдруг спросил серьезно: — Поедешь со мной? — А я ответила с удивлением:

— Конечно. — Потому что вопрос показался мне довольно глупым, как это я могу не поехать, раз... я запнулась на этой мысли, разозлилась и себе попеняла: почему, в конце концов, не сказать об этом? А домой мне надо для того, чтобы забрать Ромео. Он мой друг и скучает без меня, а я без него...

Я вроде бы задремала, но только на несколько минут, не больше, Сережа двигался с трудом, хорошо еще, что я последние дни была на диете, но сорок восемь километров в горах — это слишком, да еще в темноте, после двенадцатичасовой пешей прогулки. К счастью, турбаза была совсем рядом, вскоре мы заметили одинокий фонарь со стороны моря.

— Сделаем так, — сказала я, когда мы подошли достаточно близко. — Ты оставишь меня здесь и уходишь. Я подожду до утра и отправлюсь к людям. Так надежнее, вдруг их уже предупредили?

— Тебе надо к фельдшеру, — покачал он головой.

— Ты сам сказал, что перелома нет. Я так устала, что до утра просплю словно убитая. А утром позвоню мужу, здесь должен быть телефон. — Я притянула к себе Сережу, торопливо поцеловала и сказала: — Уходи быстрее, чем дальше ты окажешься, тем мне будет спокойнее.

Он исчез в темноте, а я привалилась спиной к стволу дерева и в самом деле попыталась уснуть. Из дремы меня вывели чьи-то шаги, и я сразу же поняла: это вернулся Сережа.

— В чем дело? — спросила я сердито.

— Что-то не так, — ответил он озабоченно. — Турбаза пустая.

— Как пустая? — удивилась я. — А фонарь?

— Только он и горит. Отнесу тебя в сторонку и пойду проверить.

Он перенес меня, устроил поудобнее и, прикрыв автомат курткой, направился к турбазе, а я стала ждать, напряженно прислушиваясь. Дрему как рукой сняло, и откуда-то явился страх, от него по спине побежали мурашки и противно затряслись руки.

Очень скоро до меня донеслись голоса, один, без сомнения, принадлежал Сереже, другой мужчине, а третий женщине: это меня порадовало, все-таки женщину трудно представить в роли убийцы. Через несколько минут вернулся Сережа, подхватил меня на руки и понес к калитке в заборе, на ходу объясняя:

— На турбазе авария, что-то там прорвало, второй месяц нет воды, и денег на ремонт тоже нет. Остались сторож с женой, воду таскают с ключика, это почти полкилометра отсюда.

— А телефон у них есть?

— Есть. Сможешь позвонить мужу, и он заберет тебя.

— Дело вовсе не во мне, — начала я сердиться. — Послушай, я уверена, что смогу все правильно объяснить Максиму, и он тебе поможет. Тогда не придется лазить по горам с очень сомнительным успехом.

— Помолчи немного, — попросил Сережа. — Старикам я сказал, что мы ходили к самолету, и ты подвернула ногу, они вызовут «Скорую».

Мы вышли на территорию турбазы, возле калитки нас ждал сторож. Свет сюда не доходил, и лица мужчины я не видела. Неподалеку стоял дом с большой верандой, на крыльце возле распахнутой двери, из которой падал свет, нас ждала женщина.

— Давайте сюда, — негромко позвала она и махнула рукой.

Мы вошли в дом, следом появился сторож. На вид ему было лет шестьдесят. Худой, жилистый, с узким лицом и совершенно седыми бородой и волосами. Дядька здорово походил на домового: впечатление портили только джинсы и кроссовки. Женщина была в цветастом халате поверх ночной рубашки, волосы заплетены в косу, она выглядела ненамного моложе мужа и, должно быть, только что проснулась: лицо опухшее, и глаза щурятся от света. Мы оказались в просторной кухне.

— Вот сюда, на диван, — кивнула женщина, предупредительно принеся подушку. В кухню сунул голову пес, кавказская овчарка, но хозяин махнул рукой и прикрикнул:

— А ну, на место, и замолчи.

— На турбазе больше никого? — спросил Сережа, устраивая меня на диване.

— Мы да внуки.

— Внуки? — удивилась я. Место казалось мне таким глухим, что в присутствие детей просто не верилось.

— Да, двое. Из Краснодара приехали. Пять лет подряд все каникулы здесь, а этот год такая незадача. Наверное, в выходной домой уедут, скучно одним, турбаза закрыта, а до поселка одиннадцать километров.

— У вас бинт не найдется, ногу перетянуть? — спросил Сережа.

— Есть, — кивнула женщина, и тут на улице вновь отчаянно залаяла собака. В то же мгновение послышался шум подъезжающей машины, и свет фар ударил в окно кухни.

— Кого там еще? — удивился старик, распахивая дверь.

— Вот что, отец, — тихо сказал Сережа, взяв его за локоть. — О нас молчи. К калитке не подходи, разговаривай с крыльца и свет выключи, чтоб они тебя не видели. Скажи, что ворота не откроешь, а будут шуметь, позвонишь в милицию.

Старик посмотрел внимательно на меня, на Сережу и нерешительно вышел на крыльцо.

— Эй, хозяева! — орали из-за забора. — Есть кто живой?

— А чего надо? — крикнул сторож.

— С пути сбились. Темно, боимся вовсе не выбраться. Пусти до утра.

— Не положено. У нас тут авария. Начальство не велело никого пускать. До поселка недалеко и с дороги не собьетесь, одна она тут.

— Вот что, старый, открывай ворота и не зли добрых людей...

— Если вы добрые люди, то и ступайте себе с Богом.

— Ладно, уедем. Пусть только твои гости выйдут.

— Какие еще гости? Здесь я да жена. Уезжайте, не наводите на грех.

Сережа повернулся к хозяйке.

— Звоните в милицию. Скажите, здесь у вас сбежавший из тюрьмы преступник, с оружием, грозится всех перестрелять. Звоните в милицию, пограничникам, в поселок, куда угодно, только быстро.

Женщина испуганно прижала руку к груди, приоткрыв рот, потом, точно очнувшись, бросилась к телефону, а с улицы насмешливый голос вопрошал:

— Ты чего мудришь, дядя? У тебя только что собака лаяла, и свет в доме включил, а говоришь, гостей нет.

Вслед за этим грохнул выстрел. Сережа втянул старика в кухню и захлопнул дверь, извлек из-под куртки автомат и спросил:

— Подвал есть?

— Есть, здесь, под кухней, — оторопело ответил сторож, указав рукой в сторону стены.

— Бери жену, детей и туда. Оружие в доме есть?

— Какое оружие? — испугался дед, косясь на автомат.

— Что ж ты за сторож? — усмехнулся Сережа, покачал головой и шагнул ко мне. — Давай с ними в подвал. Люк в стороне, я на него шкаф поставлю, найдут не сразу...

— Уходи, — испуганно прошептала я. — Уходи. Если они ворвутся на турбазу, ты не успеешь...

— Ничего не выйдет, эти психи убьют всех, надо продержаться, пока не приедут менты...

Женщина вернулась в кухню с двумя заспанными мальчишками лет десяти-одиннадцати, открыла люк и быстро спустилась в подвал, испуганно крестясь. Старик пошел следом, взглянув на нас с недоверием, а я кинулась к телефону, к счастью, мужа мучила бессонница.

— Это я! — заорала в трубку, потому что раздался страшный грохот, ворота распахнулись, и в окне я на мгновение увидела огромный джип, возникший в свете фонаря.

— Что там происходит? — разозлился Максим, забыв поздороваться, чему я порадовалась, не до того было, автоматная очередь заставила меня инстинктивно сжаться. — Там что, стреляют? — обалдел муж.

— Ага. Вытащи меня отсюда, я на турбазе. Черт, как называется турбаза?! — крикнула я.

— «Факел», — ответил Сережа.

— «Факел», слышишь? — Я вдруг заревела. — Прости меня и помоги. А если не успеешь, передай Ромео, что я его очень люблю...

В этот момент связь прервалась, а Сережа, подскочив, утащил меня к люку. Я прыжками спустилась по четырем ступенькам, слыша, как наверху он передвигает шкаф.

— Это что же такое творится? — пролепетала женщина. Было так темно, что видеть друг друга мы не могли.

— Не переживайте, — заявила я, точно она в самом деле могла не переживать. — Нас спасут, вот увидите. Вы позвонили в милицию?

— В поселок и пограничникам.

— Вот видите. А эти психи устроили такой грохот, что на ваш звонок обязательно обратят внимание. Нас спасут, честное слово.

— А этот парень с вами, кто он? У него ведь автомат?

И я стала рассказывать о Сереже, потому что сидеть в темноте было очень страшно, а звук собственного голоса успокаивал.

Люк над моей головой открылся, Сережа свесил голову вниз и позвал:

— Аня.

Я торопливо поднялась на несколько ступенек, забыв про боль в ноге. Кухню заливал странный, ослепительно яркий свет.

— Что это? — ахнула я.

— Вертолет. Все кончено. Здесь полно народу, вроде все побережье в полном составе. Но все равно посидите еще немного в подвале, мало ли что...

— Ты не ранен? — испугалась я.

— Со мной порядок. Проститься хотел, потом уже не дадут...

Мы стояли обнявшись посередине кухни, и я дала столько обещаний, сколько не давала ни разу в жизни, и все из них намеревалась выполнить.

— Выходите из дома с поднятыми над головой руками, — настойчиво порекомендовал в мегафон мужской голос.

— Ну, вот и все, — сказал Сережа, улыбаясь мне.

— Я пойду первой, — твердо заявила я. — Мало ли что? Роберта Ретфорда застрелили, когда он уже сдался шерифу Колдеру, я прекрасно это видела и на такие штучки не куплюсь.

Он еще только хотел возразить, а я уже распахнула дверь и крикнула, зажмурившись от невыносимо яркого света:

— Не стреляйте. Здесь женщины и дети. Пожалуйста, не стреляйте...

И первой сошла с крыльца, закрывая Сережу, а потом, когда вокруг появились люди, хватала за руки всех подряд и без конца повторяла:

— Он спас нас, слышите, он нас спас...

В ярком свете прожекторов турбаза больше напоминала поле битвы или площадку, где только что снимали боевик. Огромный джип догорал у ворот, из приоткрытой двери наполовину вывалился труп с оторванной рукой, а в стороне лежали еще два. Я дернулась, зажмурилась, стараясь ничего не видеть, а потом сжала кулаки и заплакала, видя, как Сережу, со скованными за спиной руками, швырнули в военный «газик». Он успел повернуться ко мне и подмигнул.

— Вам придется ответить на несколько вопросов, — сурово произнес мужской голос, но другой мужской голос не менее сурово его перебил:

— Только не сейчас. Вы видите, в каком состоянии находится моя клиентка?

Я повернулась и в трех шагах увидела спешащего ко мне Максима и Альберта Юрьевича Прохорова, нашего адвоката.

— Он прилетел сегодня вечером, — пояснил муж, заметив, что глаза у меня лезут на лоб от удивления. А потом зашептал на ухо зловеще: — Я уже понял, что ты умудрилась вляпаться в... Словом, адвокат никогда не помешает.

— Точно, — воодушевилась я, схватила Ромео, который путался под ногами, и крикнула: — Скорее за тем «газиком»!

— Какого черта? — обалдел Максим, а я твердо заявила:

— Мне не нужна стрельба при попытке к бегству, зато очень нужен адвокат. И ради Бога, Альберт Юрьевич, запомните: он герой, он самый настоящий герой, спасший двоих детей и женщин от банды убийц...

— Я же говорил, Ромео, она спятила, — ахнул муж.

Ну вот, я опять живу напротив тюрьмы. Всю ночь шел снег, а сегодня день такой пронзительно чистый, что хочется плакать. На покатой крыше, что напротив, появилась крохотная фигурка и неторопливо приступила к работе. Я стою у окна и пью кофе, глядя на снег, на крышу, на узкие окна, больше похожие на бойницы. Я могла бы стоять здесь целыми днями, думая о Сереже и надеясь, что он сейчас, в эту самую минуту, стоит и смотрит на меня... Ромео подошел и осторожно потерся о мои ноги. Я заскочила на полчаса с работы, чтобы его покормить. Несколько месяцев назад я неожиданно вспомнила, что у меня экономическое образование, и устроилась в одной очень приличной фирме. Если честно, устроил меня муж, то есть Максим, но ведь работаю-то я сама...

С Максимом мы видимся часто, иногда вместе обедаем. Он не верит ни одному моему слову и считает меня сумасшедшей. Я с ним не спорю, надо дать человеку время привыкнуть...

Сережа сказал мне, где лежат его деньги, я съездила туда, смогла их забрать и надежно спрятать. Сережа хотел, чтобы я их тратила, но у меня другие идеи. Я вполне самостоятельна и на жизнь зарабатываю сама. Да и много ли нам с Ромео надо? Потом, когда мы снова будем вместе, решим, что делать с этими деньгами.

Мы немного прогулялись с Ромео, и я вновь подошла к окну. Человек на крыше, закончив работу, стоял, опершись на лопату, возле металлического ограждения, а я, посмотрев внимательно, заплакала, счастливо улыбаясь. Огромными черными буквами на снегу было написано: «Я вернусь».

Я стояла у окна очень долго, забыв про то, что перерыв на обед закончился, а человек с крыши давно исчез. Стояла до тех пор, пока Ромео, поднявшись на задние лапы, не тявкнул испуганно.

— Мой маленький, — я подхватила на руки своего толстого друга и поднесла к окну. — Видишь, что там написано? Он вернется. Я даже знаю когда. И гораздо раньше, чем он думает. Потому что за те деньги, что Сережа оставил, можно заново заселить Синг-Синг, а потом организовать массовый побег оттуда. Смерть Жженого, какой бы важной шишкой он ни был, не могла стоить таких денег, так что у меня накопились вопросы, но это оставим на потом. Главное, у меня есть отличный план, надежные документы и хорошие помощники. Гриша ведь благополучно покинул больницу, а у него в самом деле связи. Кстати, не кто иной, как Гриша, сообщил мне под большим секретом, что погибший Захар полгода назад служил начальником охраны в фирме моего мужа и был его доверенным лицом. А теперь попробуй утверждать, что невероятных совпадений не бывает. — Ромео посмотрел на меня и лизнул в нос, а я сказала: — Не прикидывайся, уж я-то знаю, ты очень любишь путешествовать.

МОЙ ЛЮБИМЫЙ КИЛЛЕР

ПОВЕСТЬ

→ ←

Я заметила его, как только вошла в троллейбус. Высокий, плечистый, в коричневой кожаной куртке, он изо всех сил старался не обращать на меня внимания. Сел неподалеку и увлеченно смотрел в окно, решив, что темные очки скроют его безусловный интерес к моей особе.

«Что ж ты так глазоньки-то скосил?» — с усмешкой подумала я и стала пялиться на его затылок. Парню это не понравилось, он начал ерзать и смотреть в окно с еще большим старанием.

Я подавила тяжелый вздох, сомнений быть не могло: это тот самый молодчик, и явился он по мою душу.

Впервые он попался мне на глаза пару дней назад. Было около девяти утра, я вышла из здания, где размещалось наше почтовое отделение, и неожиданно замерла на ступеньках. Такое трудно объяснить. Проще назвать это предчувствием. В общем, я замерла на ступеньках с тяжелой пачкой газет, сердце вдруг ухнуло вниз, я повела головой, чутко прислушиваясь, и с трудом сделала следующий шаг, а в мозгу прошелестело: они здесь.

Однако улица, кусты возле почты и даже дорога напротив выглядели пустынно, привычно и абсолютно безопасно. Я усмехнулась, слово «безопасность» почти два года имело для меня особый смысл. И уж чему я точно не доверяла, так это пустынной улице и ее кажущейся безопасности.

— Ну-ну, — прошептала я и не спеша направилась на свой участок, холодея спиной в предчувствии неизбежного.

Где этот тип отсиживался, я не знала, скорее всего он избрал в качестве наблюдательного пункта соседний подъезд, но если он собирается продолжить наблюдение, ему придется покинуть свое укрытие, и, с полчаса поплутав между сараев и прочих ветхих сооружений, в большом количестве имевшихся на моем участке, прошмыгнув в пару проходных дворов и заставив, как видно, изрядно поволноваться новоявленного следопыта, я смогла его засечь: он очень неловко выскочил из-за угла, минуту назад потеряв меня в проходном подъезде, и мы, что называется, столкнулись нос к носу.

Он растерянно отпрянул и исчез за углом, но я успела его разглядеть.

Дальше было проще. Блуждая от подъезда к подъезду и используя кое-какие незатейливые приемы, я смогла еще трижды увидеть кожаную куртку вкупе с ее хозяином.

— Не очень ты ловок, — к концу своего похода заметила я, вновь углядев парня возле кустов боярышника. Боярышник рос в нескольких метрах от здания почты, и, если парень там засядет, он без труда сможет контролировать вход. Очень разумно, по-моему. «Старайся», — мысленно посоветовала я, хлопнула тяжелой дверью и оказалась в крохотном коридоре или попросту «предбаннике». Отсюда вели две двери, одна на почту, другая в отдел доставки. Я подошла к той, что слева, и нажала кнопку звонка.

Дверь открыла Люда Черняховская, как всегда заспанная и несчастная.

— Ты сегодня поздно, — сказала она лениво.

— Ага, — ответила я, проходя к столу в глубине комнаты.

К счастью, кроме меня и Людки, в отделе доставки никого не было, а Людка разговаривать не любит, она вообще малость заторможенная. Это обстоятельство позволило мне всецело сосредоточиться на мыслях о парне в коричневой кожанке.

«Они меня нашли, — с тоской подумала я, но верить в это, то есть по-настоящему верить, не хотелось. — Интересно, зачем я им понадобилась через два-то года? Опять срываться в бега? А вдруг мне только показалось, вдруг я сама себя пугаю?»

Как же, показалось... И все-таки в тот день в бега я не сорвалась, а, закончив работу, отправилась домой. Ни возле почты, ни по дороге, ни около своего дома парня я больше не увидела. Сие давало робкую надежду на то, что я испугалась зря и окружающему миру по-прежнему нет до меня никакого дела.

Эти надежды на следующий день даже окрепли: я долго бегала по участку, а потом пристально вглядывалась из окна почты, силясь что-то разглядеть в кустах боярышника, но засечь парня ни разу не смогла.

«Я ошиблась», — робко подумала я, ни секунды не веря в такую удачу.

Вечером даже робкие надежды меня покинули. Я выскочила за хлебом в магазин, находящийся на углу в трех шагах от моего подъезда, и сразу же увидела парня: он сидел в синем «Фольксвагене», длинном, старом и каком-то неказистом, увлеченно разглядывая стену дома. Пока я покупала хлеб, «Фольксваген» исчез, но принять это за хороший знак я не решилась.

И вот сегодня утром, стоило мне войти в троллейбус, как я вновь его увидела.

«Все-таки они меня нашли», — окончательно поняла я, таращась на его затылок. Парень был мощным, наголо бритым и ужасно меня раздражал. Очень хотелось стукнуть по этому самому затылку чем-нибудь тяжелым.

Словно услышав мои мысли, парень вдруг поднялся и шагнул к двери, правда, покинуть троллейбус не рискнул, привалился к поручню и начал заигрывать с молоденькой блондинкой, которая вошла на остановке.

«Ну ты артист», — усмехнулась я, наблюдая за стараниями парня, и решила немного подпортить ему игру: встала и направилась к задней двери, троллейбус как раз остановился, и я вышла, парень тоже, оборвав свою речь на середине фразы, блондинка слегка вытаращила глазки и забыла прикрыть ротик.

Парень кинулся к киоску покупать сигареты, а я направилась к магазину «Оптика». Моему неожиданному бегству из общественного транспорта за две остановки до места работы надо было найти объяснение. Я подошла к дверям магазина, который был еще закрыт, потратила пару минут на изучение расписания его работы, вывешенного тут же на двери, взглянула на часы и зашагала в сторону почты.

Парня ни разу не увидела, впрочем, особых стараний я к этому не прикладывала. Без того ясно: он где-то сзади. Итак, они меня нашли. Не могу сказать, что очень удивилась: подсознательно все эти месяцы я ждала и знала — в какой-нибудь ничем не примечательный день это случится. Вот и случилось...

С утра в отделе доставки всегда шумно. Сегодняшнее утро не было исключением, я выполняла привычную работу, слушала разговоры других почтальонов, что-то сама отвечала, но думать могла только о парне в кожаной куртке. Он бродит за мной по крайней мере три дня, что, на мой взгляд, совершенно излишне. Следовательно, либо парень всего лишь пешка и ожидает появление лица, которое может принимать решения, либо он вовсе не уверен в том, что я — это я, и, пытаясь в этом разобраться, пока довольствуется слежкой. Терпеливо ждать решения своей участи я никому не обещала, тем более что эта самая участь была предрешена почти два года назад, следовательно, вторая причина вероятнее. Кстати, она и мне самой нравилась больше: пока они заняты выяснением моей личности, у меня остается шанс исчезнуть. Это как раз то, что я собираюсь сделать. Но до поры до времени все должно выглядеть как обычно, чтобы кожаный не обеспокоился и не стал проявлять излишнего усердия, да и удрать сейчас просто не получится.

Я подхватила пачку газет и отправилась на свой участок. Ходила от подъезда к подъезду, не оборачиваясь и не торопясь, всем своим видом демонстрируя скуку, навеваемую ежедневной рутиной.

Парень, должно быть, остался доволен: я ни разу не изменила привычный маршрут, а поведением чемто напоминала заторможенную Людку Черняховскую. Была среда, по средам работы у меня не так много, и на почту я вернулась одной из первых.

Людка пила чай, сидя в уголке за перегородкой, нахохлившаяся, хмурая и явно несчастная.

— Зарплату дадут? — сурово спросила она, сунув мне под нос чашку с горячим чаем. В ответ я пожала плечами. — Дадут или нет? — возвысила она голос.

— Чего ты орешь? — вздохнула я. — Я, что ли, зарплату выдаю? Денег у меня кот наплакал.

— У меня их вовсе нет, — обиделась Людка.

— Ну и у меня примерно столько же.

— Но что-то ты об этом думаешь? — не унималась она.

С такими, как Людка, вечная неразбериха: то слова не добьешься, то привяжутся, точно репей.

— Отстань, а? — попросила я.

— Как же, отстань, мне жрать нечего...

— Пей чай, — посоветовала я и пошла к своему столу.

Людка замолчала, сердито сопя в своем углу, и вдруг высказалась, к этому моменту я почти забыла о ее существовании и поэтому от неожиданности даже вздрогнула.

Татьяна Полякова

— Тебя парень вчера искал.

— Что? — подняла я голову.

— Что-что, — передразнила она. — Парень.

— Какой?

— Твой, конечно. Расспрашивал.

— Что за парень, как выглядит?

— Почем я знаю? Не меня расспрашивал, а Зою Григорьевну (Зоя Григорьевна заведовала нашей почтой), вечером явился. Девки говорят, крутой, кольцо с бриллиантом, морда круглая, аж светится, и на иномарке подъехал. Есть у тебя такой?

— Сегодня еще не было. Хотя иномарка — это неплохо, особенно если морда светится.

— Вот-вот, — проворчала Людка. — Чего тебе зарплату ждать, тут хоть подыхай, ей-Богу, а вот у некоторых иномарки, мужики богатые... Слушай, может, у него друг есть, мне все равно какой, хоть самый завалященький, и иномарка без надобности, мне б только пару раз в неделю досыта пожрать, слышь, а?

— Слышу, — кивнула я. — Спрошу, может, дружок и отыщется.

— Ага... Только не забудь, ладно?

— Не забуду, — заверила я, мысленно ухмыляясь, вряд ли бы Людке пришла охота знакомиться с кем-нибудь из дружков парня, который вчера интересовался мною. Не из тех они людей, с кем приятно иметь дело даже на сытый желудок.

Но Людке я это говорить не стала, пусть немного помечтает, а заодно молча попьет чаю. Зарплату нам не платили уже три месяца, а Людка, как и я, совершенно одинокая, сюда она прибыла из детского дома, находящегося где-то у черта на куличках, ближе к Полярному кругу, и приходилось ей туго, хотя и была она сызмальства привычной к голодухе.

— Может, дадут, — неожиданно вздохнула она через полчаса, имея в виду зарплату.

Тут в дверь позвонили, появилась Татьяна Елагина со своей сестрой Женькой, тоже почтальоном, и Людка переключилась на них.

А я продолжила пялиться в стену и пыталась напряженно мыслить, но шарики, или что там есть в моей голове, упорно отказывались шевелиться. Озарением даже не пахло, что неудивительно: я была слишком напугана для того, чтобы хорошо соображать.

— Лена, Кудрявцева, — позвал кто-то нетерпеливо, и я вздрогнула.

Лена Кудрявцева — это я. Если быть точной, мне принадлежит только имя, в том смысле, что его мне дали при рождении, фамилию я приобрела сама около двух лет назад при крайне неприятных обстоятельствах и не совсем честным путем.

— Что? — встрепенулась я, надеясь, что некоторая заторможенность покажется коллегам извинительной из-за моей углубленности в работу.

— Тебя к телефону, — крикнула Женька и повертела в руках телефонную трубку для того, наверное, чтобы я поскорее пришла в себя. Приходить в себя я не спешила: за два года это был первый телефонный звонок, адресованный мне. Неожиданный интерес к моей особе настораживал, а вкупе с парнем в кожанке и вовсе наводил на невеселые мысли.

Я поднялась и на негнущихся ногах шагнула к телефону. Голос в трубке был мужской, приятный и совершенно незнакомый.

— Да? — пискнула я, пытаясь вернуть сердце из пяток на его законное место.

— Елена Петровна? — пропел мужчина и повторил еще раз: — Кудрявцева Елена Петровна?

— Да, — вторично сказала я. Вышло еще тише и еще писклявее.

— Моя фамилия Бобров Виктор Степанович, следователь Октябрьского РОВД, я бы хотел поговорить с вами по поводу вашего родственника Кудрявцева Михаила Бенедиктовича.

— А что с ним? — насторожилась я, до сей минуты и не подозревавшая, что у меня есть родственник, да еще с таким затейливым отчеством. Голос на том конце провода приобрел некоторую суровость:

— Это не телефонный разговор. Вы не могли бы прийти к нам завтра, скажем, часиков в одиннадцать?

— Нет, — ответила я. — В это время у меня самая работа, особенно по четвергам. Могу подъехать сейчас, минут через двадцать. Почта, где я тружусь, недалеко от отделения... Или в пятницу, в любое время после обеда.

— Хорошо, — с легкой заминкой согласился он. — Значит, в пятницу, в 14.20, третий кабинет.

Мы тепло простились, а я, порывшись в справочнике, набрала номер Октябрьского РОВД.

— Дежурный, — гаркнули мне в ухо, а я вежливо спросила:

— Могу я поговорить с Бобровым Виктором Степановичем?

— С Бобровым? Его нет...

— А когда будет?

— Не знаю, — отмахнулся дежурный. — Он на больничном...

— Сапожники, — покачала я головой, осторожно положив трубку.

Я имела в виду вовсе не Боброва и даже не дежурного, а дядьку с приятным голосом, ну, и, конечно, тех, кто надоумил его позвонить мне.

Цель звонка представлялась более-менее ясной: напугать и заставить шевелиться, то есть предпринять шаги, которые выдадут меня с головой.

«И тогда мир узнает, кто я есть на самом деле», — с усмешкой подумала я, направляясь в туалет. Заперла дверь на щеколду, умылась, вытерлась носовым платком и уставилась в зеркало.

— И кто же ты на самом деле? — тихо спросила я свое отражение.

Лицо женщины лет двадцати пяти выглядело

бледным, а взгляд усталым. Губы сжаты, нос слегка заострился, хотя общее впечатление отнюдь не плохое. Это неизменно вызывало недоумение: несмотря ни на что, я выглядела молодо и привлекательно и продолжала удивляться тому, что до сих пор не смогла обнаружить у себя ни одного седого волоса, хотя после того, что случилось два года назад, должна была бы поседеть в одночасье...

— Да, — невесело усмехнулась я, проведя рукой по лицу, и покачала головой. — Ну и кто ты? — повторила я, хмурясь, и сама себе ответила: — Да никто.

Не следовало мне так разговаривать с собой, в подобных разговорах есть что-то упадническое, истеричное, а главное — они совершенно бесполезны.

— Займись делом, — напомнила я себе. — Кстати, твои дела не так уж и плохи. Если они использовали такой дешевый трюк, чтобы тебя припугнуть, значит, вовсе не уверены в том, что ты — это ты. Следовательно, есть верный шанс смыться, — кивнула я своему отражению в зеркале. Нужно собрать кое-какие пожитки и бежать без оглядки, пока они не поняли, что к чему. — Отличный план, — кивнула я и вернулась на свое рабочее место.

Пожитков у меня немного, и, если я покину родное жилище с небольшой сумкой, это особых подозрений не вызовет. Район я знаю как свои пять пальцев, а мой страж не очень, поскольку за время слежки неоднократно умудрился попасть мне на глаза. «Я уйду, — несколько раз мысленно повторила я, желая внушить себе некий оптимизм. — Возьму самое необходимое: смену белья, теплую кофту, туфли, в конце концов, сейчас весна, а не осень, до зимы где-нибудь осяду...»

Два года назад убегать пришлось в октябре... Я поежилась, воспоминания нахлынули разом и больше не отпускали: мой день рождения, взрыв и бегство...

Татьяна Полякова

Мой день рождения обещал быть шумным: пришли родители, мои и мужа, старшая сестра с двумя взрослыми дочерьми, сестра мужа со своим женихом, две мои подруги с мужьями. Целый дом народа. Впрочем, дом был большой, на мой взгляд, слишком большой для семьи из трех человек, но муж думал иначе... К сожалению, это был не единственный случай, когда наши взгляды расходились.

Мы были женаты уже шесть лет. С моим будущим мужем Антоновым Дмитрием Сергеевичем я познакомилась в Евпатории после окончания школы. Случилось это во время посещения Ботанического сада. Я исправно слушала объяснения экскурсовода и разглядывала листья, стволы и ветки, изо всех сил стараясь ничего не забыть. На одной из аллей разом встретились три группы экскурсантов, и я оказалась рядом с Димкой. Он был старше меня на семь лет, к этому времени за его плечами уже имелся институт и опыт первой неудачной женитьбы. Занимался он компьютерами, не без оснований считая себя в этой области гением, а пока тянул лямку в какой-то фирме.

Из-за толстых стекол очков он взглянул на меня, я на него, и мы дружно улыбнулись. Продолжалось это не меньше пяти минут, потом я покраснела, а он сказал:

— Меня зовут Димой, а вас?

— Алена, то есть Лена, — торопливо ответила я, и далее по аллее мы следовали рядом, не спеша и потеряв всякий интерес к ботанике.

Почти сразу выяснилось, что мы приехали из одного города, Димка заявил, что это судьба, а я просто порадовалась: одно дело познакомиться в Евпатории с молодым человеком из какого-нибудь Красноярска, находящегося в нескольких тысячах километров от моей малой родины, и совсем другое, когда курортное знакомство имеет шанс перерасти в нечто большее. Оно и переросло. В августе мы вернулись домой, а в октябре, когда мне исполнилось восемнадцать, подали заявление в загс. Далее следовало бы произнести что-нибудь вроде: они жили долго и счастливо, но это, к сожалению, не про нас. Димка прожил после данного события только шесть лет, и очень сомневаюсь, что был счастлив все эти годы. Хотя поначалу все шло хорошо. Я училась в институте, Димка работал, и на его зарплату жить было можно, хотя и скромно. Родители разменяли трехкомнатную квартиру на две однокомнатные, и мы получили в свое распоряжение приличное жилье.

Потом родился Ванька. С двумя бабушками, дедушками и таким мужем, как мой, бросать учебу не было никакой нужды, время шло, сын подрастал, а институт я благополучно закончила.

Примерно за год до этого Димка нашел себе новую работу, вскоре в семейной лодке появилась первая трещина, потом их стало чересчур много. Причина была одна: деньги. Не их отсутствие, а наоборот, их присутствие, причем в очень больших количествах.

Поначалу деньги радовали: можно было болтаться по магазинам и покупать все, что душе угодно. Через пару месяцев восторги поутихли, а в душу закралось сомнение, после чего я дала себе труд подсчитать, сколько мы тратили в месяц. Сумма вызвала легкий шок: лично я с трудом представляла работу, за которую столько платят, и попробовала поговорить с Димкой. Супруг был оскорблен, а я с некоторым опозданием сообразила, что вовсе не являюсь лицом, пригодным для доверительных бесед, скорее даже наоборот: Димка не только отказался обсуждать со мной данную тему, но посоветовал мне занять свой мозг чем-нибудь более подходящим.

Я задумалась, а подумав и понаблюдав, сообразила, что не только о работе своего мужа, но и просто о том, что он за человек, толком ничего не знаю, то есть с виду все ясно: Димка веселый, общительный, добрый парень, заботливый муж и внимательный отец, только о чем он, к примеру, думает, когда сидит за своим компьютером, а сидит он так часов по двенадцать. Подобные открытия всегда производят впечатление. Так оно и вышло: я безрезультатно пыталась проникнуть в мысли своего супруга, а он старательно противодействовал этому, отшучивался, клялся в любви и рекомендовал не забивать себе голову попусту.

Не знаю, как долго продолжалось бы все это, но однажды Димка вернулся с работы раньше обычного, взъерошенный, дерганый и с порога заявил:

— Забирай Ваньку и поезжай к Верке (так звали его двоюродную сестру, она жила в районном центре и была замужем за тамошним начальником милиции).

— Что случилось? — растерялась я.

— Ничего... Я тебе потом объясню. Собирайся.

Что-то в его поведении вынудило меня подчиниться. Через три часа мы уже пили чай на веранде большого Веркиного дома. Димка улыбался, никакой нервозности и в помине не было, а неожиданное гостевание он объяснил просто: Ванюшка приболел, врачи считают — аллергия, посоветовали на пару недель покинуть большой город. Впрочем, Вере его объяснения были вовсе не нужны: мы дружили, а человек она хлебосольный и гостям всегда рада.

Через час Димка нас покинул и не появлялся две недели, правда, звонил по нескольку раз в день, старательно делая вид, что ничего особенного не происходит и мы с сыном в самом деле просто гостим у его сестры. Однако делать вид, что все в порядке, я не собиралась, поэтому через две недели, когда муж явился за нами, я спокойно, но твердо заявила, что буду жить у родителей. Поначалу он не поверил, и только когда я так же спокойно, забрав сына, там обустроилась, Димка впал в настоящее отчаяние.

Так как он и своим и моим родителям твердил,

что не видит причин для такого моего поведения, а родители тем более таковых не видели, потому что Димка по всем статьям являлся образцовым мужем, мне пришлось коротко, но доходчиво сформулировать свои претензии. Родители загрустили, втайне не находя их подходящими для развода, а Димкина родня даже обиделась. Супруг, конечно, тоже обиделся и, возвышая голос, разглагольствовал:

— Деньги ей не нравятся... Я их что, ворую? Я их, между прочим, зарабатываю... Вкалываю по двенадцать часов в сутки...

Его речи производили впечатление: причем не только на родителей, я тоже понемногу начала чувствовать себя виноватой. Однако возвращаться к нему не спешила. В конце концов моя стойкость, принятая им за упрямство, вынудила мужа поговорить со мной серьезно.

— Ты думаешь, я жулик или того хуже? — грустно спросил он, а я вздохнула:

— Я думаю, что ни в одной фирме служащим не платят таких денег. Если ты сможешь меня разубедить, я буду только рада.

— Во-первых, я не просто служащий, во-вторых, я — компьютерный гений, надеюсь, это доказывать не надо?

— Не надо, — усмехнулась я. — Гениальность как раз и настораживает, знать бы, куда она направлена.

— Ах вот оно что! — Димка поморщился, помолчал, вздохнул и продолжил: — Ты решила, что я занимаюсь чем-то противозаконным?

— А что бы на моем месте решил ты? — запечалилась я.

— Это не так...

— А почему мы прятались у Веры?

Он опять поморщился:

— В тот раз неприятности были у нашей фирмы, а не у меня лично. Я просто перестраховался.

— Какая разница? — удивилась я, Димка понял,

что для меня разницы действительно нет, и загрустил по-настоящему.

— Послушай..

— Не пойдет, — перебила я. — Ты имеешь право рисковать собой, но есть Ванька... в общем, опасности отменяются. Я не люблю боевики, а в жизни мне они и вовсе без надобности.

— Никаких боевиков и никакой опасности. Честно. Ну что я должен сделать, чтобы ты мне поверила?

— Лучше всего найди другую работу, — отрезала я. На этом в тот раз мы и закончили.

Работу Димка нашел, и через две недели после этого события мы с сыном вернулись к нему. Муж бродил по квартире, качал головой и восклицал:

— Отказаться от таких денег... Кому рассказать — не поверят.

В новой фирме работать ему приходилось меньше, а платили, на мой взгляд, очень даже неплохо. Жизнь наладилась, и сомнения остались в прошлом.

Мы получили ссуду в банке и взялись строить дом. Строительство завершилось как раз к моему дню рождения, поэтому два события решили объединить: и день рождения отметить, и новоселье справить. Мама и свекровь пришли пораньше и помогали мне на кухне. К четырем часам собрались почти все, стол накрыли в огромной полупустой гостиной. Мебель пока присутствовала только в трех комнатах: детской, спальной и кухне, но это никоим образом не сказывалось на моем хорошем настроении: мне нравился наш дом, и вообще жизнь радовала.

— Ну что, за стол? — спросил папа, заглядывая в кухню.

— Конечно, — кивнула я, намереваясь идти в спальную переодеваться, и тут мама сказала:

— А грибы? И компот. Вишневый, нет, лучше рябиновый, — и я вместо спальной пошла в погреб, пошла потому, что привыкла соглашаться с мамой, хоть и не видела особой нужды ни в грибах, ни в компоте.

Погреб был за гаражом, забавная домушка под железной крышей. Я направилась в ту сторону. Из-за угла вывернул Ванька на велосипеде.

— Ты куда, мам?

— В погреб.

— А зачем?

— За компотом и за грибами.

Мы достигли погреба, я пешком, а сын, используя трехколесный велосипед как самокат.

Я толкнула дверь, обитую железом, вошла внутрь, нашарила рукой выключатель и зажгла свет. В погреб надо было спускаться по металлической лестнице. С трудом открыв люк, я заглянула вниз.

— Я с тобой, — сказал Ванька.

— Вот только попробуй, — погрозила я пальцем: сын был одет в новый костюмчик небесно-голубого цвета, и после посещения погреба его наверняка пришлось бы переодевать.

— Ну, мама, — закапризничал он.

— Можно подумать, ты никогда не был в погребе, — покачала я головой и сурово добавила: — Марш в дом. Одна нога здесь, другая там. И велосипед убери.

Ванька сморщил нос, но, подхватив велосипед, покатил к дому. Дождавшись, когда он поставит велосипед у крыльца, я, удовлетворенная сыновним послушанием, спустилась в погреб. Хотя в дом мы переехали недавно, погреб, стараниями моей мамы, был забит до отказа. Чертыхаясь, я смогла отыскать грибы, а также трехлитровую банку с рябиновым компотом. Поставила обе банки в сумку и стала осторожно подниматься по лестнице.

В этот момент раздался чудовищный грохот, земля содрогнулась, я оступилась, чуть не выронив сумку, а крышка люка захлопнулась.

— Господи! — вскрикнула я, бросила сумку и,

взбежав вверх, принялась воевать с крышкой. — Что это было? — испуганно шептала я, не в силах найти объяснение подобному грохоту. О землетрясении в наших краях никогда не слышали, и предположения возникали самые фантастические. — А вдруг самолет упал? — ахнула я и удвоила усилия. Крышка наконец подалась, я смогла выбраться на поверхность и шагнула на улицу: остатки того, что несколько минут назад было моим домом, догорали под неярким осенним солнцем.

Я попробовала закричать и не смогла. Вытянула руки по швам и замерла, как солдат на параде в ожидании команды. Взрыв был такой чудовищной силы, что от стен осталась лишь груда обломков, разлетевшихся по всему участку. То, что никто из находившихся в доме просто не мог выжить, было ясно, и все-таки я бросилась к тому месту, где раньше была веранда. Когда я в последний раз видела сына, он поднимался на крыльцо.

Плотная стена огня не позволила сделать даже шаг. Я выла, загораживая лицо руками, и пыталась повторить попытку, но все это было бессмысленно. Я услышала звук сирены, где-то кричали люди, а я, враз осознав, что все кончено, заползла за погреб, равнодушно наблюдая оттуда за всеобщей суетой. Я могла думать только об одном: Ванька хотел спуститься со мной в погреб, а я отослала его в дом. Сама отослала. Если бы я позволила ему спуститься, он бы остался жив...

Я пролежала за погребом часа два, хотя, может быть, мне так показалось. Странно, но за это время никто не обратил на меня внимания. Появилась милиция, народ прибывал, но все это оставило меня совершенно равнодушной, никого из людей я не хотела видеть. На четвереньках достигла конца участка, выбралась на дорогу и бегом припустилась в сторону рощи, где и сидела до самой ночи. Все, что я тогда делала и о чем думала, вспоминается крайне смутно. Что-то гнало меня прочь из города, дальше от обугленных развалин дома. Уже под утро я оказалась в садовом кооперативе, в доме, принадлежавшем родителям Димки, рухнула на кровать и, кажется, потеряла сознание.

Беспамятство чередовалось с тревожным сном, и в себя я пришла только на третий день. То есть, придя в себя, я не знала, сколько прошло времени, вскочила, бессмысленно кружа по единственной комнате садового домика, и пыталась убедить себя в том, что все происшедшее не более чем дурной сон. Потом отыскала кофту свекрови, натянула ее, потому что погода испортилась и стало холодно, и направилась в город. До него было не более километра, я шла, кутаясь в кофту и зябко ежась, все еще пытаясь убедить себя в нереальности происходящего.

В кармане кофты завалялось немного мелочи, я шла и зачем-то трясла ее в руке, монетки звякали, а я считала: раз, два, три. Через некоторое время я вышла к троллейбусной остановке и замерла перед газетным киоском: прямо на меня с фотографии смотрел мой сын. Я вздрогнула, судорожно вздохнула и закрыла глаза. Фотография была старой, Ваньке там четыре года. Точнее, фотографий было две, на одной я, мой муж, мама и свекровь со свекром во время отдыха на турбазе. Фотографировал нас тогда Ванька при помощи моего отца, поэтому в кадр они и не вошли. А вот чуть ниже была помещена фотография сына. Где они ее взяли? Должно быть, у родителей... Только ведь их нет... никого...

— Можно мне газету? — с трудом проговорила я и выгребла из кармана мелочь. Женщина посмотрела на меня с недоумением, но газету поспешно протянула. Схватив ее, я торопливо зашагала в сторону парка. Здесь я устроилась на скамейке и, собравшись с силами, развернула газету. Из статьи, озаглавленной броско и даже поэтично, я смогла кое-что узнать о моем муже. К сожалению, с опозданием. Впрочем, автор статьи честно писал, что достоверных фактов немного, в основном слухи, домыслы и догадки. О взрыве и гибели моих родных было написано более подробно. Чудовищной силы взрыв и последующий пожар привели к тому, что были обнаружены только фрагменты нескольких тел. В результате оперативно-розыскных мероприятий удалось установить, что на момент взрыва в доме находились пятнадцать человек взрослых и один ребенок пяти лет. На сегодняшний день идентифицированы четыре трупа: Антонова Дмитрия Сергеевича, хозяина дома, его отца Антонова Сергея Ивановича, а также Антоновой Анны Сергеевны и Ярославцевой Людмилы Петровны. Я выронила газету, сжав рот рукой. Ярославцева Людмила Петровна — моя мама... Господи... Димка, свекр, Димкина сестра, моя мама и фрагменты тел, по которым пытаются установить остальных погибших. Этого не может быть... Такого просто не бывает...

Я пялилась на газету и сидела не шевелясь, ничего не замечая вокруг, вне времени и пространства. Потом пыталась еще раз прочитать статью, а главное — понять: что же произошло?

— Все погибли, вот что, — произнес кто-то насмешливо внутри меня. — Осталась только ты. Странно, что ты жива. — Голос противно хихикнул. — Странно, что именно ты. Не очень весело, правда? Все, кого ты любила, мертвы, сама ты сидишь на скамейке, не знаешь, что делать и стоит ли что-то делать вообще: к примеру, пойти и утопиться?

— Я сошла с ума, — громко сказала я и повторила: — Конечно, я сошла с ума и все это не взаправду: не может быть Ванька каким-то фрагментом.

Я отложила газету в сторону, встала, сделала несколько шагов и вновь вернулась, забыв, куда и зачем минуту назад собралась идти. Сколько еще времени я провела на этой скамейке, неизвестно, но тут мое внимание привлек мужчина: он, должно быть, уже несколько раз проходил мимо, с любопытством поглядывая в мою сторону. Выглядела я дико, и любопытство прохожего было вполне извинительно, но я вдруг испугалась: вскочила и бросилась бежать. Опомнилась только в универмаге, я стояла возле входа и таращилась на улицу, судорожно сжимая в руках газету, и через пять минут вновь увидела в толпе недавнего любопытного прохожего.

Не берусь утверждать, что это был тот же самый человек, но в то мгновение мне показалось, что он, и я бросилась из универмага сломя голову, натыкаясь в толпе на чьи-то спины и локти, жалобно воя, вызывая недоумение окружающих. Свернула за угол и оттуда стала наблюдать за толпой. Сердце билось в горле, я бессмысленно повторяла: он, он — и пыталась отыскать его в человеческой массе. Через какое-то время смогла успокоиться и даже попыталась рассуждать.

«Мне надо идти в милицию», — подумала я и вскоре в самом деле пошла, тревожно оглядываясь и косясь по сторонам, вокруг были люди, и все почему-то смотрели на меня враждебно. Про милицию я забыла, истерично что-то бормотала и, сама не помню как, вернулась в дачный домик. Рухнула на кровать, закуталась в одеяло, пытаясь согреться, и в конце концов заснула, а может, просто перестала что-либо соображать и чувствовать.

Возврат к реальности был мучительным. Открыв глаза, я сразу же увидела газету с фотографией Ваньки и заплакала, только тогда по-настоящему осознав, что произошло. В домике было холодно, ночью подмораживало, а прогреваться за короткий осенний день домишко не успевал.

Клацая зубами, я прошла к газовой плите и зажгла обе конфорки и духовку, ежась и стараясь поближе придвинуться к огню.

— Не хочу ни о чем думать, — пробормотала я жалобно. — Я хочу спать... — и вернулась в постель. Надо уснуть и спать долго-долго, а когда я проснусь, ничего этого не будет...

Проснулась я от ветра, ночь была темная, страшная, а за окном плакал ребенок.

— Ванечка, — позвала я и подошла к окну, а потом сама себе сказала: — Это ветер...

Приоткрыла дверь и стала смотреть, как, тихо шурша, кружат листья по доскам резного крылечка. От газа в домике стало тепло и света хватало, но болела голова, и соображала я по-прежнему плохо, прислушивалась к шелесту листьев и надеялась услышать голос сына. А услышала чьи-то шаги. Осторожные.

Человек шел по асфальтовой дорожке, разделяющей участки. Внезапно остановился. Я замерла, вся обратившись в слух. Стоял он долго, может, пять минут, а может, и дольше. Потом очень осторожно ступил на тропинку, ведущую к домику. Споткнулся о камень в самом начале тропы: камень этот постоянно вылетал из уготованного ему места, человек об этом не знал, а в темноте разглядеть его не мог. На мгновенье он сбился с шага, сделал два торопливых шажка и замер, вероятно, тоже прислушиваясь.

Шаги возобновились, такие осторожные, тихие, что в другом состоянии я никогда не смогла бы их услышать. Я закусила губу, чтобы не закричать, и сделала шаг к стене. Мне показалось, что он меня услышал, но это, конечно, было не так, двигалась я бесшумно, потому что человек не насторожился, не замер, прислушиваясь, а продолжал двигаться.

Он подошел вплотную к домику и заглянул в окно. Сквозь щель в перегородке я увидела бледное пятно его лица. Человек замер, должно быть, вглядываясь, а я почувствовала вкус крови на губах, тонкой струйкой она стекала по подбородку.

Из-за дощатой перегородки меня он видеть не мог, зато видел комнату, зажженные газовые горелки и кучу тряпья на кровати. В полумраке тряпье вполне можно было принять за лежащего человека. Лицо исчезло, и вновь послышались шаги: он шел к крыльцу. «Запереть дверь», — мелькнуло в мозгу. До хлипкой двери из фанеры несколько шагов, чтобы запереть замок, мне потребуется секунд десять. Мне никогда не сделать эти несколько шагов, и у меня нет этих секунд... Я попыталась сделать шаг, что-то коснулось моих ног, и я сообразила, что это топор. Обыкновенный топор. Он стоял возле лавки с ведрами. Топор имел способность теряться в самый неподходящий момент, например, когда мы затевали шашлыки, и свекор определил ему это место, возле лавки...

Я опустила плечо и вытянула руку, человек поднялся на крыльцо и замер возле двери. Он замер, а я очень медленно выпрямилась. Потом дверь открылась, без скрипа, абсолютно бесшумно, и только шорох листьев да легкий порыв ветра заставили меня вздрогнуть: он вошел. Долго-долго ничего не происходило. Потом он резко шагнул вперед, сделал пару шагов, уже не таясь, и вдруг стал оборачиваться, должно быть, в последнюю секунду почувствовав, что за спиной кто-то есть. Он стал оборачиваться, а топор опустился на его голову, сам по себе и вроде бы вовсе без моего ведома.

Человек вскрикнул и рухнул на колени. А топор опустился еще раз и, должно быть, еще... Потом выскользнул из моих рук. Я сделала шаг к человеку на полу. Крови не было, по крайней мере, я ее не увидела, встала на колени и потянула мужчину за плечо, стараясь перевернуть на спину.

Парень был молодой, не больше двадцати лет, бледное лицо с приоткрытым ртом, веки плотно сжаты.

— Господи, я сошла с ума, — жалобно прошептала я и хотела закричать, броситься вон, подальше от всего этого ужаса, тут что-то звякнуло об пол, и я увидела нож. Тонкое, блестящее лезвие в руке парня. — Я не спятила, — тряся головой, сказала я, очень желая убедить себя в этом. — Он убийца, вот что... Он шел меня убить... Главное, что я не спятила, — напомнила я себе и стала обшаривать карманы парня. Пистолет был в наплечной кобуре. Я вытащила его и долго держала в руках, потом положила на пол, рядом с собой. В нагрудном кармане куртки лежал бумажник, в нем немного денег. Никаких документов. В кармане брюк ключи. Все это я сложила кучкой рядом с пистолетом. Посидела, раскачиваясь и глядя в лицо парня, потом зачем-то пощупала его шею, ища пульс. — Плевать мне на тебя, — сказала я зло и поднялась. Ноги затекли, всю спину разламывало, и я ни секунды не верила, что смогу сделать хоть один шаг.

Вдруг дверь хлопнула, я вскрикнула, хватая пистолет, и обернулась. Сердце вновь билось в горле, я мгновенно покрылась потом и только через несколько минут поняла: это ветер. Дверь была открыта, и порывом ветра ее захлопнуло. Но резкий хлопок, по-видимому, привел меня в чувство. Я метнулась к кровати, схватила газету, отыскала сумку на вешалке и сунула туда бумажник, ключи и газету, аккуратно ее сложив.

Я уже взялась за ручку двери, оглянулась, посмотрела на парня и решительно направилась к нему. С трудом стянула куртку, а потом и свитер, зло шипя:

— Заткнись, придурок, я тебя не звала. Слышишь, я вас никого не звала, и заткнись...

Свитер я затолкала в сумку, а куртку надела. Она была мне велика и еще хранила тепло парня, но это уже не имело значения.

Я выключила газ и вышла на крыльцо. Порыв ветра заставил поежиться и запахнуть куртку, а я шагнула в темноту, сжимая в руках пистолет.

Выходить на аллею я не рискнула, через кусты пробралась на соседний участок и бросилась вниз, туда, где на дне обрыва шумел ручеек. Прошла по невидимой в темноте тропинке между кустами смородины и выбралась к калитке. Она выходила к реке, дальше, чуть левее, располагались лодочная станция и домик сторожа, в такую пору, должно быть, пустой.

Впереди горели огни города, я бежала вдоль берега реки, огибая забор коллективного сада, и вскоре оказалась неподалеку от центральных ворот. Ворота были закрыты, а калитка распахнута и тихо поскрипывала на ветру. Я споткнулась в темноте и упала, встала на колени, пытаясь рассмотреть, что там впереди. Возле ворот горел фонарь, асфальтовая дорожка шла к шоссе, отсюда ее было хорошо видно: ни машины, ни силуэта, который можно принять за человеческий. «Не пешком же он сюда пришел», — зло подумала я и стала пробираться вдоль кустов, согнувшись и каждую минуту готовясь рухнуть на землю.

Я потратила на поиски не менее получаса, а нашла машину случайно. Направляясь к шоссе, оглянулась в последний раз, свет фонаря упал на переднее стекло машины, отражаясь в нем: темные «Жигули» стояли вплотную к забору, довольно далеко от центральных ворот, со стороны дороги их тоже вряд ли можно было разглядеть, в общем, мне повезло.

Но торопиться я не стала: устроилась в кустах на холодной земле и еще несколько минут наблюдала за машиной. Сомнения отпали: она пуста. Я нашарила ключи в сумке и осторожно пошла: в одной руке сумка и пистолет, в другой ключи. В темноте долго не могла вставить ключ в замок, потом дверь с чудовищным грохотом распахнулась, а я едва не упала в обморок.

— Чушь, — одернула я себя. — Никакого грохота. Хлопок никто не услышит, даже если кто-то есть рядом, а тут никого нет.

Я села в машину, завела мотор и через секунду выехала на шоссе.

— На машине опасно, — бормотала я, то и дело отбрасывая со лба волосы. — Но сейчас главное — оказаться как можно дальше отсюда.

Эта мысль вытеснила все остальные, и я летела на бешеной скорости по пустынному шоссе до самого рассвета.

Огромное красное солнце показалось над горизонтом и тут же исчезло за плотными облаками. Холодно, неприютно. Печка работала, меня разморило, кружилась голова, а глаза слипались. Я притормозила у обочины и несколько минут постояла под холодным ветром, пытаясь прийти в себя. На шоссе все чаще встречались машины, занимался новый день, и мне следовало что-то решить. «Машину придется бросить, — с тоской думала я. — Этот тип ее скорее всего угнал, а если нет — то хорошего тоже мало. Меня найдут...»

За ночь я смогла преодолеть почти четыреста километров. Мне повезло: я благополучно миновала три поста ГАИ. Но везение могло закончиться в любой момент, а продолжать движение с прежней скоростью не получится: днем шоссе очень оживленное, я устала, а сотрудники ГАИ не дремлют. «Дотяну до первого города и брошу машину», — решила я, садясь за руль. Но дотянуть до города не удалось. Лампочка настойчиво замигала, показывая, что бензин на исходе, а я стала высматривать съезд в какой-нибудь лесок: оставлять машину на дороге было бы неразумно.

Съезд нашелся, я смогла преодолеть по грязной проселочной дороге метров сто и остановилась посредине огромной лужи: проехать далее не представлялось возможным. Сдала назад, с трудом выбралась на обочину и выключила двигатель. Потом тщательно обыскала машину, взяла все, что представляло хоть какую-нибудь ценность: старую спортивную сумку в багажнике, детское одеяло, две подушки с заднего сиденья, перчатки и карту области из бардачка, десяток магнитофонных кассет, две пачки сигарет, авторучку и блокнот. В карманах чехлов я нашла бутылку водки и вязаную шапочку. Сложила все в спортивную сумку, бросила ключи под сиденье водителя и пошла к шоссе. Взглянула на часы и, подумав, вернулась к машине: было еще слишком рано для того, чтобы женщина могла появиться на дороге, не вызвав недоумения. Лучше остаться в «Жигулях» и немного поспать.

Я легла на заднем сиденье, поджав ноги и скорчившись, и сказала себе:

— Это все неправда.

Мыслей не было, только холод, тоска и усталость.

Я открыла глаза и сразу перевела взгляд на часы. Полдень. Испуганно поднялась и огляделась. Поле с остатками собранной кукурузы, справа лес, неприютный и уже голый, а за спиной грязная проселочная дорога и шоссе с мелькающими на нем грузовиками. Дождь, низкое серое небо и холодный ветер.

Я выбралась из машины и вдоль кромки леса, шурша опавшей листвой, не торопясь направилась к шоссе. На попутном грузовике доехала до ближайшего города. Потом города мелькали и мелькали, а я рвалась все дальше. Пересаживалась с одной машины на другую, дремала, свесив голову на грудь или отвернувшись к окну, уходя от досужих разговоров. На ночь зарывалась в стог сена, чтобы не замерзнуть, или шла пешком. Потом вновь какой-нибудь грузовик, тепло, мерное покачивание, навевающее покой, недолгий сон. Я отучила себя думать и вспоминать. Тогда важно было одно: скрыться, убежать как можно дальше, туда, где меня никто не знает и не найдет. Те три сотни, что я нашла в бумажнике парня, так и остались нетронутыми: водители попадались щедрые, от денег отказывались, а я не настаивала. Есть не могла. Как-то раз купила сосисок и чашку кофе, с трудом проглотила кусок, но желудок мгновенно воспротивился этому. Меня долго рвало, потом я сидела в парке какого-то города, смотрела на голубей и пыталась справиться с головокружением.

Через неделю я оказалась на Урале. Шофер «КамАЗа» высадил меня прямо возле автовокзала областного центра, и я пошла в буфет выпить чаю. Шел снег, липкий и еще не настоящий, а я была в туфлях, которые за неделю скитаний почти развалились. Я простудилась, жутко кашляла, глаза слезились, и в целом выглядела по меньшей мере нелепо.

Я вошла в буфет, взяла стакан чая и устроилась поближе к батарее. В буфете было пустынно, женщина за высокой стойкой с недоумением посмотрела на меня, потом на мои ноги. Колготки были грязные и рваные в нескольких местах. Одно хорошо: бомжи нынче не редкость. Но мною мог заинтересоваться какой-нибудь чересчур бдительный страж порядка. Документов у меня нет, зато в сумке спрятан пистолет. «Надо уходить отсюда, — с тоской подумала я. — Вокзал — самое опасное место, полно милиционеров». С трудом оторвавшись от батареи, я покинула буфет, достигла лестницы и спустилась вниз, заметив стрелку с надписью «туалет». Он тоже был пуст, двери нескольких кабинок заперты, остальные распахнуты настежь. Я умылась теплой водой, потом прошла в кабинку, сняла колготки и вернулась с ними к умывальнику с намерением простирнуть, и вот тогда увидела сумку. Обыкновенную дамскую сумку, она висела на крючке и была расстегнута. Я смогла увидеть две вещи: носовой платок и уголок красной обложки. «Паспорт», — мелькнуло в голове, я посмотрела в зеркало: никого. За перегородкой женщина выговаривала кому-то:

— Деньги с людей берете, а бумаги нет, что за безобразие?

Ей ответили сразу два голоса, высоких и сердитых. Должно быть, отношения с работниками вокзала выясняла хозяйка сумки. Очень спокойно я протянула руку, вынула паспорт и положила в карман куртки вместе с колготками. Потом взяла свою сумку и, стараясь не спешить, покинула туалет. Высокая молодая женщина как раз закончила пререкания, и мы столкнулись в узком коридоре. Не знаю, чего я ожидала, может быть, криков «караул!», «держи ее!», но никто не закричал и не схватил меня.

С трудом сдержавшись, чтобы не броситься бежать со всех ног, я вышла на площадь и, не оглядываясь, заспешила к железнодорожному вокзалу. Он был метрах в пятистах от автобусного. Там опять спустилась в туалет, выстирала колготки и кое-как смогла их высушить. Потом извлекла из кармана паспорт и осторожно его пролистала.

По иронии судьбы хозяйку паспорта звали Еленой, так же, как меня. Пожалуй, это все, что было между нами общего. Я всмотрелась в лицо на фотографии. Снимок явно неудачный: женщина глупо таращила глаза, крепко сжав узкие губы, точно кто-то смертельно ее напугал. Я вздохнула и спрятала паспорт. Что ж, возраст подходящий, женщина не замужем, бездетна, а в остальном... другого паспорта все равно нет. Оставаться на вокзале с чужим паспортом я не рискнула и, немного отогревшись, вышла на улицу. До объездной дороги было остановок пять автобусом, я пошла пешком, чтобы не замерзнуть в долгом ожидании транспорта, и с тоской подумала о вокзале: лечь бы в тепле на лавку, вытянуть ноги... Я остановилась посреди улицы и впервые с удивлением подумала: куда я еду, а главное — зачем? Усмехнулась, покачала головой и зашагала быстрее: холодный ветер продирал насквозь. «Надо ехать, — напомнила я себе. — Дальше, как можно дальше».

Я миновала перекресток, заметила грузовик, махнула рукой, и машина с огромным прицепом тяжело затормозила. Я с облегчением вздохнула и полезла в кабину. Мужчина, немолодой и лысый, смотрел на меня с любопытством.

— Куда путь держишь? — спросил он весело. Я

назвала ближайший областной центр. Шофер присвистнул, с сомнением покосился на мои туфли и сказал: — А я думал, ты на юг собралась.

— Нет, я с юга. Не совсем, конечно, но дома у нас еще тепло.

— А откуда ты? — заинтересовался шофер, проявляя нормальное любопытство, а вовсе не подозрительность.

— Из Рязани, — наугад ответила я. Дядька опять присвистнул.

— Эко тебя занесло... По какой надобности?

— Так... в гости, — туманно ответила я.

— Ага. — Он еще раз внимательно посмотрел и спросил: — К мужу едешь, на свидание?

Я усмехнулась, но кивнула в знак согласия, и шофер тоже кивнул, как видно, все разом для себя уяснив.

— Сегодня не доберешься, — сказал где-то минут через десять. — Я только до Семеновки еду, это поселок, восемьдесят километров отсюда. Я там живу, а работаю в городе, вот решил домой заглянуть. — Я слушала и кивала время от времени, радуясь, что самой говорить не приходится, глаза слипались, а я с облегчением подумала, что восемьдесят километров — это довольно далеко... — Жена у меня в больнице, в городе, — продолжал болтать шофер. — Хозяйство без присмотра осталось, вот еду проверить.

— А дети? — спросила я, чтобы создать видимость разговора.

— Детей нет. Жена-то мне не жена вовсе, то есть живем просто так, без росписи... у нее сын в армии, второй год... Угнали к черту на кулички... — Он еще что-то говорил, но я уже не слышала. Очнулась, когда машина остановилась, удивленно огляделась, не сразу сообразив, где нахожусь.

Машина стояла возле какого-то забора. Протерев глаза и присмотревшись, я смогла различить одноэтажное строение с темными окнами, крыльцо и собачью будку. Мотор работал, но шофера в кабине не было. Тут дверь распахнулась, и появилась его голова, дядька хитро подмигнул и спросил:

— Проснулась?

— Да. Где мы?

— В Семеновке.

Я посмотрела на часы: половина восьмого. Страшная темень, отсутствие фонарей, а также, что очень вероятно, и какого-либо вокзала. Значит, придется шагать всю ночь. Я вздохнула и, подхватив сумку, выбралась из кабины.

— Спасибо, — крикнула я дядьке, не видя его из-за машины. Он вынырнул откуда-то сбоку, посмотрел с недоумением и спросил:

— Ты куда?

— На дорогу, — ответила я, не испытывая ни малейшего желания поддерживать разговор.

— На дорогу, — хмыкнул шофер и даже покачал головой. — На какую дорогу? Ты глянь, что делается: мороз, а ты в туфлишках. Заходи в дом...

Проще всего было бы послать его к черту, но в теплой кабине меня разморило, очень хотелось спать, я туго соображала спросонья, поэтому все еще стояла с сумкой в руках.

— Спасибо, — ответила я лениво. — Только мне это не подходит. Всего доброго...

— Эй, да подожди ты. — Дядька вроде бы рассердился. — Не о том я... Переночуешь, а завтра я тебя с мужиками отправлю до областного центра. Сейчас ты все равно ни на чем не уедешь, у нас здесь не Рязань...

Конечно, он был прав, я вздохнула и пошла к калитке, представила, что буду спать в настоящей постели, и ощутила что-то вроде блаженства. Правда, был еще дядька...

— Ну и что, — с неожиданным равнодушием решила я. — Начнет приставать — я его убью.

Не знаю, смогла бы я в самом деле его убить, но делать этого, слава Богу, не пришлось.

В доме имелось паровое отопление, должно быть, в отсутствие хозяев кто-то из соседей приглядывал за домом, потому что было тепло.

— Проходи, — сказал дядька. — Зовут меня, кстати, Петр Васильевич. А тебя?

— Лена.

— Ага, давай-ка, Елена, пошарь в кухне, авось чего найдешь, да и в сумке тоже, прихватил кое-что из города.

Хозяин принес два ведра воды и опять куда-то исчез. Вернулся он только через час. Я с удивлением на него посмотрела: мокрые волосы, полотенце на плече.

— В бане был, — пояснил он в ответ на мой взгляд. — Просил соседей натопить. Беда в этом городе, все никак не привыкну... Если хочешь, сходи, баня в огороде, вода есть...

— А соседи? — спросила я.

— Что соседи? Ты ж на всю улицу кричать не будешь. Темно, тебя и глазастый не углядит, да и Бог с ними, с соседями.

Уговаривать меня не пришлось, через пять минут я уже была в бане. Топили ее утром, и особого жара сейчас не было, я сидела на лавке и плакала от счастья, а может, не от счастья вовсе, а от страшной тоски. В голове бродили странные мысли, и одна из них меня поразила, потому что подумала я тогда вот что: я живая. Вот так и подумала. Не то чтобы очень обрадовалась, просто поняла, осознала.

А потом вернулась в дом. Петр Васильевич сидел за столом в кухне и допивал поллитровку. Посмотрел на меня внимательно и головой покачал:

— Надо же...

— Что? — не поняла я.

— Не разглядел тебя как следует в машине... да и здесь в доме... Сколько годов-то тебе?

Я вспомнила про ворованный паспорт.

— Двадцать семь.

— А муж-то давно?..

— Давно. Вы мне скажите, где можно лечь?

— Да вон хоть на диване. Я в спальной сплю, храплю сильно, но из большой комнаты ты не услышишь.

— Храпите на здоровье, — усмехнулась я.

— Может, выпьешь? — предложил он.

— Спасибо. Не пью. Желудок больной. Чаю, если можно...

— Ужинай, не стесняйся, — кивнул Петр Васильевич и, вылив остатки водки из бутылки в стакан, достал из холодильника еще одну поллитровку.

— Вам же завтра ехать, — кивнула я. — Или на дорогах здесь попроще?

— Вечером поеду, — махнул он рукой. — Выхожусь...

Он выпил, посидел молча, глядя в пустой стакан, и тяжко вздохнул:

— Беда у меня... Помрет моя Наталья. Сегодня врач сказал — рак у нее. Вот такие вот дела... — Я молчала, не зная, что на это ответить. — Третий раз жизнь по новой начинать... С одной жил — разошлись, я-то все по командировкам, ну... вышло дело... да... С Натальей хорошо жили, и вот тебе. Дом этот на ее сына записан, весной вернется с армии, а мне куда? В сорок семь лет много не набегаешь.

— Может, не все так плохо у вашей Натальи, иногда чудеса случаются...

— Может, — кивнул он. — Только врач сказал — полгода, не больше. Дела... Я тут малость посижу, а ты меня утром часов в шесть разбуди, мужики в семь выезжают, надо успеть их перехватить, на дорогу выйти.

— Разбужу, — кивнула я и пошла в комнату.

Я думала, что усну мгновенно, но долго не могла сомкнуть глаз. Таращилась в потолок и думала: о себе, о Петре Васильевиче, о неведомой Наталье. В полночь хозяин пошел на двор, загремел ведрами, а потом долго не возвращался. Я поднялась и, накинув куртку, вышла в сени. Хозяин расположился прямо на холодном полу, с босыми ногами и расстегнутой до живота рубашке. Богатырский храп возвещал о том, что сон его крепок. Покачав головой, я с великим трудом его растолкала, помогла подняться и отвела в спальню. Потом вернулась на диван и через пятнадцать минут, кажется, уже спала.

Проснулась ровно в пять. Долго смотрела в темноту за окном. Оделась и вышла проведать хозяина: спал он крепко и просыпаться явно не собирался. Я зажгла настольную лампу, подошла к шифоньеру, открыла дверцы и внимательно осмотрела содержимое. К счастью, у нас с Натальей был почти один и тот же размер. Главное, что меня интересовало, — обувь. Сапоги нашлись, изрядно поношенные, но крепкие. Зимнее пальто, шарф, белье, старенькие джинсы, должно быть, остались от сына. Я аккуратно сложила вещи в сумку и без особой спешки покинула дом.

В утреннем сумраке поселок выглядел уныло. Дойдя до конца улицы, я остановилась, пытаясь сориентироваться. Нужное мне шоссе оказалось метрах в пятистах от этого места, но выбралась я на него не сразу, зато здесь мне повезло. Из-за поворота появился видавший виды «газик», затормозил, я села рядом с водителем, не особенно интересуясь, куда он держит путь. Сейчас главное — убраться подальше от этого поселка...

— Кудрявцева, спишь, что ли? — Я вздрогнула, оторвавшись от созерцания стены. — К телефону.

— Ты сегодня нарасхват, — заметила Люда.

— Точно, — кивнула я. Голос мужской.

— Вы Елена Сергеевна? — вкрадчиво спросил невидимый собеседник, а я усмехнулась.

— Елена Петровна, а вы кто?

— Петровна? Выходит, у меня неверные сведения.

— Выходит. Вы куда звоните, может, у вас и телефон неверный?

— Может быть, — хмыкнул он и повесил трубку.

«Нет, ребята, — подумала я. — Такими звонками на мои нервы воздействовать трудно...» Однако домой скорее всего идти опасно, там могут ждать... Если они ведут себя так по-дурацки, значит, не очень уверены в том, что Кудрявцева Елена Петровна — это я и есть. Хотя, возможно, я их недооцениваю. Я продолжала стоять возле телефона, тупо его разглядывая.

— Чего там? — спросила Людка.

— Где? — хмыкнула я.

— Ну там, откуда тебе звонят.

— Там все нормально.

— А зарплату не обещают?

— Нет.

— Жаль. Слушай, это тот тип, который здесь вертелся, ну, крутой?

— Этот не крутой, этот глупый. Ты домой собираешься?

— Я к тебе в гости собираюсь, сама звала чай пить.

— Чаю напьешься здесь, гости отменяются, дела у меня.

— Тогда я вечером зайду.

— Заходи, только меня дома не будет.

Я вышла в коридор и немного посидела там на подоконнике. При известной ловкости незаметно покинуть почту можно, главный вопрос: стоит ли заходить домой. Домом я называла крохотную комнатенку в коммуналке. Темную, сырую и холодную. Но и ей я была очень рада.

В этот город я прибыла к концу второй недели своего бегства. Меня покачивало от слабости, от голода и постоянного недосыпания, в голове все путалось, я с трудом понимала, кто я и где нахожусь.

Умылась в очередном туалете очередного вокзала и побрела по прямой как стрела улице с неизвестным мне названием, совершенно не представляя, куда я направляюсь, и тут детский голос позвал:

— Мама!

Я резко обернулась и замерла как вкопанная: прямо передо мной стоял Ванька. В белой с черными пятнышками шубке и забавной черной шапке с ушками. Колени у меня начали подгибаться, и я едва не осела в снежную жижу на асфальте. Появилась женщина, взяла мальчика за руку, и они пошли в сторону универмага, а я стояла и смотрела им вслед. Потом потрясла головой и отыскала скамейку, села, с полчаса разглядывала свои ноги в ворованных сапогах. Мне стало совершенно ясно: я достигла конечного пункта своего бегства. Дальше бежать не имело смысла, да и не смогу я больше. К тому же здесь жил Ванька, пусть не мой, совсем не похожий и, возможно, с другим именем — это не имело значения.

Как начать новую жизнь в этом совершенно чужом городе — в ум не шло. Я поднялась со скамьи и торопливо зашагала по широкой улице вперед и вперед. Надо согреться, к тому же на ходу лучше думается. Я прошла пару кварталов, свернула в переулок и неожиданно остановилась перед зданием почты: мое внимание привлек листок бумаги на двери «Требуется почтальон». «Почему бы и не рискнуть?» — подумала я и решительно взялась за ручку двери.

Поначалу заведующая особого интереса к моей особе не проявила, взглянула вскользь и спросила не без удивления:

— На работу? Платят у нас мало... и не всегда вовремя. А работа... по гололеду набегаешься.

— Выбирать мне не приходится, — пожала я плечами. — Возьмете?

— Трудовая книжка у вас с собой?

— Нет, — ответила я, поняв, что напрасно рассчитывала на удачу. — Обещали выслать, но если честно, я на это не очень рассчитываю.

— Да? — Женщина села, кивнула мне на стул и посмотрела внимательно. — Откуда?

Кудрявцева Елена Петровна, чей паспорт лежал у меня в сумке, была из Самары.

— Далековато, — кивнула женщина. — А к нам какими судьбами?

Я усмехнулась и ответила:

— Из-за несчастной любви. Тяжело стало в Самаре, так тяжело, что ждать трудовую книжку я не стала. Вы сами сказали: Самара далековато отсюда, вот это мне и нравится.

— Здесь родственники?

— Нет. Я пару часов назад приехала, все вещи со мной.

Она покосилась на мою сумку:

— Не густо... Что ж, паспорт, надеюсь, есть?

— Есть.

— А какие-нибудь проблемы?

— Остались дома.

— Почтальоны разносят пенсии. Большие деньги...

— Я не украду, — сказала я и посмотрела ей в глаза.

— Жить где думаешь? — после долгой паузы спросила женщина.

— Немного денег у меня есть, подыщу что-нибудь. Мне сейчас главное — с работой решить.

— Считай, решили. Выходи хоть завтра, девчонки объяснят, что к чему, особой мудрости не требуется... Завтра и заявление напишешь, если не передумаешь.

Всю ночь я бродила по городу, заходя в подъезды погреться. Спать на вокзале опасно, да и не спалось мне в ту ночь. В семь часов утра я была уже возле почты. А к вечеру заведующая подошла ко мне и спросила:

— Жилье нашла?

— Нет. Ночевала в гостинице, но для меня это дорого.

Она придвинула к себе телефон, набрала номер и заговорила:

— Валь, ты комнату еще сдаешь или уже живет кто? Девушку тебе нашла... ага... Сейчас прислать? — написала адрес на листе бумаги и протянула мне.

— Спасибо, — удивилась я.

— Не благодари, сначала глянь, что там за конура.

Насчет конуры она была права. Одиннадцатиметровка в коммуналке, узкая, темная. Двое соседей: безногий выпивоха лет шестидесяти по имени Семен Михайлович и женщина неопределенного возраста со смешной фамилией Бякова. Райка Бякова лет пять нигде не работала, но к обеду появлялась на кухне уже навеселе, с Семеном Михайловичем они то вместе пили, то отчаянно дрались. В моей комнате совсем недавно жил бывший супруг той самой Вали, которой звонила заведующая почты. Супруг упал с лестницы по пьяному делу и сломал шею. Комната отошла дочери и теперь сдавалась. Сделать в ней ремонт не удосужились, и она все еще хранила следы бурной жизни прежнего хозяина. Черный потолок, часть окна забита фанерой: на стекла, должно быть, денег не хватило, а дневной свет был без надобности. Обои в жутких разводах стояли на полу, в некоторых местах слегка соприкасаясь со стенами. Мебель соответствовала общему виду жилья, зато просили за комнату копейки, и я сразу же согласилась. Черные потолки и разводы на обоях меня не волновали.

Весной хозяйка принесла обои, а мы с Людкой произвели в комнате ремонт. Как поощрение за старательность мне выдали занавески на окна, скатерть и покрывало на кровать. Жизнь вроде бы налаживалась. Паспорт вопросов не вызвал, а фотография как будто вовсе никого не интересовала, точнее, ее несходство с моей физиономией. Правда, заведующая ко мне приглядывалась, и это позволяло думать, что рассказанная мною история вызвала у нее подозрения, но время шло, и все утряслось само собой. Только не для меня. Когда появилась крыша над головой и даже работа, на смену страху пришла лютая тоска. Дни шли за днями, я что-то делала, разговаривала с людьми, ждала зарплату, ходила в магазин и не могла понять: зачем все это? Неужели это моя жизнь? Завтра, послезавтра и еще много-много дней.

Вечерами я лежала на диване, уставившись в потолок, и думала: зачем судьбе было угодно, чтобы я в тот миг спустилась в погреб? Было это спасение или наказание, чтобы я до конца своих дней мучилась и решала: зачем?

В моем случае время оказалось плохим лекарем, боль не исчезала, заставлять себя жить с каждым днем становилось все труднее. Я не могла пожаловаться на людскую черствость, напротив, ко мне все как будто неплохо относились, и девчонки на работе, и даже соседи-пьяницы, но мне это было безразлично. Все чаще я доставала изрядно потрепанную газету и перечитывала статью, потом долго вглядывалась в темноту за окном. Каждый раз это заканчивалось тем, что я брала в руки подушку с зашитым в нее пистолетом, вертела в руках и торопливо прятала.

Ранней весной, через несколько месяцев после того, как я обосновалась в этом городе, гуляя в парке, я оказалась возле тира. Зашла, растерянно оглядываясь, поеживаясь от холода, и совсем было собралась продолжить прогулку, но тут мужчина, сидящий на стуле возле самой двери, оторвался от газеты и спросил с улыбкой:

— Пострелять решили?

— Да... хотелось бы... Только я никогда не пробовала.

— Ну, это не беда.

Он приподнялся, подхватил костыли, и я только тогда сообразила, что он инвалид: левая нога ампутирована выше колена.

— Давайте попробуем, — весело сказал он.

В тире я пробыла минут пять, расстреляла все пульки и ни разу не попала, а на следующий день пришла вновь.

Так продолжалось всю весну и все лето, у меня появились первые успехи в стрельбе, но не это было главное: боль отпускала, стоило мне нажать на курок.

Мужчина месяц наблюдал за мной, довольствуясь редкими замечаниями, пока не спросил однажды:

— Вы случайно не убить ли кого решили? Так настойчиво тренируетесь.

— Убить вряд ли, — засмеялась я, хоть смеяться и не хотелось, и добавила: — У меня для этого руки коротки.

Он посмотрел неожиданно серьезно, и с этого дня наше знакомство понемногу начало перерастать в нечто большее, до тех самых пор, пока мы не стали друзьями.

Виталий потерял ногу на одной из бесчисленных локальных войн, был одинок, но на жизнь смотрел с веселой усмешкой. О моей прежней жизни не расспрашивал, а я не рассказывала. Жил он в крохотной квартирке в самом центре, и, попивая чай в кухне, мы вели неспешные беседы. Тому, что до сего дня я не свихнулась, я, безусловно, обязана Виталию...

Я потерла переносицу, пытаясь таким образом справиться с головной болью. «К Виталию идти нельзя, — подумала с тоской. — Эти могут меня выследить... А встретиться с ним необходимо, хотя бы для того, чтобы проститься. Не могу я просто взять и исчезнуть, впрочем, что значит — не могу: однажды появилась и однажды исчезну».

— Я домой, — сказала Людка. — Тебя не дождешься.

Тут я сообразила, что все еще сижу на подоконнике и пялюсь в стену напротив.

— Времени-то, знаешь, сколько? — добавила она.

— Не знаю.

— Так посмотри.

— Да, задержались мы сегодня, — кивнула я, прикидывая, как половчее от нее отделаться: стремление оказаться сегодня моей гостьей могло выйти Людке боком. Я вернулась к столу и стала неторопливо переобуваться, потом спросила ее, все еще терпеливо ждущую у двери: — Ты не видела, куда я дела кошелек?

— Нет, а в нем что, деньги?

— Нет. Ключи. — Я принялась чертыхаться и рыться в ящиках письменного стола. — Убей, не помню, куда его сунула...

— О Господи, — переминаясь с ноги на ногу, заскулила Людка. — Мы когда-нибудь уйдем с работы?

— Ты иди, не жди меня, все равно вместе нам идти только до остановки.

Людка нахмурилась, покачала головой и наконец удалилась.

Я задвинула ящик с громким стуком и с удивлением посмотрела на свои руки: они дрожали. «Так-так-так, — подумала я. — А кто-то уверял, что нервы у нас крепкие. Ни к черту у нас с тобой нервы, Елена Петровна». Посидев немного с закрытыми глазами, я решительно поднялась и направилась к двери. Наша была уже заперта, выходить придется через почту.

Возле окошка с надписью «Выдача пенсий» стояли человек десять, девчушка лет пяти, забравшись на подоконник, смотрела в окно, за столом сидел парень и что-то старательно писал. На ходу прощаясь с сотрудниками, я продолжала наблюдать за парнем. Очень похоже, что у него ко мне интерес. Я вышла на улицу, вскинула голову навстречу солнечным лучам и подумала: «Ну вот, снова лето».

Знакомая приглашала отдохнуть на даче, и я всерьез собиралась. Похоже, теперь мне предстоит длительное путешествие с неизвестным конечным пунктом. «Хватит жаловаться, — одернула я себя. — Сейчас главное решить, стоит заходить домой или нет». Основным аргументом «за» был тот факт, что пистолет и вырезки из газеты с фотографией близких остались дома. Носить их с собой невозможно, пистолет штука вообще крайне неудобная для постоянного ношения, а вырезки изрядно поистрепались, их следовало беречь. Других фотографий Ваньки у меня просто не было. «Значит, нечего мудрить», — мысленно заявила я и направилась к своему дому. Еще два дня назад подушку с пистолетом я на всякий случай спрятала в Райкиной кладовке, а газету сунула за шкаф.

Парень шел следом, дважды я смогла заметить его отражение в витрине магазина. «Ничего, — размышляла я. — Они еще не уверены и просто проверяют. А от этого типа за спиной я как-нибудь избавлюсь».

Я вошла во двор, машинально огляделась и, не заметив ничего подозрительного, направилась к своему подъезду. За столом под липой сидели три дворовых алкоголика и проводили меня взглядами, лишенными надежды.

— Ленка! — на всякий случай крикнул мой сосед Семен Михайлович. — Дай десятку.

— Спятил, что ли? — удивилась я и хлопнула дверью подъезда. Привычная картина двора чуточку успокоила меня.

Входная дверь, как всегда, была не заперта, впрочем, излишняя гостеприимность жильцов объяснялась просто: ни у них, ни у меня воровать было просто нечего. Свет в прихожей не горел, я обо что-то споткнулась и выругалась, щелкнув выключателем. Не тут-то было: светлее не стало, значит, лампочку кто-то вывернул, хотя, может, она и сама перегорела. Обычно дверь Райкиной комнаты, выходящая в прихожую, распахнута настежь, но сейчас она была закрыта, и это слегка удивило.

— Райка, — крикнула я, — ты дома?

Мне никто не ответил, но из Райкиной комнаты донесся какой-то неясный шорох, я подошла и подергала ручку двери. Заперто. Такого за два года я припомнить не могла и поэтому переместилась к входной двери. Она неожиданно распахнулась, и я увидела парня, который провожал меня от самой почты.

— Привет, — спокойно проронила я и направилась в свою комнату. Толкнула дверь, сделала шаг и еще раз сказала: — Привет.

Никого из находившихся в комнате мужчин я раньше не видела. Возле окна на единственном стуле восседал толстяк лет тридцати пяти. Почти лысый, с бледным отекшим лицом. Глаза было невозможно разглядеть из-за глубоких складок. Нос длинный и острый, что совершенно не вязалось с широкой пухлой физиономией, а узкие губы имели какой-то неприятный фиолетовый оттенок. Общий вид физиономии намекал на пакостный характер.

Пухлые ладошки лежали на коленях, кольцо с бриллиантом и две печатки выглядели не просто вульгарно, а даже смешно. Однако смеяться в настоящий момент мне совсем не хотелось, потому что, кроме толстяка, вызывающего недоумение, в комнате были еще двое. Один стоял возле двери, развернув могучие плечи, как бы давая понять, что назад дороги нет, и машинально разминал пальцы рук, сцепив их замком. Такой тип прихлопнет меня с одного удара и скорее всего даже не заметит этого. Но по-настоящему пугал третий гость. Невысокий, щуплый, похожий на мальчишку-подростка, с узким, землистого цвета лицом и взглядом, от которого мороз шел по коже. Смотрел он пристально,

Татьяна Полякова

словно прикидывая, что там у меня внутри. Я взглянула на всех по очереди и спросила без энтузиазма:

— Может, вы скажете, в чем дело, или хотя бы уберетесь к чертям собачьим?

— Сядь, — буркнул Толстяк.

Я хмыкнула и демонстративно огляделась, аскетизм моего жилища не предполагал такие многолюдные сборища, и сесть в настоящий момент мне было некуда, разве что на кровать рядом с худосочным типом со взглядом психа. «А почему бы и нет?» — решила я и в самом деле села. Признаться, это произвело впечатление. Толстый удивленно приподнял брови, Здоровяк у двери шевельнулся, а сам псих посмотрел на меня с любопытством.

— Ну и вид у тебя, — покачала я головой.

— Шутишь? — пискнул он, проникновенно улыбаясь мне. За такую улыбку режиссер фильма ужасов не пожалел бы миллиона. Я еще раз покачала головой и добавила:

— Выглядишь паршиво. Извини, но что есть, то есть.

— Люблю разговорчивых, — пропищал он в ответ. У парня явно были какие-то проблемы, создавалось впечатление, что ему перерезали горло, а потом кое-как заштопали, и теперь он не разговаривал, а еле слышно пищал.

— Заткнитесь оба! — прикрикнул Толстяк и подергал себя за ухо левой рукой, продемонстрировав безукоризненный маникюр. Псих продолжал меня разглядывать, но голос больше не подавал. А я сосредоточилась на Толстяке, раз уж он тут главный. — Ты ведь знаешь, зачем мы здесь? — потосковав немного, спросил он.

— Понятия не имею, — пожала я плечами.

— Ну что ты из себя строишь? — укоризненно сказал Толстый. — Я надеялся, что у тебя хватит ума понять ситуацию и мы обойдемся без всех этих дурацких предисловий.

— Хорошо, — уловив в его словах намек на возможные неприятности, согласилась я. — Обойдемся без предисловий. Так зачем вы явились?

— Нам нужны деньги, — посуровел он.

— А-а, — подумав немного, ответила я. — Конечно, я вас понимаю. К слову сказать, кому они не нужны? Только я тут при чем?

— Где деньги? — терпеливо спросил он.

— На почте, — теряясь в догадках, пожала я плечами. — То есть в банке, но завтра будут на почте. Пенсии задерживают и деньги, если честно, привезут плевые. Вы задумали вооруженный налет? Трудно поверить: как-то несолидно для таких бравых ребят... — Я бы еще немного поговорила на эту тему, но псих рядом ласково улыбнулся и ударил меня в живот, не кулаком даже и особенно не напрягаясь, но я сползла с кровати и прилегла на полу. Так и не смогла набрать в грудь воздуха и оттого, должно быть, отключилась.

Через десять минут стало ясно: в планы моих гостей не входило калечить хозяйку. Наоборот, пока я лежала тихо и никому не мешая, они развили бурную деятельность: худосочный отыскал нашатырь, Здоровяк вернул меня на кровать, и даже Толстый покинул стул у окна, чтобы заглянуть мне в лицо. Я дала им возможность немного поволноваться и только после этого открыла глазки.

— И все-таки выглядишь ты паршиво, — улыбнулась я Коротышке, он собрался что-то ответить, но Толстяк нахмурился, и пропищать что-либо тот не решился.

— Тебе обязательно нарываться? — с обидой спросил Толстый.

— Ладно, поговорим о деньгах, — кивнула я. — Кто вы, ребята, и что за деньги вам нужны?

Покачав головой, Толстяк прошел к столу, потряс старой газетой, которую они обнаружили еще до моего прихода, и предложил:

— Давай не усложнять жизнь друг другу.

— Давай, — обрадовалась я, села поудобнее и

продолжила: — Напомни, что там говорится о деньгах?

— Ах, вот оно что, — обиделся Толстый. — Не ценишь хорошего отношения. Ты же не совсем дура, должна понять: деньги придется вернуть.

— Вы считаете, что у меня есть какие-то деньги? — изумилась я. Он нахмурился. По его лицу нетрудно было догадаться: да, он так считает.

Чужая наивность меня развеселила, я встала с постели и совершила минутную прогулку по комнате, распахивая немногочисленные дверцы шкафа и тумбочки. Внутренний вид мебели увеличил мое хорошее настроение, а вот гостей вогнал в тоску. Надо полагать, они хотя и успели порыться в моих вещах, но, кажется, только сейчас увидели окружающие предметы по-настоящему, а впечатление от увиденного можно было передать одним словом: нищета.

— Я живу здесь почти два года, — решила я кое-что пояснить. — Список моих вещей состоит из сорока пунктов, не более. Зимнее пальто, куртка, валенки, две чашки, одна ложка, кстати, не моя, подарена сердобольной соседкой. Кастрюлю и чайник притащил Семен Михайлович, должно быть, со свалки. Пальто я украла, кое-что дали девчонки с почты. Извините, что я так пространно рассказываю о своей личной жизни, но мне хотелось бы уточнить, какие деньги вы имеете в виду: зарплату почтальона или вы в самом деле замыслили оставить старушек без пенсии?

— Ты хочешь убедить меня, что не имеешь никакого понятия о деньгах?

— Ничего подобного: я не хочу убеждать, я просто не знаю, о каких деньгах идет речь.

— И почему твой муженек вознесся в поднебесье, ты, конечно, тоже не знаешь?

— Не только муженек, — сказала я, раздвинув рот до ушей в самой жизнерадостной своей улыбке.

— А как уцелела ты? — съязвил он, наверное,

рассчитывал, что я поведаю что-нибудь в высшей степени невероятное.

— Я была в погребе. Если вас по-настоящему интересовала моя особа, то вы должны знать: дом взорвали в мой день рождения. Были гости, и я пошла в погреб за грибами и компотом.

— А когда вылезла из погреба и увидела вместо дома головешки, не стала ждать милицию, а сразу рванула в бега, за две тысячи верст от родного дома.

— Может, у вас большой опыт наблюдать за тем, как родной дом превращается в головешки, а у меня это было в первый раз, и я отреагировала соответственно. Заползла в какую-то щель и отключилась. А когда собралась пойти в милицию, некто неизвестный воспрепятствовал моим намерениям. Я в те дни здорово нервничала и огрела его топором. После этого идти в милицию мне вовсе расхотелось.

Толстяк посмотрел на меня с сомнением.

— И ты ничего не знала о делах своего мужа? — задал он вопрос минут через пять, все это время мы таращились друг на друга и слушали тишину.

— Он был на редкость скрытен, о самых интересных эпизодах его жизни я узнала только из этой статьи.

— Вряд ли тебе удастся убедить кого-нибудь в этом.

— А я и не собираюсь. Если я правильно поняла, у моего мужа на день гибели была крупная сумма денег. Он ее украл?

— Украл — не совсем подходящее слово... Хотя, в общем, да.

— Что значит «в общем», украл или нет?

— Он украл кое-что другое и продал эту вещь за большие деньги. Так как вещь ворованная, то деньги, выходит, тоже. Они не принадлежали ему, значит, не могут принадлежать тебе. Так что лучше их вернуть.

— Что-то подсказывает мне, что на эти деньги есть еще и другие охотники. Я отделаюсь от вас, а следом появится кто-нибудь еще. — Гости быстро переглянулись. — Что украл мой муж? Дискету с чужими секретами?

— И ты еще будешь говорить, что не в курсе его дел? — обиделся Толстяк.

— Скажите на милость, а что еще мог он украсть, работая в этой фирме? Стул, в сиденье которого были упрятаны бриллианты покойной тещи? Фирма, где он работал, занималась крайне неблаговидными делами: по крайней мере, так утверждает автор статьи А.И.Серебряков. Мой муж, должно быть, свалял дурака и продал чужие секреты конкурентам. Это произвело на хозяев столь отталкивающее впечатление, что они взорвали дом вместе с изменником и всей его родней. С самой кражей более-менее ясно, вернемся к деньгам. Где гарантии, что он успел их получить, а если получил, не оставил в доме, где они благополучно сгорели?

— Только дурак принесет такие деньги домой в продовольственной сумке.

— Значит, они в надежном месте, известном только ему. Например, в банковском сейфе. Налет на банк — предприятие хлопотное, а просто так сейф никто не откроет.

— Я думаю, ты знаешь, где надо их искать. Я почти уверен в этом, — улыбнулся Толстяк, начав получать удовольствие от нашей беседы. Надо признать, несмотря на нелепую внешность, дураком он все же не выглядел. Я вторично широко улыбнулась и даже хихикнула, демонстрируя, как необычайно меня забавляет чужая неосведомленность.

— Я вновь обращаю ваше внимание на то, что живу здесь почти два года. И служу почтальоном. Я не могу объяснить это наследственной тягой к лишениям: в нашем роду не было почтальонов, профессиональных нищих и мазохистов тоже не было. По-вашему, я, зная о том, где припрятаны денежки, сижу в этой дыре исключительно ради того, чтобы какой-нибудь умник отыскал меня здесь и обобрал до копейки? Можете поверить на слово: знай я об этих деньгах, лежала бы сейчас на пляже возле теплого моря, каждый день делала маникюр и каталась на «Мерседесе» с красавцем блондином.

— Я ведь не утверждал, что ты точно знаешь, — обворожительно улыбнулся Толстяк, при этом глазки его целиком исчезли в складках кожи. — Я сказал, ты можешь их найти. Вот этим, кстати, и советую заняться.

— А где я должна их искать? — хихикнула я. — Начнем с моей комнаты или с подъезда? Можно пошарить у соседей.

— Да, стоит попробовать, — поддакнул он. — Честно говоря, мне все равно, где ты их будешь искать. Главное, найди их как можно скорее. Для своего же блага.

— Это в том смысле, что мне не поздоровится? Безвременная кончина и все такое? — нахмурилась я.

— Ага. В твоем возрасте обидно сыграть в ящик.

Я закусила губу и с минуту разглядывала свои ноги, после чего заявила:

— По здравом размышлении здесь меня ничего не держит, я имею в виду грешную землю. Никакого резона тащиться за тысячи километров, чтобы там свернуть себе шею. Что-то подсказывает мне, что предприятие будет хлопотным. Лучше тихо и никого особенно не беспокоя, скончаться в этой норе.

— Это вряд ли, — съязвил Толстый, начиная злиться. — Тихой кончины я тебе не обещал.

— Очень мило, — покачала я головой и ласково посмотрела в глаза психа, который до этой минуты точно спал, а при последних словах Толстяка неожиданно оживился и уставился на меня, глотая слюну.

— У меня за это время было два инфаркта. Так что настоящего шоу не получится: я сдохну раньше, чем вы начнете получать удовольствие. Не повезло тебе, малыш, — вздохнула я, заметив, что псих рядом нахмурился. — Не порадую, ты уж извини.

Толстяк неожиданно засмеялся. Брюхо его колыхалось, щеки мелко дрожали, напоминая студень, а в целом выглядело это неплохо, лично мне веселые люди всегда нравились. Он извлек платок из кармана пиджака, вытер лицо, хохотнул еще раз, покачал головой и посмотрел на меня вполне доброжелательно.

— Неведение — великая вещь, — сказал где-то через минуту. — Если бы ты знала, кто сидит рядом с тобой, остроумия в тебе разом поубавилось бы.

— Чем же ты так знаменит, красавчик? — уважительно спросила я Коротышку. Тот презрительно фыркнул и отвернулся, однако было заметно, что намек на высокую репутацию доставил ему удовольствие. — Не хочешь, не рассказывай. Если честно, спросила я из вежливости, чтобы поддержать разговор.

— Когда все кончится, ты у меня не так заговоришь, — пообещал он, впрочем, безо всякой злобы.

— Вот тут ошибка, — улыбнулась я. — Ничего не начнется.

— Ну, хватит, — перебил Толстяк. Приподнялся, достал из внутреннего кармана пиджака фотографию и бросил ее мне на колени. — Думаю, это тебя заинтересует.

Это в самом деле меня заинтересовало, да так, что словами не опишешь. По спине прошел холодок, а волосы вроде бы встали дыбом. С фотографии на меня смотрел Ванька. Только двумя годами старше. Я приоткрыла рот, дыша как собака, тряхнула головой, а потом протянула фотографию Толстяку.

— Мой сын погиб. Я видела, как он вошел в дом, а через минуту от дома осталась груда обугленных кирпичей.

— По мнению большинства граждан, от тебя тоже остались одни головешки, однако ты сидишь передо мной и выглядишь просто восхитительно, несмотря на паршивые тряпки и надпись на могильном камне. Ты в курсе? На кладбище в родном городе есть твоя могила. Если быть точным, могила у вас одна на троих: ты, твой муж и твой сын. Забавно, да? Если там нет тебя, почему там должен быть мальчишка? Можешь поверить, он жив, здоров, хорошо развивается и осенью собирается идти в школу. А главное: ждет не дождется свою мамочку. Оно и понятно: в чужих людях несладко.

— Я не верю, что он жив, — сказала я.

— Честное слово, — усмехнулся Толстяк. — Я видел его неделю назад и сам сделал эту фотографию. Кстати, я обещал мальчику, что через три недели он встретится с мамочкой. Три недели — это крайний срок, который я могу себе позволить: значит, у тебя есть три недели, чтобы найти деньги и доставить их мне. На твоем месте я бы перестал трепать языком, а немножко подумал. И поторопился. Ты ведь понимаешь?

— Допустим, я понимаю, — усмехнулась я. — Для того, чтобы попробовать найти эти деньги, мне по меньшей мере надо оказаться в родном городе. Это непросто: автостопом я буду добираться неделю, а денег на билет у меня нет.

Я извлекла кошелек и вытряхнула на стол его содержимое. Желающие могли полюбоваться монетами разных достоинств на общую сумму один рубль двадцать копеек. Толстяк хмыкнул и вновь полез в карман пиджака. Не пиджак, а мешок Деда Мороза, да и только. Я, затаив дыхание, ждала, что еще такого он для меня приготовил. На стол легли увесистая пачка денег и конверт.

— А вы не бедные, — обрадовалась я, косясь на сотенные купюры.

— Это тебе на текущие расходы, — хмыкнул Толстый.

— Спасибочки. А как мне найти вас, если мои поиски успешно завершатся?

— Об этом не беспокойся: мы сами тебя найдем.

— Ну, конечно... Извините, просто я давно не играла в эти игры и забыла правила.

— Не беда, быстро вспомнишь. В конверте билет на самолет, вылетаешь завтра в 8.30.

— Э-э, не пойдет, — прервала я начавшийся инструктаж. — Устроиться здесь мне дорогого стоило, и я не хочу все потерять. Может, эта комната вам не приглянулась, но я к ней привыкла. И другой работы у меня тоже нет, времена тяжелые, а паспорт ворованный. Так что завтра я пойду на работу, напишу заявление на отпуск, а где-нибудь ближе к обеду согласна лететь хоть к черту на кулички.

— Самолет в 8.30, — сказал Толстяк. — Смотри, не опоздай... — И добавил: — Я могу поклясться собственным здоровьем: твой сын жив, и ты его скоро увидишь, если, конечно, очень постараешься. А начнешь хитрить — он умрет вторично, на этот раз по-настоящему.

С этими словами он направился к двери, Коротышка бодро вскочил с кровати и неожиданно мне подмигнул, верзила предусмотрительно распахнул дверь перед своим хозяином, а я сказала:

— Можно вопрос? Как вы меня нашли?

— Прошлой зимой твоя тетка получила письмо...

Было дело. Тоска замучила, и я написала тетке от имени своей одноклассницы, мол, беспокоюсь, как дела и все такое. Ответа не получила, зато, как выяснилось, здорово прокололась. Толстяк мне улыбнулся, и все трое удалились.

Я схватила со стола чашку и запустила ее в дверь.

— Это неправда, — вцепившись в спинку стула, сказала я. — Это не может быть правдой, я сама видела...

Но фотография лежала на столе, и повзрослевший на два года Ванька улыбался мне, сидя за столом с листами бумаги и карандашом в руке. «А вдруг правда?» — жалобно подумала я и заплакала от бессилия.

Дверь скрипнула, Райка Бякова, на удивление

трезвая, сунула голову в мою комнату и спросила шепотом:

— Кто был-то?

— Так, друзья, — шмыгнув носом и поспешно отворачиваясь, ответила я.

— Как же, друзья. Век бы таких друзей не видеть, а этот маленький — чисто упырь, аж дрожь берет, прости Господи...

Утром я поднялась очень рано, отправиться в путешествие я решила налегке, но кое-какие вещи собрать все-таки стоило. Пассажир без багажа всегда вызывает подозрение.

Хотя вчера гости покинули меня в полном составе, я сильно сомневалась, что окажусь совсем без присмотра. А мне предстояло кое-что сделать без ведома хозяев. В семь я уже стояла возле дверей почты. Коллеги, в основном молодые женщины, на работу частенько опаздывали. Сегодня я этому очень порадовалась. Поздоровалась с уборщицей и прошла к своему столу. По дороге на работу ничего подозрительного за своей спиной я углядеть не смогла, но это вовсе не значило, что за мной не следят. Почту следует покинуть немедленно, а главное, незаметно. Прикрыв дверь в нашу комнату, чтобы уборщица ненароком чего не увидела, я прошла в служебное помещение. Здесь в стене находилось окно для приема корреспонденции, выходившее во двор. Большим его не назовешь, но пролезть можно, по крайней мере, я на это очень рассчитывала. По желобу, обитому жестью, я подобралась к окошку, открыла его и, быстро оглядевшись, выбросила сумку. Потом, вытянув руки, нырнула сама, успев шепнуть:

— С Богом.

Приземление было скорее неприятным, нежели болезненным. Я немного содрала кожу на руках, а в целом вышло неплохо. Подхватив сумку, юркнула в кусты. Окошко, как я уже говорила, выходило во двор, сюда подъезжала почтовая машина, а окна и входная дверь почты располагались со стороны улицы, и я мудро рассудила, что мой страж, кто бы он ни был, приглядывает сейчас за ними.

Я быстро пересекла двор, используя кусты как естественное укрытие, и вышла на соседнюю улицу. Уже через двадцать минут я подходила к дому, где жил Виталий Сафронов, на сегодняшний день мой единственный друг. Если, конечно, не считать вчерашних придурков. Но они, хотя и проявили обо мне заботу, снабдив деньгами и билетом, ответных дружеских чувств так и не вызвали.

Рабочий день в тире начинался в одиннадцать, так что я надеялась застать Виталия дома. И не ошиблась. Я позвонила, прислушалась и уловила шум осторожных шагов и стук костылей по деревянному полу. Щелкнул замок, а Виталий сказал:

— Толкни дверь.

Я толкнула и оказалась в крохотной прихожей. Хозяин квартиры стоял, прижавшись к стене, чтобы я могла пройти.

— Привет, — улыбнулся он, посмотрел на меня и перестал улыбаться. — У тебя неприятности?

— Как тебе сказать. Я уезжаю.

— Куда? — насторожился он.

— Далеко.

— Надолго?

— Как получится.

— Ясно. Проходи в кухню, выпьем кофе.

Пока Виталий ставил чайник на плиту, я на всякий случай осмотрела двор, притулившись возле кухонного окна. Двор был пуст и подозрений не вызвал. Я вздохнула и принялась накрывать на стол, размышляя, как потолковее объяснить Виталию, что мне от него надо.

Он сидел за столом, курил и старался не смотреть в мою сторону. Я придвинула к нему чашку кофе, села напротив и сделала пару глотков, так и не решив, с чего следует начать. Он сам задал вопрос:

— Они тебя нашли?

— Кто? — удивленно вскинула я голову.

— Те типы, от которых ты пряталась, — пожал он плечами.

— С чего ты взял, что я пряталась? Не помню, чтобы я тебе что-нибудь рассказывала.

Он невесело усмехнулся, отодвигая чашку в сторону и прикуривая следующую сигарету.

— Зачем рассказывать? У меня глаза есть. До того, как без ноги остаться, я успел кое-что повидать... Ты появилась здесь в пальто с чужого плеча, с чужим паспортом и нервным тиком. Ты знаешь, что у тебя веко дергается? Правое? А взгляд у тебя такой, что им только гвозди заколачивать. Что-то должно было произойти в жизни молодой красивой женщины, чтобы она приобрела привычку так смотреть.

— Откуда ты знаешь про паспорт? — нахмурилась я.

— Каюсь, взглянул как-то раз. Ты всегда носишь его с собой, но как-то очень не по-современному: зашиваешь в карман. Ты боишься его потерять? Или боишься случайных воришек? В таком случае не проще ли держать его дома? А ты носишь паспорт с собой, следовательно, опасаешься ситуации, когда вернуться за ним в дом не сможешь, а без документов путешествовать не с руки... Судя по манере говорить, ты откуда-то из центра России, ближе к Москве, по паспорту не замужем, но кольцо по привычке носишь на правой руке. Живешь бедно, а кольцо дорогое. Детей у тебя как будто тоже нет, но, если ты видишь мальчишку лет пяти-семи, на тебя находит столбняк.

— Вот это да, — покачала я головой. — А я считала себя очень хитрой...

— За то время, что мы знакомы, я ровным счетом ничего не узнал о твоей прежней жизни, никаких воспоминаний, никаких намеков, кто ты и откуда. Странно для молодой женщины.

— Наверное, — согласилась я, потерла лицо ладонью и вздохнула: — Ты прав, они нашли меня.

— И что теперь?

— Я возвращаюсь в родной город.

— Чего они хотят?

— Чтобы я выполнила одно задание.

— Ты согласилась?

— Конечно. Но выполнить его я не смогу.

— Очень мудрено, зачем тогда соглашаться?

— Я хочу найти своего сына. У меня есть три недели. За это время я должна его найти.

— Ясно. Твой сын у них, и тебя шантажируют... Ты уверена, что тебя не обманывают?

— Нет. Все это время я считала, что Ванька погиб вместе со всеми моими родственниками. Я сама видела... Но они показали мне фотографии. Мой сын, только на два года старше. Скажи, такую фотографию можно изготовить?

— Конечно, — пожал плечами Виталий. — Вопрос, какой техникой они располагают... У Спилберга динозавры бродят точно настоящие, а здесь фотография... Что конкретно ты должна для них сделать?

— Найти деньги. Я не верю в то, что эти деньги существуют, а еще меньше в то, что их можно найти.

— Но будешь искать?

— Нет, конечно. Я буду искать сына. Почти уверена, что фотография — подделка, но я должна попытаться.

— Понятно. — Он с тоской посмотрел на костыли, на меня, а потом на свои руки. — Ленка, у тебя никаких шансов. Конечно, кое-что ты умеешь, но... это все ерунда, там все будет по-другому и у тебя никаких шансов. Если бы я мог пойти с тобой...

— Не думаю, что особенно рискую, — сказала я, чтобы его утешить.

— Ага, — кивнул он. — Что я могу для тебя сделать?

— Мне не хотелось бы появиться там с пустыми руками.

— Пушка?

— Нет. Патроны к ней. У меня плачевный боезапас.

— Это самая плевая проблема.

Я вышла в прихожую, достала пистолет из сумки и положила на стол перед Виталием. Вчерашние придурки Райкину кладовку проигнорировали.

— Хорошая штука, — согласился Виталий. — Принеси телефон.

Я принесла и отправилась в комнату, чтобы не слышать разговора. Через несколько минут он крикнул.

— Лена! — Я вернулась в кухню, а он сказал: — Сейчас привезут. Дверь открою я, тебе в это время лучше быть в ванной.

— Конечно.

— Как думаешь добираться?

Я взглянула на часы.

— У меня билет на самолет... был.

— Понятно. В самолете оружие не провезешь. Поедешь поездом?

— Не годится, — покачала я головой. — Мне дали три недели. Нужна машина, срочно, лучше сегодня к обеду.

— К обеду? Значит, возьмешь мою, к ручному управлению привыкнуть несложно. Доверенность напишу.

— Водительского удостоверения у меня все равно нет, и встреч с милицией придется избегать. Так что сгодится ворованная, а тебе машина нужна.

Виталий засмеялся, покачал головой и посмотрел мне в глаза.

— О чем ты говоришь? Какая, к черту, машина? Да плевать мне на нее. — Он перевел взгляд на костыли и торопливо закурил.

— Со мной все будет нормально, — помолчав немного, сказала я. — Честно. Я тебе обещаю. Я немножко побегаю за этими типами и узнаю, где они прячут моего сына. Вот и все.

В дверь позвонили, я отправилась в ванную, а Виталий в прихожую — открывать. Прятаться пришлось недолго: мужчины о чем-то тихо поговорили, и входная дверь вновь захлопнулась.

— Держи, — невесело усмехнулся Виталий. — Здесь на целую армию. Вот ключи. Машина во дворе на своем обычном месте. Провожать не пойду. Через два дня сообщу в милицию, что машину угнали. Хватит тебе двух дней?

— За глаза. — Я взяла сумку и шагнула к двери, бросив через плечо: — Я не прощаюсь.

— Ты не вернешься, — покачал он головой, а я притормозила на выходе.

— Думаешь, шансы у меня вообще ни к черту?

— Надеюсь, шансы есть. Только найдешь ты сына или нет, сюда уже не вернешься. Так что прощай.

— Прощай, — подумав, ответила я и шагнула через порог.

Чтобы преодолеть расстояние, отделявшее меня от малой родины, мне потребовалось тридцать семь часов. К родному городу я подъехала в полночь. Чувствовала я себя скверно, спину ломило, и глаза слипались, поэтому последние сто сорок километров дались с трудом. Однако в усталости были свои положительные стороны: оказавшись среди знакомых домов и улиц, особых эмоций я не испытала. Машину Виталия оставила на стоянке возле поста ГАИ и направилась к троллейбусной остановке.

Время как будто остановилось: вокруг были те же дома, что и два года назад, тот же фонарь возле остановки, афишная тумба и троллейбус, должно быть, тот же. И было странно видеть, что привычная жизнь не взлетела на воздух огненным столбом, а течет себе помаленьку и течет...

— Расфилософствовалась, — хмыкнула я в свой адрес, устраиваясь у троллейбусного окна.

Город в огнях выглядел невероятно красивым, сюда уже пришло лето, и ночь была теплой, с ароматом цветущих яблонь. «Самое время заплакать, — зло подумала я. — Что-нибудь припомнить, сентиментальное и рвущее душу, и зарыдать, глядя в окно».

Я ухмыльнулась своему отражению на темном стекле и даже хихикнула:

— Все в порядке. Никто и не ожидал, что вернуться сюда будет легко.

Я вышла на остановке «Гостиница «Заря» и направилась к девятиэтажному зданию, выкрашенному в нелепый розовый цвет. За два года краска кое-где облезла, зато появилась пристройка, очень затейливая, похожая на соты, с надписью через весь фасад «Казино».

— Жизнь продолжается, — кивнула я и вошла в вестибюль гостиницы. С моим водворением сюда проблем не возникло, и через несколько минут я уже заселилась в одноместный номер на четвертом этаже.

Наполнила ванну горячей водой и блаженно потянулась, закрыв глаза. Вода постепенно остывала, а я лежала и думала. Если Толстяк прав и Димка действительно что-то украл и кому-то продал, то маловероятно, что мои недавние гости представляют интересы обворованной стороны. Те денег не искали, они, особо не мудрствуя, просто разделались с вором и со всеми его близкими. Толстяк скорее всего не имеет отношения к взрыву. Узнал о деньгах и решил поживиться. Вопрос: каким образом к нему попал Ванька? То, что после взрыва сын не мог остаться в живых, совершенно ясно. Я видела, что собой представлял дом, и подобная версия находится просто за гранью фантастического. Значит, Ванька, как и я, во время взрыва не был в доме. Следовательно, кто-то сделал так, что его там не оказалось. Допустим, бабушка или кто-то еще мог отправить ребенка на улицу... После взрыва я, мотаясь по пепелищу, безусловно бы его нашла. Выходит, ребенка выманили из дома и увезли. Он вошел на крыльцо, я спустилась в подвал. Предположим, в этот момент кто-то окликнул его с улицы, а потом увез. Благодарю Бога, если это было так... Теперь вопрос: зачем им понадобился ребенок? Кого они хотели шантажировать, если предполагалось, что все близкие ему люди незамедлительно вознесутся к небесам?

Я потерла переносицу, пытаясь справиться с ненужными слезами, потому что ответ напрашивался сам: никто. Никто никого не собирался шантажировать, а мой сын погиб. Фотография подделка, а Толстяк скорее всего уже после взрыва узнал, что у Димки должны были иметься большие деньги, а также что я случайно осталась жива. Мое внезапное исчезновение из города навело его на мысль, что мне хорошо известно о делах мужа и я улепетнула, прихватив бабки. Ребята взялись меня искать и, конечно, нашли, а чтобы простимулировать меня, подделали фотографию... А вдруг Ванька действительно жив? Мне так хотелось верить в это... Что, если его отправили в какой-то детдом, а я об этом даже не знала, улепетывая на другой конец света? От этой мысли мороз пошел по коже. Вдруг он, находясь в шоке, так же, как я, лежал где-то под кустом и лишь через некоторое время был обнаружен людьми? В газете об этом ни слова, но я видела лишь одну газету...

— Чушь, — покачала я головой. — Я металась тогда возле дома, я искала и никого не нашла... Хорошо, — довольно резко прервала я поток ненужных мыслей. — Завтра заеду в библиотеку и посмотрю подшивки газет. Возможно, мне удастся за что-то зацепиться...

Предположим, Ванька чудом остался жив, был отправлен в детдом, где его нашел Толстяк. Увез в надежное место и теперь там держит. Очень хорошо. Мне остается сесть Толстяку на хвост, и в конце концов он приведет меня к сыну. Можно потребовать телефонного разговора с Ванькой или еще одну фотографию, чтобы Толстый слегка пошевелился. Стоит попробовать... Любопытно, откуда взялся этот Толстяк, кто он и какое отношение имел к Димке? Назваться он не пожелал, но это не проблема: не сегодня-завтра эти ребята непременно появятся. Я не прилетела самолетом и заставила их поволноваться. Само собой, они решат напомнить мне о правилах игры. Если повезет, я очень скоро узнаю, где обретается Толстый.

Далее: в одиночку мне с его командой не справиться, а на чью-либо помощь рассчитывать не приходится, значит, следует попытаться усложнить Толстяку жизнь. Он заинтересован в деньгах, а кто-то заинтересован в моей смерти, поэтому и послал убийцу в ту памятную ночь, когда мне пришлось немного помахать топором. Послал убить или узнать что-то о деньгах? Скорее убить, хотя, возможно, и то и другое. Если этот человек или люди так желали от меня избавиться, значит, у них были на то причины: иначе почему бы не оставить меня после взрыва в покое? Ответ один: я знаю или могла знать нечто для них опасное. Например, где находятся деньги. Предположим, у Димки был сообщник, который не имел привычки делиться, взрыв был ему на руку, а может, он сам и организовал его — вариантов здесь несколько, а потом попытался убить меня. Если пытался раз, попытается и второй. Вот это и надо использовать. Толстяку придется проявлять беспокойство о моей безопасности, а я попробую половить рыбку в мутной воде. Если Ванька жив и если мне очень повезет, я его найду. А пока первое, что следует сделать: позаботиться о том, чтобы о моем появлении в городе узнали все заинтересованные лица.

— Постараемся быть на виду, — вслух произнесла я и закрыла глаза.

В девять утра я вышагивала возле будки ГАИ, где вчера оставила машину Виталия. Инспектор лениво позевывал и смотрел по сторонам без видимого интереса. Утро было прохладным, туманным и в самом деле нагоняло тоску. Заметив меня, он насторожился и стал смотреть в мою сторону, ожидая, когда я подойду. Изобразив целую гамму переживаний от застенчивости до глубочайшего почтения к стражам порядка, я издалека поздоровалась и сказала заискивающе:

— Извините, я возле стоянки нашла ключи, вроде бы от машины. Никто не спрашивал?

— Нет. — В его голосе тоже отразилось многое: от привычной подозрительности до удовлетворения моим внешним видом после весьма тщательного осмотра.

— Может, кто спросит, — пожала я плечами. — Я их у вас оставлю? Давать объявление в газету лень, да и деньги у меня не лишние.

— А где вы нашли?

— Возле красных «Жигулей», видите? Лежали на асфальте у переднего колеса.

— Ясно. Оставляйте. Явятся за машиной, глядишь, догадаются спросить.

Я протянула ему ключи в тайной надежде, что «Жигули» все-таки вернутся к Виталию: в конце концов, машина стоит в нескольких метрах от будки и ее обитатели должны обратить на нее внимание, а также узнать, что она в розыске.

Я уже собралась уйти, но тут мой собеседник неожиданно насторожился:

— А что вы делали на стоянке?

— Знакомого ждала, а он не приехал. Пойду на троллейбус. До свидания.

— До свидания, — произнес он с таким видом, точно прощался с единственной звездочкой на погонах. А я поспешила прочь, пока он от безделья не замучил меня вопросами.

Я отправилась в библиотеку, где, потратив больше трех часов, тщательно просмотрела все губернские газеты двухлетней давности. Никакого упоминания о том, что мой сын жив, найти не смогла. Напротив, газеты дружно утверждали, что все погибли. Версию с детдомом можно смело отбросить, но надежды я не теряла: я ведь, по всеобщему мнению, мертва, а вот сижу, газеты читаю. Почему бы моему сыну... «Стоп, — одернула я себя. — Ты пришла сюда посмотреть газеты, а не рыдать над каждой строкой».

Я вышла из здания и с полчаса сидела на скамейке в парке, наблюдая за детишками. Визжа и брызгаясь, они кружили возле фонтана. Солнце выглянуло из-за облаков и посматривало с небес как-то неуверенно, но все равно было уже по-летнему тепло, солнечный луч пробился сквозь листву огромной липы, под которой я сидела, и лег на ладонь.

— Привет, — сказала я, шевельнула пальцами, и он исчез. Детишки побежали дальше по аллее, а я поднялась и пошла к выходу. — Можно подумать, что у тебя много времени, чтобы тратить его на сентиментальные размышления, — ворчливо заметила я и ускорила шаг.

По дороге мне в голову пришли любопытные мысли, и я решила посетить магазины в центре, следовало купить себе кое-что из одежды, мой наряд не выдерживал критики, а вечером я собиралась в ресторан.

В три часа я вернулась в гостиницу, нагруженная покупками и радуясь щедрости Толстяка. Может, он надеялся, что я потрачу деньги с большей для него пользой, но на этот счет я ему ничего не обещала.

Я открыла дверь, вошла и без удивления обнаружила на своей кровати Здоровячка, который сопровождал Толстяка в первую нашу встречу.

— Ты один? — спросила я, пнув дверь ногой. Он приподнялся, смерил меня взглядом, как видно, планируя, что душа моя незамедлительно уйдет в пятки, но душа даже не шелохнулась, а вот настроения его визит мне прибавил: выходит, мальчики всполошились — очень хорошо. — А где же Толстяк и тот симпатяга с веселыми глазами?

— Как ты попала в город? — спросил он сурово, с подозрением глядя на свертки, которые я бросила на кровать. Здоровячку пришлось сесть и потесниться.

— Автостопом, — охотно поддержала я разговор.

— Тебе дали билет на самолет.

— Да, я помню. Меня тошнит в самолетах. Разве я не рассказывала вам?

— Почему ты остановилась в этой гостинице?

— А что? Она ничем не хуже других. Не было указаний, где мне останавливаться, а с этой гостиницей у меня связаны приятные воспоминания. То есть не с гостиницей связаны, а с рестораном. Я здесь отмечала свое восемнадцатилетие.

— Тебя зачем послали? — проворчал паренек.

— За деньгами, — пожала я плечами. — Но деньги не помеха воспоминаниям. Как себя чувствует Толстяк? Как прошел перелет?

— Заткнись... Что-то ты больно веселая. А это что за дерьмо? — ткнул он пальцем в сторону коробок и свертков.

— Купила кое-что. — Я принялась хвастаться, развернула платье, приложила его к груди и поинтересовалась: — Ну, как тебе? По-моему, неплохо, а?

Здоровячок наморщил лоб, свел брови у переносицы и не меньше минуты разглядывал платье.

— Нравится? — обрадовалась я.

— А на какие шиши ты его купила? — догадался спросить он, я решила обидеться:

— Как будто ты не знаешь...

— Тебе на что деньги дали? — начал наливаться он краской.

— На расходы, — удивилась я и торопливо добавила: — Ладно, чего ты... я истратила-то сущую ерунду... Два года приличных тряпок не видела, ну и не удержалась.

Он хмыкнул, потом покачал головой и выразительно вздохнул.

— Свин дурак, ничего ты не найдешь.

— Я старательная, — заверила я. — Слушай, может, не стоит ему рассказывать о покупках? Может, мы сядем с тобой, выпьем водочки и поговорим по душам?

Здоровячок поднялся и пошел к двери:

— От трех недель осталось только девятнадцать дней, — заметил он, задержавшись на пороге.

— Дались они вам... Не две и не четыре, а именно три недели... Что ж такого случится?

— Твой сын умрет, — хмыкнул он и хлопнул дверью.

Через двадцать секунд я тихо ее приоткрыла и выглянула: мой гость как раз достиг лифта и собрался спускаться вниз. Я сбросила туфли и, прижав их к груди, кинулась по ковровой дорожке в противоположную сторону, где имелся пожарный выход. Соблюдать осторожность здесь уже не было надобности, скорость я развила прямо-таки фантастическую и через несколько секунд была уже в холле, наблюдая за лифтами. Дверцы среднего распахнулись, и появился Здоровячок. Не оборачиваясь, он пошел к телефонным автоматам, и я вслед за ним, стараясь держаться за колоннами. Номер он набирал дважды, что позволило мне запомнить его, только две цифры вызывали сомнения. Прикрыв трубку рукой, парень что-то сказал, кивнул и стал барабанить пальцами по пластиковой перегородке, должно быть, выслушивая наставления своего босса. Наконец повесил трубку и, не оглядываясь, пошел к выходу.

На стоянке возле гостиницы его ждал тип в темно-синем «Фольксвагене». Лихо сдав назад и развернувшись, машина исчезла в потоке других машин, мчащихся по проспекту. О том, чтобы догнать ее, не могло быть и речи. Пока я найду машину, пока объясню, что мне надо, пройдет слишком много времени. И все-таки я поискала глазами такси или что-нибудь подходящее. Удача в этот раз отвернулась от мнея.

Я поспешила в гостиницу, на ходу размышляя, где достать машину: на своих двоих много не набегаешься, особенно когда интересующие меня люди раскатывают на иномарках. Конечно, можно было бы использовать «Жигули» Виталия, но подвергать друга возможной опасности я не хотела, поэтому сразу же избавилась от его машины.

Вернувшись в номер, я все тщательно осмотрела и смогла убедиться в том, что Здоровячок зря времени не терял: номер явно обыскивали. Я этому только порадовалась, ничего интересного мой гость обнаружить не мог: пистолет находился в ячейке камеры хранения здесь же, в гостинице.

Теперь следовало заняться телефонным номером. Я взяла справочник, который лежал под телефоном, и принялась его осваивать. Так как две цифры номера вызывали у меня сомнения, я нашла листок бумаги и карандаш, записала возможные варианты и вновь вернулась к справочнику. Времени ушло гораздо больше, чем я предполагала, но в конце концов я остановилась на трех вариантах, остальные можно было отбросить: один номер принадлежал регистратуре городской больницы, второй — медвытрезвителю, третий — универмагу, а четвертый — областному отделу культуры. Как-то не верилось, что Толстяк свой человек в одном из этих мест. Три оставшихся номера принадлежали частным лицам, я списала адреса и решила для начала прогуляться, внешний вид домов мог хоть что-то сообщить об их жильцах.

Все три адресата жили в одном районе, это облегчало дело, потому что машины у меня по-прежнему не было, а тратить деньги на такси не стоило: сегодня я и так нанесла своему кошельку значительный урон.

Человек по фамилии Ладушкин жил в обычном девятиэтажном доме. Одноподъездный дом напоминал свечку, двадцать первая квартира находилась на пятом этаже. Подниматься я не стала, предпочла устроиться на скамейке в ожидании счастливого случая. Он не замедлил явиться в виде бабули с пуделем на поводке. Она посмотрела на меня с любопытством, а я, чуть привстав, улыбнулась и спросила:

— Простите, вы не видели сегодня Ладушкиных из двадцать первой квартиры? Звонила, никто не открывает, думаю, может, на дачу уехали и я напрасно жду?

— А зачем вам Ладушкин? — насторожилась бабка.

— Нужен секретарь на телефоне. Мы торгуем мебелью, своего помещения пока нет и телефона тоже. Работа пустяковая, а деньги неплохие.

— Только ему и работать, — покачала головой бабка. — Кто это вас надоумил?

— Знакомый. Сказал, времени у него сколько угодно.

— Это точно, — кивнула она, садясь рядом. — Только какая уж там работа, парализованный он, потому и дверь не открыл. Дочка, должно быть, на работе, а жена уж скоро год как умерла. Так что ваш знакомый чего-то напутал. Хотя, может, Таня, дочка то есть, подработать решила?

— А когда мне лучше подойти, чтоб ее застать?

— Вечером, попозже. Или в обед, с часу до двух. Она всегда в обед прибегает, чтобы отца накормить.

— Спасибо, — кивнула я и поспешно покинула двор.

Следующий дом оказался облезлой пятиэтажкой, у которой был такой вид, точно она пережила землетрясение, а потом ее кто-то торопливо поставил на место, да так и не собрался заняться ею всерьез: двери и рамы были перекошены, лист железа с козырька над одним из подъездов свисал чуть ли не до земли, во всех окнах подъездов не было ни одного стекла.

— Гарлем, — покачала я головой, подходя ближе. Через всю стену первого этажа от подъезда до подъезда шла надпись гигантскими буквами: «Спасибо городским властям за наше счастливое детство». Как видно, городские власти надписей не читали и с ответной благодарностью не спешили.

Я огляделась, высматривая какую-нибудь бабульку, но заметила только рыжего кота на скамейке, он лениво развалился и время от времени щурился, подергивая лапой. Пройдя до конца дома, я увидела чуть в стороне от асфальтовой дорожки доминошный стол под тополем, а за столом троих подростков, двое вроде бы дремали, а третий пытался что-то соорудить из спичек, они были разбросаны по всему столу.

— Ребята, пятнадцатая квартира в каком подъезде?

— А что? — оживился парень, до сей поры дремавший.

— Ничего, — пожала я плечами. — Просто спрашиваю.

— А зачем вам пятнадцатая квартира? — не унимался он.

— А тебе зачем это знать?

— Я из пятнадцатой квартиры. Чего надо?

— Родители дома?

— Не-а. А зачем они вам?

— До чего ж ты парень настырный, — засмеялась я. — Когда родители придут?

— Если вы мамку имеете в виду, то часов в девять, а батя здесь лет пять носа не кажет.

— Ясно, — кивнула я. — Значит, зайду в девять.

— Заходите, — проворчал он, нахмурившись и шаря по мне глазами. Я пошла со двора, а он не удержался и крикнул: — Зачем вам мамка-то?

Очень сомнительно, чтобы Здоровячок звонил парализованному мужчине или мамке сонного подростка. Если, конечно, эти люди не являются посредниками для передачи информации.

— Не мудри, — одернула я себя. — Это не шпионский фильм. Здоровяк вышел, позвонил, получил инструктаж и отправился восвояси. Значит, вся надежда на третий адрес.

Дом меня порадовал, он был встроен между двумя домами начала шестидесятых и выгодно от них отличался: одноподъездный, с полукруглыми балконами в центре и огромными лоджиями по бокам. Планировка окон пятого этажа намекала, что комнаты здесь расположены в двух уровнях.

— В таком домике Толстяку жить не стыдно, — порадовалась я, направляясь к подъезду.

Дверь, наполовину стеклянная, запиралась на цифровой замок, справа на стене — звонок и телефон. Я сняла трубку, набрала нужный мне номер и немного послушала гудки. Потом нажала кнопку звонка. Послышались шаги, и вскоре я увидела парня лет двадцати, высокого, плечистого, с широким простым лицом и небесно-голубыми глазами. Он посмотрел на меня сначала с любопытством, потом с удовольствием, открыл дверь и, отступив в сторону, спросил:

— Вы к кому?

— Одиннадцатая квартира, — не очень любезно бросила я.

— К Старосельцеву? — поднял брови парень. — А его нет.

— Неужели? — Я презрительно усмехнулась. — Это он вас просил мне соврать?

Татьяна Полякова

— Нет, — слегка растерялся парень. — Никто меня не просил. Его правда нет, уехал час назад. Вот телефон, позвоните.

— Если у него хватило ума предупредить вас, то уж трубку он точно не снимет.

— Никто меня не предупреждал, — нахмурился парень, глядя на меня во все глаза. Выходит, магазины я сегодня посетила не зря.

— Послушайте, — начала я, вскинув голову на возможную высоту. — Я уже с полчаса болтаюсь возле его дома и сама видела, как он пять минут назад вошел в подъезд. Поправьте, если ошибусь: рост метр семьдесят, вес килограммов сто двадцать, глупая, круглая физиономия с веснушками и оттопыренными розовыми ушами. Плешивая голова с венчиком рыжеватых волос. Мерзкий скучный тип и сукин сын к тому же. Или у вас живет еще кто-то, попадающий под это описание?

— Нет, — не удержавшись от смешка, ответил парень. — Это он, но, честное слово, леди, вы ошиблись, он уехал и до сих пор не вернулся.

— Не морочьте мне голову, я сама видела, как он вошел...

— Это невозможно: моя комната прямо напротив лифта, я бы заметил...

— Черт бы вас побрал! — фыркнула я и даже топнула ногой, развернулась и стала спускаться по ступеням.

— Что ему передать? — крикнул парень мне вдогонку. Я притормозила, посмотрела на него через плечо и ответила с заметной грустью:

— Ничего. — Подумала и добавила, потому что парень все еще глазел на меня и уходить не собирался: — Эй, не говори ему о моем визите, может, тогда мне удастся поймать этого мерзавца, — с такими словами я поспешила скрыться.

Итак, вне всякого сомнения, Старосельцев Леонид Сергеевич — тот самый человек, что мне нужен. Возможно, парень промолчит, а возможно,

Толстяк уже через несколько минут узнает о том, что у него были гости. Но это не страшно: пока Толстый надеется, что я отыщу для него деньги, военных действий против меня предпринимать он не будет. Скорее наоборот. А я, в свою очередь, постараюсь усложнить ему жизнь.

Радуясь первой удаче, я остановила такси и направилась в гостиницу. Уже войдя в номер, вспомнила, что за весь день лишь выпила чашку кофе и съела подозрительного вида бутерброд в одном из маленьких кафе в центре.

— Ничего, сейчас наешься до отвала, — пообещала я себе и стала собираться в ресторан. Правда, перед этим тщательно осмотрела номер: кто-то опять побывал у меня в гостях. Я села в кресло и задумалась: вторичный обыск вызвал множество любопытных мыслей: либо мой симпатичный друг решил еще раз осмотреть здесь все как следует, либо моим появлением в городе успели заинтересоваться какие-то другие люди. Очень любопытно: кто? — Узнаешь, — хмыкнула я и, достав из шкафа костюм, бросила его на кровать, а сама отправилась в ванную.

Через полчаса я стояла перед зеркалом в полной боевой готовности. Людка бы упала в обморок, имей она возможность лицезреть меня в новом обличье. Что ни говори, а хорошие тряпки здорово меняют женщину. Я подмигнула своему отражению и взглянула на часы: почти девять. Если я не ошибаюсь, веселье в ресторане только начинается.

— Вот и отлично, — кивнула себе я и покинула номер.

В ресторане было два зала: Красный, где обычно устраивали банкеты, и Большой. Большой зал по-настоящему большим не был: три ряда столов по шесть в ряд да четыре стола у противоположной стены возле окна, слева от входа эстрада, рядом с которой три круглых столика на двоих, ширма с китайским рисунком, за ней дверь в кухню. На стенах горели бра, люстры не зажигали, в целом все было очень мило.

Трое молодых людей на эстраде исполняли что-то лирическое. Я не ошиблась: веселье только-только началось. Почти все столы были заняты, преимущественно парочками.

За круглый стол на двоих возле самой эстрады сел парень лет тридцати, в черной футболке и пиджаке. Взглянув на него, я решила: парня следовало взять на заметку, что я незамедлительно и сделала. Прошла и устроилась за соседним столом вполоборота к нему, продолжая разглядывать зал. Парочки с виду вполне безопасны, но особенно обольщаться не стоило. Возле окна компания молодых людей: шумных, наглых, из тех, кто чувствует себя хозяевами везде и всюду. Кто такие, сообразить нетрудно.

За двумя сдвинутыми столами шел банкет, солидные люди: пять мужчин и три женщины. «Празднуют день рождения», — машинально отметила я, потому что все внимание было обращено к женщине в черном платье, она то и дело улыбалась, щеки ее пылали, а глаза счастливо сияли. Пожалуй, этих принимать во внимание не стоит.

Вошли еще трое ребят, покосились на тех, что сидели у окна, и устроились за столом на четверых в среднем ряду. Публика у окна их заметила: сначала один повернул голову и проводил парней настороженным взглядом, затем и остальные обернулись, точно по команде, заметно хмурясь при этом. «Встреча недругов на нейтральной территории», — мысленно прокомментировала я, продолжая свои наблюдения. Как видно, в планы и той и другой компании скандал не входил. Минут пять посверлив взглядами спины друг друга, ребята успокоились и сосредоточились на выпивке.

Сделав заказ, я краем глаза наблюдала за своим соседом. Он выпил рюмку водки, хотел было закусить, но так и замер с вилкой в руке: было ясно, думы у парня невеселые, и очень сомнительно, что он видит происходящее вокруг. Впрочем, ничего по-настоящему интересного не происходило до тех самых пор, пока один из типов за столом у окна не решил покинуть зал. Он шел мимо моего стола и не заметить меня не мог, я вообще заметная, а по случаю посещения ресторана еще и облачилась в костюм ярко-красного цвета. Парень посмотрел на меня, а я на него, надо признать, без особой любезности, что должно было вызвать в душе подобного типа неудовольствие. Неудовольствие он никак не продемонстрировал, но, возвращаясь к дружкам, задержался возле моего стола, наклонился ко мне, вцепившись руками в спинку стула, и с пакостной интонацией в голосе спросил:

— Скучаешь?

— Нет, — ответила я серьезно и для убедительности покачала головой.

— Кого-нибудь ждешь? — изобразив улыбку, продолжил он допрос.

— Нет, — вновь без всякого энтузиазма ответила я и добавила: — А вот тебя ждут, — и кивнула на парней у окна.

— Ладно, — хмыкнул он. — Еще не вечер, вдруг передумаешь.

— Это вряд ли, — заверила я и улыбнулась. От моей улыбки его заметно передернуло, и к своему столу он вернулся явно не в духе.

Через несколько минут все пятеро покосились в мою сторону, сдвинули стриженые головушки ближе друг к другу и принялись совещаться, то и дело поглядывая на меня с веселым озорством. Я вздохнула и от души пожелала себе не ошибиться: если в ресторане отсутствует мой предполагаемый ангел-хранитель, мне придется ох как несладко. Кстати, ох как несладко — еще мягко сказано. Но что сделано, то сделано, как говорил один мой знакомый — когда карты на руках, надо играть.

Я еще раз оглядела зал: приметив интерес ко мне ребят у окна, публика старательно избегала смотреть в мою сторону. Что ж, я их понимаю, по-моему, это даже разумно.

— Еще что-нибудь? — спросил официант, возникая из-за моей спины. В лице его читалось желание скорее получить по счету, пока я еще в состоянии расплатиться. Настроение у меня было не из лучших, и облегчать ему жизнь я не спешила, всем своим видом демонстрируя, что никуда не тороплюсь и вообще намерена встретить здесь свой пятидесятилетний юбилей. Он здорово огорчился, но кофе принес.

Парни на эстраде после пятнадцатиминутного перерыва вновь приступили к работе, и мой недавний собеседник ходко заспешил ко мне, но тут произошло кое-что для него неожиданное: один из троицы, сидевшей слева, поднялся и, печатая шаг, направился к моему столу. Так как расстояние, разделявшее нас, было значительно меньше, чем до стола у окна, подошел он раньше и, наклонясь ко мне, спросил:

— Можно вас?

В ответ я равнодушно покачала головой и отвернулась, давая понять, что видеть его физиономию мне неинтересно и даже неприятно. Не знаю, чего ожидал парень, но только не такого приема. Глаза его зло вспыхнули, он резко выпрямился и шагнул в сторону, едва не столкнувшись нос к носу с подошедшим типом. Вышло довольно забавно, но только не для них. Секунду претендент номер два размышлял, стоит ли подходить ко мне или разумнее удалиться из зала, например, в туалет. Думаю, он предпочел бы пройти мимо, но дружки смотрели ему в спину, и он притормозил прямо напротив меня.

— Потанцуем? — спросил, улыбаясь, взгляд настороженный, а пальцы левой руки непроизвольно сжались в кулак.

— Слушай, — вздохнула я, — почему бы вам не оставить меня в покое? Я кому-нибудь мешаю?

— Нет, что ты, — хмыкнул он, навалился на стол, легонько подтолкнул его правой рукой: приборы опрокинулись, а на скатерти появилось пятно от кофе. Я улыбнулась, широко и лучисто, и громко заявила:

— Топай отсюда, урод!

Стол незамедлительно полетел в сторону, а паренек сделал шаг ко мне. Я поднялась, глядя ему в глаза, и добавила:

— Пошел вон! — на сей раз вложив в данную фразу всю душу.

Пока он соображал, как на это лучше отреагировать, в зале появился официант с мечущимся взглядом и еще один тип, должно быть, администратор. Он глупо улыбался и шел к моему противнику, раскинув руки.

— Володя, ты чего разбушевался? — без особой уверенности запел он. — В чем дело, а? Что за шум?

Володя на появление данной личности никак не отреагировал, смотрел на меня, стискивая кулаки, и пытался разжать челюсти. Когда ему это удалось, он разразился речью минут на пять, если опустить ненормативную лексику, смысл сказанного сводился к одной фразе: мы скоренько встретимся, и мало мне не покажется.

— Да пошел ты! — ответила я и улыбнулась еще шире и лучистее, после чего, взяв под белы рученьки, дружки водворили Володю на место, озорства в их взглядах прибавилось, а перешептывания стали громче.

Официант смотрел на меня укоризненно и сердито, его спутник сурово. Понизив голос, он посоветовал:

— Вам лучше уйти.

— Скажите это вашему знакомому, — ответила я. — Ему же и счет отправьте: я плачу только за себя, а за все, что на полу, пусть платит он. Принесите чашку кофе, — закончила я свою речь и устроилась за свободным столом, оказавшись совсем рядом с парнем в черном пиджаке. Несмотря на шум, он вроде бы до сих пор так и не очнулся: сидел и смотрел в стол, то ли спал, то ли у него горе большое. Очень занятный тип.

Кофе мне принесли, я незаметно взглянула на часы и дала себе слово высидеть в ресторане еще минут двадцать. В зале все разом как-то поскучнели, лирика певцам не давалась, а танцевать желания ни у кого не возникло. Все непроизвольно косились на меня и на Володю, тот выпил подряд пять рюмок водки и теперь сидел красный как рак и злой как черт. Надеюсь, я все-таки не перемудрила, и длительного общения у них со мной сегодня не получится.

Я сидела, слушала очередной хит сезона, нацепив на лицо, словно маску, выражение легкой скуки, и пыталась предугадать, что последует дальше.

— Хотите потанцевать? — вдруг услышала я совсем рядом, повернулась и увидела своего соседа. Он оторвался от созерцания и теперь смотрел на меня серьезно и грустно, держа в одной руке рюмку водки.

— Тебе-то что надо? — вздохнула я.

— Ничего, — покачал он головой.

— Вот и отвали, — обрадовалась я и отвернулась.

Двадцать минут наконец-то прошли. Я подозвала официанта, тщательно изучила счет и расплатилась, не дав на чай ни копейки. Парень смотрел на меня, как смотрят на злейшего врага, и, должно быть, желал мне незамедлительно провалиться в преисподнюю. В мои планы это не входило, я поднялась и пошла к выходу. Компания у окна дружно поднялась.

Из ресторана было два выхода: на улицу и в гостиницу. Я не стала спешить и для начала зашла в туалет, а вернувшись оттуда, смогла убедиться, что ребята успели занять позиции: двое в коридоре, ведущем в гостиницу, трое у дверей на улицу. Радостно улыбаясь, я стала пересекать холл. Парни подтянулись, глядя на меня едва ли не с восторгом, точно это и не я вовсе, а мечта всей их жизни. Шла я бодро, но уже начала томиться. Мелькнула мысль свернуть к камере хранения и взять оружие, но от этой идеи пришлось отказаться: место там немноголюдное, и ребятишки сразу же приступят к военным действиям, извлечь пистолет я вряд ли успею. К тому же устраивать пальбу в мои планы не входило: связываться с правоохранительными органами не стоит, а стрельба им вряд ли понравится. Бегать от бандитов и от милиции одновременно дело хлопотное. «Ну, надо же, — с тоской подумала я, шаря вокруг глазами в поисках возможного защитника. Вечер сегодня явно неудачный, а у защитников, должно быть, выходной. — Толстяк, — обратилась я с мысленной речью, — тебе стоит поторопиться. Кто тебе отыщет денежки, если из меня соорудят бифштекс с кровью? Давай, родной, шевелись».

Я замедлила шаги и улыбнулась ребятишкам у двери, демонстрируя дружелюбие, при этом слабо надеясь на ответное чувство. Они тоже улыбались, но так паршиво, что захотелось сбежать или для начала заорать «караул!». Однако бежать было некуда, а кричать в холле гостиницы — значит демонстрировать дурное воспитание. Я гордилась своим воспитанием, поэтому держала рот на замке.

Путь до дверей оказался возмутительно коротким, я еще не придумала ни одной реплики, достойной моего чувства юмора, а уже поравнялась с парнями. Один из них распахнул передо мной дверь и произнес, явно переигрывая почтение:

— Прошу.

— Спасибо, — поблагодарила я, соображая, хлопнет он этой самой дверью по моему лбу или все-таки даст выйти на улицу. Парень оказался джентльменом. Пропустил меня вперед, вышел сам и легонько ухватился за мой локоть, дружки встали плотной стеной, и тот, которого обзывали Володей, ласково спросил:

— Что теперь скажешь, сучка?

— При крещении мне дали другое имя, — возразила я, посоветовав себе держаться, в смысле не раскисать и набраться мужества. Шутка, конечно, слабовата, но с ценными мыслями придется повременить: парни явно не шутили, и у них в отношении меня были свои идеи, хотя мне они вряд ли придутся по вкусу. — А можно отпустить мой локоть? — спросила я со всей возможной любезностью. — Рукав помнешь. Еще я хотела бы дать вам дружеский совет: прежде чем приставать к женщине, неплохо бы узнать, кто она. — Чистой воды блеф, но сработало, парни насторожились.

— Ну и кто ты? — хмуро поинтересовался Володя, а я ответила:

— Потерпи до утра, завтра тебе растолкуют. Есть один человек, думаю, у него это неплохо получится.

Парни переглянулись, как видно, решая, стоит принять мое заявление к сведению или наплевать на него. Я уже собралась перевести дух и поздравить себя с удачей, но тут из дверей появилась парочка, дежурившая в коридоре, и разом уничтожила мои хрупкие надежды.

— Нашли место для базаров, — хмыкнул один и добавил: — Серега, подгони машину.

Слова боевого друга мои собеседники восприняли как сигнал к началу действий. Один спустился по лестнице, намереваясь направиться к стоянке машин, а четверо, сомкнув кольцо вокруг меня, на малой скорости пошли за ним. Я, само собой, тоже, потому что ничего другого мне не оставалось, раз с обеих сторон меня крепко держали за руки.

«Вот сейчас самое время заорать «караул!», — мудро рассудила я и заорала. Однако то ли навыков орать у меня не было, и делала я это как-то неправильно, то ли воспитание сыграло со мной злую шутку, но впечатляющего крика не получилось, так, слабое повизгивание. Я собралась с силами и решила попробовать еще раз, но Володя, мертвой хваткой державший меня слева, начисто отбил охоту, заявив:

— Ори, ори, только это без толку. Дураков на помощь кидаться нет, это я тебе точно говорю, могу даже поклясться.

Я уже хотела с ним согласиться, но тут оказалось, что он в корне не прав.

Мы достигли последней ступеньки в тот момент, когда к гостинице подкатил здоровущий джип, дверцы распахнулись, а ребята на секунду ослабили хватку, потому как мое водворение в машину казалось уже делом решенным, я же, сообразив, что пора себя как-то спасать, въехала Вове каблуком по колену. Вова взвыл, а я все-таки заорала во весь голос:

— Помогите!

Один из парней схватил меня за шиворот с намерением зашвырнуть в джип, но я, изловчившись, пнула его коленом ниже пояса. Делать этого не стоило, потому что он жутко рассердился и, как только смог выпрямиться, замахнулся на меня кулаком. Кулак выглядел так, что боксировать с парнем мне совершенно не захотелось, я нырнула под его локоть, а парень влетел головой в стойку джипа. Это показалось мне странным, потому что на такое везенье я не рассчитывала, к тому же меня очень беспокоил Вова. Через секунду, повернув голову, я увидела, что беспокоить меня он вовсе не собирается, своих дел хватало, то есть дел у него вовсе никаких не было, потому что он тихо-мирно лежал на асфальте, закатив глазки. Еще два его дружка стояли на коленях, забыв про дорогие костюмы, которые все-таки следовало беречь, и мотали головами, точно отбивались от мух. Парень, влетевший головой в джип, поторопился к ним присоединиться и уже сползал на асфальт, успев произнести нечто короткое и до крайности неприличное.

Сотворить такое с четырьмя дюжими мужиками

я не могла и здорово растерялась. Стояла, выпучив глаза, и пыталась сообразить, кто ж это все учинил, а надо было смываться отсюда, пока не поздно, потому что парень, сидевший за рулем, после некоторого раздумья решил-таки податься на выручку дружкам и уже выбрался из джипа. К счастью, он, как и я, малость растерялся, поэтому занесенный кулак заметил за полсекунды до момента, когда тот опустился на его голову, охнул и обмяк, а я наконец увидела того, кто все это натворил, и не очень удивилась, обнаружив рядом парня из ресторана: это он сидел там в одиночестве и с поразительным усердием созерцал скатерть. Сейчас он схватил меня за руку и рявкнул:

— Бежим!

Очень дельное предложение: парни на асфальте ожили, а откуда-то со стороны стоянки торопливо приближались двое, явно им на подмогу.

В общем, повторять свое предложение дважды ему не пришлось, мы бросились по тротуару с намерением исчезнуть в темноте соседних дворов. Преследователи наш маневр уразумели и, решив на время оставить дружков лежащими на асфальте, кинулись следом.

— Быстрее, — торопил меня мой спаситель.

Бежать в туфлях оказалось делом нелегким, я на ходу их сбросила, но на это тоже ушло время, и преследователи оказались в опасной близости, а я с опозданием подумала, что в такой ситуации разумнее бежать на проспект, ярко освещенный и многолюдный, а не в темный пустынный двор, где нас скорее всего и укокошат. Но у моего спутника на этот счет было свое мнение.

— Да шевелись ты! — рявкнул он, буквально волоча меня следом, мы поравнялись с машиной, стоявшей в тени деревьев, он, точно фокусник, за доли секунды открыл дверь и завел мотор. В общем, когда запыхавшиеся ребята возникли в свете фар, мы уже тронулись с места.

Один из них сделал попытку остановить нас самым нелепым образом — бросился под колеса машины, мой спаситель успел взять правее, но парню все равно досталось, он вскрикнул и упал на асфальт, а мы рванули к проспекту.

Погони не было, я смотрела в заднее стекло, а мой спаситель в зеркало. Прошло минут десять, прежде чем он проронил со вздохом:

— Вроде ушли.

— Ага, — согласилась я и принялась с любопытством его разглядывать, он покосился на меня осуждающе и покачал головой.

В целом осмотром я осталась удовлетворена. Модельный бизнес ему не светил, но кое-какие достоинства, безусловно, были. Мужественное лицо, прямой взгляд. Не хватало только надписи через всю физиономию: «Хороший человек, надежный парень». Но и без надписи догадаться об этом было не трудно. С таким можно в разведку или в горы, а еще лучше — сразу в загс. Примерно это я и ожидала увидеть, поэтому устроилась поудобнее и продолжала его разглядывать, уже не торопясь. Его это начало беспокоить. Он посмотрел хмуро и спросил:

— Как зовут?

— Лена, — хмыкнула я в ответ и в свою очередь поинтересовалась: — А тебя?

— Александр.

— Красивое имя, — порадовалась я. — Саша, Сашенька, Сашуля... Откуда ты взялся, герой?

— Из ресторана, — пожал он плечами.

— Так-так-так... Не помню, чтобы в ресторане ты обращал на меня внимание.

— Как же, — обиделся он. — А кто тебя приглашал танцевать?

— Ну да, точно... И в нужную минуту ты оказался в нужном месте. У тебя что, хобби такое?

— Какое? — еще больше нахмурился он.

— Спасать женщин от надоедливых ухажеров?

— Слушай, если бы эти надоедливые ухажеры

запихнули тебя в машину... Ладно, — покачал он головой, заметив, что я готова рассмеяться. — На благодарность не рассчитываю... Ты знаешь, что это за типы? — все-таки не удержался он.

— Нет, — улыбнулась я и даже хохотнула, а он вроде бы обиделся:

— Твое счастье...

Проспект мы уже миновали и ехали в сторону театра музыкальной комедии.

— Куда путь держишь? — спросила я, глядя на огни ночного города. — У тебя есть план или просто улепетываем?

— Улепетываем, — проворчал он. — Где живешь?

— В гостинице «Заря», — ответила я весело. Он присвистнул.

— Пожалуй, сегодня тебе там появляться не стоит.

— Да? И где же, по-твоему, я должна появиться?

— Ну... Не знаю. Какие-нибудь родственники, друзья?

— Я сирота. И друзей у меня нет, не повезло мне...

— Слушай, может, я зря мужикам морды набил, а?

— Может, и зря. Прошу заметить, я тебя об этом не просила.

— Ага, а орал кто?

— Орала я на всю улицу, а на помощь бросился только ты. О чем это нам говорит?

— О чем? — хмыкнул он.

— Дурак ты, Саша, — вздохнула я. — Из-за шальной бабы неприятности наживаешь.

— Вот это точно, — весело согласился он. — Из-за такой, как ты, неприятности наживать не следовало.

— Ладно, герой, — вздохнула я. — Останови здесь...

Он притормозил, я ему подмигнула, сказала:

— Спасибо, — и вышла из машины. Однако уйти не успела.

— Эй, — позвал он. — А где твои туфли?

— Думаю, я их больше не увижу, — покачала я головой.

— Садись, — подумав, сказал Саша. — Не стоит стоять босиком на асфальте, еще простудишься. И в гостиницу тебе нельзя. Опасно.

— А куда мне можно?

— Хочешь, поехали ко мне.

— Вон оно что... — хмыкнула я. — Герою положена награда?

— Черти меня дернули вмешаться, — разозлился он. — Вот ведь паскудный характер.

— Твой или мой? — спросила я, вновь устраиваясь рядом.

— Не везет мне с красивыми бабами, — сказал он неожиданно серьезно.

— Не прибедняйся, герой, — заметила я, вздохнула и добавила: — В гостиницу в самом деле опасно, и босиком по городу неловко. Что ж, вези в гости. Приставать будешь?

— Не буду, — хмыкнул он, а я засмеялась:

— Ну вот, а я рассчитывала...

Жил он в старом двухэтажном доме. Мы въехали во двор, приткнули машину возле покосившихся деревянных сараев и направились к подъезду.

— Не боишься оставлять? — кивнула я на машину.

— Кому она нужна? Ей восемь годков, в темноте она еще похожа на «девятку», а при свете только на чермет. Да и тихо у нас, не балуют...

Мы поднялись на второй этаж, и Саша принялся искать ключи, стоя перед обшарпанной дверью, покрашенной коричневой краской.

— Черт, неужели потерял, только этого не хватало...— ворчал он.

— Нечего было кулаками махать, — съязвила я.

— Не представляешь, как я жалею об этом, — не остался он в долгу.

Ключ в конце концов нашелся, и мы оказались в квартире. Она здорово напоминала мое недавнее жилище: вместо мебели какая-то рухлядь, ремонт не делали лет двадцать, а общий вид вызывал мысли о временном пристанище. Невозможно поверить, что в этой квартире человек живет год или два, особенно такой, как Саша.

Квартира состояла из комнаты, крохотной кухни и прихожей величиной с обеденный стол. Правда, все необходимые удобства были в наличии, и это меня порадовало.

— Будь как дома, — сказал Саша, прошел в кухню и поставил на плиту чайник.

— Давно здесь живешь? — заглянув в кухню, поинтересовалась я.

— Две недели.

— Купил или снимаешь?

— Снимаю. Жилье, конечно, так себе, но у меня бывало и похуже.

— Где? — проявила я интерес.

— В разных местах.

— Ясно. Ты самый лучший и воевал во Вьетнаме. То есть я хотела сказать, в Афгане.

Он сунул руки в карманы брюк и посмотрел на меня исподлобья. Потом покачал головой:

— Да...

— Что, да? — улыбнулась я. — Так ты воевал в Афганистане?

— Воевал.

— Понятно, — радостно кивнула я. — За плечами суровая школа войны, гибель друзей, а здесь ты чувствуешь себя одиноким и непонятым, поэтому время от времени дерешься в ресторане, восстанавливаешь справедливость в отдельно взятом месте.

— Надо бы тебе вмазать, — не слишком грозно заявил он.

— Вмажь, — согласилась я. — Только герои женщин не колотят — не положено.

— Всегда можно сделать исключение.

— Это конечно, — кивнула я и села за стол, рассчитывая, что чашку кофе мне все-таки нальют.

Я ее получила, Саша сел напротив и задумался, машинально помешивая ложкой кофе. Я продолжала его разглядывать, а он хмурился и развлекался с ложкой, потом резко вскинул голову и посмотрел мне в глаза. У парня точно было боевое прошлое. Честнее взгляда я сроду не видела. В общем, он произвел впечатление, я улыбнулась и сказала:

— Сам виноват, это ты пригласил меня, я не напрашивалась.

— Слушай, кто ты? — спросил он, а я скроила удивленную физиономию, такой вопрос хоть кого поставит в тупик.

— В каком смысле? — решила уточнить я.

— В буквальном. Шляешься в одиночку по ресторанам, нарываешься на скандал...

— А... вот что ты имеешь в виду... Я бы не стала нарываться, честно, но этот тип мне не приглянулся, и вообще хотелось отдохнуть.

— На шлюху ты не похожа, — убежденно заявил он, чем, признаться, не очень порадовал.

— Серьезно? А на кого я тогда похожа?

— Не обидишься?

— Нет, конечно.

— На дуру. Потому что не вмешайся я, все закончилось бы плохо. Я этих ребят немного знаю.

— А кто они?

— Дело не в них самих, а в их хозяине.

— Час от часу не легче. А кто этот хозяин?

— Кудрин Вячеслав Сергеевич по кличке Баклан, слышала о таком?

— Не-а, — покачала я головой.

— Услышишь, если не завяжешь шляться по кабакам в одиночку.

— А с тобой можно? — Он опять взглянул исподлобья, а я засмеялась: — Ладно, герой, разговор у нас с тобой не получается, показывай, где лечь, спать хочу, да и время позднее.

— Я сплю на диване, а ты можешь устроиться на полу. Одеяла в шкафу, там же и подушка.

— Ага, пойду стелить постель. Любезности в тебе поубавилось, но все равно спасибо.

Я ушла в комнату, пошарив в шкафу, обнаружила одеяла, а также постельное белье и устроилась на полу с максимальными удобствами.

— Я свет выключу, если не возражаешь, — крикнула в открытую дверь и закрыла глаза.

Саша явился минут через пятнадцать. Не включая свет, соорудил себе постель, должно быть, видел в темноте, как кошка, вот я, к примеру, мало что видела, потом быстро разделся и лег. Я зашевелилась, устраиваясь поудобнее, а он приподнял голову.

— Эй, — позвал через некоторое время. — Ты спишь?

— Нет, — ответила я. — Но это ничего не меняет. Я честная девушка, с мужчинами сплю только за деньги, а у тебя их нет. Или есть?

— Нет, — хмыкнул он.

— Тогда спокойной ночи.

Он лежал тихо, и я не шевелилась, зато чутко прислушивалась. Хватило его на час. Он приподнял голову, посмотрел в мою сторону, затем неслышно поднялся и вышел в кухню. Моя сумка осталась в прихожей, но вряд ли он обнаружит в ней что-нибудь интересное — об этом я позаботилась. С кухни он не возвращался, я натянула на себя блузку и отправилась к нему. Саша стоял в темноте и смотрел в окно.

— Бессонница? — кашлянув, спросила я. Он не обернулся и не ответил.

Я подошла и тоже в окно посмотрела: темный двор, светлое пятно окна напротив.

— Еще кто-то не спит, — заметила я.

— Это в подъезде свет горит, — ответил Саша и посмотрел на меня. — У тебя тоже бессонница?

— Нет, у меня подозрения: вдруг ты на самом деле псих и любишь орудовать кухонным ножом, когда несчастная жертва крепко спит на твоем полу.

— Вот дура, — покачал он головой.

— Есть немного, — согласилась я. — Давно в этом городе?

— Как посмотреть. Вообще-то я здесь родился, но долго отсутствовал.

— Где, если не секрет?

— Везде, где война.

— Ясно. Ушел в отставку?

— Можно сказать и так. С одной почкой много не повоюешь.

— Значит, ты был ранен.

— Значит.

— Настроение у тебя сменилось, пару часов назад ты был не прочь поболтать, а теперь мои вопросы вроде бы действуют тебе на нервы.

— Шла бы ты спать вместе со своими вопросами.

— Ладно, — пожала я плечами и покосилась на него. Четкий профиль на фоне окна, уверенный голос. Может, зря я взъелась на парня, может, он действительно тот, кем хочет казаться, и к моим делам не имеет никакого отношения? Ага, не имеет. Сидел в ресторане, точно поджидал, а в нужное время оказался в нужном месте. Нет, так не бывает. — Слушай, а чего ты в драку полез? — спросила я.

Саша посмотрел на меня, его глаза странно блестели в темноте.

— Издержки воспитания, — наконец ответил он. — Женщина в беде и все такое.

— А как ты оказался у дверей? Когда я уходила из ресторана, ты сидел за столом.

— Ты вышла, ребятки вышли, понять, что будет дальше, нетрудно.

— Затейник ты, Саша, — хохотнула я. — Или большой хитрец. Сразу и не понять.

— И в чем моя хитрость?

— В том, что как-то это все не по-правдашнему. Почему б тебе, к примеру, не остаться за столом, разумно рассудив, что тебя это не касается?

— Не умею я рассуждать разумно, — хмыкнул он. — В детстве не научили. К тому же ты хоть и дура, но красавица. Больно жирно для этих ублюдков.

— Неужто влюбился с первого взгляда? — обрадовалась я, а он ответил:

— Нет, со второго, — и мы оба засмеялись.

— Ладно, герой, я пошла спать. Бессонница прибавляет морщин, красоту беречь надо.

Я вернулась в комнату и на сей раз мгновенно уснула.

Проснулась я от шума воды. Приподняла голову и немного повертела ею: диван был пуст, постель убрана, а вот в ванной работал душ. Я потянулась и минут пять разглядывала потолок. Наконец появился хозяин, босиком и в полосатом халате, кстати, дорогом. Несмотря на бессонницу, выглядел мой спаситель прекрасно, успел побриться, был бодр и готов к свершению новых подвигов. Весь его облик излучал надежность, как сейф в банке. «Вот такой парень мне бы очень пригодился, — с усмешкой подумала я и мысленно поблагодарила своих недругов. — Спасибо, ребята, но я уж как-нибудь сама».

— Доброе утро, — сказал Саша. Я демонстративно потянулась и ответила:

— Доброе утро.

— Как спалось?

— Отлично. А завтрак будет?

— Само собой, — засмеялся он. — Через десять минут, как раз успеешь принять душ.

Предложение показалось дельным, я поднялась, свернула одеяла и убрала их в шкаф. Саша хмуро наблюдал за мной, не выдержал и сказал:

— Могла бы одеться.

— Оденусь, я ж не знала, что ты такой высоконравственный.

Через пятнадцать минут мы сидели на кухне, я в костюме, чтобы не наносить удар его морали, он в халате. Завтрак был походный: яйца и белый хлеб с маслом, правда, кофе отличный, я такого не пробовала два года.

— Очень вкусно, — сочла я своим долгом заметить.

— Что думаешь делать? — спросил он, кивнув в ответ на мои слова.

— Вернуться в гостиницу, — удивилась я.

— А что потом?

— Потом я еще не придумала.

— У тебя дела в нашем городе?

— Неужели я похожа на женщину, у которой могут быть дела?

— Похожа. Ребятки, подобные вчерашним, очень злопамятны. Не думаю, что тебе следует оставаться в гостинице.

— Хочешь, чтобы я перехала к тебе?

— Даже не мечтаю. К тому же берешь ты скорее всего в баксах, а у меня и рублей-то нет.

— Неплохая шутка, — согласилась я. — Ладно, герой, ты классный парень, но мне пора. Желаю крепко спать по ночам и не лезть в драку из-за глупых баб.

— Я тебя провожу, — поднялся он из-за стола. — Ты опять забыла про свои туфли.

Я-то про них не забыла, просто ждала, когда он вспомнит.

Я порылась в сумке, заглянула в кошелек и спросила:

— Магазины уже открыты?

— Центральный универмаг точно открыт.

— Поехали туда. Я посижу в машине, а ты купишь мне туфли.

— Почему бы мне не подняться к тебе в номер? Или деньги лишние?

— В самую точку, герой, лишние. Едем в универмаг.

С туфлями он вернулся минут через пятнадцать, они пришлись мне впору, я наконец обулась и распахнула дверь машины.

— Спасибо. За подвиг, за ночлег и за туфли. Прощай. До гостиницы я теперь и сама доберусь.

— Может, лучше отвезти тебя? Эти типы могут быть там.

— Ничего, справлюсь. Пока. — Я уже сделала несколько шагов, когда он меня окликнул:

— Эй, телефон запиши, вдруг понадобится.

— Не понадобится, — усмехнулась я. — Но все равно: спасибо.

Он развернул машину и направился в сторону своего дома, а я на троллейбусную остановку.

В гостинице меня ждал сюрприз, на сей раз на моей кровати возлежал не вчерашний Здоровячок, а Коротышка с дурным взглядом.

— Привет, — обрадовалась я.

— Где ты была? — нахмурился он, как видно, собравшись гневаться.

— Так... тоску разгоняла. Дела не очень? Выглядишь ты паршиво.

— Что ты из себя корчишь? — презрительно бросил он.

— Я соскучилась. Правда, — улыбнулась я.

— Ты вроде забыла, зачем ты здесь. — Он легко поднялся, сделал шаг, одновременно выбросив вперед руку, движение мгновенное и почти неуловимое, а я попробовала отдышаться. Сделать это было нелегко. Я легла на правый бок и, устремив в потолок взгляд, мысленно начала считать до ста. — Теперь лучше? — спросил Коротышка, устроившись рядом на корточках.

— В самый раз, — ответила я тихо и не очень уверенно.

— Смотри, я никуда не спешу, мы еще могли бы поболтать в том же духе.

— Сегодня не то настроение. Может, завтра?

— Как скажешь. — Он ухватил меня за руку и поднял. Сила в его неказистом теле была прямо-таки фантастическая.

— Слушай, не ты играл Терминатора? — еще раз попробовала я, он покачал головой, глядя на меня с сочувствием, а я проворчала: — Что, уж и спросить нельзя? Я ж по-дружески...

— Сядь, — кивнул он на кресло. Дурака валять ему уже надоело, и он вознамерился поговорить со мной серьезно. Я села, поджав под себя ноги, и уставилась на него с максимальной преданностью во взгляде. — Ты вчера была в ресторане, — начал он, я кивнула, он сделал паузу и спросил: — Зачем ты пошла в ресторан?

Вопрос буквально поверг меня в недоумение, по крайней мере, именно это я пыталась изобразить на своей физиономии. Посидела, подумала, потом пожала плечами и ответила:

— Зачем ходят в ресторан?

— Вот именно? — хмыкнул он.

— Я решила поужинать. Живу я в гостинице, как тебе известно, и хоть раз в день должна где-то есть.

— Ты решила поужинать, отправилась в ресторан и нажила там приключение.

— А... ты этих уродов имеешь в виду... тоже мне приключение, так, поскандалили немного...

— Ты одна уложила пятерых парней? — улыбнулся он так, что мне захотелось оказаться как можно дальше от этого номера, гостиницы, а затем и города.

— Нет, конечно, — обиделась я. — В ресторане за соседним столом сидел парень, ну и когда эти придурки ко мне прицепились, он немного намял им бока.

— Отлично, — противно хихикнул Коротышка. — Одному сломал руку, другому ребро, а третий отдыхает в больнице с сотрясением мозга.

— Странно, ничего такого я не помню.

Он схватил меня за волосы и больно дернул, приблизив мое лицо к своему.

— Слушай, ты... Что это за алкаш из ресторана, который запросто смог набить морду пятерым ребятам Баклана?

— Не знаю, — шепотом ответила я, потому что говорить громко было не под силу. — Зовут Саша, адрес неизвестен, но дом показать могу. Все?

Он отпустил мои волосы, покачал головой, а потом спросил:

— Ты у него ночевала?

— Конечно. Он же меня спас. Благодарность и все такое...

— Свин идиот, — с грустью констатировал Коротышка. — Ты ничего не найдешь.

— Я стараюсь.

— Накупила тряпок, шляешься по ресторанам и спишь с первым встречным.

— Говорю: он спас меня.

— Ладно, рассказывай, что за тип.

Я почесала нос, потом подергала себя за ухо, хмыкнула и вдобавок тяжело вздохнула.

— Чего рассказывать? Квартиренка нищая, тачка старая, вроде бывший вояка, на здоровье жаловался, то ли почки у него нет, то ли чего-то еще. Зануда. Воспитывал: мол, не шляйся по ресторанам в одиночку. Совсем как ты.

— На здоровье жаловался, а пятерых завалил?

— А я здесь при чем? Ты спросил, я ответила.

— Объясняй, где живет.

— Вот это трудно, — огорчилась я. — Где-то в районе театра музыкальной комедии. Там еще дома такие старые, двухэтажные. Я вчера была малость навеселе, а сегодня он меня поднял ни свет ни заря, ну я по дороге и вздремнула. В общем, давай съездим туда, так я скорее найду.

— Занимайся своим делом, — проворчал он и пошел к двери. — Этого Сашу и без тебя отыщем. Телефон у него есть?

— Чего-то я не помню. Слушай, может, мне отсюда съехать, а? Я имею в виду вчерашних парней... Я им намекала на то, что у меня серьезные друзья, но они вроде не поверили, как бы не явились взглянуть... Никакого у меня желания с ними встречаться.

— Что ты им сказала? — насторожился Коротышка.

— Не сказала, а намекнула на знакомство с вами.

— Как это «намекнула»? — начал злиться он.

— Сказала, что у меня влиятельные друзья. Тип по кличке Свин и его корешок, симпатичный Коротышка с глазами сушеной воблы. Но они не прониклись. Либо я плохо объяснила, либо вы вовсе не такие крутые, как мне рассказывали.

— Твою мать! — выругался Коротышка и ушел, громко хлопнув дверью.

— Давай-давай, парень, сделай что-нибудь, — прошептала я ему вслед. Потом залезла в ванну с горячей водой и попробовала размышлять. — Шевелиться я их заставила, — констатировала я через несколько минут. — Даст Бог, что-нибудь из этого выйдет. Но по-настоящему злить их нельзя. Придется создавать видимость рабочей обстановки, то есть искать денежки. Вопрос, где они могут быть? Куда их предположительно спрятал Димка, если в самом деле что-то получил, в чем я, честно говоря, сильно сомневаюсь. Попытаюсь выяснить, за что разделались с моим мужем, может, тогда в голову придет ценная мысль. В любом случае начинать с чего-то надо, значит, начнем с Шохина, — решила я и торопливо покинула ванную.

Татьяна Полякова

339

Владимир Павлович Шохин, или попросту Вовка, был когда-то лучшим другом моего мужа. Когда-то, то есть два года назад. Если кто и знал хоть что-нибудь о Димкиных делах, так это, безусловно, он. Я взяла телефонный справочник и немного его полистала, потом набрала номер. Приятный женский голос сообщил:

— Слушаю вас.

— Простите, могу я поговорить с Владимиром Павловичем?

— А куда вы звоните? — Так-так-так, вышла неувязочка.

— Это квартира Шохиных? — не теряя надежды, спросила я.

— Нет, вы ошиблись.

— Ради Бога извините, два года назад мне дали этот номер, я проездом в вашем городе и решила позвонить, должно быть, они переехали...

— А, Владимир Павлович, — обрадовалась женщина. — Я не сразу сообразила, мы купили у него квартиру несколько месяцев назад.

— А вы не скажете, где я могу его найти?

— Одну минуту, у меня где-то записан его рабочий телефон.

— Мир не без добрых людей, — с радостью поняла я, заполучив номер, и тут же его набрала. Голос вновь оказался женским и тоже приятным, а я задала все тот же вопрос.

— Кто его спрашивает? — добавив суровости в голос, спросила секретарша.

— Сестра.

— Какая сестра?

— Родная. Зовут Марина. Еще что-нибудь?

Сестра у Вовки действительно была и, по сведениям двухлетней давности, жила в Красноярске. Меня незамедлительно соединили.

— Марина? — вроде бы удивился Шохин. — Что случилось?

— Надеюсь, ничего, — ответила я. — Я имею в

виду твою сестру. Секретарша очень строгая, пришлось врать на ходу. Извини.

— Кто это? — после паузы спросил он.

— Если скажу, ты скорее всего не поверишь. Давай встретимся. Лучше один раз увидеть, ну и так далее...

— Хорошо. — Он явно растерялся и, должно быть, по голосу пытался понять, кто я: голос наверняка показался ему знакомым. — Когда?

— Хоть сейчас. Подойдет?

— Хорошо. Кафе «Маска», это возле драмтеатра.

— Я буду там через двадцать минут.

Я покинула номер гостиницы и направилась к стоянке такси. Назвала адрес и поглядела в зеркало, стараясь делать это незаметно. Через полминуты вслед за такси тронулся старенький «Опель» и ненавязчиво пристроился за нами. «Очень хорошо, я ищу ваши денежки, убедитесь сами», — удовлетворенно подумала я. До кафе мы добрались за пятнадцать минут, я расплатилась, заметив, что «Опель» приткнулся у тротуара метрах в тридцати. Парень за рулем со скучающим видом смотрел в окно.

Кафе открыли недавно, два года назад здесь была булочная, а теперь в таинственном полумраке на столиках мягко светили лампы под разноцветными абажурами, отражаясь в зеркалах и блестящей кожаной обивке стен. «Очень мило», — подумала я, оглядываясь. Только три стола были заняты, Володи среди посетителей не было.

Я устроилась за ближайшим столом, и тут старый друг моего мужа вошел в кафе. Как я минуту назад, замер у входа и оглядел зал. За тремя столами сидели парочки, и он шагнул ко мне, хотел что-то сказать, да так и не смог. Рот его приоткрылся, а глаза полезли из орбит, что, в общем-то, неудивительно при встрече с покойницей.

— Здравствуй, — сказала я. — Садись, пожалуйста, я не привидение.

— Как?.. Господи!.. Каким образом?.. — Он

плюхнулся на стул, вцепившись в меня взглядом, словно пытался обнаружить подделку. — Не могу поверить, — минут через пять сказал он, я решила дать ему возможность прийти в себя. — Как ты осталась в живых?

— Мне повезло. Или не повезло, это уж как посмотреть. Жила в другом городе. Теперь вернулась. Решила встретиться со старым другом семьи. Как видишь, все просто.

— Подожди, Лена, как же так... ведь тебя похоронили. То есть, я имею в виду, был труп, то есть... извини... Господи, это так неожиданно, извини, что веду себя как полный кретин.

— Ты меня извини. Я должна была тебя как-то подготовить.

Он протянул руку, коснулся моей ладони и сказал:

— Я очень рад. То, что произошло тогда... Это было так ужасно... Почему ты уехала? Или так решили в милиции, программа защиты свидетелей?

— А у нас такая есть? — удивилась я.

— Не знаю, — растерялся Володя. — Тогда почему?

— Меня хотели убить. Я сбежала.

— Выходит, тебе опасно здесь появляться? — Он машинально огляделся.

— Не думаю. Есть люди, которые заботятся о том, чтобы со мной ничего не случилось, по крайней мере, пока.

— Ясно. — Как-то угадывалось, что особой ясности мои слова не внесли.

— Володя, ты был лучшим другом Димки, как ты думаешь, за что его убили?

— Я ничего не знаю, — поспешно ответил он.

— Конечно. Я ведь спросила — как ты думаешь, это разные вещи, верно? После убийства ты наверняка не раз над этим размышлял.

— Само собой, только мне в голову не приходило...

— Володя, — перебила я, решив быть с ним пожестче, — у меня есть вопросы, и я пришла к тебе, потому что мы когда-то были друзьями. Я рассчитываю на твою откровенность. Но если разговор у нас с тобой не заладится, могут прийти другие люди, которые твоими друзьями никогда не были...

— Какие люди, Господи, мне и так досталось... Квартиру продал, живу в малосемейке...

Сзади подошла официантка, он вздрогнул, девушка спросила с улыбкой: «Что будем заказывать?» — но улыбка сползла с ее лица, когда она заметила, какое произвела впечатление на клиента своим появлением.

— Две чашки кофе, — кивнула я, девушка удалилась, но через несколько минут вернулась с кофе. Все это время мы молчали. Володя пытался собраться с мыслями, а я пыталась ему не мешать. — Так что там с квартирой? — заметив, что руки его перестали дрожать и сам он задышал ровнее, спросила я.

— Что? А... так, ерунда. Послушай, Димка о своих делах никогда не рассказывал, да и я особенно не интересовался. Знаешь, работа, то, се, не до разговоров по душам.

— Ситуацию я объяснила, — пожала я плечами. — А там как хочешь...

— Ленка, Господи, ну скажи, зачем все это, я имею в виду... Ведь ничего уже не вернуть. Какой смысл ворошить прошлое?

— Значит, разговоры по душам все-таки были?

— Ну... кое-какие фразы, кое-какие догадки, ты ведь знала, чем он занимался?

— Конечно, — усмехнулась я. — Компьютерами. Он был компьютерным гением, по крайней мере, сам так считал.

— Ага, — Володя невесело усмехнулся, посмотрел на меня и очень серьезно спросил: — Ты в самом деле ничего не знала?

— Нет, — так же серьезно ответила я. — Когда у

меня возникли сомнения в законности его занятий, я ушла от него. Он сменил работу, и сомнений у меня больше не возникало. К сожалению...

— Да, конечно, я помню. — Володя уставился в стену прямо перед собой и сидел задумавшись минут десять, не меньше, потом огляделся как-то испуганно и сказал мне: — Пойдем на воздух... Нехорошо мне... — Он расплатился, и мы покинули кафе.

Прямо за театром начинался городской парк, туда мы и отправились.

— А знаешь, — с грустью заметил мой спутник, — у меня было предчувствие... Ну... что не все кончилось, и вообще... Когда ты позвонила, я не узнал твой голос, точнее, я не мог подумать, что это ты, раз лично присутствовал на твоих похоронах, но голос показался знакомым и в сердце ударило: вот оно, началось...

— После такого вступления ты ведь не станешь валять дурака и говорить, что тебе ничего не известно?

— Да не в этом дело. — Он внимательно посмотрел на меня и сказал: — Ты очень изменилась. Взгляд, походка, даже говоришь по-другому.

— Странно, да? — не удержавшись, съязвила я. — Дом со всеми близкими мне людьми на моих глазах превратился в головешки, я без гроша в кармане улепетываю через всю Россию, а потом пытаюсь заново начать жизнь и при этом должна остаться доброй милой женщиной с сияющим от счастья лицом? Ты умный, ты должен знать: так не бывает.

— «Пепел Клааса стучит в моем сердце», — вздохнул он. — Поэтому ты здесь? Хочешь отомстить?

— Я уже сказала: вернулась сюда не по своей воле.

— Тогда кто хочет? Кто тебя послал и почему?

— Вот что, — притормозила я, разворачиваясь к нему лицом. — Постарайся понять, что я сейчас скажу. Ты был лучшим другом моего мужа, вы долгое время вместе работали, и ты, безусловно, осведомлен о его делах. Очень возможно, что не только осведомлен. Димка погибает, а ты жив, здоров и продолжаешь работать в своей фирме, причем дела у тебя идут неплохо, раз появилась секретарша, раньше ее не было. Я прошу рассказать, что тебе известно о делах моего мужа, а ты задаешь множество вопросов, но не желаешь отвечать. Довольно любопытная картина вырисовывается.

— Ты с ума сошла, — произнес он с искренней обидой. — Не можешь ты в самом деле думать...

— Я, Володя, все могу. Ты не поверишь, но буквально все...

— Да... — Глаза его сделались несчастными и даже больными. — Я просто хотел знать, кто тебя послал.

— Расскажи мне о Димке.

— После вашей гибели, то есть... в общем, меня раз пять таскали к следователю, и он без конца задавал одни и те же вопросы. Я надеялся, что все это позади...

— Может быть, мы все-таки перейдем к делу? — напомнила я.

— Хорошо. Только мне нелегко ворошить все это... Когда ты ушла от Димки, он здорово струхнул, то есть струхнул — не то слово. Он так перепугался, как будто в тебе одной был смысл всей его жизни.

— А на самом деле было по-другому? — как можно равнодушнее поинтересовалась я.

— Ну... Он не был совсем безупречен, то есть ничего особенного, но когда человек работает в солидной фирме, имеет деньги... иногда просто надо расслабиться. Но тебя он, конечно, любил и, когда все это произошло, точно спятил. В самом деле хотел бросить работу и все такое... Мы с ним много говорили на эту тему: честный, но голодный, или богатый, но... Бедным быть невесело, особенно после того, как успел пожить богатым. В конце концов мы придумали выход, то есть не мы, а наш босс, после того, как Димка подал заявление и объяснил, в чем дело. Он предложил Димке возглавить отдел в фирме «Астор», тебя это должно было успокоить, а Димка оставался у хозяина под рукой, потому что «Астор» — фирма дочерняя. Зарабатывать меньше он не стал, просто утаивал от тебя свои доходы. На самом деле к моменту гибели у Димки накопилась кругленькая сумма. Он ведь в самом деле был компьютерным гением.

— И чем этот гений занимался? — спросила я.

— Не знаю, — покачал головой Володя. — Могу только догадываться, потому что в отличие от Димки гением не был и особым расположением хозяина не пользовался, а у Димки хватало ума помалкивать. Знаю одно: это каким-то образом было связано с торговлей наркотиками.

Появление на горизонте наркотиков повергло меня в недоумение: вот только наркоты мне и не хватало, я нахмурилась, глядя в лицо Володи, а он торопливо пояснил:

— Это мои догадки. Просто однажды мы сидели в ресторане, а одна девица, явно накачанная, пыталась покончить с собой, выпрыгнув из окна. Сцена была мерзкой. А Димка сидел какой-то пришибленный, наблюдая за происходящим, а потом сказал: «Господи, на каком дерьме мы делаем деньги. Когда-нибудь придется платить за это». Возможно, он был пьян и не совсем соображал, что говорит, но это запало мне в голову, а потом кое-какие обрывки фраз подтвердили догадки.

— То есть фирма «Астор» имела какое-то отношение к торговле наркотой?

— Не так все просто. Скорее всего через «Астор» отмывали денежки. Для этого она и была создана. Система очень сложная, и придумал ее твой Димка, за что и получал большие деньги от благодарных хозяев.

— Но если благодарные, то отчего осерчали на парня, а заодно и на всю его родню? — усмехнулась я.

— Осерчали... — покачал головой Володя, посмотрел в небо, запрокинув голову, потом вздохнул и вновь посмотрел на меня: — Я знаю только одно: он похитил дискету и хотел получить за нее деньги. Из того, что случилось потом, я могу предположить: Димка пытался шантажировать хозяев.

— Постой, — нахмурилась я. — Что могло быть на дискете?

— Да все, что угодно: даты заключения сделок, суммы, номера счетов. Одним словом...

— И кого он, по-твоему, рассчитывал шантажировать? Торговцев наркотой? Как, интересно? То есть как, понятно, только каким образом он надеялся после этого уберечь свою задницу? Не те это люди, которым можно грозить. Допустим, они заплатят, а что потом? Мешок на голову и в прорубь? Даже я понимаю всю бессмысленность подобного шантажа, а Димка имел с ними дело и, конечно, не мог не знать...

— Наверное, рассчитывал их обыграть, он ведь был азартным парнем...

— Чепуха. Не верю. Ему хорошо платили, и вдруг он идет на колоссальный риск, зная, что шансы выжить практически равны нулю.

— Меня это тоже долго мучило, но ведь Димка погиб, причем поплатился за этот дерзкий поступок не только он сам, но и все близкие ему люди. Разве это не подтверждает мои догадки? Шестнадцать трупов — это хороший урок для тех, кто осмелится на подобное.

— Возможно. Но такой риск не в характере моего мужа. Конечно, он любил деньги, но не стал бы...

Володя посмотрел на меня с сочувствием.

— Что было потом? — через некоторое время

спросила я, мы шли по аллее и без интереса разглядывали асфальт под ногами.

— Ничего, — пожал плечами Володя. — Если не считать похорон и вопросов следователя.

— Если Димка тебе не рассказывал о своих планах, как ты узнал об этой дискете и попытке шантажа?

Володя вздохнул так тяжело, что вызвал у меня серьезное беспокойство, остановился и стал ковырять носком ботинка асфальт — глупее занятия для взрослого дяди и найти трудно, я терпеливо ждала, когда ему это надоест. Не знаю, на что он надеялся, может, рассчитывал, что я забуду про свой вопрос и ничего отвечать вообще не придется.

Наконец он поднял голову, поморщился и ответил неохотно:

— Меня шантажировали.

— Кто?

— Господи, Лена, откуда ж мне знать? Шантажисты не присылают свои визитные карточки.

— Хорошо, поставим вопрос иначе: чем?

— Этой самой дискетой, то есть... в общем, однажды мне позвонили и сказали следующее: «Мы знаем, что похитить дискету было вашей с дружком совместной затеей. Дружок уже лишился головы, но о вас нужные люди пока не знают. И не узнают, если будете платить».

— И ты заплатил?

— А что прикажешь делать? Думаешь, эти типы стали бы разбираться, что я знал, а чего нет? Да если они, глазом не моргнув, взорвали дом, где, кроме Димки, было пятнадцать человек и среди них девять женщин и маленький ребенок... Извини.

— Нормально. Прошло почти два года, я уже могу говорить об этом.

— О Господи... Ну что мне оставалось делать? Они потребовали сумасшедшие деньги: были уверены, что я знаю, где находятся ворованные бабки. Большого труда стоило их разубедить. У меня ни гроша за душой не осталось, даже квартиру пришлось продать. Только после этого отстали.

— В милицию ты не обращался?

— С ума сошла? — Его даже передернуло.

— Конечно-конечно. А кто звонил?

— Женщина. Всегда одна и та же.

— А как ты передавал деньги?

— Оставлял их в почтовом ящике на своей даче. Один раз пытался следить...

— И что?

— Увидел мотоциклиста в желтом шлеме. Он появился у калитки через пять минут после моего отъезда, посигналил, потом слез с мотоцикла, прошел к крыльцу и позвонил в дверь. Так как никто не открыл, он уехал.

— И откуда ты все это наблюдал?

— С соседнего пригорка, в бинокль. Теперь все? Если честно, я здорово устал...

— Потерпи. Мне в голову пришла забавная мысль: а что, если шантажисты не такие уж дураки и деньги действительно оказались у тебя?

— Нет, — покачал он головой. — Нет. Поверь мне... Если бы эти проклятые деньги в самом деле были у меня, я бы не сидел здесь, клацая зубами, а при первой возможности исчез и жил преспокойненько за тысячи километров отсюда.

— Ты отдал все, что у тебя было, просто потому, что какая-то баба позвонила тебе по телефону? По-моему, это глупо. И малоправдоподобно.

— Это ты так думаешь, а я, когда мне позвонили... месяца не прошло с ваших похорон. И она назвала имя... Я испугался, вдруг этот человек в самом деле решит, что я как-то причастен к Димкиной афере, ведь мы столько лет дружили...

— И что же это за человек? — вздохнула я.

— Зачем тебе? — нахмурился Володя.

— Так, для общего развития.

— Ларионов Всеволод Петрович, можно проще Сева Крест.

С Володей мы расстались где-то минут через десять, и я отправилась в гостиницу пешком. Во-первых, потому, что на ходу лучше думается, а во-вторых, потому что не хотела облегчать жизнь приставленному ко мне парню: ехать по центральным улицам малой скоростью занятие не из легких, пусть немного помучается.

Севу Креста как возможного шантажиста можно смело вычеркнуть. Моего мужа он не шантажировал, а попросту убил, чтоб другим неповадно было. Значит, вышел на Володю кто-то тремя рангами ниже и не брезгающий малой толикой денег, хотя «толика» не такая уж и малая. Оставим пока шантажистов, вряд ли это поможет отыскать Ваньку, а вот Сева Крест — личность явно перспективная. Кто-то решил, что при этом имени у дружка моего мужа возникнут правильные ассоциации. Володька хитрит, кое-что о том, как Димка заграбастал кучу денег, он, безусловно, знает. Допустим, Сева Крест отдал приказ разделаться с вором, при этом в живых случайно осталась я и, случайно или нет, мой сын. Скорее случайно, повода оставлять его в живых я по-прежнему не видела. Где был Ванька, когда я металась после взрыва по пепелищу? Не складывается... Будем считать, что Ванька находится у людей Севы Креста, а Толстяк, или Свин, как его уже дважды назвали соратники (кстати, прозвище подходит ему необыкновенно: в самом деле Свин), так вот Толстяк скорее всего работает на этого самого Креста. Он должен знать, где мой сын, но просто так к нему не пойдешь и не спросишь, значит, надо его вынудить отвечать на вопросы. Для этого все средства хороши. Стоит поднять всю муть, осевшую за два года, тогда непременно всплывет что-то опасное для них и они начнут суетиться. А мне нужно запастись терпением и ждать, делая при этом вид, что я ищу их деньги.

Сразу подходить к гостинице я не стала, для начала сделала основательный круг и огляделась. Кое-что мне не понравилось: бритый верзила у дверей в вестибюле, который увлеченно читал газету, и джип «Чероки» черного цвета прямо напротив дверей. Оторвавшись от чтения, парень в вестибюле несколько раз посмотрел на джип и даже подавал какие-то знаки. Посидев немного на скамейке неподалеку от гостиницы, я решила, что ребята скорее всего явились по мою душу и торопиться на встречу с ними не стоит. Интересно, есть ли у гостиницы еще один вход и дежурит ли возле него такой же здоровячок?

На первый вопрос можно было уверенно ответить «да», а вот второй... Вдруг мне повезло и ребята считают меня дурой, которая ни о каком ином входе, кроме центрального, ни в жизнь не подумает, а может, они сами не очень умные, по крайней мере, в прошлую нашу встречу особо сообразительными они себя не показали.

— Придется проверить, — вздохнула я, вновь обошла гостиницу по кругу и смогла насчитать еще четыре двери. Одна мне особенно понравилась, почти вплотную к ней росли две голубые ели, и никаких мордастых парней возле них не наблюдалось.

Я пялила глаза на вожделенную дверь минут пять, потом решительно шагнула к голубым елям и, больше не раздумывая, ухватилась за ручку двери.

За дверью был длинный коридор и, что особенно приятно, совершенно пустой. Я ходко затрусила вперед и оказалась возле лестницы, поднялась на пять ступеней и встала перед выбором: можно пойти налево, а можно направо, два абсолютно одинаковых коридора разбегались в разные стороны.

Я пошла направо и вскоре смогла сориентироваться. Приоткрыв одну из дверей, я увидела часть холла и сообразила, что нахожусь буквально в нескольких метрах от вожделенной камеры хранения. Мне очень хотелось иметь на руках что-нибудь посерьезнее горячего желания победить в предстоящей войне. Я преодолела эти несколько метров и смогла достать свою сумку, а потом тем же ходом покинула гостиницу, никого по дороге не встретив. Торопливо удалившись на почтительное расстояние, бросила прощальный взгляд на джип и на силуэт томящегося от безделья парня в окне.

По коридорам за мной никто не бегал, значит, утренний следопыт либо проводил меня до гостиницы и успокоился, либо дожидался меня возле голубых елей и сейчас вновь собирался сесть мне на хвост. Это стоило проверить.

Я запрыгнула в троллейбус, проехала до бассейна и спустилась к старым домам. Улочки здесь узкие, малолюдные, а дворы проходные. Я вышла к старому кладбищу и немного посидела в зарослях крапивы, высунув кончик носа из-за ограды.

Ничего подозрительного. Успокоившись на сей счет, я выбралась из крапивы и через пять минут покинула кладбище.

Требовалось в самое ближайшее время найти себе пристанище, о котором никому не будет известно, а затем еще раз нанести визит Толстяку.

Пристанище обнаружилось неожиданно легко. Я шла от кладбища к автобусной остановке по улице, застроенной старенькими одноэтажными домиками. О всяких там удобствах здесь отроду не слышали, зато покосившихся заборов, развалюх-сараев и бродячих собак было в избытке.

Перед одним из таких заборов на скамейке сидела здоровенная баба неопределенного возраста и грызла семечки. Может, поза ее была чересчур изысканна, может, во взгляде, обращенном ко мне, возник живой интерес, но я, повинуясь безотчетному порыву, шагнула к ней, расплылась в улыбке и спросила:

— Не скажете, кто здесь может сдать комнату на месяц или на два? Заплачу вперед.

— Тебе? — вытерев рот кулаком, поинтересовалась она.

— Мне.

— Я сдам. Иди глянь на хоромы, вдруг не подойдет.

— Подойдет, — заверила я. — У меня работа хлопотная, весь день на ногах, буду только приходить ночевать.

— Если с хахалем, то двойная цена за ночь. Днем по два рубля с рыла — ты не обеднеешь, а мне тоже жить надо.

— А если рыл не будет, все равно по два рубля?

— Чегой-то им не быть? — возмутилась хозяйка. — Девка ты красивая, и здоровьем вроде Бог не обидел... Но, если не будет, плати как квартирантка, хотя такие, как ты, в лачугах не живут, им удобства подавай.

— Очень мне улица ваша понравилась, — развеселилась я. — И к работе близко.

— Здесь близко только кладбище, — хмыкнула хозяйка. — Идем, покажу, что к чему.

Осмотр занял минут десять, я заплатила за месяц вперед и удалилась, пообещав прийти ночевать и захватить с собой бутылку: обмыть новоселье. Так как вещей я не оставила, хозяйка к перспективе увидеть бутылку отнеслась с сомнением, но деньги свое дело сделали, и на прощание она улыбнулась вполне дружески.

Теперь можно было навестить Толстяка, и я уже знакомым маршрутом отправилась на улицу Кирова, где находился его роскошный дом.

Не доходя двух кварталов, позвонила из автомата. Трубку сняли сразу, и Толстяк бросил недовольно:

— Да.

Голос звучал сипло, точно на шею Свину кто-то накинул удавку. А может, это и не он вовсе, поди разберись. Беседовать с ним я не захотела и быстро повесила трубку. Он это или нет, но в квартире кто-то был, значит, придется подождать. Я устроилась во дворе, ближе к противоположному дому, и стала наблюдать за нужным мне подъездом.

Минут через сорок подкатил белоснежный «Мерседес», и из него с трудом выбрался Старосельцев, однако по ступенькам поднялся с большой прытью и вскоре исчез в подъезде.

— Вот черт! — выругалась я, совсем не того ожидая от моего толстого дружка. Злилась я зря, ровно через пятнадцать минут он вновь возник в поле моего зрения, на этот раз не один, а вместе с чокнутым Коротышкой, должно быть, по телефону я беседовала с ним, хотя раньше он не хрипел, а пищал. Может, приболел?

Коротышка сел за руль «трехсотого» белоснежного красавца, Свин устроился на заднем сиденье, а еще через минуту машина скрылась за углом. Вопрос, надолго ли? Что, если Толстяк так и будет шнырять туда-сюда? Выражение их физиономий мне показалось озабоченным, и что-то подсказывало, что в этом есть и моя вина. Очень вероятно, их взволновало мое исчезновение, значит, вернутся они не скоро.

Я решила выждать минут двадцать и попытать счастья. Во дворе вдруг сделалось почти темно, хотя до захода солнца было еще далеко. Углубившись в свои мысли, я не сразу заметила, что надвигается гроза.

Заморосило, подул ветер, а в небе уже несколько раз полыхнула молния.

Я огляделась в поисках убежища: только подъезд соседнего дома, откуда я не смогу вести наблюдение, придется мокнуть под дождем.

— А мы не сахарные, — заявила я, устремив взгляд в небо. В ответ громыхнуло, и пошел настоящий ливень. Чертыхаясь, я бросилась к подъезду Свина. — Должно мне, наконец, повезти, — напутствовала я себя, нажимая кнопку звонка.

Мне действительно повезло: в дверях я увидела

уже знакомого мне парня. Он открыл дверь и укоризненно произнес:

— Это опять вы?

— Только не говори, что этой свиньи нет дома. Я звонила...

— Он только что уехал, — вздохнул парень.

— Врешь, он просто прячется от меня, знает, что я ему глаза выцарапаю... подонок. Думает, если он на «Мерседесе» катается, ему все позволено. Пропусти меня, он дома, я должна с ним поговорить.

— Леонида Сергеевича нет. Честное слово. Уехал. Не стал бы я врать, зачем. — Парень разглядывал меня с большой охотой, а голос его звучал значительно мягче, иногда очень полезно хорошо выглядеть. Зря мама говорила: «Не родись красивой: хлопот много, а счастья — сколько Бог пошлет», вот ведь, пригодилось.

Мы стояли друг против друга и таращили глаза, я с гневом, он с томлением.

— Зайдите в подъезд, — сказал наконец парень. — Ливень, надо же... а с утра солнце было, вот ведь погода.

Я шмыгнула в подъезд, зябко поеживаясь, и, глядя парню в глаза, спросила с мольбой:

— Он здесь? — Тот всплеснул руками и даже обиделся. — Я могу сказать, что вошла с кем-то из жильцов, неприятностей у тебя не будет.

— Очень я кого-то боюсь. Да и работа эта так... я в институте учусь, жить на что-то надо, вот и дежурю по вечерам.

— Ясно. Не знаешь, когда этот гад появится?

— Нет, конечно. Кто мне докладывать будет? — Он посмотрел на меня и добавил: — У меня здесь комната, идемте, я вас чаем напою.

— Хорошо бы, — с намеком на подхалимаж, ответила я, он запер дверь подъезда, и мы прошли в комнату. Обстановка напоминала спартанскую, а комната — колодец с узким окошком, но чайник был, нашлись и чашки.

Пока парень возился с заваркой, я дрыгала ногой и хмурилась.

— Как тебя звать? — проворчала я.

— Артем, а тебя... вас?

— Света, можешь говорить «ты», мы почти ровесники.

— Да я просто по привычке. А с этим у тебя чего: любовь или как?

Я вытаращила глаза и вроде бы собралась задохнуться от возмущения.

— Какая, к черту, любовь, он мне должен тысячу баксов. Урод проклятый...

— Обманул, что ли?

— Обманул, — немного успокоившись, фыркнула я.

— О нем вообще-то неплохо отзываются, я имею в виду, что он хороший адвокат... Я сам на юрфаке учусь, ну и говорил с ним: практику летом проходить надо, а сейчас с этим трудно, везде блат да деньги, а у меня мама медсестра, а батя инженер, одно слово — тоска...

— Ну и что, помог он тебе? — поинтересовалась я.

— Как же... лекцию прочитал: мол, хочешь жить, локотками работай. Может, я чего не понимаю, но локотками мне не очень нравится...

— Вот этот гад поработал локотками и нагрел меня на тысячу баксов. Обещал сестру в институт устроить еще в прошлом году, до сих пор устраивает.

— Если честно, мужик он гнилой, — согласился со мной Артем, к этому моменту мы уже выпили по чашке чая. — Живет больно круто, и дружки у него... В общем, всякое говорят.

— Мне лишь бы деньги вернул. Вся в долгах, а толку? Убила бы мерзавца...

— Ты поосторожнее, тут народ всякий ходит, словечками бросаются, чего только не услышишь...

— И что? — нахмурилась я. — Говори, если начал.

— Вроде он с местными братишками на короткой ноге. Как бы вместо тыщи всего не лишиться.

Я глубоко задумалась, нахмурилась и совсем забыла про чай.

— Похоже на то, уж больно наглый, — заявила я через некоторое время. — А с кем конкретно, не слышал?

— Нет. Видел пару раз, как к дому Мухач подъезжал, но в дом не входил, врать не буду.

— А кто такой Мухач?

— В городе живешь и не слышала?

— Я в детском саду работаю, у нас там все больше о зарплате говорят.

— Мухач — приятель Севы Креста. О нем ты слышать должна, или ты газет не читаешь, телик не смотришь и вообще живешь не здесь?

— А как его по-настоящему зовут? — Это я зря спросила. Артем насторожился и даже посмотрел на меня с подозрением, сообразив, должно быть, что наболтал лишнего.

— Откуда мне знать? Я что, с ними водку пью? — проворчал он и посмотрел на чай с сожалением. А вот я о нем вспомнила и принялась торопливо пить, испугавшись, как бы хозяин, чего доброго, меня не выгнал.

— Ты не злись, — сказала я примирительно. — Я от всех этих дел очень далека, говорила уже: в детском саду работаю, но, может, кто из знакомых знает этих типов и поможет получить назад баксы. Для меня тысяча «зеленых» — сумасшедшие деньги.

— Само собой, — кивнул Артем, подумал и добавил: — Мухача зовут Андрей, фамилия Мохов, он, между прочим, в трех шагах отсюда живет, дом рядом с Военторгом.

— Леню я несколько раз видела с противным коротышкой: худой, ростом с меня, а глаза... в общем, на психа здорово похож. При нем у меня конечности немеют. Не встречал? Я, когда встречала его с Леней, только диву давалась: неужто, думаю, тоже адвокат?

— Видел я его, — кивнул Артем, посмотрел в окно и добавил: — И сейчас вижу. Вон из «мерса» выходит, вместе со Старосельцевым.

Я тоже в окно выглянула, однако аккуратно, чтобы меня с улицы не могли засечь.

— Что-то мне с ним расхотелось встречаться, — сказала я не очень уверенно. — Они сюда зайдут?

— Нет, зачем? — удивился Артем. — К лифту потопают. А видеться тебе с ним и вправду ни к чему: морда у Лени злая, видно, жизнь сегодня не радует, от разговоров вряд ли толк выйдет. Да и мне попадет.

Дверь подъезда хлопнула, послышались шаги, потом лифт заработал, а до нас долетел обрывок фразы:

— Надо это немедленно прекратить, — говорил Леня. Интересно, что он имел в виду? Если немного пофантазировать, они, к примеру, хотят прекратить преследование симпатичной особы по имени Елена, которая таковым преследованиям подверглась со стороны ребят одного авторитетного товарища по кличке Баклан. Этот самый товарищ может состоять в дружеских отношениях с еще одним авторитетным товарищем по кличке Мухач, хотя очень возможно, что они любят друг друга, как кошка с собакой. В первом случае «прекратить» будет нетрудно, во втором — крайне затруднительно. Хотя, может, зря я голову ломаю и Ленина фраза ко мне никакого отношения не имеет.

Лифт замер, хлопнули двери, и все стихло, а я поставила чашку на стол и сказала Артему «спасибо». Он почему-то опять насторожился, посмотрел с подозрением, но до двери проводил, буркнул «привет» и с заметным облегчением щелкнул за мною замком.

А я оказалась под дождем, правда, пока я распивала чаи, дождь поутих, но прогулка пешком не доставила мне удовольствия.

Я взглянула на часы, в ближайшем магазине купила бутылку водки и направилась на свою новую квартиру.

Хозяйка (звали ее Надька) возлежала на диване в компании пьяного усатого парня лет на двадцать моложе ее, парень храпел, а трезвая Надька пялилась в телевизор и тяжело вздыхала: по второму каналу шел какой-то бесконечный сериал.

— Красиво живут, — заметила она, поудобнее устраиваясь на диване.

Я поставила на стол бутылку и сказала:

— У нас тоже неплохо. Картошка есть? Жрать хочу...

Картошка нашлась, и огурцы к ней тоже, а также хлеб и горчица. Мы сели за стол, будить парня Надька не стала.

— И так на ногах не стоит, только добро переводить. — Покосилась на бутылку и добавила: — Давай, со свиданьицем.

Мы выпили и принялись закусывать, парень храпел, я задала вопрос, кивнув на спящего:

— Муж?

— Какой, к черту, муж? Сосед. Ходит... Только что с него взять: что ни день, то пьян до беспамятства. Это тебе не кино... Ох, свихнешься от такой жизни.

— Участковый вас часто навещает?

— Не боись, — отмахнулась Надька. — Нашему участковому все до лампочки, пьянь подзаборная, вот он кто, с утра зенки зальет и спит где-нибудь, чтоб начальство не застукало. Я его жену хорошо знаю, Любка, соседка, учились вместе. Говорит: убила бы... да ведь разве ж толк от этого будет?

— От убийства? — удивилась я.

— Нет, от разговоров. Взаправду кому ж своего мужика убивать охота? Хотя есть такие, что и допекут... В общем, живи — не дергайся, и соседи слова не скажут. Тут у всех кто-нибудь да притулился. Вон, напротив, восемь человек живут: граждане кавказской национальности, чем здесь заняты, одному Богу ведомо, и никому до них дела нет.

— Да, веселая у вас улица, — кивнула я.

Через некоторое время бутылка опустела, и я отправилась спать. Комната моя была узкой и темной, метров девять, не больше, крохотное окно с куцей занавеской. Правда, постель чистая, я легла, блаженно вытянув ноги и прикрыв глаза. От тепла и водки меня разморило, и через несколько минут я уже спала.

Пробуждение было не столь приятным: под окном нещадно материлась Надька, я выглянула, покачала головой и пошла умываться. Как выяснилось, скандалила Надька с соседкой, чья курица пробралась в Надькин палисадник, за что и была схвачена моей хозяйкой и переброшена через забор на свою законную территорию. Пока бабы орали, а куры кудахтали, я доела вчерашнюю картошку и тихо удалилась через заднюю калитку, направив свои стопы в гостиницу.

Идти туда не очень хотелось, но чтобы план мой сработал (точнее, не план вовсе, а его слабое подобие), надо было заставить разных людей побольше двигаться, так что хочешь не хочешь, а есть такое слово «надо».

Возле гостиницы я была около десяти, обежала ее по кругу и устремилась к облюбованной мною вчера двери. Тут меня ждал сюрприз: дверь была заперта.

— Ну надо же, — обиделась я и устроилась на скамейке неподалеку от входа. Попасть в белы рученьки к суровым ребяткам я не планировала и поэтому соблюдала осторожность, на скамейке провела не меньше часа, но ничего подозрительного углядеть так и не смогла. Хотя заинтересованные лица могли укрыться в глубине холла или дежурить на этаже, где находился мой номер. «Что ж, — с грустью подумала я. — Придется идти. Надеюсь, Толстый не оплошает и с меня не успеют содрать всю шкуру».

И я пошла. Надо признать, шла довольно нагло, чего-то насвистывала и пыталась улыбаться: то есть демонстрировала безмятежность, хорошее настроение и счастливое примирение со всем миром. Администраторша на этаже отсутствовала, что, с моей точки зрения, было весьма кстати. Площадка перед лифтом и коридор пустынны, вдали у запасного хода тоже никто не маячил, я шла по длинному ядовито-красному ковру, подбрасывая ключ и размышляя.

Ни одного врага. Выходит, Баклан с Мухачом подружились. А может, у моих знакомых из ресторана нашлись дела поважнее, чем меня караулить, дабы свершить надо мною праведную месть.

Я открыла дверь и закрывать ее не стала, для начала решив проверить: не ждут ли меня в номере. Прошла узким коридором, заглянула в комнату: ни души.

— Очень мило, — кивнула я, заперла дверь и только тогда заметила, что включен телевизор. То есть ни изображения, ни звука не было, так как на кнопочку нажать не поленились, а вот из розетки провод не выдернули. — Так, были гости, — сказала я вслух, абсолютно точно помня, что телевизор не был включен в сеть, не люблю я телевизор, да и не до того мне. — Интересно, кто меня посетил, — почесала я за ухом и даже вздохнула. — Хоть бы записку оставили.

Они оставили кое-что занятнее записки, я перегнулась вперед, желая выдернуть провод из розетки, и заметила кровь. Совсем немного, на самом углу тумбочки. Присела, потрогала это место рукой, а потом суматошно принялась кружить по комнате. Завернула дорожку, встала на четвереньки и еще в нескольких местах смогла обнаружить крохотные подсохшие пятнышки.

— О, черт, — вскрикнула я, потом употребила слово покруче и бросилась в ванную, ощутив, как холодеет спина в дурном предчувствии.

Труп лежал в ванне. Крови почти не было, так, несколько капель, и выглядел парень совсем не страшно, скорее нелепо: лежит человек в ванне полностью одетый, а сверху из плохо завернутого крана на плечо ему тонкой струйкой падает вода.

— Ну надо же, — взвыла я и подошла ближе. Лежал он на правом боку, плечи парня были приподняты, а голова вывернута. Правый висок выглядел крайне неприятно: конечно, я не патологоанатом и даже не следователь со стажем, но скорее всего именно этим виском парень налетел на острый угол тумбочки. С летальным исходом, как говорится. Я присела на край ванны и потерла лицо ладонью. — Ну надо же, — повторила я обиженно. — Скажи на милость, что мне с тобой делать?

Конечно, парень не ответил, потому что был мертв, и, наверное, еще с вечера. Тот самый Здоровячок из команды Толстяка, мне так и не довелось узнать его имени. «Кто ж мне оставил такой подарок?» — с тоской подумала я.

В этот момент в дверь постучали, громко и весьма настойчиво. Я замерла, прислушиваясь. Стук прекратился, но удаляющихся шагов я не слышала. Должно быть, желающий попасть в мой номер все еще стоял под дверью. А в скважине торчит ключ, если человек не дурак, заглянул и понял: хозяева на месте, но открывать не желают. Надеюсь, это не администратор гостиницы и не милиция. А если все-таки милиция? Кто-то очень остроумный мог подготовить мне сюрприз: дождаться, когда я вернусь в номер, и вызвать милицию. Ненавижу сюрпризы. Толстяку Лене надо срочно вытаскивать меня из дерьма...

Пока я сидела в ванной, человеку под дверью надоело ждать и он ушел, по крайней мере, звук шагов указывал на это. Хотя он мог вернуться, и не один.

— Надо сматываться, — решила я и торопливо собрала свои вещи.

Данная гостиница придерживалась старых порядков: паспорт при оформлении номера оставался у администратора. Вернуть его себе, не сдав номера, я не смогу, а сдать номер, когда в ванной лежит покойник, вряд ли получится. Если я сейчас смоюсь, через некоторое время покойника обнаружат, и милиция начнет разыскивать Кудрявцеву Елену Петровну, то есть меня, а мне придется срываться в бега, как два года назад, снова без документов и надежды их раздобыть. Отличная перспектива.

Пожалуй, следует побеспокоить Леню, пусть он малость подсуетится и найдет своему дружку более удобное место, чем ванная.

Я шагнула к телефону и торопливо набрала номер Толстяка, моля Бога, чтобы он оказался дома. Трубку сняли после третьего звонка, и ленивый мужской голос спросил:

— Кого надо? — Не очень вежливо. Такому типу, как Толстяк, грубость не к лицу, это не соответствует внешнему виду. Толстяк непременно должен быть веселым и добрым.

— Леонида Сергеевича, — как можно душевнее ответила я.

— А кто его спрашивает?

— Знакомая, очень хорошая знакомая. Он будет рад...

Тут в трубке возник другой голос, мягче и много приятнее, я бы сказала, интеллигентный голос:

— Слушаю.

— Правильно делаешь, Толстый, а теперь не только слушай, но и соображай, и, пожалуйста, побыстрее: потому что у меня в ванной труп, и в любой момент сюда может кто-нибудь заявиться. К примеру, менты.

— Кто это? — вроде бы растерялся Леонид Сергеевич.

— Это я, почтальон, с толстой сумкой на ремне и прочими атрибутами. Пожалуйста, поторопись. Мне не нравятся трупы.

— Какой труп? — вдруг рявкнул он. — Что ты несешь?

— Труп твоего дружка, того, что немногословен, высок ростом и широк в плечах, то есть был немногословен, сейчас он уже вовсе ничего не скажет. О том, каким образом он оказался в моей ванной, я понятия не имею.

— О, черт! — совсем неинтеллигентно выругался Леня и тут же спросил: — Откуда ты знаешь номер моего телефона?

— Из справочника, он зарегистрирован.

— А... — начал он, но я перебила:

— Вопросы не по существу. Очень прошу, Толстый, шевелись, — и повесила трубку. — Теперь надо сматываться, не хватало только, чтобы меня здесь застукали рядом с трупом.

Я осторожно открыла дверь и выглянула в коридор. Пусто. К сожалению, это еще ничего не значит. Я выскользнула из номера, заперла дверь, а ключ сунула в карман. Потом быстро, но стараясь не производить лишнего шума, направилась к пожарному ходу, спустилась по лестнице и вышла в холл. Никто не пытался меня остановить, честно скажу, это порадовало.

Дышать я начала только на улице, быстро пересекла дорогу и тут услышала автомобильный сигнал. Повернула голову и смогла заметить стоявшую возле тротуара, прямо под знаком «Стоянка запрещена», видавшую виды «девятку» вишневого цвета, а потом и честнейшее лицо ее хозяина: он как раз приоткрыл дверь и махал рукой, давая тем самым понять, что мне следует присоединиться к нему и при этом поторопиться.

Я так и сделала, впорхнула на переднее сиденье,

хлопнула дверью, и мы мгновенно тронулись с места, вливаясь в поток машин.

— Привет, герой, — растянула я рот до ушей в самой благожелательной улыбке. — Как дела?

— Не очень.

— Что так?

— Не везет, наверное.

— Куда мы едем? — догадалась спросить я.

— Подальше от гостиницы, разве ты не этого хотела?

— Вообще-то я хотела подышать свежим воздухом.

— Дыши глубже, на тот случай, если окажешься в тюрьме — там со свежим воздухом проблемы.

— С чего бы это мне в тюрьме оказаться? — искренне удивилась я.

— Причин, по-моему, больше чем достаточно.

— Назови хоть одну, — предложила я. Саша свернул в переулок, притормозил и посмотрел на меня с заметной суровостью.

— Кто ты? — спросил он очень серьезно. Я присвистнула и отвернулась, наблюдая в окно за голубями. — Откуда тебя черт принес?! — рявкнул он и больно дернул меня за плечо.

— Пока, герой, — хмыкнула я и попыталась выйти.

— У меня твой паспорт, — заявил он, а я притормозила и посмотрела на него с интересом.

— Да? А как он у тебя оказался?

— Я его украл. У администратора гостиницы.

— Это нехорошо, — покачала я головой. — А еще меня тюрьмой пугаешь...

— Ты появляешься в городе с чужим паспортом, ввязываешься в скандал, а потом в твоей ванной Бог знает откуда возникает труп. Кино, да и только.

— Какой труп? — ужаснулась я, глядя на Сашу с трепетной бдительностью, но дурака валять мне быстро надоело, и я спросила без улыбки: — А тебе что за дело до всего этого, герой? Или есть какой интерес?

Он задумался, глядя в окно, потом хмуро спросил:

— Что это за тип в ванной?

— Понятия не имею, — пожала я плечами. — Я не ночевала в номере, вернулась утром, а там сюрприз.

— А может, это ты его укокошила?

— Может, — кивнула я. — А может, и ты. Почему нет? Откуда тебе, к примеру, известно, что в моей ванной вообще кто-то лежит?

— Я был в номере.

— Здорово, а зачем? И как вошел?

— Войти не так сложно. Зачем? Хотел тебе помочь. А в том, что происходит, не вижу ничего забавного, так что кончай лыбиться.

— Да я сама серьезность. Честно скажу, герой, ты мне здорово не нравишься. А знаешь почему? Ты жутко загадочный тип.

— Не надоело тебе дурака валять? — спросил он укоризненно. — Вчера днем я проезжал мимо гостиницы и заприметил кудринских ребят. Скорее всего они пасли тебя. Я устроился в аллейке и стал ждать. К вечеру возник здоровячок, который сейчас отдыхает в твоей ванной. Ты не пришла, и я ближе к ночи решил, что у тебя хватит ума вообще здесь не появляться. А рано утром заехал проверить. Ребята исчезли, и это меня насторожило. Они из породы настырных, и, если перестали тебя пасти, это означало только одно: своего они добились. И я пошел в номер, тебя там не было, зато был труп. Логично предположить, что труп тебе вряд ли придется по душе, поэтому я свистнул твой паспорт, но паспорт вовсе не твой. Поэтому задаю вопрос еще раз: кто ты?

— Почтальон, — честно ответила я, он собрался сказать что-то не совсем приличное, но я перебила: — Подожди. Ты, конечно, замечательный парень и в ресторане влюбился в меня с первого взгляда, хоть и смотрел весь вечер в тарелку, но это все-таки не объясняет, отчего ты с такой охотой лезешь в чужие дела, заметь: опасные, раз на руках мы уже имеем труп.

— Кудринские ребята на меня осерчали: против шерсти я их погладил, так что было бы несправедливо тебе расплачиваться за мой поступок. Но теперь ясно, что все далеко не так просто. Парня в ванной я пару раз видел до этого. Какие у тебя с ним дела, да еще с чужим паспортом на руках?

— Никаких дел, — покачала я головой. — Он был моим любовником. Я устроилась в гостинице под именем подруги, чтобы муж ненароком не узнал о моих шашнях. В ресторане я ждала его, потому и отфутболила этих придурков. Но он так и не явился, а вчера, наверное, искал меня и решил подождать в номере. Кудринские ребята устали торчать в холле, тоже поднялись в номер и встретились с ним, ну и поскандалили. Если ты видел труп, то должен был обратить внимание на его висок: скорее всего мой дружок упал и ударился головой об угол тумбочки. Ребята перепугались и сочли за благо смыться. Вряд ли я их теперь очень интересую. Так что в герое надобность отпала. Огромное спасибо за заботу, верни паспорт и отчаливай.

— А ты не очень переживаешь из-за возлюбленного, — съязвил Саша.

— Наш роман близился к завершению. Гони паспорт.

Паспорт он вернул, я сунула его в сумку и собралась выходить, но тут из-за угла вынырнул юркий красный «Опель», заметив нас, он притормозил, а я торопливо сползла на пол и шепнула:

— Рвем когти, — потому что успела разглядеть водителя машины: взгляд Коротышки, как всегда, впечатлял.

Саша мгновенно выполнил команду, и через полминуты мы уже неслись по проспекту.

Татьяна Полякова

— А этому что от тебя нужно? — резко спросил он и сурово взглянул на меня.

— Черт его знает! — ответила я. — Мне просто не понравилась его физиономия. Согласись, на редкость противная рожа.

— Не разглядел как следует, но, кажется, я его где-то видел.

— Слушай, ты когда уволился из армии? — спросила я.

— Год назад.

— А где сейчас трудишься?

— Нигде, пенсию получаю.

— Здорово, — покачала я головой. — Для пенсионера с одной почкой у тебя чересчур обширный круг знакомств.

Он нахмурился еще больше и замолчал.

Мы спустились под старый мост, и я сказала:

— Останови, я выйду здесь.

— И что? — спросил Саша, притормаживая, но не останавливая машину.

— Ничего. Мы с тобой скажем друг другу «до свидания», и каждый пойдет своей дорогой.

— Ты уедешь из города?

— Нет. Мне он приглянулся, а время отдохнуть еще есть.

— Где ты намерена жить?

— Еще не решила. — Его вопросы нравились мне все больше и больше, и я начала широко улыбаться.

— Тогда почему бы тебе не остановиться у меня? — спросил он и торопливо отвел глаза.

— А там не опасно? Помнится, ты сломал кому-то руку?

— Если ты говоришь правду и кудринские парни случайно столкнулись в номере с твоим любовником, вряд ли мы их теперь особо интересуем.

— Это почему? — удивилась я.

— Потому что убитый из команды конкурентов. Есть такой тип по кличке Мухач.

— Неужели?

— Если парень был твоим любовником, ты бы это знала.

— А мы с ним говорили только о любви.

— Да? А свое имя он тебе не забыл назвать?

— Конечно, нет.

— И как же его звали?

— Сергей, — не моргнув глазом, ответила я.

— Не отгадала. У парня было довольно редкое имя: Ярослав.

— Наверное, он его стеснялся.

Саша ухватил меня за локоть, больно сжал и дернул на себя.

— Ты все время врешь, — прошипел он зло. — От первого до последнего слова — все вранье.

— А тебе что за дело? — удивилась я. — Допустим, вру, что с того? С какой стати ты лезешь в мои дела?

— Слушай, дурочка, ты вляпалась в паршивую историю.

— Точно. Вот и держись от меня подальше.

Он наконец остановил машину. Я открыла дверь и сказала:

— Прощай, герой. Если мы еще раз случайно встретимся, я не поверю ни одному твоему объяснению. Уж слишком все подозрительно.

— Что ты хочешь сказать? — удивился он.

— А я уже сказала, — широко улыбнулась я. — Либо ты псих, либо во всей этой истории у тебя свой интерес. Любопытно, какой?

— Подожди, — произнес он совсем другим тоном. — Допустим, у меня действительно есть интерес. Ты не желаешь говорить правду, а с какой стати делать это мне? При создавшейся ситуации почему бы нам не держаться вместе? К примеру, позавтракать или пообедать. Я с утра только чашку кофе выпил, а за углом кафе. Что скажешь?

— Платишь ты, — кивнула я. Угроза раскошелиться его не испугала, он кивнул, запер машину и зашагал рядом со мной. Его поведение становилось все занятнее, следовало приглядеться к парню.

Мы заняли столик недалеко от выхода, выпили по кружке пива, съели яичницу и пельмени, обедов в кафе не подавали. Запах горелого масла был таким назойливым, что мог отбить любой аппетит. Однако я заставила себя опустошить тарелки, помня о том, что следующий прием пищи весьма проблематичен: уж очень неожиданно развиваются события. Не успела я как следует продумать эту мысль, как двери кафе шумно распахнулись и в зал вошли двое. Словно по команде, они посмотрели налево, потом направо, я подобралась, сообразив, что в кафе вошли не просто парни, а скорее всего очередные неприятности, а Саша вскочил и рухнул на меня, увлекая за собой на пол вместе со стулом. Я вскрикнула:

— Черт! — и тут грохнул выстрел. Я закрыла голову руками и заорала. Вопила не я одна, народу в кафе было немного, но крик поднялся такой, что уши закладывало, а выстрелы не смолкали. Потом посыпались осколки стекла, которое минуту назад было боковой витриной, а Саша, схватив меня за локоть, прокричал в самое ухо:

— Сматываемся!

На четвереньках мы рванули к стойке, и я смогла убедиться в том, что не ошиблась, парни точно явились по наши души (по мою или Сашину, утверждать не берусь), потому что стрелять стали с особым усердием.

Мы к этому моменту оказались за стойкой, перевели дух и опять же на четвереньках устремились в кухню. Здесь был выход на улицу. Саша, выпрямившись, бросился к двери, в руках его к этому моменту появился пистолет, а я присвистнула, хотя удивляться и вообще загружать голову лишними мыслями было не ко времени.

На улице, почти вплотную к двери, стояла «Нива» с тонированными стеклами. Не знаю, что ожидали ребята в «Ниве», но только не вооруженного парня с перекошенным лицом, потому что сразу не сориентировались и даже растерялись. Один зачем-то стал выбираться из машины, а другой отчаянно сигналить. Возможно, был и третий, но он никак себя не проявил.

Саша дважды выстрелил по колесам, а затем наугад по стеклу, и мы помчались по улице, он впереди, а я чуть поотстав, на полшага, не больше, потому что он все еще тащил меня за руку.

Мы нырнули в какую-то подворотню, с ходу перемахнули через забор, а еще через минуту оказались возле Сашиной машины, причем я так и не поняла, как это произошло. Одно ясно: соображал и ориентировался он много лучше, чем я.

Только когда мы на машине благополучно миновали несколько кварталов, я смогла перевести дух, посмотрела на своего спутника и начала хохотать. Он взглянул сердито, а я виновато пояснила:

— Извини, это нервное, — и добавила: — Одно хорошо, мы так и не расплатились.

— Там могли погибнуть люди, — зло заметил он.

— Точно, — согласилась я. — Например, мы с тобой. Честно скажу: я очень рада, что этого не произошло.

— Кто ты, черт тебя побери?! — рявкнул он.

— А ты? — задала я вполне уместный вопрос и посмотрела на пистолет, который сейчас лежал возле его ног. Он нахмурился и отвернулся. — Хочешь, скажу, о чем я подумала? — через минуту спросила я, глупо ухмыляясь. — В ресторане ты возник не случайно.

— Может быть, — неохотно согласился он. — Но к тебе это не имело никакого отношения.

— А теперь имеет?

— А как ты думаешь? — хмыкнул он.

— Я думаю, эти парни психи. Предположим, они сильно осерчали за мое плохое поведение в ресторане и за твой хулиганский поступок: я имею в виду то, что ты набил им глупые морды, но...

— Спятила, — пресек Саша поток моего красноречия. И между прочим, зря, мне просто было необходимо выговориться. — Ты хочешь сказать, что это дружки тех оболтусов из ресторана?

— Конечно, — без особой уверенности кивнула я. — Кто же еще?

— Вот уж не знаю... Но одно могу сказать точно: парни хотели тебя убить. За что?

— Вот это да! — всплеснула я руками и поправила: — Во-первых, не меня, а нас, во-вторых, ты сам не хуже меня знаешь: мы плохо вели себя во время предыдущей встречи.

— Вот только дурака не валяй. Баба в ресторане посылает одного придурка куда подальше. Положим, он совсем придурок, при этом вообразил себя крутым и решает наказать нахалку. Но вместо того, чтобы немного позабавиться, сам получает по роже, да еще в компании таких же придурков. Допускаю, это больно ранило его самолюбие и подхлестнуло на дальнейшие действия: девку надо отловить и непременно наказать. Прождав целый день понапрасну, ребята идут в номер к девице и застают там ее любовника, который тоже считает себя крутым. Предположим, они повздорили, и любовник налетел виском на угол тумбочки. Какими бы идиотами они ни были, это должно-таки произвести на них впечатление. Незаметно вынести труп из гостиницы они не могут, потому просто запихивают его в ванную и смываются. До этого момента все более-менее ясно и понятно. А дальше идиотизм чистой воды. Вместо того чтобы сидеть тихо и не высовываться — что было бы очень кстати, раз убитый ими любовник имел кое-какой вес в конкурирующей фирме и у них есть твердый шанс получить по шее за самодеятельность, а может, и не просто по шее, потому что ребятки обычные «шестерки», их, как грязи, и поэтому никогда не жалеют, так вот, вместо того, чтобы сидеть тихо и не высовываться, они, выследив нас, устраивают стрельбу в кафе: белым днем, почти в центре города, где полно ментов и еще больше гражданских лиц. И это все для того, чтобы малость потешить свое самолюбие? Кстати, среди стрелявших ни одного из ранее виденных мною не было.

— Ну и что? — хмыкнула я. — Может, это банда психов и им просто нравится палить в кафе? Что ты ко мне привязался?

— Я просто хочу знать, почему тебя хотят убить?

— Меня? — Я скривилась, всем своим видом демонстрируя нежелание продолжать этот разговор.

— Конечно, тебя. У меня на сегодняшний день таких врагов нет.

— Ага, — покивала я головушкой. — Поэтому ты и ходишь с пушкой. В общем, так, если кто и желает моей смерти, так тебе об этом известно больше, чем мне. У меня нет идей и вообще нет никаких мыслей на этот счет, а если бы и были, делиться ими с тобой я не стану. На этом и закончим. Кстати, куда мы едем? — спохватилась я, заметив впереди мост через реку, как раз на выезде из города.

— Подальше отсюда, например, в село Литвиново, там у моего друга дача...

— Стоп, — сурово перебила я. — Подальше мне никак нельзя. Проблема в том, что мне как раз надо поближе.

Теперь он разозлился по-настоящему, остановил машину, приткнув ее возле какого-то ветхого строения, и посмотрел на меня, мягко говоря, не по-доброму.

— Ну и чего ты вылупился? — проявила я интерес, намереваясь как можно быстрее покинуть машину. Глаза его смотрели серьезно и даже зло, и сейчас он был не особенно похож на простого честного парня из тех, что обычно спасают Америку и весь мир, но все равно выглядел неплохо, то есть мне нравилось, как он выглядит: ну, злится немного, ну, слегка физиономию перекосило, и зубы сжал так, что, должно быть, в висках ломит, но как-то угадывается, что в душе он хороший парень, а главное — герой и готов за женщину, которую совсем не знает, хоть в огонь, хоть в воду, хоть в канализационную трубу. — Мне нравится твое лицо, — честно сказала я.

— А мне твое нет.

Тут я не поверила.

— Серьезно? А чего ж тогда я до сих пор сижу в твоей машине? — Я засмеялась и добавила: — Ладно, герой, сматывайся на дачу, а я потопала. Приятно было познакомиться.

— Куда ты пойдешь? — насторожился он и даже, перегнувшись, ухватился за ручку двери, боясь, что я выпорхну из машины.

— Понятия не имею, — ответила я.

— У тебя есть друзья, знакомые, кто-нибудь, у кого ты могла бы укрыться?

— У меня был любовник, но он сейчас лежит в ванной.

— Ясно, тогда едем со мной.

— Мы не понимаем друг друга, — опечалилась я.

— Хорошо, — кивнул он, едва сдерживаясь. — Тогда я поеду с тобой.

— Здорово, — хохотнула я. — И ты еще говоришь, что мы встретились случайно? Черт с тобой, герой, едем, — и я назвала Надькин адрес.

Хозяйка сидела на скамейке и по обыкновению лузгала семечки. Я подошла, сунула ей деньги и заявила, кивнув на Сашу:

— За одно рыло. — Тот нахмурился, а я пояснила: — У нас с ней уговор: начну мужиков водить — плачу отдельно, порыльно то есть.

Надька хмыкнула, лениво почесалась и посоветовала:

— Тачку лучше во двор загони, чтоб глаза не мозолила, да и от греха подальше: разуют, прости Господи.

Машину Саша поставил во дворе, и мы втроем вошли в дом.

— Жрать нечего, — сразу же предупредила хозяйка.

— Сходи в магазин, — попросила я. — Денег дам.

— Водку брать? — прихватив сумку, спросила Надька.

— Возьми.

— Сколько?

— Бутылку.

— А этот что, не будет? — нахмурилась она, а я махнула рукой:

— Возьми две, только топай быстрее.

Саша к этому моменту устроился за столом и хмуро осматривал жилище.

— Не очень? — сморщила я нос.

— Это у тебя что, тайное логово?

— Любишь ты фантазировать, просто это моя подруга.

— Я как ее увидел, так сразу и понял.

— Правильно, парень ты вообще понятливый, я заметила.

— Забыл аккумулятор отключить, — сказал он, поднимаясь. — И так еле дышит.

Аккумулятор он отключал минут пять, вернувшись, пояснил, что на всякий случай посмотрел, нет ли где еще калитки.

— Есть, — кивнула я. — В огороде.

— Видел.

Сел за стол, вытянул руки и стал смотреть на меня, а я на него.

— Кровать одна, — сообщила я, хоть меня никто и не спрашивал. — Придется тебе на полу спать, если ты, конечно, не передумал... Может, все-таки поедешь к другу?

— Язык у тебя... — покачал он головой. — Вот уж точно без костей.

— Просто парень ты больно занятный.

— Я уже объяснял: мы вместе вляпались в неприятную историю. Хоть ты и врешь, что ни черта не знаешь, а я тебе ни на грош не верю, все равно считаю, что нам лучше держаться вместе.

— Ага-ага, — радостно закивала я. — Ты уже объяснял, я все помню.

Вернулась Надька, и мы, соорудив нехитрой закуски, сели за стол.

Часов в семь кто-то постучал в окно, я насторожилась, а Надька, выглянув из-за занавески, сказала:

— Соседка. Пойду узнаю, чего ей надо, а вы располагайтесь, мой сегодня не явится — ноги не носят, так что мешать вам никто не будет.

Надька удалилась, а мы еще немного посидели за столом, особо не разговаривали, зато сверлили друг друга взглядами. Вдруг Саша, заметив что-то за окном, резко спросил:

— Ты никого не ждешь?

— Нет, — удивилась я.

— У нас гость.

Саша мгновенно смел со стола вилки и рюмки, швырнув их в шкаф, а сам исчез за перегородкой в комнате, которая предназначалась мне. А я осталась сидеть возле окна и терялась в догадках: кого черт принес? Одно радовало: Саша сказал — гость, то есть в единственном числе, хотя, может, я зря радуюсь и остальные просто не пожелали показаться.

Пока я гадала, дверь распахнулась, и в комнату совершенно бесшумно скользнул Коротышка с дурным взглядом, а мне стало ясно: именно его я и ожидала увидеть.

— Привет, — сказала я. Он оглядел помещение и спросил:

— Где хозяева?

— Хозяйка у соседки.

— А машина во дворе чья?

— Одного друга. Я ее позаимствовала, на время. Город большой, и на своих двоих много не набегаешь.

— А это не тот самый друг, который так любит махать руками в ресторанах?

— Точно. Но сейчас у него другое задание: он следит за Шохиным. Знаешь такого?

— Слышал, друг твоего мужа.

— Я с ним встретилась, поговорила, а теперь мой приятель за ним приглядывает. Кое-что в нашем разговоре мне показалось занятным, очень может быть, что Шохин знает, где следует искать денежки. Как видишь, я тружусь изо всех сил.

— Прекрати паясничать, — нахмурился Коротышка и сел напротив, за перегородку даже не заглянул. — Что произошло в гостинице?

— Ты имеешь в виду труп? — вздохнула я. — Знать не знаю, откуда он взялся, но есть версия: он случайно встретился с ребятами, которые пасли меня возле гостиницы, и они повздорили.

— А после этого устроили стрельбу в кафе?

Я вздохнула и запечалилась, демонстрируя таким образом уважение к чужой осведомленности.

— Может, нас с кем спутали? — наконец выдала я свежую идею.

— Вот что, — заметно посуровев, начал Коротышка. — Я не знаю, что у тебя на уме, одно могу сказать определенно: ты здорово рискуешь, и не только собой, ты играешь жизнью сына. Он может погибнуть в любой момент.

— Разве он не у вас? — хмыкнула я.

— В очень надежном месте. — Коротышка усмехнулся. — Он в надежном месте, и ты его не отыщешь, но кое-кому могут просто надоесть твои выкрутасы, и мальчишка погибнет.

— А как же деньги? — усомнилась я.

— Советую тебе побыстрее их найти.

— Я стараюсь, вы же видите, честно стараюсь,

но слишком много людей желает в этом поучаство-
вать. А я только женщина, вы должны понять и помогать мне, а не вставлять палки в колеса.

— Лично я только и делаю, что помогаю, — усмехнулся Коротышка. — Например, выношу трупы
из гостиницы.

— Так он там больше не лежит? — обрадовалась я.

— Не лежит. Как ты узнала телефон Старосельцева?

— Лени Свина? — хлопнула я глазками, желая
придать себе вид святой невинности. — Я видела,
как труп звонил ему по телефону, конечно, когда
еще не был трупом. А после того, как он перебрался
в мою ванную, я решила, что вам самое время выта-
щить меня из дерьма, вот и позвонила.

— А потом попыталась смыться, — подсказал
Коротышка, а я обиделась.

— Я не от вас смывалась. Как я могу смыться,
если у Лени мой сын? Но мне не понравился труп, а
стрельба в кафе и того меньше. Скажи мне, чья это
работа? Вдруг это поможет мне найти деньги? Подскажет, наведет на мысль?

— Я не знаю, кто стрелял, — ответил Коротышка. — Надо полагать, какие-то психи.

— Это точно, — с готовностью согласилась я. —
Знать бы еще, чего они так осерчали. — Я почесала
за ухом и спросила: — Слушай, красавчик, а как
тебя зовут, а? Сидим за столом, беседуем, а я не
знаю, как к тебе обратиться. Не по-людски это.

Он неожиданно засмеялся, причем по-челове-
чески и даже мило, и на психа в данную минуту был
вовсе не похож.

— Ты занятная девка, — кивнул он, закончив
смеяться.

— Ага, — согласилась я. — Жаль, что ты не хочешь мне помочь.

— Ты уже нашла себе помощника, — хмыкнул
он, а я необыкновенно заинтересовалась:

— Ты имеешь в виду Сашу? Кто он? Или это тоже страшная тайна?

— Твой Саша, думаю, дурак, каких мало, раз затеял скандал с кудринскими из-за какой-то девки, а теперь с завидным энтузиазмом лезет в дерьмо. Он бывший военный, к тому же инвалид, видно, ему в последнем бою мозги отшибло. Я слышал, такое бывает. Образ врага и все прочее, а тут еще красавица в беде, ну и заклинило в мозгах что-то.

— А может, ты все путаешь? — выслушав его, задала я вопрос. — Может, вы давно знакомы? Как, к примеру, ты меня нашел?

— Думаешь, ты такая умная? — усмехнулся Коротышка. — Если вправду так думаешь, то напрасно. Найти вас — дело плевое. С липовым паспортом особо не разбегаешься, из города тебе уезжать нельзя, и своему новоявленному дружку ты не очень-то доверяешь: значит, искать тебя надо ближе к помойке, а эта улица помойка и есть: бомжи, алкаши и безработные. Здесь паспорта никто не спросит. Но «девятка», хоть и не первой свежести, все-таки редкость, тут и «Запорожцы»-то редкость... Ребятам понадобилось несколько часов, чтобы найти нужный дом. Я тебе все это рассказываю вовсе не для того, чтобы произвести впечатление, а для того, чтобы ты завязывала дурака валять. Хочешь своего пацана вернуть, играй по нашим правилам.

С этими словами Коротышка поднялся и бесшумно исчез за дверью. В окно я видела, как он прошел к калитке, не удержался и, обернувшись, с усмешкой помахал мне рукой.

— Придурок, — хмыкнула я и пригорюнилась. Потом позвала: — Саша.

Мне никто не ответил. С некоторым удивлением я вошла в соседнюю комнату: она была пуста, заглянула в шкаф, а потом и под кровать и только после этого заметила, что окно не заперто, хотя плотно закрыто.

— Ловко, — вздохнула я, так как не слышала ни

малейшего шума, а человек здесь развил такую бурную деятельность. Очень занятный тип. Интересно, где он сейчас?

Это я узнала через десять минут. Прилегла на диван, пялясь в потолок и ожидая озарения: что за странная кутерьма вокруг и как все это можно обыграть в мою пользу. Вот тут и появился Саша, прошел, сел на диван спиной ко мне и начал свистеть: тихо, но все равно действовал на нервы.

— Заткнись, а? — попросила я.

— Он был один, — сообщил Саша. — Я прошелся немного, ничего подозрительного. Он в самом деле уехал и никого не оставил.

— Ты что, расстроился? — удивилась я.

— Нет, просто это против правил. Выходит, что они не такие уж любопытные. А Бат — парень знающий, и если никого здесь не оставил за тобой приглядывать, значит, есть у него на то причина.

— Бат — это Коротышка? — проявила я интерес.

— Да. Так его называли когда-то. Фамилия Баташов, Бат — короче и удобнее.

— Ты на редкость осведомленный парень, — вздохнула я, давая понять, что особой радости от этого не испытываю.

— Мы с ним служили вместе. Он был хорошим офицером.

— Я думала, он серийный убийца или просто псих...

— Не стоит судить о человеке по внешности, — пожал плечами Саша, а я еще раз взглянула на его «внешность» и согласно закивала. С него хоть сейчас можно лепить скульптуру «Солдата-освободителя» с малым дитем на руках, а парень-то мутный... Я легла на бок, чтобы лучше видеть его лицо, он повернулся, посмотрел на меня и спросил: — У них твой сын?

— Да, — кивнула я. — К сожалению, я даже не знаю, жив ли он.

— Ты думаешь, они могли его убить?

— Два года я была уверена, что Ванька погиб. А потом мне показали фотографию. — Я поднялась, достала фото из сумки и протянула Саше. Он посмотрел, повертел фотографию в руке и вернул мне.

— Что ты должна для них сделать?

— Найти деньги, которые украл мой муж.

— Это возможно?

— Нет, — усмехнулась я. — Прошло два года — это раз, и я не верю, что эти деньги у него были — два. Обворовать хозяина, взять деньги и ждать, когда тебя укокошат, — глупость чистой воды. А мой муж глупцом не был — это три.

— Выходит, кто-то его подставил? — нахмурился Саша.

— Не знаю. Может быть. Честно говоря, мне на это наплевать. Я должна найти сына, прежде чем закончится мой срок. Если он жив, конечно...

— Хорошо, — кивнул Саша. — Вот этим и займемся.

— А ты с какой стати? — удивилась я.

— Ты же слышала, что сказал Бат: в последнем бою я мозгов лишился, правда, сам думал, что почки. К тому же я успел влезть в это дело по самые уши. Я без работы, без семьи и без особого смысла в жизни. Если твой сын жив, мы его найдем. Только не мудри и рассказывай все как есть.

Все как есть — это не по мне. Но если просят, отчего не рассказать? По крайней мере, то, что считаю нужным. Вместе с дополнительными вопросами, которые Саша успел мне задать, на это ушло полчаса. Через полчаса Саша, подогрев чайник, принес мне чашку чая, посидел, разглядывая свою обувь, и заявил:

— Если ты не врешь и ничего не путаешь, выходит, что Толстяк знает, где твой сын.

— Выходит, — кивнула я, не очень рассчитывая, что сегодня мне или Саше придет в голову что-нибудь стоящее.

— Так чего проще: отправиться к нему и узнать.

Я посмотрела, вздохнула и мысленно согласилась с Коротышкой, или Батом, насчет последнего боя и мозгов.

— Можно позвонить по телефону, — кивнула я. — Номер я знаю.

Саша нахмурился, посмотрел на меня, точно на муху в стакане со сладким чаем, и заявил:

— Думаю, твой Толстяк нападения не ждет. Мы его немного поспрашиваем, и, клянусь, он нам все выложит.

Я еще раз посмотрела на Сашу и согласилась с ним. Толстяк не похож на коммуниста-подпольщика, а спрашивать можно по-разному, что-то подсказывало мне: Саша спрашивать умеет. Я поставила чашку на тумбочку, уставилась в стену и через минуту спросила:

— Где мы его схватим и куда повезем?

— Почему не сделать проще? — пожал он плечами. — Вполне подойдет его квартира.

— А как мы войдем? — на всякий случай поинтересовалась я и застыдилась.

— Мы войдем, — убежденно сказал Саша. — Главное, все сделать быстро, чтобы он не успел предупредить своих и ребенка не перепрятали.

Я была очень благодарна ему за то, что он употребил глагол «перепрятали». Рисковать Ванькиной жизнью, пусть даже теоретически, я бы не стала, но искать его наудачу можно очень долго: так никаких трех недель не хватит. Значит, стоит попробовать...

— Поехали, — сказал Саша, набрасывая на плечи куртку. Я торопливо оделась и пошла за ним.

Саша открыл ворота, выгнал машину, и через минуту мы уже стремительно двигались в сторону центра. Затем спустились к реке и с полчаса петляли по старинным улочкам до тех пор, пока не убедились, что «хвоста» за нами нет.

— Странно, — протянул Саша и с подозрением посмотрел на меня, а я на него и тоже подумала: «Странно».

Оставшуюся часть пути мы молчали, въехали в уже знакомый мне двор и укрылись в тени деревьев.

— Подъезд с замком? — задал вопрос мой спутник, я кивнула.

— Внизу дежурный, молодой парень, его комната прямо напротив лифта, в комнате телефон, пройти незаметно не удастся. Если лезть напролом, неожиданного визита не получится.

— Парня можно на некоторое время нейтрализовать.

— Можно. Но кто-нибудь из жильцов, возвращаясь домой, заглянет к нему или просто позвонит. То, что парня нет на месте, покажется подозрительным. В этом случае могут вызвать милицию.

— Я думал, тебя интересует сын.

— Точно, но если нас здесь заметят менты, сына я уже не найду.

— Тоже верно, — согласился Саша. — Посидим, подумаем. К тому же твой друг может быть не один.

Мой друг точно был не один, потому что где-то через полчаса вышел из подъезда в обнимку с блондинкой, которая едва доставал до уха. Девица выглядела очень эффектно и на Толстяка Леню смотрела снисходительно. Он сбежал по ступенькам вниз, при этом очень напоминая колобка, галантно подал ей руку, а она потрепала его по щеке, жестом, каким обычно гладят кота.

— Очень милая пара, — заметила я.

Пара скрылась в арке, а мы еще немного подождали: так как Леня отправился пешком, вполне возможно, что он просто решил проводить блондинку.

— Сиди в машине, — кивнул Саша. — А я немного осмотрюсь.

Осматривался он не меньше сорока минут, Толстяк за это время так и не вернулся.

— Занятная у домика планировка, — заметил Саша, устраиваясь рядом. — Окно из коридора выходит на лоджию, туда же ведет пожарная лестница.

Главное — войти в коридор, чтобы дежурный не заметил. Нарисуй план подъезда, по возможности точно.

Я нашарила в сумке авторучку и на старом атласе автомобильных дорог принялась вычерчивать план, Саша наблюдал за мной, машинально насвистывая.

— У тебя полно дурных привычек, — заметила я.

— Например?

— Например, свистеть.

— Каюсь: это не самая скверная из моих привычек.

— Намекни на самую.

Он усмехнулся и сказал:

— Ты уже знаешь: лезть не в свое дело, особенно когда не просят.

Я закончила с планом и посмотрела на Сашу, не скрою, с надеждой.

— Так... Парень внизу тебя, конечно, запомнил, там может дежурить его сменщик, но рисковать мы не должны. Войти через лоджию первого этажа нельзя, он непременно услышит шум. Значит, ты должна подняться по пожарной лестнице на второй этаж, а я открою дверь изнутри.

— Отлично, а как войдешь ты?

— Можно попробовать через крышу. Дом встроен между двумя другими домами. Войду в подъезд одного из них, переберусь на крышу Лениного дома и буду уповать на то, что чердачную дверь можно открыть.

Я взглянула на крышу, вставка была примерно на пол-этажа выше соседних домов.

— По отвесной стене тебе не подняться, — покачала я головой. — Если, конечно, ты не альпинист и у тебя нет соответствующего снаряжения.

— Не смеши меня, — презрительно отозвался Саша. — Какое, к черту, снаряжение? Сейчас посмотрю в багажнике, там должна быть веревка.

В багажнике обнаружилась не только веревка,

но и еще множество прелюбопытных вещей, о назначении которых оставалось только догадываться.

— Может, тебе лучше дождаться одного из жильцов и войти в дом вместе с ним? Тебя охрана не знает.

— Но может узнать, то есть запомнить. Если мне не изменяет память, твой Леня — адвокат, а от них только и жди пакостей. В общем, свидетели того, что мы здесь были, нам не нужны. Достаточно того, что ты успела уже дважды нарисоваться перед охраной. Оставайся в машине, следи за подъездом, а я прогуляюсь еще разок.

За то время, что Саша прогуливался, Толстяк наконец-то вернулся, причем один. Выглядел он озабоченным, игривости в нем заметно поубавилось, уже держась за ручку двери, вдруг тревожно оглянулся, и, хотя наша машина была скрыта за деревьями и Леня не мог ее видеть, меня это насторожило.

Пришел Саша, кивнул и сказал:

— Порядок. Скоро стемнеет, и то, как я лазаю по стенам, вряд ли кто заметит. Через десять минут иди к пожарной лестнице. Железом не греми и вообще старайся двигаться потише. — Он покосился на мои кроссовки и вроде бы остался доволен. — Все. Я пошел.

Ровно через десять минут я уже поднималась по пожарной лестнице. Шума не производила, о том, что кто-то может меня заметить с улицы, не думала, всецело сосредоточившись на предстоящем задании: подняться на лоджию второго этажа и встретиться там с Сашей.

Он ждал меня. Я чуть приподняла голову, заглядывая в окно, и дверь тут же открылась, совершенно бесшумно, а я шагнула в коридор. Рядом был мусоропровод, затем лифт, затем грузовой лифт и дверь в коридор побольше, в который выходили двери четырех квартир.

— У него третий этаж, — шепнул Саша, и мы стали подниматься по лестнице.

Лифт работал, так что вероятность встретить жильцов на лестнице была небольшой. На последнем этапе меня вдруг одолели сомнения.

— Он не откроет дверь, а если и откроет, вполне возможно, сначала позвонит своим друзьям, например, Коротышке-Бату.

Саша взглянул укоризненно и зажал мне рот рукой. Я встала как вкопанная и замолчала. Затем нащупала пистолет, который прихватила из сумки, и кивнула, давая понять, что готова абсолютно на все.

Мы вошли в коридор, Саша огляделся, достал носовой платок и вывернул лампочку. Извлек из кармана фонарик, включил его и шагнул к нужной двери, мне стало ясно, что взглянуть на замок он уже успел.

— Сигнализации нет, — шепнул он мне в ухо. — А замок плевый, стой спиной, чтобы свет не увидели из соседних квартир.

Все четыре двери выглядели банковскими сейфами, зловеще поглядывая «глазками» посередине, рождая мысль об опасности и циклопах. «Такую дверь ни в жизнь не открыть», — с тоской подумала я, правда, до того мгновения, пока не увидела, что держит в руках Саша. Держал он набор отмычек, а фонарик, тонкий и длинный, точно карандаш, — в зубах.

Замок едва слышно щелкнул, и дверь приоткрылась, за ней оказалась еще дверь, на этот раз самая что ни на есть обыкновенная. Саша призадумался, подождал секунду и начал действовать. На этот раз я даже щелчка не услышала, дверь открылась, и вслед за Сашей я вошла в квартиру, сжимая пистолет в руке, разом нарушив как минимум два закона Российской Федерации. А может, и все три: не сильна я в законах.

Дверь Саша запер, а я стремительно пошла по

коридору к одной из дверей, из-под которой пробивался свет.

Толстяк сидел в кресле, пил коньяк и смотрел телевизор. Увидев меня, он икнул и выронил рюмку. Саша возник за его спиной и шепнул, наклонясь к его уху:

— Только без глупостей.

Леня дернулся, замер и, тараща глаза, выдавил из себя:

— Вы с ума сошли.

— Точно, — согласилась я, устроилась в кресле напротив, положив пистолет под правую руку, так, чтобы Леня хорошо его видел. На Сашу оружие не произвело впечатления: должно быть, отсиживаясь в комнате во время моей беседы с Коротышкой-Батом, он зря времени не терял. — Лучше тебе не валять дурака, — сообщила я, — а ответить на вопрос сразу.

— На какой еще вопрос? — заерзал он.

— Где мой сын, придурок?

— Я не знаю, — с легкой заминкой ответил он.

— Плохой ответ, Толстый. — Я взяла в руки пистолет и демонстративно сняла его с предохранителя. — Ты ведь знаешь, терять мне нечего, так что пристрелю тебя за милую душу.

— Я... я действительно не знаю. — Он так побледнел, косясь на мою руку, что я почти поверила.

— Так-так, — покачала я головой. — Ты обещал мне сына, а теперь говоришь, что не знаешь, где он.

— Я... я действительно не знаю, эта фотография попала ко мне случайно. Мне была известна твоя история, и я решил, что деньги у тебя. Вот и все. Я понятия не имею, где мальчик.

Я огляделась, заметила подушку на диване, маленькую, но плотно набитую ватой, подошла, положила ее Лене на толстую ляжку и выстрелила. Он взвыл, а Саша, приподняв брови, увеличил громкость телевизора.

— Я ведь сказала: времени нет, — напомнила

я. — Мне плевать на жизнь такой жирной свиньи, как ты, если речь идет о моем сыне. Обещаю: будет больно и ты к утру истечешь кровью, так что не доводи до греха.

— Я не знаю, — прохрипел он. — Честное слово, не знаю...

— Хорошо, — кивнула я. — Мы пойдем другим путем: говори, что знаешь.

— Хотя бы перевяжите меня...

— Я тебе «Скорую» вызову, но только после того, как ты все расскажешь. Чем скорее мы закончим с этим, тем лучше для тебя. Начинай.

— Хорошо... О, Господи... Я узнал об этой истории от одного подзащитного. Он утверждал, что у твоего мужа были огромные деньги, то есть должны быть, если он ограбил своего хозяина. Я навел кое-какие справки. Узнал о мальчишке... Этот секрет стоил мне больших денег...

— Очень занимательно, — хмыкнула я. — Пожалуй, прострелю тебе колено.

— За что? — испугался он.

— За вранье. Ты заплатил за свой секрет, вопрос: с какой стати раскошелился? Жив ребенок или нет, что тебе с этого? Кого ты собирался им шантажировать, раз все, кому он дорог, погибли?

— Ты не погибла, — устало ответил Леня, тихонько поскуливая и с каждой минутой все больше бледнея.

— Кто тебе об этом сказал?

Он посмотрел мне в глаза и заявил:

— Мой подзащитный, человек, который спрятал труп молодого парня. Он нашел его на одной дачке, сказать где? Кое-кто рассчитывал на труп, но на другой, а потом отправился проверить.

— Кто рассчитывал?

— Понятия не имею. О таких вещах не болтают. Парень изъяснялся намеками, главное я поняла. Я искал тебя и смог найти, а вот ребенок исчез, мальчика куда-то увезли.

— Где он был?

— Дачный поселок Юбилейный, в двадцати километрах от города. Когда мы туда приехали, дом был пуст, соседи ничего толком не знали: дом стоит на отшибе, за высоким забором. Ребенка иногда видели, звали его, кажется, Славик. С детьми он не играл и вроде бы жил с отцом. Это все. Он исчез. Я клянусь тебе: больше ничего не знаю.

— Я бы могла поверить, — вздохнула я. — Но все это выглядит чересчур фантастично. От кого ты узнал о ребенке?

— Я не знаю этого человека...

— Имя, иначе я прострелю тебе колено.

— Я не знаю, клянусь. — Он следил за моей рукой и боялся дышать. Не скажу, что это радовало душу, скорее наоборот. — Я наводил справки, и кому-то стало об этом известно, я говорю кому-то, потому что однажды мне в офис принесли конверт: в нем была вырезка из газеты с фотографией твоего сына. Там сообщалось о вашей гибели. Рядом лежала та самая фотография, что сейчас у тебя. А потом позвонили по телефону и сказали: плати деньги — и узнаешь, где мальчишка. Я заплатил. Но по этому адресу никого не было. Я понял, что меня обманули, но к этому времени я уже напал на твой след и решил, что, раз фотография у меня, мальчишка мне без надобности. Вот и все. Ты можешь меня убить, но я действительно ничего не знаю о твоем сыне. Я даже не уверен, что он жив.

Последнюю фразу произносить не следовало: мне очень захотелось выстрелить. Толстяк это понял и торопливо закрыл глаза.

— Отдай пистолет, — сказал Саша и сделал шаг мне навстречу, а я опустила руку, сказав Лене:

— Кончай трястись.

Он вздохнул и с благодарностью посмотрел на Сашу.

— Адрес, где жил ребенок, — сказала я.

— Поселок Юбилейный, улица Новодворская,

дом 57. Но его там нет. Может быть, там и жил какой-то ребенок, но уж точно не твой сын. Его бы держали взаперти... — Леня осекся и закрыл глаза, ухватился рукой за крест на груди и вроде бы молился. Крест выглядел внушительно: бриллиант и четыре рубина, золотая цепь под стать кресту. Должно быть, Леня очень нуждался в Господней милости.

— Пошли отсюда, — кивнула я Саше. — Ты можешь позвонить в милицию, Толстяк, но тогда я непременно вернусь и убью тебя.

— Я не позвоню, — торопливо заверил он. Я в этом очень сомневалась, но мне было наплевать. Я уже выходила из комнаты, обернулась и спросила: — А что это за три недели, о которых ты болтал?

— Через три недели я должен уехать... — опять испугался он и тихо добавил: — За границу...

— С заграницей придется подождать, — усмехнулась я, кивнув на его ляжку.

Мы вышли из квартиры, выбрались на лоджию, а затем на пожарную лестницу. Даже выезжая со двора, ни милицейских сирен, ни одинокого крика «Помогите!» не услышали. Видно, Леня еще не успел прийти в себя.

— Куда? — спросил Саша, сурово хмурясь.

— В поселок.

— Что ты собираешься делать там ночью? — Он выглядел очень недовольным и вроде бы за что-то злился, наверное, не ожидал, что я начну палить и калечить людей.

— Ты можешь высадить меня здесь, — отмахнулась я, он посмотрел укоризненно.

— Я не могу высадить тебя здесь. И не могу послать тебя к черту. Просто не могу. Хотя это было бы самым разумным. Ты лжешь на каждом шагу и не желаешь посвящать меня в свои планы.

— А я обязана?

— Иди к черту! — Он отвернулся и стал смотреть на дорогу.

— Куда мы едем? — догадалась спросить я через некоторое время: стало ясно, что покидать город он не собирался, мы спустились под мост в район старых узких улочек и одноэтажных домов.

— К моему другу. Где-то мы должны переночевать, а завтра утром поедем в Юбилейный: это бессмысленно, но отговаривать тебя я не стану.

— Я должна туда поехать, — сказала я, точно оправдываясь.

— Зачем? Что ты можешь узнать, раз этот жирный боров ничего не смог там накопать, а ведь у него большие возможности.

— Я должна поехать, увидеть этот дом...

— Я ведь не сказал тебе «нет», — перебил Саша. — Я сказал, что это бессмысленно.

— А что, по-твоему, я еще могу сделать? — всхлипнула я.

— Я мог бы ответить что. — Голос его звучал совершенно спокойно, только сведенные у переносицы брови свидетельствовали о том, что разговор ему неприятен. — Если бы знал всю правду.

— Какую, к черту, правду? — не выдержала я. — Я все тебе рассказала.

— Думаю, далеко не все. Я не верю, что ты ничего не знала о муже, иначе все твои дальнейшие действия выглядят нелогично. Твоя семья погибает, а ты срываешься в бега, вместо того чтобы идти в милицию. Почему?

— Господи, я ведь говорила тебе: я не помню те часы после взрыва, я не помню, как и почему оказалась на даче.

— Допустим. А потом? Почему ты бежала из города, вместо того чтобы помочь найти убийц?

Я закусила губу, вздохнула, чертыхнулась и выпалила:

— Потому что я убила человека! Он явился на дачу, ночью. Я убила его топором и сбежала. Господи, да я даже не знала, кто он... Я чуть не свихнулась, когда пришла в себя. А вдруг это был сторож или какой-нибудь мелкий жулик, например, садовый вор. Правда, у него был пистолет и нож. Думаю, он шел убить меня, а вышло наоборот. И я сбежала.

— Значит, у тебя его пистолет? Достался по наследству?

— Значит.

В этот момент машина остановилась, я посмотрела в окно: тупик, одинокий фонарь справа и темная громада дома.

— Приехали? — спросила я, Саша кивнул, и мы покинули машину.

Низкий заборчик, скрипучая калитка, свет не горел ни в одном окне. Саша поднялся на крыльцо и долго звонил, а я стояла рядом, переминаясь с ноги на ногу.

— По-моему, в доме ни души, — высказала я дельную мысль. Саша сбежал с крыльца и стал шарить в темноте руками, присев на корточки. Вернулся с ключом.

— Значит, Вадим на дежурстве, — пояснил он и открыл дверь, потом долго искал выключатель, я терпеливо ждала, прислушиваясь к его шагам и силясь хоть что-то разглядеть в кромешной тьме.

Наконец вспыхнул свет — тусклая лампочка под потолком, а я с удивлением огляделась: более странного жилища мне видеть еще не приходилось. Длинный коридор, который одновременно являлся кухней, высоченные потолки, бетонный пол, стрельчатое окно впереди. Из коридора шли восемь дверей, по четыре с каждой стороны. Две заколочены досками, еще три сорваны с петель, только две имели вполне пристойный вид, хотя некогда белая краска потрескалась и сквозь нее проступали темно-зеленые разводы.

— Это что ж такое? — вымолвила я, заметив на одном из кухонных столов керосинку, лично я их до этого видела только в кино.

— Керосинка, — охотно пояснил Саша.

— Нет, я об этом... — Я неопределенно махнула рукой, а Саша засмеялся:

— Казарма фабрики «Красный швейник».

— Господи... здесь кто-нибудь живет?

— Мой друг Вадим. Остальных давно выселили. Про казарму эту вроде бы все забыли: сносить как будто не собираются, Вадима никто не тревожит. Он месяц просидел в яме метр на метр и глубиной с колодец, и теперь у него тяготение к большим пространствам, желательно незаполненным. Электричество провел сам, квартплату не спрашивают, в общем, ему нравится. Проходи и будь как дома.

Обстановка комнаты намекала на неприхотливость ее владельца, мебель пятидесятых годов, которую следовало бы назвать рухлядью, но всюду царила чистота, а на древней тумбочке красовался огромный телевизор «Сони». Надо полагать, очень дорогой, это как-то не соответствовало облику хозяина-полубомжа.

— Он не боится, что свистнут? — устало спросила я, кивнув на телевизор, вытянула ноги, устроившись на диване, и закрыла глаза.

— Вадим ничего не боится. Его и раньше испугать было затруднительно, а сейчас и вовсе пустое дело.

— Занятно, — кивнула я.

— Он работает охранником, раньше утра не вернется, так что мы скорее всего даже не встретимся.

— Это важно? — подняла я голову.

— Я не люблю подвергать друзей опасности, а мы... как бы выразиться помягче... в дерьме по самые уши.

— Действительно, помягче... — хмыкнула я.

— Пойду уберу машину с улицы, — сказал Саша и ушел.

Когда вернулся, достал одеяло из древнего шкафа и укрыл меня, я пробубнила:

— Спасибо.

Он исчез в кухне и некоторое время там возился,

должно быть, стряпал ужин, где-то через полчаса заглянул в комнату, потом соорудил себе постель на полу, разделся и лег.

Я выждала час, после чего осторожно поднялась: в комнате горел ночник, Саша прикрыл его сверху своей рубашкой, чтоб свет не бил в глаза, я выскользнула в коридор, выпила стакан воды и вернулась назад. Саша спал, слегка посапывая, и явно не собирался просыпаться.

Я потянулась к его одежде, извлекла бумажник, ключи, носовой платок, квитанцию об оплате за стоянку автомашины и троллейбусный билет. В подкладке куртки был сделан потайной карман, в нем лежал сотовый. Неплохая вещь для бедного парня, живущего на пенсию по инвалидности. Наплечную кобуру вместе с оружием он сунул под подушку. Шума я произвела достаточно, но просыпаться он по-прежнему не собирался. «Очень хорошо», — мысленно хмыкнула я и открыла бумажник. Водительское удостоверение и паспорт на имя Сорина Александра Алексеевича, какие-то квитанции, фотография женщины лет двадцати пяти с надписью «Не забывай, твоя Л.», а в отдельном кармашке очень занятная штука: лицензия частного детектива.

— Здорово, — подивилась я, частные сыщики ассоциировались у меня исключительно с соотечественниками Арчи Гудвина, и теперь я пребывала в недоумении.

Недоумения прибавил еще один документ: разрешение на ношение оружия. Все это здорово, да вот беда: настоящий паспорт я смогу отличить от подделки (при условии, что он раскрашен от руки), а как быть с этими бумагами, раз я их раньше в глаза не видела? Мысленно чертыхнувшись, я убрала документы на место и вновь устроилась на диване. «Частный сыщик, ха... и что ему от меня надо?»

— Досмотр личных вещей закончила? — лениво спросил он.

— Ты вроде бы спал? — хмыкнула я.

— Я и теперь сплю.

— Жаль, я хотела спросить, кто твой клиент?

— Это же страшная тайна, ты что, детективов никогда не читала?

— Значит, в ресторане ты объявился не зря.

— Слушай, давай спать, — предложил он, а я в ответ вздохнула.

Утром Саша жарил яичницу, я умывалась в жутком каменном мешке, именуемом ванной, когда Саша позвал меня:

— Иди быстрее, утренние новости. — По голосу я поняла, что новости напрямую касаются нас, и не ошиблась: «Сегодня в ноль часов пятнадцать минут в своей квартире был обнаружен Старосельцев Леонид Сергеевич, известный в городе адвокат, с двумя пулями в голове. Милицию вызвала соседка, которая около полуночи услышала крики, доносившиеся из квартиры Старосельцева. Затем отчетливо прозвучали два выстрела».

— Вот это да. — Я осела на диван, таращась в телевизор, но там уже шло сообщение о найденном в пять тридцать утра в районе коллективного сада номер три трупе молодого мужчины без документов, просьба ко всем... и так далее. Я потерла лицо ладонями и перевела взгляд на Сашу, он был спокоен и удивляться не спешил. — Кто его убил? — спросила я, разумеется, не рассчитывая получить ответ.

— Ясно, что не мы с тобой, — пожал он плечами. — Когда мы покинули господина Старосельцева, он не выглядел совершенно здоровым, но и умереть ему было не с чего. Кто-то навестил его позднее и послал две пули в голову. Интересно, за что?

— Ты у меня спрашиваешь? — удивилась я.

— А у кого еще я должен спросить об этом?

— Откуда мне знать, черт возьми? Я была с тобой.

— Точно. Вовсе не обязательно стрелять самой. Хотя и сама ты стреляешь, особо не раздумывая.

— Пошел к черту! — рявкнула я и стала торопливо одеваться.

— Стоит чуть-чуть припереть тебя к стенке, как ты сразу орешь «пошел к черту!», — хмыкнул он.

— А что я должна сказать в ответ на твои идиотские домыслы? Я знать ничего не знаю...

— Домыслы? — Саша резко шагнул ко мне, схватил за плечи и швырнул на диван. — Сядь и слушай. Ты не знаешь, где деньги, и не думаешь их искать, ты только хочешь найти своего сына, ты совсем одна и не рассчитываешь на чью-нибудь помощь, поэтому идешь в ресторан и затеваешь глупую ссору с кудринскими ребятами. Они якобы убивают одного из Лениных дружков, а потом, кто-то, и самого Леню. Буквально через несколько минут после нашего разговора.

— Ты хочешь сказать, это я его убила?

— Нет. Мы все время были вместе: ты и я. Только вот поверить в то, что ты несчастная одинокая мать, нелегко, раз у тебя за плечами такая похоронная команда.

— Спятил. — Я перевела дух и покачала головой. — Зачем мне было его убивать? Я ищу сына. Ты не хочешь сказать, кто тебя нанял, черт с тобой, не говори. Но дурой ты меня считаешь напрасно. Бат легко нашел нас у Надьки, может быть, потому, что ты несколько минут разглядывал калитку и вполне мог за это время ему позвонить. Вчера я легла спать, а ты готовил ужин, и телефон, о котором ты забыл мне рассказать, был у тебя под рукой. Твой приятель мог навестить Леню, по времени все сходится.

— Может, еще назовешь причину, по которой я это сделал? — усмехнулся Саша.

— А ты не хочешь назвать причину, по которой ты сейчас со мной? — съязвила я. Он выпрямился, вздохнул и посмотрел на меня с укором. — Вот-вот, — кивнула я.

— Допустим, ни ты, ни я к смерти Толстяка непричастны, — заметно спокойнее заговорил Саша. — Тогда кто? То есть кому это выгодно?

— Понятия не имею. Я не вижу в его убийстве никакого смысла. Он нашел меня и получил фото ребенка, он хотел денег моего мужа, вряд ли Леня болтал о своих делах, следовательно, о том, что я в городе, известно ограниченному кругу людей. Или его убил Бат, или... я не знаю кто.

— После разговора с нами он наверняка кому-то звонил, просил помощи. Звонил человеку, которому верил. Он не рискнул обратиться в «Скорую», там пришлось бы объяснять...

— Точно, — кивнула я. — Он позвонил своему дружку Бату, тот приехал и пристрелил его, может, у парня просто крыша окончательно съехала.

— Может, — неожиданно согласился Саша. — А может, он позвонил кому-то еще, и того не привел в восторг наш недавний визит.

Что сказать на это, я не знала. Я не очень доверяла Саше, точнее, я ему вовсе не доверяла, а он имел все основания не доверять мне.

— Выход один, — вдруг заявил он. — Встретиться с Батом и попытаться поговорить с ним.

— Ты это серьезно? — удивилась я. — Я имею в виду, ты надеешься, что он станет с тобой откровенничать?

— Это вряд ли. Но, вполне возможно, намекнет, чего следует ждать. А возможно, и пооткровенничает, раз Леня сыграл в ящик и он единственный из троицы, оставшийся в живых. В конце концов, он мой старый армейский дружок, отчего бы не встретиться и не поболтать?

— Хорошо, — согласилась я. — Только сначала поедем в Юбилейный.

— Это глупо...

— Я поеду одна...

— Поедем, — кивнул Саша.

По дороге в поселок мы молчали, я пыталась оценить ситуацию, нервничала и злилась на себя за глупые надежды. Толстый был прав, очень сомнительно, что Ванька жив... Кто мог спасти ребенка и зачем? Если я это пойму, я смогу его найти... я верила: смогу.

— Ну, вот, — сказал Саша, останавливая машину. — У тебя есть план?

— Ничего у меня нет. Ты пойдешь со мной?

— Не вижу в этом смысла, — нахмурился он и отвернулся к окну. — Ты рискуешь, а толку от этого ни на грош.

— Хорошо быть умным, — заметила я, хлопнув дверью.

Дом номер пятьдесят семь не производил особого впечатления, двухэтажный, из красного кирпича, с большой верандой и балконом. Таким сейчас никого не удивишь. Вокруг дома был сад, он спускался к обрыву, там шумел то ли ручей, то ли крохотная речка, а дальше начинались заросли: осина вперемешку с чахлыми елками. Асфальтовая дорога обрывалась как раз возле темно-красных ворот гаража. Забор деревянный, крепкий, сквозь редкие щели дом плохо просматривался, калитка была из металлической сетки, от нее вилась дорожка к симпатичному крылечку.

Дорожка заросла, крапива возле дома доставала до подоконников, а вместо стекол в рамах в трех местах были прибиты куски фанеры.

Я прогулялась до обрыва и назад, придерживаясь рукой за забор, и вернулась к калитке. Возле соседнего дома появилась женщина, устроилась на скамейке у забора и с любопытством наблюдала за мной. Я направилась к ней, поздоровалась и спросила:

— Не скажете, этот дом не продается?

— Не слышала.

— А можно поговорить с хозяевами?

— Хозяева в Москве. У Зины, соседки из пятьдесят третьего дома, есть адрес.

— Спасибо... — Я прикидывала, как продолжить разговор, но тут женщина сама пришла мне на помощь:

— Хозяйка-то, я имею в виду этот дом, умерла года три назад. А хозяину до пенсии немного осталось. Собирался здесь жить, как на пенсию выйдет. Так что вряд ли продаст... Хотя, может, и надумал... Ездит редко, машины нет, а автобусом до нас добираться одна морока.

— Что, совсем не ездит? — спросила я. — Пропадет дом...

— Весной был как-то. А дом сдает. Так ведь какие жильцы, одни жили, просто беда, что ни день, то пьянки, то на машинах начнут гоняться, то магнитофон орет ночь напролет. В милицию жаловались. А с домом-то что сделали: ведь половину стекол переколотили... вот и сдавай таким...

— А кроме этих, еще жильцы были?

— В прошлом году жила пара, откуда-то издалека приехали, вроде из Тюмени. Отпуск у них, а чтоб постоянно, никто не жил.

— А мужчина с ребенком?

— Это из Москвы, что ли? А зачем они вам?

— Вы видели ребенка? — боясь упасть в обморок, спросила я.

— Видела, — пожала плечами женщина. — А вам чего надо: дом или ребенка?

Я вытащила фотографию и ей протянула.

— Это он?

Женщина повертела ее в руках и громко крикнула:

— Маришка, иди-ка сюда! — Из дома появилась девчушка лет десяти. — Глянь, — сказала ей женщина. — Похож на Славика? Того, что весной здесь жил?

— Славика? — переспросила я.

— Вроде похож, — пожала плечами девочка. — Я его видела раза три. Рисовать он любил — это я помню, везде рисунки были...

— Подождите, с кем он жил?

— С отцом, — удивилась девочка, задумалась и вдруг испугалась: — То есть я не знаю...

— А когда они приехали?

— В конце февраля, — ответила женщина. — А уехали в апреле, в самом начале. Жили тихо. Я еще удивлялась: мальчонка-то не гуляет совсем. А мужчина пришел к нам насчет молока договариваться. Ну, я и спросила, а мальчишка-то больной, эпилепсия у него, бегать, прыгать нельзя, а с детней как не прыгать, вот и не пускал. Приехали из Москвы, отец сказал, в отпуске, перед школой, говорит, в тишине ребенку побыть да на свежем воздухе.

— Так мальчик был с отцом?

— Наверное, — удивилась женщина. — А кто еще с ребенком-то возиться будет?

— Ребенок никогда не выходил на улицу?

— Может, выходил, не помню... Молоко Маришка носила...

Маришка кивнула:

— Я в дом не входила, позвоню и банку отдам. Видела мальчика, дядька его Славиком называл, раз на веранде видела рисунки, а гулять его не пускали. Да, у них еще собака была, здоровая такая, забыла, как называется, так вот, она всегда с мальчишкой, глаза злющие. Я в калитку звонила, чтоб дядька вышел, потому что собаки боялась. А несколько раз мальчик открывал, и я заходила на веранду.

— Кто-нибудь приезжал к ним?

— Не видели. Вот уж когда они уехали, были два

раза, расспрашивали, по всему поселку ходили. А этот мальчик, он вам кто?

— Сын, — ответила я.

— Как же так? — насторожилась женщина.

— Мы с мужем развелись, и он увез сына...

— Вот оно что... — протянула она, но взгляд свидетельствовал о том, что вряд ли поверила моему объяснению. — Да, всякое в жизни бывает...

— А как выглядел мужчина, вы не помните?

— Ну... высокий, волосы темные, симпатичный, вежливый такой...

Женщину, должно быть, утомили расспросы. Воспользовавшись тем, что к ней не обращаются, девчушка ушла в дом, вслед за ней поднялась и мать.

— Спасибо, — сказала я.

— Не за что, — пожала она плечами. — А если насчет дома разузнать хотите, так обратитесь к соседке.

— Спасибо, — еще раз повторила я и побежала к машине.

— Ну что? — хмуро спросил Саша.

— Возможно, Ванька действительно жил здесь. Девочка, которая носила им молоко, несколько раз его видела.

— И опознала по фотографии?

— По крайней мере, сказала, что похож. Тут еще вот что: она видела его рисунки, а Ванька очень любит рисовать.

— Это не та самая девчонка? — спросил Саша. В самом деле, Маришка торопливо скрылась в доме напротив, с большими буквами на фасаде «ПОЧТА». — Я думаю, на почте есть телефон, — продолжил Саша. — Очень возможно, что девчонка собирается позвонить. Вопрос: кому?

— О Господи, ты спятил... она просто ребенок...

— Может быть, я не прав, — кивнул Саша. — Возвращаемся в город?

— Возвращаемся. — Я смотрела в окно, стараясь унять беспокойство, что-то мучило меня, что-то такое в словах женщины. — Останови, — вдруг попросила я, Саша посмотрел растерянно, но притормозил.

— В чем дело?

Я указала на Дом культуры, старенький, давно не крашенный и ничем особенно не примечательный. Но рядом красовался большой щит с надписью: «Школа бальных танцев», ниже красными буквами: «Хор ветеранов», затем: «Детская студия», Ансамбль «Калинка», «Хореографический кружок», «Кружок рисования и лепки». Саша проследил мой взгляд и покачал головой:

— Глупо... Ребенка, если это был он, держали в доме под охраной...

— Я должна проверить, — упрямо сказала я и направилась к дверям, выкрашенным зеленой краской.

В коридорах Дома культуры царила гулкая тишина, вахтерша дремала на стуле, сложив на груди руки, беспокоить ее я не стала, поднялась на второй этаж. Дверь одной из комнат была приоткрыта, кто-то наигрывал на фортепиано знакомый вальс, я прошла мимо, стараясь не шуметь, и на следующей двери, обитой черным дерматином, увидела табличку «Изостудия», толкнула дверь и вошла в большую комнату с окном во всю стену. Молодая женщина в голубом переднике стояла на стремянке и что-то искала на одной из полок металлического стеллажа. Услышав шаги, она обернулась и спросила с улыбкой:

— Вам кого? — Хороший вопрос.

— Я бы хотела увидеть преподавателя изостудии, — ответила я и добавила с опозданием: — Здравствуйте.

— Здравствуйте, — кивнула женщина и не торопясь спустилась со стремянки. — Я преподаватель. Вообще-то у нас кружок рисования, изостудия — громко сказано, поселок небольшой, но дети к нам приходят охотно. У вас мальчик или девочка? Какой возраст?

— Семь лет, — ответила я и протянула фотографию.

— А, Славик, — улыбнулась женщина. — Так вы его мама? Опять приехали?

— Он посещал изостудию? — боясь поверить в удачу, спросила я.

— Да. — В лице женщины появилось недоумение, она подумала и спросила: — Вы его мама?

— У нас большие проблемы с его отцом.

— Вы хотите сказать... — Женщина опустилась на стул и кивнула мне. — Вы садитесь, пожалуйста, садитесь... Это что ж, он увез ребенка без вашего разрешения?

— Да. И я пытаюсь его найти. Когда он был здесь?

— В марте. Он ходил всего три недели, в общей сложности восемнадцать часов. Но мальчик исключительно талантлив, не обратить на него внимания было невозможно.

— Он приходил один?

— Не знаю. Нет... по-моему, его ждали в машине, по крайней мере, один раз я точно видела, как он садился в светлые «Жигули», за рулем был мужчина. Я подумала: отец.

— А в первый раз он приходил с отцом?

— Нет. Вошел в класс, поздоровался, сел вот тут в уголке и стал рисовать. Кружок у нас бесплатный, слава Богу, пока мы можем себе это позволить, иначе больше половины детей перестанут приходить...

— Он вам что-нибудь говорил о предстоящем отъезде?

— Нет. Просто больше не пришел.

— Может быть, произошло что-то такое, что заставило его бросить студию?

— Нет, абсолютно ничего... Отношения с ребятами у него были хорошие, хотя он держался особняком, у нас общий класс, но дети работают с педагогом индивидуально, то есть, я хочу сказать, некоторая замкнутость вполне понятна, особенно если ребенок увлечен рисованием. Славик был самым младшим, но... знаете, такое чувство возникало, что он совсем взрослый. Умный, талантливый мальчик. И вдруг перестал посещать кружок. Сначала я решила, что он заболел, а потом попросила детей сходить к нему домой и узнать, в чем дело. Дети сообщили, что он уехал. Я, честно сказать, очень расстроилась... и не простился даже.

— Такому поспешному отъезду должно быть объяснение. Пожалуйста, постарайтесь вспомнить, не произошло ли что-нибудь такое, что расстроило ребенка, может быть, он что-то вам рассказывал?

— Нет... нет... я прекрасно все помню, он был серьезным мальчиком, но сказать, что чем-то расстроен... нет. — Тут ее взгляд неожиданно остановился на ворохе газет на столе в дальнем конце комнаты. — А знаете, — сказала она, — Слава действительно однажды очень расстроился, и ведь как раз в последний свой приход сюда. Незадолго до этого к нам приходил корреспондент областной газеты. Писал статью о том, как нелегко сейчас приходится таким Домам культуры, как наш, а ведь в поселке это единственное место... извините. — Она кашлянула и продолжила: — Так вот, он пришел еще до занятий, смотрел рисунки, конечно, обратил внимание на работы Славика, хотел сделать несколько фотографий, как дети занимаются... вы понимаете. Я, конечно, согласилась, но мы договорились, что фотографировать он будет вот из той комнаты. Если дверь открыть, все наше помещение как на ладони, а дети будут вести себя естественно. Детям я ничего говорить не стала, решив сделать им сюрприз. Статья появилась, мы получили номер, ну и я показала фотографию ребятишкам, точнее, две фотографии. Одна общая, а на второй Славик и подпись: «Будущий великий художник». У меня эта газета хранится, я ее вам сейчас покажу. — Женщина подошла к полкам и стала перекладывать там различные бумаги, продолжая рассказывать. — Я так радовалась, а Славик, представьте, нет, то есть ничего такого он не сказал, а погрустнел как-то и до конца занятий не досидел, отпросился пораньше. А на следующий день уже не пришел... Вот газета, взгляните.

Снимок был не лучшего качества, да и бумага тоже, но на фотографии, безусловно, был Ванька, а фотография та же самая, которую принес мне Леня. Два месяца назад мой сын был жив.

— Вам плохо? — испугалась женщина.

— Нет, — не сразу ответила я. — Спасибо вам.

— Если хотите, возьмите газету с собой, у меня есть еще одна, дома.

— Спасибо. — Я взяла газету из ее рук и, не простившись, пошла из комнаты.

«Ванька жив, — стонала и пела душа. — Мой сын где-то здесь. Господи, хоть бы какой-то след, хоть следочек... хоть что-нибудь...»

Саша с удивлением посмотрел на газету.

— Что это?

— Ванька три недели посещал изостудию. Потом его фотография появилась в газете, и он исчез.

— Надо же... выходит, мы не зря сюда заехали... — Саша внимательно рассматривал фотографию в газете. — Это точно твой сын?

— Да...

— Что удалось узнать?

Я пересказала свой разговор с преподавательницей, радуясь и воодушевляясь все больше и больше.

По дороге в город воодушевления у меня поубавилось и появились иные мысли.

— Сворачивай к кладбищу, — попросила я Сашу.

— К какому? — удивился он.

— К Чепракову, ведь сейчас там хоронят?

— Да, конечно. Зачем тебе кладбище?

— Хочу кое-что проверить.

Он не стал больше спрашивать и на развилке свернул к кладбищу.

Мы оставили машину возле ворот и зашагали по аллее с огромными березами. Я заметила домик сторожа и свернула туда, вовремя сообразив, что найти могилы мне будет нелегко. Трое мужиков сидели за шатким деревянным столом и играли в домино.

— Простите, могу я увидеть сторожа? — задала я вопрос.

— Я сторож, — отозвался хмурый дядька с красным лицом.

— Два года назад у вас похоронили семью, погибшую при взрыве дома.

— Двенадцать человек? Помню. Хотите посмотреть на могилу?

— Да. Где это?

— Тут неподалеку. Первый поворот направо, там еще сосна кривая. Увидите.

Сосну мы и в самом деле увидели сразу, а потом и могилы. На двух — мраморные плиты. На первой выбито девять имен, на другой три. Я опустилась на колени и коснулась рукой черного мрамора.

— Здесь твой сын? — спросил Саша, увидев надпись «Антонов Ваня».

— Здесь все, — кивнула я. Здесь действительно были все. Чуть поодаль — могилы моих подруг с мужьями. Саша присел на корточки, исподволь меня разглядывая.

— Надо было цветов купить, — заметил он неопределенно.

— Да...

Прошло минут пять, он поднялся, посмотрел вокруг.

— Не скажешь, что могилы заброшены...

— Точно. И черный мрамор стоит денег.

— О чем ты? — удивился он.

— Ты так и не сказал, на кого работаешь... Я помню, помню: профессиональная этика и все такое... Думаю, ты ищешь деньги... — Саша демонстративно отвернулся, а я продолжила: — Мне плевать, ищи на здоровье, я хочу найти сына.

— Я тебе не враг, — проворчал он.

— Ага, — хмыкнула я, покачала головой и добавила: — Я не верила в эти деньги и вроде бы объяснила тебе почему.

— Не верила? — спросил Саша.

— Кто-то позаботился о могилах.

— У тебя что, вовсе не осталось родни?

— Мамина сестра, ей семьдесят четыре года.

— У родителей была квартира, твоей тетке досталось наследство, значит, деньги были... Чего ж удивляться, что она проявила заботу?

— Возможно. Меня мучает другое. В поселке Ванька вроде бы жил с отцом. И даже ходил в изостудию. Один. Понимаешь? Ребенок мог обратиться к этой женщине за помощью, все ей рассказать, она хороший человек, это чувствуется. Но он молчал. А узнав о фотографии, расстроился.

— Что ты этим хочешь сказать? — вытаращил глаза Саша, помедлил и неуверенно произнес: — Он был с отцом? — Я кивнула. — Чушь, — замотал он головой. — Полнейшая чушь... Сама подумай, как это могло быть? Отец похоронен здесь, вот фамилия...

— Здесь похоронен мой сын, который в марте был жив и здоров, а еще здесь похоронена я, Антонова Елена Сергеевна. Видишь?

— Не могу поверить, что твой муж... Он прихватил сына и смылся, в то время как все его родственники...

— А как еще можно объяснить все это? Он получил свои деньги и сбежал. А теперь скрывается. Он придумал для Ваньки правдоподобную историю, сменил ему имя. Мой сын знал, что должен быть осторожным, поэтому, увидев фотографию в газете, сразу же рассказал о ней отцу, и они сбежали.

— Черт... Надо же... Похоже на правду. Фотография в газете та же, что и у тебя?

— Ты видел.

— Значит, так: некто, кому события двухлетней давности не давали покоя, увидел фотографию в газете и понял, что история далеко не так проста. Жив ребенок, жива его мать и есть еще кто-то, кто о ребенке заботится. Он разыскивает корреспондента газеты и берет у него фото, а потом звонит Толстяку Лене, уверенный, что его это заинтересует, поскольку речь идет о больших деньгах. Может, мысль о том, что твой муж вовсе не покойник, посетила и его: в такой ситуации твое присутствие здесь просто необходимо, ты будешь искать сына, а мертвый супруг, вполне возможно, попытается найти тебя.

— Два года он не делал таких попыток...

— Откуда тебе знать? Кто-то очень мудрый заварил эту кашу, а теперь наблюдает в ожидании, что из этого выйдет.

— Я хочу вернуть сына, — напомнила я. — А чего хочешь ты?

— Помочь тебе, — твердо сказал Саша. Я усмехнулась и пошла к аллее, он за мной. — Думаю, мне стоит задать пару вопросов сторожу. Вдруг он видел твоего мужа?

— Вряд ли... — пожала я плечами, но препятствовать не стала.

Саша направился к мужичкам за столом, а я устроилась на крылечке сторожки: нужно было хотя бы несколько минут побыть в тишине и собраться с мыслями.

Саша вывернул из-за угла и кивнул:
— Пойдем.

— Он что-нибудь сказал? — задала я вопрос.

— Плиты привезли прошлой весной, вот эти самые мужички помогали их выгружать и установили на могилы. Точно помнят, что «хозяйка», молодая женщина, очень плакала. Одета небогато, а плиты очень дорогие. Таких на кладбище всего несколько десятков. Похоже описание на твою тетку?

— Нет, — усмехнулась я. — Неведомая молодая женщина, а Ваньку не держат взаперти, и он не пытался удрать.

— Господи, о чем ты говоришь? — вздохнул Саша. — Он ребенок, куда ему бежать, раз он один на целом свете. В конце концов, ему всего семь лет, его можно запугать, обмануть... да все, что угодно.

— Если мой муж жив, то деньги у него, — усмехнулась я. — Ведь ты их ищешь?

— Не скажешь, что возможность увидеть мужа живым тебя очень радует.

— Лучше бы он лежал под этой плитой, — зло ответила я.

Мы покинули кладбище и направились к машине, она стояла довольно далеко от ворот, а рядом с ней, почти вплотную, пристроился парень на мотоцикле. Особенно тесниться повода не было, раз на всей стоянке только «девятка» и мотоцикл, но он, наверное, рассуждал иначе. Мы ускорили шаг, парень заметил нас и рванул с места. Треск пошел по всей округе.

— Псих, — прокомментировал Саша.

На ветровом стекле «девятки» белел листок, прижатый «дворником». Саша с недоумением взглянул на него, прочитал, нахмурился и протянул мне. На листке печатными буквами написано: «Ищи деньги, сука, иначе пацан умрет». Я скомкала листок и сунула его в карман.

— Что скажешь? — тихо спросил Саша. Я усмехнулась:

— Скажу, что ты был прав. Скорее всего девчонка действительно куда-то звонила, пока мы находились в поселке и я беседовала с преподавательницей изостудии. Этот тип успел сесть нам на хвост, а потом оставил записку.

— Я не об этом, — поморщился Саша. — Твой муж способен на такие шутки?

— Затрудняюсь ответить. Но подсылать ко мне этого парня в высшей степени глупо. Если муж жив, деньги у него, на кой черт их искать? Выходит, моя версия о его воскрешении никуда не годится, и Ваньке грозит опасность. Есть еще вариант: парень со стороны знает о деньгах и надеется, что я его к ним приведу. В этом случае записка — чистый блеф. Ты успел его разглядеть?

— Мотоцикл «Хонда», в номере две восьмерки, кожаная куртка, джинсы, кроссовки, желтый шлем, довольно заметный.

Появление мотоциклиста напомнило мне недавний разговор с Шохиным. Помнится, его шантажист тоже появился на мотоцикле. Иногда такие догадки очень полезны.

— Дай телефон, — попросила я. Саша протянул мне трубку, а я торопливо набрала номер.

Владимир Павлович находился в офисе. Я поздоровалась и в нескольких словах объяснила ситуацию.

— Кажется, кто-то решил меня шантажировать. Не помнишь, что за мотоцикл был у того типа?

— Какой-то импортный... Не знаю... шлем был желтый, яркий такой.

— Похоже, он покинул нас минуту назад.

— Чего он хочет? — удивился Володя.

— Денег, — хмыкнула я. — Люди так устроены — они вечно хотят денег. — Я дала отбой и повернулась к Саше. — Надо заехать в библиотеку, посмотреть подшивки газет двухлетней давности.

— И что ты в них надеешься найти?

— Труп. Тот самый, что я оставила в садовом домике моей свекрови. Меня посетила очень интересная мысль.

— Ты решила искать деньги? — помедлив, спросил Саша, а я хохотнула:

— С ума я сошла, что ли? Деньги у нас ищешь ты.

По дороге в город Саша безрезультатно пытался вспомнить третью цифру номера на мотоцикле, а я найти логическое объяснение всему происходящему — с тем же успехом. Логикой здесь и не пахло. Что-то подсказывало мне, что охотников на деньги превеликое множество и найти ту самую печку, от которой стоит танцевать, очень нелегко.

В библиотеке по причине летнего времени, когда студенты отдыхают, было малолюдно, а в отделе периодики и вовсе никого. Женщина средних лет пила за столом чай и листала журнал. Наше появление ее не вдохновило, но подшивки она принесла.

Мы устроились за разными столами, чтобы не мешать друг другу.

— Смотри, начиная с десятого октября, — сказала я Саше и уткнулась в газеты. Никакого сообщения о трупе на даче я не нашла. А ведь если таковой был, то кое-кто из сообразительных граждан неминуемо соединил бы данную смерть с недавним взрывом дома, поскольку труп был обнаружен на даче погибших, буквально три дня спустя. Ничего подобного, что, в общем-то, неудивительно, раз Леня в последнем (или все-таки предпоследнем) в своей жизни интервью сказал: о том, что я жива, он узнал от человека, который спрятал труп. Вопрос: зачем прятал? Лежал бы себе на даче, и нашли бы не сразу. Так нет, дал себе человек труд спрятать... Я не успела как следует развить эту мысль, меня окликнул Саша.

— Вот, — сказал он и ткнул пальцем в заметку. Заметка была совсем крохотная, в разделе «происшествия». Фотография мужчины и несколько строк под ней: «11 октября в районе станции «Планерная» обнаружен труп мужчины лет 20—25, одет в джинсы, клетчатую рубашку...» — ну и так далее, вплоть до просьбы к опознавшим его звонить по телефону 02.

— У тебя есть лезвие? — шепнула я Саше, он вроде бы растерялся, потом спросил:

— Зачем?

— Вырезать заметку.

Сделать это оказалось делом нетрудным: библиотекарша, видя нашу занятость, скрылась за дверью, а когда вернулась, мы уже положили подшивки ей на стол, сказали «спасибо» и удалились.

— Ты уверена, что это он? — спросил Саша уже в машине. — Два года — приличный срок, да и вряд ли ты разглядела его как следует при тогдашних обстоятельствах.

Это показалось мне невероятно забавным, я засмеялась, глядя на него, а потом сказала:

— Александр Алексеевич, я этого парня убила, так что еще долго не смогу забыть его.

— Извини, — брякнул он.

В себя Саша пришел быстро и начал рассуждать, я до поры до времени слушала молча, потому как повода возражать не видела. Логично мыслить парень умел, вот у меня так, к примеру, не получается.

— После взрыва дома убийцам стало известно, что ты осталась жива. Скорее всего узнали они об этом случайно, возможно, просто увидели тебя на пепелище или на улице, ты была в шоке и вполне могла бродить где-то, а потом начисто об этом забыть. Выследив тебя на даче, подсылают убийцу. Но он гибнет сам. Вопрос: почему его труп переносят за километр от места гибели, какой в этом смысл? Только один: никто не должен связать его смерть с тобой, то есть для остального человечества, кроме затеявшего это убийство, ты погибла в доме. Сразу второй вопрос: почему это так важно? Почему от тебя хотели избавиться, если ни о каких делах мужа ты не знала, и почему это надо было сделать тихо?

— Ты ждешь, что я отвечу?

— Нет, если честно.

— Тогда продолжай.

— По твоему мнению, подонком, отдавшим приказ взорвать дом, был Сева Крест. Он не побоялся угробить шестнадцать человек, с какой стати стал бы скрывать неудачное покушение на даче? Да и на кой черт ему твоя смерть, раз с вором он расплатился по-крупному? Кое-что о Севе я слышал, он любит зрелища, но он не психопат. Видно, очень ему насолил твой муж, раз он решился на этот взрыв, а потом с маниакальной настойчивостью преследовал тебя.

— Если это не он, то кто? — внесла я свою лепту в игру вопросы ответы.

— Некто, желающий оставаться в тени. Может быть, труп подскажет нам, что это за любитель темных углов. Попробую разузнать об этом парне.

— А еще о мотоцикле «Хонда», — подсказала я. — В городе их не так много, две восьмерки — уже кое-что, а ты, в конце концов, частный детектив. Правда, у тебя уже есть клиент...

На последнее замечание он не пожелал отреагировать, почесал бровь очень примечательным жестом и сказал:

— Для начала я хочу поговорить с Батом. Он был в команде Толстяка и располагает кое-какой информацией.

— Эта идея меня не вдохновляет, — съязвила я. — Не люблю играть втемную. По опыту знаю: жутко невыгодно.

— Ты будешь присутствовать при нашем разговоре. Такой вариант устроит?

— А он согласится? — усомнилась я. — Если честно, мы с ним не очень дружим.

— Держи язык за зубами и, главное, не пытайся острить, все остальное я беру на себя.

Он остановил машину и начал звонить, а я вышла и удалилась метров на пять, демонстрируя тем самым полное доверие частным сыщикам с настоящей лицензией. Вряд ли разговор с Батом поможет напасть на след Ваньки, если Толстяк мне не врал, конечно. Лучше бы заняться мотоциклистом... но пренебрегать никакой маломальской возможностью я не имею права...

— Он подъедет на площадь Маяковского, в восемь часов. Я предупредил, что ты со мной.

— Он был счастлив?

— Я же просил: не пытайся острить. Юмор висельника не к лицу красивой женщине.

— Ты это серьезно? — поразилась я.

— Насчет юмора?

— Нет, насчет красивой.

— А-а... Ты давно не видела себя в зеркале и забыла, как выглядишь.

— Ладно, выберу время и непременно освежу впечатления.

— Замечательно. А сейчас поехали в какое-нибудь кафе, я оголодал и в таком состоянии буквально ни на что не годен.

— Платить будет бедный парень?

— Конечно. Каюсь, люблю иногда приврать, так, самую малость.

Площадь Маяковского в действительности вовсе не была площадью. Проспект справа расширялся вплоть до зеленой лужайки перед древним собором, слева, возле здания Исторического музея, приютился небольшой скверик с кустами сирени, а в центре его памятник Маяковскому. Чем приглянулся поэт отцам города, понять трудно, Владимир Владимирович никогда в наших краях не бывал, но памятник здесь имел. Была еще городская библиотека, названная его именем. Иногда в голову приходят очень странные мысли. В ожидании Бата я думала о том, что великий поэт был крупным мужчиной, а наш памятник вышел уж очень небольшим, вовсе не похожим на собрата в столице: маленький, неказистый, в светлое завтра не зовет и сам вроде бы никуда не собирается. Неправильный какой-то памятник. Если б Гоголь так стоял: задумчиво и отрешенно, или, к примеру, Пушкин — оно понятно, а вот Маяковский...

— Бат приехал, — сказал Саша, и Маяковского пришлось оставить в покое.

Саша договорился встретиться с бывшим соратником в городском парке, который начинался сразу же за Историческим музеем, но мы решили дожидаться его приезда на площади, отошли подальше от проезжей части и устроились на скамейке метрах в тридцати от собора. Я ела мороженое, а Саша следил за дорогой.

Бат объехал сквер с Маяковским, поставил машину на стоянке прямо возле музея и зашагал в сторону парка.

Мы поднялись и торопливо направились следом, стараясь не терять его из виду. Я собиралась нарушить Сашин запрет и произнести при встрече что-нибудь бодрящее, Саша хмурился и вел себя немного странно, точно чего-то опасался: может, они с Батом не такие уж дружки и мне тоже следует навострить уши? Впоследствии я по достоинству оценила Сашину интуицию. Все произошло мгновенно: мы, лавируя в потоке граждан, торопливо пробирались к скверу, а Бат уже подходил к воротам парка, но вдруг развернулся на пятках и, нелепо взмахнув рукой, рухнул на асфальт. А Саша упал на тротуар, больно дернув меня за локоть, так, что я тоже вытянулась во весь рост.

— О, черт! — рявкнул он и повторил еще раза три с остервенением: — Черт, черт, черт!..

Закричала женщина, совсем рядом скрипнули тормоза, и кто-то взвыл: «Убили!»

Народ в основном разделился на две группы: одни кинулись в сторону парка, влекомые любопытством, другие легли на асфальт, время от времени с интересом поднимая головы.

— Что делается, а? — восхищенно пролепетала тетка рядом со мной, а я сочувственно кивнула, одновременно прикидывая, не пора ли выбираться отсюда. Если убийца Бата решит разделаться с нами, для него это легче легкого: лежа на тротуаре среди десятка поверженных тел, мы являлись отличной мишенью.

Саша, должно быть, думал так же, потому что, резко поднявшись, побежал в сторону радиоцентра, рядом с которым мы оставили машину, и при этом тащил за рукав меня. Радиоцентра мы достигли в рекордно короткое время, милиционер выскочил из проходной нам навстречу и возбужденно спросил:

— Что случилось?

— Вроде стреляли... — отмахнулся Саша.

— Ну, что делается, а? — совсем как тетка несколько минут назад, ахнул милиционер, сделал пару шагов в сторону сквера, но, как видно, вспомнив о своих обязанностях, вернулся в проходную, со злостью хлопнув дверью. К этому моменту мы уже тронулись с места.

— Куда едем? — спросила я.

— На квартиру Бата. Вдруг там отыщется что-нибудь интересное?

— Не думаю, что это хорошая идея, — заметила я. — Вполне вероятно, квартиру захотят осмотреть менты.

— Они посетят ту, где он прописан. Ничего серьезного он там держать не станет.

— Выходит, есть еще квартира? — В ответ Саша кивнул.

Конспиративная квартира убитого Коротышки находилась в центре города: небольшой четырех-этажный дом с двумя подъездами, с виду вполне приличный. Квартира тоже выглядела прилично. Дверь Саша открыл с легкостью фокусника, хоть и утверждал, что ключей от чужого жилища не имеет.

Я прошлась по квартире с некоторым любопытством. Бат успел-таки произвести на меня впечатление. Первое, что бросилось в глаза, фотография в гостиной на полке в дорогой темно-коричневой рамке с позолотой. На фотографии был запечатлен сам Бат в обнимку с Сашей и еще каким-то парнем, все трое в пятнистой форме и лихо заломленных на одно ухо беретах.

— Неплохо выглядишь, — кивнула я подошедшему сзади Саше. Он извлек фото из рамки и убрал в бумажник, сказал, точно извиняясь:

— Это было давно...

Должно быть, он прав... На фотографии у покойного Коротышки отсутствовал леденящий душу взгляд, как видно, он приобрел его позднее.

Саша принялся осматривать вещи, но делал это вяло. Закончил примерно через полчаса и как будто успокоился, хотя и забыл сообщить мне: нашел что-нибудь ценное или нет. У меня сложилось впечатление, что приехал он за фотографией.

Все это время я сидела в кресле, краем глаза наблюдала за его передвижениями и пыталась думать. Саша устроился на диване и хмуро посмотрел на меня, затем отвел глаза и вздохнул.

— Ты малость исказил факты. — В знак сочувствия я тоже вздохнула.

— Что ты имеешь в виду? — нервно поинтересовался он.

— Я имею в виду твоего друга Бата. Ведь он твой друг? И ты прекрасно знал, чем он был занят до своей гибели, и в ресторане ты со мной познакомился не случайно...

— Допустим, — согласился Саша и полез за сигаретами, я тоже закурила, и мы минут пять помолчали.

— Думаю, тебе стоит просветить меня, — произнесла я не слишком любезно, впрочем, Саша не обиделся, кивнул в знак согласия, но просвещать не спешил. В общем-то, я не торопилась, курила, смотрела в потолок и пыталась найти во всем хоть что-нибудь поддающееся логическому объяснению. О чем думал Саша, неведомо, но рот в конце концов открыл.

— Нас действительно интересовали деньги.

— Вас? — поддержала я разговор.

— Меня и Бата, — кивнул Саша. — Он ушел в отставку раньше меня, обосновался здесь, ну я и решил податься к нему. Жить на что-то надо, а я последние пятнадцать лет только и делал, что воевал, ничего путного больше не умею... Один приятель надоумил: займись частным сыском: пропавшие дети, мужья-изменники, разная чушь...

— А Бат? — решила я вернуть разговор к интересующей меня теме.

Саша начал заметно томиться, вздохнул, затушил сигарету и сразу же прикурил новую.

— У него был свой бизнес, — с большой неохотой ответил он.

— А поконкретней нельзя? — подняла я брови.

— Какая тебе разница?

— Ну... как сказать. Твой друг произвел на меня впечатление. Это не он случайно поджарил моих живьем? — небрежно спросила я.

— Нет... Иначе бы он знал, что ты осталась жива. Бат привык выполнять приказ, ты после взрыва металась возле дома... Разве нет? — Я кивнула. — Я могу продолжить?

— Конечно.

— Несколько месяцев назад в пивной Бат встретил знакомого, когда-то служили вместе, разговорились, парень работал на Мухача, а тот, в свою очередь, на Севу Креста. У Мухача были серьезные проблемы, двоюродного брата обвинили в убийстве, понадобился ловкий адвокат.

— Леня Свин и убитый Здоровячок? — подсказала я.

— Точно. Ярослав с Леней сошелся довольно близко, он-то и сказал Бату, что Свин интересуется той старой историей: мол, пацан вроде жив и мать его тоже, и у нее скорее всего где-то припрятаны денежки. Бат очень осторожно навел справки, то, что удалось узнать, нас воодушевило. Леня делиться не желал и Мухачу о том, что затеял, не говорил. А вот в толковых людях нуждался, тебя ведь надо было отыскать. Вот Бат через дружка с ним и связался, чтобы быть в курсе всех дел, а я решил познакомиться с тобой. Таким образом мы надеялись выйти на эти деньги.

— А зачем ты потащился со мной к Лене? — спросила я.

— Ты хотела найти сына. Я подумал: возможно, он действительно нашел ребенка и где-то держит его...

— Может, еще подскажешь, кто укокошил Леню?

— Мы уже обсуждали это, — нахмурился Саша. — К его смерти я не имею никакого отношения. Хотя деньги действительно меня интересовали. Если в убийстве ты все еще подозреваешь меня или Бата, то это сущая нелепица. Зачем нам было убивать его?

— Но ведь кто-то его убил? — напомнила я, а Саша криво усмехнулся.

— Точно, а потом пристрелил Бата.

— Есть какие-нибудь идеи? — на всякий случай спросила я. Саша посмотрел пристально, подумал и наконец ответил:

— Кого-то мы ненароком зацепили...

— Кого? — Я насторожилась.

— Человека, которому хорошо известно, что на самом деле произошло два года назад. Заметь, стреляли не в нас, а в Бата, хотя очень возможно, что и нас бы с удовольствием прихлопнули. Леню убили ночью. Сегодня, когда я разговаривал с Батом, он сказал: «Есть новости». Что, если они касались убийцы? И тот об этом как-то узнал? Результат: Бат не дошел до места встречи.

В принципе я была с ним согласна, поэтому и кивнула.

— У нас две загадки: где мой сын и где эти самые деньги. Некто очень опасается, что загадки эти мы разгадаем, и принялся стрелять всех подряд: сначала нас обстреливают в кафе, потом убивают Леню и вот теперь твоего друга. Очень похоже, что кто-то мудрый точно знает, где денежки, и совсем не хочет, чтобы об этом узнали другие.

— Например, Сева Крест, — подсказал Саша. — Некоторое время Бат на него работал, при желании об этом можно узнать в течение получаса, достаточно встретиться хоть с одним осведомленным человеком. Под таким углом становится ясно, за что пристрелили Леню: некто решил, что Бат приставлен к адвокату самим Крестом, и опасался, что Сева узнает о судьбе его денежек.

— И кто, по-твоему, этот мудрец?

— Разумеется, тот, кто увел деньги.

— Точно, — согласилась я. — Боюсь, что я хорошо его знаю.

— Ты имеешь в виду своего мужа?

— Конечно. Он где-то рядышком. Все сходится: исчезновение денег, его предполагаемая гибель и чудесное спасение моего сына. Спасать ребенка и проявлять о нем отеческую заботу, одновременно скрываясь ото всех, — скажи, кому это нужно?

— А стрельбу в кафе тоже устроил твой муж? — насмешливо кривя губы, спросил Саша.

— В кафе моего мужа не было, если он, конечно, не сделал пластическую операцию. Может, он кого-то попросил об этом?

— Дружеская услуга? — насмешки в голосе прибавилось. — Твой муж скрывается и между делом нанимает команду головорезов, чтобы разделаться с ненужными свидетелями? При этом очень хочет избавиться от собственной жены...

— Вдруг он разлюбил меня за два года? — Я хохотнула и зло добавила: — Предполагалось, что в доме погибнут все...

— Все-таки в это трудно поверить, — вздохнул Саша. Я внимательно посмотрела на него, как ни странно, впервые без подозрения. — Чем займемся в первую очередь? — спросил он по-деловому и вроде бы вовсе без эмоций.

— Смотря чего мы хотим.

— Найти твоего сына и убийцу Бата, — с готовностью ответил Саша, но я все-таки поинтересовалась:

— А деньги?

— Ребенка и убийцу. Если там еще и деньги, считай: нам повезло. Хотя на них будет полно охотников: Сева Крест, к примеру. Говорю так, на всякий случай. Деньги расчудесная вещь, но Бат уже погиб. Меня интересует не киллер, а человек, все это организовавший. Так что желания наши совпадают на все сто процентов.

— Это ты мне говоришь или себе? — подняла я брови.

— Это я думаю вслух. Итак: ребенок и убийца. Предупреждаю сразу: если это действительно твой муж — я его убью.

— Сделай одолжение, — кивнула я.

Ближе к вечеру мы отправились в бывшую казарму «Красного швейника». Саша хотел встретиться с другом. На сей раз дверь в его комнату была распахнута настежь, а он сам по-турецки сидел на диване с совершенно прямой спиной и остекленевшим взглядом и вроде бы смотрел телевизор. Услышав шаги, повернул голову и весело произнес:

— Привет! — Глаза приобрели вполне человеческое выражение, а я поняла, откуда мне знакомо его лицо: это он стоял слева от Бата на армейской фотографии.

Вадим протянул руку, Саша пожал ее, сел на диван рядом и кивнул мне.

— Бат погиб, — проронил он, и на несколько

минут в комнате воцарилось молчание. Потом Вадим то ли вздохнул, то ли сказал «ага» и поднялся, сделал три круга по комнате, на мгновение замирая и хватая в руки какие-то вещи: то пульт телевизора, то чашку с остатками кофе, то книжку с полки, после чего отчетливо повторил:

— Ага.

— Я не могу поехать, — как-то отчужденно сказал Саша, и Вадим уже в третий раз сказал: «Ага», — и стал собираться. Выглядел он совершенно спокойным, но руки дрожали, он не смог застегнуть «молнию» на куртке, вдруг всхлипнул и с неожиданной злостью грохнул кулаком по стене.

— Ты знаешь кто? — спросил он Сашу, вроде бы успокоившись.

— Нет, — покачал тот головой. Вадим кивнул.

— Что я еще могу сделать?

— Мотоцикл «Хонда», в номере две восьмерки, владелец в желтом шлеме. Это срочно. — Саша протянул ему вырезку из газеты и продолжил: — Попробуй разузнать об этом парне... Сообщи о Бате всем остальным...

— Ты пойдешь на похороны?

— Нет, — без эмоций ответил Саша и добавил, должно быть, для меня: — Мне нельзя.

Вадима такое объяснение удовлетворило, сделав последний бессмысленный круг по комнате, он исчез за дверью.

Я стояла возле окна и смотрела на Сашу. Диалог двух друзей, состоявший из нескольких фраз и многогранного «ага», рождал в душе тихую печаль, Саша все меньше и меньше напоминал частного сыщика с одной почкой, нищего и никому не нужного, с вечной памятью о войнах и боевом братстве. Но на честного и доброго парня, у которого просто не хватает ума не лезть с головой в очередное не свое дело, он походил еще меньше, поэтому, стоя у окна и поглядывая на него, я пыталась понять: хорошо это для меня или плохо. Когда он врал и когда говорил правду? И узнаю ли я эту самую правду, точнее, захочу ли узнать?

В ответ на мои мысли Саша поднял голову, посмотрел на меня с печалью и заявил:

— Вадим привык к смерти. Хотя Бат ему дороже родного отца.

— Я поняла, — согласно кивнула я. — Армейская дружба и все такое. Только куда он, к примеру, поехал? И почему не поинтересовался, как погиб дружок: машина его переехала или неожиданно сердце прихватило.

— Здоровьем его Бог не обидел.

— Всякое бывает, — пожала я плечами. — Сказать по чести, у меня нет желания разгадывать ваш кроссворд. Если не возражаешь, я лягу спать, голова смертельно болит.

— Да, денек выдался... — согласился Саша и начал устраиваться на ночлег.

Проснулась я ближе к утру, в комнате, за исключением меня, никого не было, и это сразу же насторожило. Я вскочила, оделась за несколько секунд, нащупала пистолет, тут услышала голоса, разом успокоилась и на носках пошла к двери.

Саша и Вадим сидели в импровизированной кухне, в этом нелепом длинном и гулком коридоре: с бетонным полом и потолками, теряющимися во мраке. Выпивали, судя по бутылкам на столе, довольно давно и тихо разговаривали.

Прижавшись к двери, я немного послушала и успокоилась окончательно. Кем бы ни были эти парни, они не монстры и не психопаты. Саша хочет найти убийцу своего друга, а я — Ваньку. Пока наши дороги совпадают. «И слава Богу», — подумала я с заметным облегчением.

Утром Вадим дома отсутствовал, Саша объяснил, что он занят предстоящими похоронами. Сам Саша, несмотря на ночное бдение, выглядел молодцевато. Пока я продирала глаза и пыталась взглянуть на мир с оптимизмом, он принял душ, побрился и даже соорудил завтрак из четырех яиц и жареного хлеба. За завтраком он сообщил:

— На наше счастье, в городе не так много «Хонд», тем более с двумя восьмерками в номере. Если, конечно, номер настоящий, а мотоцикл не угнали лет пять назад где-нибудь в Калининграде...

— Вадим нашел, что нам нужно? — замерла я, не донеся кусок до рта.

— Как будто... — пожал плечами Саша. — Если это тот самый парень, он либо наглец, либо дурак.

Все-таки проглотив кусок, я начала размышлять вслух:

— Володю он просто припугнул, а деньги получил довольно приличные. Вполне возможно, парень вошел во вкус и то же самое решил проделать со мной.

— Придется заняться им, ничего другого нам не остается. Будем надеяться, что он не шутил и знает, где твой сын.

— Сейчас поедем?

— Да.

Парень жил в пригороде, в частном доме. Пока мы туда добирались, Саша коротко пересказал все то, что смог разузнать Вадим.

— Мотоциклисту двадцать пять лет, живет с бабушкой, работал охранником в телефонной компании, но месяц назад его уволили за прогулы. Вадим послал одного из знакомых ребят в эту самую компанию, тот немного потолковал с ночным дежурным. Наш паренек, зовут его Дунаев Валентин Васильевич, по мнению коллег, живет явно не по средствам: мотоцикл, шикарные тряпки и треп о том, что ночи напролет просиживает в казино. Может, про казино врал, но деньги у него были, и он их не жалел. А зарплата охранника невелика, особо не расшикуешься, даже если ты один и не приходится думать о семье.

— Значит, этот Валентин тот, кто нам нужен? — нахмурилась я. — Денежки он добывал шантажом и жил припеваючи.

— Похоже на то... Боюсь только, что в это дело он влез случайно, хотя никогда не знаешь...

— А у нас не слишком много трупов для случайного человека?

— Вопрос: имеет ли он к ним отношение, он вполне может быть человеком со стороны, шантажист-везунчик...

— На кладбище он появился через несколько минут после того, как мы покинули поселок Юбилейный, выходит, девчонка звонила ему?

— Выходит...

— Твою машину он видел, может, не стоит мозолить ему глаза и подъезжать на ней к дому?

— Парня надо припугнуть, чтобы начал шевелиться. Иначе пройдет несколько дней, прежде чем появится хоть какой-то след, мы не можем себе этого позволить... С другой стороны, идти к нему и встряхнуть как следует тоже не годится. Вдруг он не знает, где ребенок? А нужного человечка мы спугнем... — Тут Саша был, конечно, прав, и спорить я не стала.

Впереди показался магазин «Спорттовары», дальше начиналась улица, на которой жил Валентин. Саша приткнул машину на стоянке рядом со стареньким «Запорожцем» и сказал:

— Сиди здесь, а я отправлюсь в гости. Если он пристроился за нами в поселке, меня вряд ли успел хорошо разглядеть, значит, сразу узнать не сможет. Но беспокойство мой визит непременно вызовет, тем более что я начну расспрашивать о мотоцикле. Скажу, что пару дней назад мне в левое крыло въехал один придурок на «Хонде» и скрылся, а я запомнил номер и узнал его адрес через ГАИ. Предложу заплатить за ремонт, ну и за моральный ущерб, конечно.

— Только осторожнее, — заметила я. — Вдруг

там, кроме бабушки, еще кто-нибудь из тех, кто не любит незваных гостей.

— Ничего... — хмыкнул Саша, а я, взглянув на него, подумала: должно быть, беспокойство я проявляю зря, и все-таки отпускать его одного не хотелось, и я сказала, хоть это и было глупо:

— Давай пойдем вместе.

Саша посмотрел внимательно и спросил:

— Ты боишься оставаться в машине?

— Вовсе нет, — фыркнула я.

— Вот и хорошо. Почитай газету. Не думаю, что мой визит займет много времени, да и парня может не оказаться дома... — Он еще раз взглянул на меня, улыбнулся и не спеша отправился к нужному дому. А я приготовилась ждать.

Я успела прочитать только последнюю страницу газеты, где в основном печатались анекдоты, когда вернулся Саша. Сел в машину и, ни слова не говоря, отъехал от магазина, правда, через минуту остановился, на этот раз свернув за кусты акации, в обилии произраставшие вдоль дороги. Я оценила его старание: с этого места хорошо просматривалась часть улицы, а также магазин, от которого мы только что отъехали.

— Ну что? — спросила я.

— Он. Уверен, что он. Я побаловал его своей сказочкой, а он меня своей: мол, сперли мотоцикл два дня назад. Дал покататься товарищу, и «Хонду» угнали прямо от подъезда незадачливого парнишки. Сказал, что в ГАИ уже заявил. Паренек весь вспотел, а глаза так бегали, что и без психологии ясно: врет. Я спросил адрес приятеля, он назвал и тут же начал мямлить, что тот явно ни при чем, потому что даже не успел прокатиться... зашел домой, а мотоцикл свистнули.

— Фантазия у него убогая, — согласилась я.

— Точно. Мотоцикла в гараже нет, значит, вчера, сообразив, что во время встречи на кладбище мы могли заметить номера, он его где-то спрятал.

Выход из дома только один, через калитку, позади дома овраг и речка — там не пройдешь, думаю, Валентин Васильевич сейчас появится.

Он появился через двадцать минут, было заметно, что парень здорово нервничает, шел он быстро, часто оглядывался и кусал губы. В остальном выглядел так, точно сошел с рекламного плаката: высокий, стройный, темноволосый, с яркими глазами, тонким носом и капризным ртом. Одет в голубые джинсы и белую футболку, которые шли ему необыкновенно.

— Красавчик, — проследив мой взгляд, заметил Саша.

— Точно, — кивнула я. — И куда же это наш красавчик направился?

Словно отвечая на мой вопрос, парень свернул к магазину, здесь слева от входа был телефон. Я очень рассчитывала, что смогу определить номер, по которому он собрался звонить, но парень загородил телефон спиной, так что нечего было и надеяться что-то там увидеть.

— Вот сукин сын! — выругалась я. Саша следил за происходящим спокойно, без намека на волнение, и я поймала себя на мысли, что ему, должно быть, не в диковинку вот так сидеть и наблюдать за кем-то. Желая меня утешить, он сказал:

— Парень скорее всего звонит своему дружку, чтобы предупредить о возможном визите.

— Поедем побеседовать с ним?

— Для начала приглядимся к Валентину Васильевичу, что-то уж очень он разнервничался, а в таком состоянии люди обожают делать глупости. Вдруг нам повезет?

Телефонный разговор паренька явно не успокоил, скорее уж наоборот. Трубку он швырнул с досадой и некоторое время стоял, закусив губы, потом принялся набирать номер. Ему ответили, но, несмотря на волнение, говорил он тихо, прикрывая трубку ладонью. За вторым звонком последовал третий, который был продолжительнее двух предыдущих, затем Валентин направился в сторону автобусной остановки, но автобуса ждать не стал, тормознул первого же частника и с очень хмурым выражением лица устроился не переднем сиденье. Машина следовала по направлению к городу, а мы через некоторое время пристроились за ней на значительном расстоянии. Потерять машину на шоссе Саша не боялся, другое дело в городе, расстояние придется сокращать, и наш подопечный вполне может что-то заподозрить.

В город въехали через несколько минут, Саша пристроился за микроавтобусом, стараясь особенно не высовываться, и делал это очень ловко, так, что я опять подумала: такие вещи для него не в диковинку. Ладно, он частный детектив и просто толковый парень, должен был чему-то научиться за долгие годы...

Красавец Валентин вышел на Кремлевской площади и стал нарезать круги возле памятника, воздвигнутого в честь тысячелетия нашего славного города. Мы, проехав метров сто вперед, свернули в переулок и теперь с интересом наблюдали, что последует дальше.

Валентин нервничал и продолжал кружить на одном месте, время шло, а ничего не происходило. Саша не спускал с парня глаз, а я, признаться, заскучала. Наверное, поэтому в голову полезли всякие ненужные мысли.

— Здесь работал мой муж, — заметила я, кивнув на соседнее здание.

— Да? — отозвался Саша. — Думаешь, он ему звонил?

— Это шутка? — проявила я догадливость.

— Парень высматривает телефон... О, черт, идет сюда...

В самом деле, на углу в нескольких шагах от нас был телефон. Я собралась чертыхнуться вслед за Сашей, но опасения наши оказались напрасными:

вряд ли Валентин что-нибудь видел вокруг, яркие глаза были устремлены в одну точку, должно быть, в недра таинственной души молодого красавца, а вообще-то парень выглядел глуповато: вспотел и кусал губы. Еще минут пять ожидания, и он, не стесняясь, начнет грызть ногти.

— Эк его разбирает, — удивился Саша. — Знать бы, с кем он пытается встретиться.

— Если повезет, увидим, — утешила я.

Разговор по телефону был чемпионом по краткости, однако произвел на парня самое благотворное действие. Он перестал кусать губы, распрямил плечи и понес себя по улице с чувством глубокого удовлетворения. Девушки смотрели ему вслед, а мы не только смотрели, но и держались поблизости.

Валентин купил в киоске газету и пачку сигарет, закурил и, вздохнув, надо полагать с облегчением, направился вниз к церкви Успения Богородицы.

Очень скоро нам пришлось остановиться, возле церкви располагалось не больше шести жилых домов, стареньких, одноэтажных, появляться там было весьма опасно: даже такой занятый собой олух, как Валентин, нас непременно заметит. Приткнувшись возле чужого палисадника, мы приготовились ждать.

— Ты видел, куда он вошел? — спросила я. Саша кивнул.

Ровно через десять минут на дороге появился Валентин, на «Хонде» и в шлеме, правда, на этот раз шлем был черный. Он выехал из ворот дома, стоящего справа от церкви, и на бешеной скорости помчался в сторону площади. Бабка, сидящая на крыльце дома напротив, испуганно перекрестилась, а местные собаки в количестве четырех штук с громким лаем проводили его до конца улицы.

— Жадность фраера сгубила, — прокомментировал Саша и не спеша тронулся с места. Через несколько минут, выехав на площадь, мы вновь увидели «Хонду», она удалялась в сторону Стародворянской улицы. Правила движения в центре города приходилось соблюдать из-за обилия инспекторов ГАИ, а скорость здесь ограниченная, так что потерять Валентина мы не боялись. Он свернул к вокзалу, и преследование вновь стало занятием непростым: улочки здесь узкие и довольно пустынные. Саша решил рискнуть и держаться параллельных улиц, в ответ на мои сомнения заявив:

— Ему просто некуда деться, здесь одна дорога — на Вокзальную площадь.

— А если укроется в каком-нибудь доме? — возразила я.

— Не успеет, — отмахнулся Саша и увеличил скорость.

На перекрестке я смогла увидеть «Хонду», следующую параллельным курсом, а вот на светофоре нам не повезло: мотоцикл исчез.

— Может, он успел проехать? — засомневалась я, но Саша отрицательно покачал головой и свернул на интересующую нас улицу. Она была пуста, если не считать двух мальчишек возле колонки и одного пса, этот лежал в пыли и лениво щурился. Саша притормозил возле колонки и спросил:

— Пацаны, мотоциклиста не видели в черном шлеме?

— На «Хонде»? — обрадовалось чумазое создание лет семи. Саша кивнул.

— А зачем он вам? — тут же влез второй.

— На спрос, — сердито ответил Саша, напустив в лицо суровости. Мальчишки разом затосковали.

— В тети Машин прогон свернул ваш дядька, — без видимой охоты ответил первый. — Вон туда, там съезд к реке. Только на машине не проедешь. — Саша тронулся с места, а мальчишка торопливо добавил: — Дядь, вы бы хоть трояк на бедность дали.

— Трояк заработать надо, — хмыкнул Саша, а чумазый раздвинул рот до ушей и сказал насмешливо:

— А вы не мне, вы Шарику, он вам до десяти сосчитает и лапу даст.

Пес, услышав свое имя, поднял голову и лениво тявкнул, а Саша засмеялся и бросил в окно монетку.

Тети Машин прогон оказался узкой песчаной дорогой между двумя домами, дорога круто спускалась к реке, петляя среди огородов. Выйдя из машины, мы заняли позицию возле чужого забора и стали внизу среди деревьев и теплиц высматривать мотоцикл. Саша заметил его первым.

— Вон он...

— Там же ничего нет, — подумала я вслух. — Интересно, куда он собрался?

— Дорога обрывается у реки, — кивнул Саша, внимательно огляделся и заявил: — Он хочет бросить мотоцикл. Извини, парень, насчет жадности я дал маху.

— Что будем делать? — спросила я, потому что мальчишки у колонки были правы: на машине здесь не спустишься. Валентин между тем исчез за кустами ивы, повсеместно произраставшей вдоль речки. Через некоторое время крохотная фигура показалась на дороге: уже без мотоцикла и без шлема. Выходит, Саша прав.

— От пристани к реке идет лестница, — сказал он. — Думаю, парень направляется туда. Полчаса ходьбы — и он в центре города.

— Перехватим его у пристани? — догадалась я.

— Точно. Поехали.

Через несколько минут мы уже сворачивали к пристани, то есть пристани как таковой уже несколько лет здесь не было, река в этом месте обмелела так, что до самого моста в разных местах виднелись песчаные мели, облюбованные чайками, катер и длинная баржа догнивали в нескольких метрах от берега, однако лестница, спускавшаяся с холма вниз к самой реке, была еще цела, хотя ступени кое-где обвалились. Через некоторое время, вынырнув из-за очередного холма, на ней показался Валентин.

Мы сочли за благо отъехать в сторону, но скоро опять его увидели, он торопливо шел по направлению к проспекту, надо полагать, на автобусную остановку.

Автобус как раз трогался с места, Валентин свистнул и замахал руками, а шофер остановился. Мы пристроились за автобусом и проследовали до магазина «Руслан и Людмила», здесь наш подопечный вышел и далее отправился пешком.

Выпил пива в кафе на углу, дал бродячему псу сосиску, чем заслужил мою бесспорную симпатию, и наконец зашагал в сторону центра.

— У нас бензин не кончится? — вздохнула я. Саша внешних признаков утомления не проявлял. — Чего он здесь крутится? — нахмурилась я, теряясь в догадках.

— Собрался встретиться с кем-то в городе, — ответил Саша.

Через двадцать три минуты Валентин свернул во двор дома номер пятьдесят шесть по улице Левитана и скрылся во втором подъезде.

— Ну вот, — вздохнула я. — Парень в гостях, а мы не знаем, у кого.

— Узнаем, — успокоил меня Саша. — Подожди, может, он еще не набегался и опять куда-нибудь отправится.

Но наш красавчик, судя по всему, набегался. Прошел час, из подъезда он так и не вышел, а покинуть дом, минуя нас, просто не мог: об этом позаботился Саша. Он же, по прошествии часа, ушел на разведку, заставив меня немного поскучать, а вернулся с ценными сведениями.

— У него в этом доме живет подруга, в тридцать шестой квартире. Зовут Светка, красивая. Судя по всему, шлюха, мужиков здесь перебывало немало, а наш мальчик наведывается чаще всех.

— Откуда сведения? — подивилась я.

— Выпил с мужиками в соседней пивнушке, люди сознательные и помочь всегда рады. Кстати, этой Светкой уже интересовались. Два дня назад болтался здесь тип бандитского вида, смотрел грозно, а должного уважения к мужикам не проявил, так что вряд ли разжился особо ценными сведениями, но его появление настораживает.

— Выходит, наш мальчик решил укрыться от своих проблем у подружки, но кто-то им уже заинтересовался и наводил справки?

— Выходит, — кивнул Саша. — Мальчик тянет только на «шестерку», но уж если мы столько времени на него угробили, не худо еще немного покараулить. Девица работает в какой-то фирме, и сейчас ее скорее всего нет дома. Приходит обычно не раньше пяти, так ее сосед сказал.

— Понятно. Что ж, будем ждать.

Вскоре во дворе стало заметно оживленнее. Народ возвращался с работы. На скамейке у подъезда появились две старушки, затем ребятишки в песочнице и интеллигентного вида мужчины с газетами в руке и собаками на поводках.

Мы находились в центре стоянки в глубине двора, окруженные «Москвичами» и «Жигулями», правда, был еще «БМВ», но его присутствие уравновешивал ярко-желтый «Запорожец». Въезд во двор, сам двор и примыкающая ко двору часть улицы отсюда хорошо просматривались.

Я слушала приемник и лениво поглядывала по сторонам, то, что от сегодняшнего наблюдения особого толка ожидать не приходится, было уже ясно. Парень испугался и решил некоторое время провести у подруги. Она скорее всего знать не знает о его делах.

— Посмотри-ка, — позвал Саша, в это время во двор как раз въехала серебристая «Ауди» и замерла у второго подъезда. Задняя дверь распахнулась, и на тротуар выпорхнула блондинка в короткой юбке и блузке с очень соблазнительным вырезом. Улыбнулась, сделала ручкой и исчезла в подъезде.

— Где-то я ее уже видела, — нахмурилась я, настраиваясь на длительные размышления: блондинку я, конечно, вспомню, точнее, обстоятельства, при которых довелось с нею встретиться, но на это потребуется время.

— Она была с Толстяком Леней возле его дома, — подсказал Саша, а я удовлетворенно кивнула:

— Точно. Кое-что начинает вырисовываться: Леня, красотка и мотоциклист — одна команда... хотя, может быть, все не так просто...

На пачке сигарет Саша записал номер «Ауди».

— Уверен, эта девица та самая Светка, — сказал он, я мысленно с ним согласилась.

Два часа мы провели в праздности, слушали радио и пялили глаза на дверь подъезда. Я сбегала в ближайшее кафе, и мы пообедали, или, точнее, поужинали, кофе с сосисками. Уже в восьмом часу дверь подъезда распахнулась, и появился Валентин, выглядел он неважно. Глядя на его бледную физиономию, трудно было поверить, что любовное свидание доставило ему удовольствие. Он стремительно пересек двор, а Саша завел машину.

— Оставайся здесь, — сказал он и протянул мне сотовый. — Я провожу парня, уж очень он нервный. Если девица выйдет из дома, позвони вот по этому номеру. — Пока я удивленно поднимала брови от обилия сотовых, символизирующих научно-технический прогресс в деле сыска, Саша с усмешкой пояснил: — Взял у Вадима, как видишь, пригодился...

Он распахнул мою дверь, я оказалась на тротуаре, а он не спеша выехал со двора.

— Неплохо живут частные сыщики, а также и охранники, — пробормотала я вдогонку, сунув сотовый в карман, впрочем, Саша меня не слышал, да я и не рассчитывала на это.

Оставшись одна, я огляделась и пошла в сторону

забора в противоположный конец двора. За забором начиналась территория детского сада, а с этой стороны почти вплотную к нему стояла колченогая скамья, качели и бревно для ходьбы в виде крокодила, одна лапа у крокодила отсутствовала, зато зубы кто-то покрасил белой краской.

На этого самого крокодила я и уселась, в песочнице в нескольких метрах от меня все еще играли дети, и я очень надеялась, что со стороны выгляжу заботливой мамой, уткнулась в газету, исподлобья продолжая наблюдать за подъездом. Позвонил Саша, от неожиданности я вздрогнула, успев забыть о сотовом.

— Думаю, наш красавец собрался домой, — сообщил он. — Остановил машину, двигается в сторону пригорода. На всякий случай провожу. Как дела у тебя?

— Никак, — ответила я и отключилась.

Не успела я убрать телефон в карман, как из подъезда выпорхнула Светлана. Юбку она сменила на брюки, но и в брюках выглядела очень эротично. Зорко огляделась, чем, признаться, насторожила меня, и зашагала по направлению к проспекту, а я стала искать бумажку с номером: с цифрами у меня вечные проблемы. Слава Богу, обронить ее я еще не успела.

— Саша, она идет в сторону проспекта, — на ходу сообщила я, боясь потерять блондинку.

— Постарайся сделать так, чтобы она тебя не заметила...

Это разозлило, и я буркнула:

— Не учи. Если что, встретимся на Кремлевской.

Пешком ходить Светлана не любила, преодолев несколько метров до проезжей части, она взмахнула рукой, придав своему телу очень соблазнительную позу: левое бедро вперед и все такое, однако продолжала тревожно оглядываться. Последнее обстоятельство мешало мне покинуть двор. Она могла обратить на меня внимание, и тогда возможность присутствовать при ее свидании стала бы весьма проблематичной, а что-то мне подсказывало: девушка спешит на свидание вовсе не с очередным возлюбленным, иначе чего бы ей тревожно оглядываться через каждые полминуты?

Рядом с ней притормозила красная «восьмерка», а я, выглядывая из-за угла, чертыхалась и с тоской смотрела на дорогу. Она, как на грех, была пуста. За то время, пока я найду машину, «восьмерка» окажется довольно далеко, и где я буду ее искать, интересно?

Машина тронулась с места, а я начала размахивать руками, как ветряная мельница, пытаясь привлечь к себе внимание водителей. Через минуту я поняла, что напрасно старалась, лучше бы мне за углом прятаться. Появился темно-зеленый джип, вроде «Шевроле», и начал тормозить, пока я еще только прикидывала, стоит ли пытаться его остановить. Конечно, приятно выглядеть так, что при взгляде на тебя любой водитель поспешно жмет на тормоз, но в тот момент мне это не очень понравилось и даже насторожило.

Я не стала бросаться к двери джипа, а на несколько шагов отступила в сторону, неторопливо и вроде бы в задумчивости, потому что не хотела выглядеть идиоткой и все еще надеялась догнать блондинку.

Дверь распахнулась сама, точнее, сразу две двери, и из джипа выбрались двое ребят, по виду страшно сердитых. Торопливость пошла им не впрок, я бросилась бежать, еще не сообразив, кто они такие, и только влетев во двор, догадалась, на кого угораздило нарваться: именно с этими типами судьба свела меня в ресторане несколько дней назад. Ребята Славы Кудрина по кличке Баклан все еще хотели пообщаться со мной, а вот я совершенно не хотела, поэтому и бежала не разбирая дороги.

К счастью, их было только двое, и они разделились. Один потрусил за мной, пыхтя и задыхаясь, второй вернулся в джип и, недолго думая, взгромоздил его на тротуар с намерением продолжить погоню на машине.

От своего пешего преследователя я оторвалась на приличное расстояние, потому что в отличие от парня бегала хорошо, второму тоже потребуется время, чтобы въехать во двор. От машины мне, конечно, не уйти, значит, покидать двор неразумно, но долго петлять здесь, точно заяц, я не смогу: не поймает первый, так догонит второй. Вот черт!

В этот момент я и приметила калитку в заборе детского сада, к несчастью, запертую на замок. Меня скрывали кусты боярышника, но это ненадолго, пеший враг мог появиться в любую минуту, здесь он меня и поймает. Рукопашную с ним даже затевать не стоит, я паду жертвой первого удара, и хорошо, если скончаюсь сразу.

Подобные мысли всегда воодушевляют. Ухватившись за прутья калитки, я, к огромному своему удивлению, смогла ее перемахнуть и вскоре свалилась с другой стороны, подниматься не стала, а быстренько закатилась в кусты. Мимо калитки, устрашающе хрипя, пробежал паренек, и послышался звук работающей машины.

— Где эта сучка? — крикнул один, а второй ответил:

— Дальше побежала. — Правда, совсем дураком он не был, подошел к калитке и подергал замок, просунув здоровенную ручищу между прутьев.

Тут как раз из-за угла здания детского сада появилась старушка в цветастом платье и, несмотря на худобу, зычно крикнула:

— Вам чего? Все уж закрыто...

— Вы здесь девушку не видели?! — делая паузу после каждого слова, чтобы отдышаться, прокричал парень. — Симпатичная такая, в джинсах и голубой футболке...

— Никого здесь нет, — замотала головой бабуля. — Всех давно разобрали, ни детей, ни мамаш, дома ищите. — И добавила грозно: — Все заперто и сигнализация...

«Только бы бабка меня не приметила, — подумала я, вжимаясь в землю. — Иначе будет голосить на весь район».

Парень потопал к машине, а я полежала еще с полчаса и только после этого рискнула приподняться и оглядеться. Джипа во дворе вроде бы не наблюдалось, сторожиха тоже куда-то исчезла, но все равно надо было проявлять осторожность.

На четвереньках я отправилась вдоль кустов и вскоре достигла хоздвора с мусорными контейнерами у закрытых ворот. Взобравшись на контейнер, я смогла преодолеть забор без особых сложностей, правда, приземление на асфальт радости не доставило, но мысль о джипе придала мне необыкновенную прыть, и я, на всякий случай держась ближе к подъездам, бросилась в сторону Кремлевской площади, развив доселе небывалую скорость, при этом вертела головой, каждую минуту ожидая появления врагов.

Где были враги, мне неведомо, к счастью, вторая моя встреча с ними не входила в намерения Господа на сегодняшний день, и до площади я добралась без приключений. Саша ждал меня.

— Она уехала, — сказала я, плюхнувшись на сиденье.

— Ты что, пыталась ее догнать? — спросил Саша, поглядывая на меня с недоумением.

— Нет, это меня пытались догнать наши старые знакомые. Кудринские ребятки. Вроде бы я нарвалась на них случайно.

Саша покачал головой и даже стукнул кулаком по сиденью.

— Как же ты ушла?

— Ножками, — хмыкнула я, он продолжал хмуриться, а я торопливо поведала о своих приключениях.

— Нельзя оставлять тебя одну, — заключил Саша таким тоном, точно я была в чем-то виновата.

— А блондинку — упустила, — сказала я со вздохом.

— Ерунда. Она вернется домой и в конце концов приведет нас к хозяину. Только бы эти придурки не вздумали прочесать весь район или установить на месте вашей неожиданной встречи круглосуточное дежурство. С них станется. Следить за блондинкой, имея их на хвосте, занятие не из легких.

— Да уж, — тяжело вздохнула я и спросила: — А как Валентин?

— Вернулся домой, по-моему, здорово нервничает, кажется, главная у них блондинка, а может, есть еще кто-то... узнаем.

— Куда сейчас?

— Во двор. Откинь сиденье и ложись, чтобы тебя не видели.

— Зачем ложиться, если они знают твою машину? — проворчала я, но сделала, как он велел.

Мы въехали во двор и заняли прежнее место на стоянке. Саша откинул свое сиденье и лег, отрегулировав зеркала так, чтобы можно было наблюдать за происходящим.

— Вот она, — вдруг шепнул он, я в эту минуту увлеченно разглядывала потолок. Приподнявшись на локте, осторожно выглянула. Светлана как раз направлялась к своему подъезду, на этот раз головой не вертела и вообще выглядела спокойной. — Смотри, — вновь шепнул Саша, и тут я заметила еще кое-что: белая «Волга» с тонированными стеклами не спеша проехала мимо, потом развернулась и замерла у тротуара прямо напротив въезда во двор.

— Думаешь, за ней? — нахмурилась я.

— Думаю. Девка опять приехала на серебристой «Ауди». «Волга» их сопровождала, скорее всего негласно, хотя можно допустить другой вариант — это охрана. Кому-то не понравился наш интерес к красавцу Валечке, и девушке дали провожатых.

— Что, если девчонка в опасности? — подумав, заметила я. — Вдруг она что-то знает и от нее захотят избавиться?

— Хочешь ее предупредить? — без всякого выражения поинтересовался Саша.

— А ты как думаешь? — съязвила я.

— Я думаю, мы пытаемся найти твоего сына. А спасением людей занимается специальная служба, звонить 911.

Мы продолжали сидеть, точнее, лежать, а некто продолжал нести вахту в белой «Волге». Если честно, меня это здорово нервировало.

— В «Волге» охрана, — проворчал Саша где-то через полчаса, вдоволь насмотревшись на ее тонированные стекла.

— Ждут, что кто-то решит поговорить с девицей? — догадалась я.

— В любом случае, — кивнул Саша, — идти к ней сейчас неразумно.

— А сидеть здесь и пялиться на дверь подъезда? — нахмурилась я.

Саша заметил укоризненно:

— Надо уметь ждать.

— Тогда я подремлю немного, если не возражаешь, — сказала я, но выполнить свое намерение не успела: во дворе появился так хорошо запомнившийся мне джип «Шевроле». — Ну надо же! — взвыла я и сползла еще ниже, чтобы не попасть на глаза ребятишкам в джипе.

— Может, они не обратят внимания на машину, — высказал предположение Саша, сунув руку под сиденье: там лежал пистолет.

Такой оборот дел мне пришелся совсем не по вкусу: затевать войну с какими-то придурками, когда я точно знаю, что Ванька жив и есть надежда его найти, нет уж... Джип пересек двор на весьма малой скорости, выехал на проспект и замер в нескольких метрах от «Волги».

— Это случайно? — насторожилась я. — Или здесь медом намазано?

Находиться в бездействии ребята явно не умели, через семь минут джип проследовал дальше, а я с облегчением вздохнула.

— Как думаешь, они видели нашу машину? — начала я приставать к Саше.

— Должны были увидеть, раз проехали всего в нескольких метрах.

— Выходит, они не знают твой номер, а цвет им ни на что не намекнул?

— Тогда темно было, цвет и номер могли не разглядеть. Наверное, парни решили, что ты живешь где-то поблизости.

— На что я им сдалась? — начала злиться я. — Вот ведь придурки, заняться им нечем?

— Наверное, нечем, — кивнул Саша, в отличие от меня визит старых знакомых его не очень расстроил, но, подумав немного, он все-таки сказал: — Придется убираться отсюда.

— А как же Светлана? — нахмурилась я.

— Вряд ли она сегодня еще раз выйдет из дома.

— Но ее могут навестить?

Саша кивнул и устроился поудобнее, готовясь к ожиданию, тем более утомительному для меня, что я не знала, чего все-таки надеюсь дождаться. «Надо быть терпеливой», — утешала я себя и время от времени посматривала на Сашу, он не вздыхал, не демонстрировал нетерпения, лицо спокойное, лежит себе человек, о чем-то думает.

— Они опять появились, — сказал Саша, а я едва не подняла голову с намерением выглянуть в окно. — Не иначе, как решили патрулировать улицы. — Саша хохотнул и покачал головой, я его веселья не разделяла, не так уж это и глупо, по-моему: если бы парни знали нашу машину, их труды не остались бы напрасными. — Все-таки придется сматываться, — нахмурился мой спутник. Джип выехал со двора, а он завел машину и не торопясь поехал следом. Я все еще лежала и подниматься не собиралась.

— Куда мы едем? — спросила я, разглядывая кроны деревьев за окном.

— К Вадиму.

Мы покинули опасный квартал, и я поудобнее устроилась на сиденье, но все равно испытывала некоторое беспокойство и поглядывала на дорогу. Саша избрал к казарме «Швейника» довольно замысловатый маршрут.

— Береженого Бог бережет, — проронил он в ответ на мой удивленный взгляд. — Вадим мой друг. Одного я уже потерял.

Возле здания цирка Саша развернулся в узком переулке, поехал в обратную сторону и при выезде на проспект едва не столкнулся нос к носу с «Волгой», той самой, что всего полчаса назад стояла возле дома Светланы.

— Ну и за кем они следят? — нахмурилась я. Саша ничего не ответил, да я и не ожидала ответа, вопрос был чисто риторическим.

Слежка не только беспокоила, но и внушала определенные надежды: если кто-то вздумал следить за нами, значит, мы на верном пути. Это я так решила. Что решил Саша, утверждать не берусь. Он всецело сосредоточился на дороге, и я имела шанс убедиться, что он, как частный сыщик, ни в чем не уступает своим великим собратьям, скорее наоборот. Всего через несколько минут я с гордостью констатировала, что от «Волги» мы благополучно оторвались. Саша еще минут пятнадцать плутал по переулкам, зорко поглядывая по сторонам.

— Машин могло быть несколько, — пояснил он, я решила, что он преувеличивает, в конце концов, мы имеем дело не с секретными службами, а... интересно, с кем мы в действительности имеем дело?

Эта мысль меня увлекла, да так, что я не заметила, как мы, поплутав еще немного, оказались в какой-то подворотне за расшатанным забором. Я собралась удивиться и тут вновь увидела «Волгу», она на малой скорости проследовала в сторону центра. Пропустив ее и выждав время, Саша направился следом.

— Он нас заметит, — сказала я, хотя моим мнением никто не интересовался.

— Должны мы узнать, что это за типы, — ответил Саша.

Что это за типы, мы так и не узнали, белая «Волга» следовала впереди на приличном расстоянии, но из виду мы ее не теряли. Только-только я собралась порадоваться везению, как справа нас обогнала шустрая «шестерка». Едва не задев бампером, она втиснулась за серой «Волгой», тут раздался свисток, и возник инспектор ГАИ. Правила нарушил водитель «шестерки», но инспектор, человек щедрой души, тормознул всех троих: нас, серую «Волгу» и этого торопыгу. Саша стиснул зубы и отправился выяснять отношения, я вздохнула, а потом пожаловалась, глядя в потолок:

— Не везет.

Он вернулся через несколько минут, но было ясно, что нужную нам «Волгу» мы потеряли. Так и оказалось. Потратив некоторое время на бесполезные поиски, мы отправились в казарму «Красного швейника». Саша загнал машину в деревянный сарай, который при некотором воображении мог сойти за гараж.

Вадим был дома и жарил котлеты на керосинке. Керосинка пыхтела и фыркала, а я еще раз подивилась подобному чуду.

О делах заговорили только после ужина.

— Бата застрелили из винтовки, с чердака Исторического музея, — сказал Вадим. — Менты там пошарили и обнаружили кое-что интересное. Киллер левша, тебе это ни о чем не говорит?

— Нет, — покачал головой Саша. — Что-нибудь еще?

— Аккуратный тип, в здание проник через подвальное окно, отключил сигнализацию и по боковой лестнице поднялся на чердак. Днем. Правда, был понедельник, в музее выходной день, но...

— Я понял тебя, — опять кивнул Саша, нахмурился и продолжил: — Менты наверняка уже пошарили в квартире Бата, узнай, не было ли в телефоне подслушивающего устройства.

— Ты думаешь... — нахмурился Вадим.

— О том, где встретиться, мы договаривались по телефону, время и место знали я и он. Киллер не пальнул из машины, а заранее проник в музей и подготовился. На это нужно время, кто-то слишком быстро узнал о звонке. Бат ничего не опасался, и звонил я ему домой.

— Я проверю, — подумав, сказал Вадим. — Хотя, если бы нашли...

— Менты прекрасно знали, кто такой Бат, и могли предположить, что его телефон прослушивали спецслужбы, поэтому и помалкивают. Убийцу они вряд ли найдут. Точнее: искать не будут.

— Ты найдешь? — осторожно спросил Вадим, Саша усмехнулся:

— Конечно.

— Найди его, — тихо сказал Вадим. — Узнай, кто это, и скажи мне.

Саша похлопал приятеля по плечу и не торопясь доел котлету. Вадим сидел, уставясь в стол.

— Я отыскал вашего покойника, — заявил он через некоторое время и выложил на стол заметку из газеты. — Парня опознали родственники. Кремнев Александр Павлович, ничем не примечательный тип. Отбывал наказание в исправительно-трудовой колонии за драку. После освобождения нигде не работал, чем очень огорчал своих родителей. Никаких интересных связей не прослеживается. Мнение милиции совпало с мнением родственников:

444

пьяная драка или что-то в этом роде. Алкоголь в крови присутствовал в незначительном количестве. — Вадим вздохнул и неожиданно сказал: — У Бата была картотека.

— Картотека? — поднял брови Саша. — С чего ты взял?

— Он мне сам говорил...

— Ты шутишь... — О какой картотеке идет речь, я даже не догадывалась, но ее возможное наличие вызвало у Саши что-то вроде шока, это произвело на меня впечатление, так как я считала его спокойным и на редкость уравновешенным парнем. — Ты шутишь, — повторил он еще раз, голос звучал жестко, точно на допросе, Вадим вдруг поежился и сказал:

— Нет... он говорил мне. Ты же знаешь Бата, он немного...

— Он псих! — рявкнул Саша, резко поднимаясь из-за стола, табурет при этом полетел на пол, а я вздрогнула. — Вот сукин сын! — выругался мой невозмутимый детектив и протянул руку к вешалке, где висела его куртка.

— Ты поедешь? — спросил Вадим.

— Конечно. Что, если менты доберутся до его квартиры?

— Они не доберутся, — убежденно заявил Вадим, но Саша его не слушал.

— Я поеду с тобой, — сказала я. В восторг его это не привело, но и возражать он не стал.

Через несколько минут мы уже шли к троллейбусной остановке. Саша решил, что на машине вторично появляться там не следует. Я держалась поближе к нему, стараясь не сбиться с шага и не отставать, и пыталась сообразить, чем меня так озадачил недавний диалог. Через двадцать минут я кое-что поняла, но к этому моменту мы уже приблизились к конечному пункту путешествия. Саша молчал, а я не рискнула лезть с расспросами. Вот так в молчании мы и вошли в квартиру Бата.

Татьяна Полякова

— Можешь посмотреть телевизор, — сказал Саша и вновь, как в прошлый раз, замер посреди комнаты, по-звериному поводя головой, точно принюхиваясь. Глаза его методично осматривали предмет за предметом, сосредоточенно и пристально. На меня он перестал обращать внимание, постоял так минут пятнадцать и вдруг пошел в ванную.

Через некоторое время я тоже решила туда заглянуть, приблизилась на носках, стараясь ступать бесшумно, открыла дверь и увидела Сашу. Он сидел на корточках, а на ярко-розовом коврике перед ним стояла небольшая коробка со вставленными в нее карточками. Вид этих карточек напомнил мне библиотеку. Несколько штук Саша держал в руках, на меня он не обратил внимания, и я, заглядывая через его плечо, смогла прочитать: Левша, а дальше цифры в два столбика. Я присвистнула и опустилась на пол, привалившись спиной к стене.

— Чем занимался твой Бат? — лениво спросила я, Саша поднял голову, посмотрел на меня и произнес своим равнодушным голосом:

— Он был моим другом и спас мне жизнь.

— Конечно, — согласилась я. — Он твой друг и киллер по совместительству. Или сам не стрелял?

Саша в ответ на мою догадливость с тяжким вздохом покачал головой. Для полноты картины не хватало только скупой мужской слезы, но я и без того уже все прочувствовала и готова была зарыдать, так меня разбирало. Но вместо этого повнимательнее присмотрелась к карточкам.

На одной из тех, что держал в руке Саша, с обратной стороны была пометка: несколько чисел и слово «Голуби». Я взяла карточку, повертела в руках и вопросительно посмотрела на своего друга. Он вздохнул еще жалобней, сообразив, что я хоть и прониклась его печалью, но свои вопросы все-таки задам.

— Это код и он тебе о чем-то говорит? — начала я с самого простого.

— Да, — с заметной неохотой ответил он.

— Бат, предполагая, что может неожиданно скончаться, оставил друзьям наследство?

— Примерно так, — ответил он еще неохотнее и даже поморщился.

— Очень занятно, — покачала я головой. — Вот так доходчиво покойный Бат намекает тебе, кто есть кто. При желании картотекой можно воспользоваться, в смысле восстановить связи, ведь среди обилия цифр наверняка есть такие, что позволят сообразить, как связаться с нужным человеком?

— Возможно, — кивнул Саша, теперь слова из него пробивались с большим трудом.

— Отлично, — улыбнулась я, вытряхнула оставшиеся в коробке карточки на пол и стала их тщательно изучать, ворча под нос: — Цивилизованные люди для подобных целей давно уже используют компьютеры.

— Бат ненавидел компьютеры, а то, что он до такого додумался, — Саша ткнул пальцем в пустую коробку, — для меня сюрприз.

— Да, я заметила, на тебя это произвело впечатление, — согласилась я.

— Что ты ищешь? — все-таки спросил он, а я усмехнулась:

— Нетрудно догадаться.

Очень скоро я действительно нашла то, что искала, сверху стояло слово «Вик», а далее цифры, среди которых нужная мне дата. Саша здорово напоминал истукана, пожирал меня глазами и при этом вроде бы вовсе не дышал. Не желая испытывать его терпение, я протянула карточку.

— Его ты знаешь?

Он взял ее и повертел в руках. Все написанное на карточке было перечеркнуто красным фломастером, а цифры на обороте отсутствовали.

— Не знаю, — ответил Саша и посмотрел мне в глаза. Конечно, он не знает: такие глаза не лгут. Решив, что ответ не произвел на меня впечатления, он спросил: — Как думаешь, что означает эта красная черта?

— То, что парень вышел из игры?

— Наверное. — Он пожал плечами, все еще глядя мне в глаза, а я вздохнула:

— На всех карточках для тебя есть подсказка. Только на двух — ничего. Вик и Филин. О чем это нам говорит?

— О чем?

— Вся твоя догадливость вдруг испарилась, — пришла я в изумление. — Я думаю, ты знал этих людей.

— Возможно. Филин погиб семь месяцев назад в Германии, видишь, здесь тоже помечено красным. Про Вика я не знал... Видно, это случилось недавно...

— Ага... В Германии, говоришь. — Я почесала нос, а потом хмыкнула: — Киллеры на вывоз. Ничего себе размах. То-то, я гляжу, их слишком много для нашего славного города. Должно быть, жесткая конкуренция, на каждую тысячу жителей свой киллер. И так по своей России. Даешь к концу столетия каждому российскому гражданину персонального убийцу...

— Это надо уничтожить, — сказал Саша, не разделяя мой восторг, швырнул карточки в раковину, извлек из кармана зажигалку и поджег их.

— А что, преемника не будет? — на всякий случай поинтересовалась я, ответить он не пожелал.

Дождавшись, когда киллерская картотека превратится в пепел, Саша включил воду и ополоснул раковину, я не удержалась и съязвила:

— Прикрылся профсоюз. — Но он не обратил на мои слова никакого внимания.

До железнодорожного переезда мы добрались на такси, а дальше вдоль реки к казарме пешком. Улицы были пустынны, фонари отсутствовали, свет в окнах по причине позднего времени не горел. Я шла, то и дело спотыкаясь в темноте, Саша взял меня за руку. Ладонь у него была большая и теплая, и мне очень захотелось прижаться к его плечу, уткнуться носом в куртку, а еще лучше — зареветь. Пожаловаться на жизнь и услышать в ответ что-нибудь бодрое и оптимистическое. Вместо этого я вздохнула и попыталась идти осторожнее.

— Устала? — вдруг спросил он.

— Не знаю... наверное. Кто он, этот Вик, скажи?

— Господи, какая разница? — От былого равнодушия в его голосе ничего не осталось, и это слегка удивило.

— Для меня есть, — разозлилась я. — Кто он? Психопат или просто сволочь, любитель выражений типа «Деньги не пахнут»?

— Он когда-то был офицером. Воевал.

— Здорово. А орденов у него нет?

— Был. Один точно. Может, больше, мы давно не встречались.

Я попыталась увидеть его лицо, но было слишком темно. Очень жаль, любопытно, какие у него сейчас глаза.

— Там было шестнадцать человек, — сказала я, точно он об этом не знал. — Из них девять женщин и ребенок. Хотя я не знаю, за что дают ордена на войне.

Я ожидала, что он разозлится, вместо этого Саша несколько минут молчал, потом заметил со вздохом:

— Иногда очень трудно понять некоторые вещи. Очень... Жизнь вообще штука сложная... А за просто так на войне ордена не дают, можешь поверить мне на слово...

— Верю, — согласилась я, спорить почему-то расхотелось — Только мне от этого не легче.

К казарме подходили в молчании. Метрах в двадцати от дома Саша неожиданно замер и сжал мою ладонь, я мгновенно покрылась потом, чувствуя, как бешено забилось сердце. Нас ждали. Словами такое не передашь, я просто ощущала чье-то присутствие.

Очень осторожно Саша сделал шаг в сторону завалившихся сараев, увлекая за собой меня. И тут откуда-то справа донесся свист. Негромкий и довольно затейливый. Саша перевел дыхание, положил руку на мое плечо, точно желая успокоить, и свистнул в ответ.

Через минуту из темноты показался человек и тихо позвал:

— Ключик, ты?

— Я, — ответил Саша, и мы уже спокойно двинулись навстречу свистевшему.

— Были гости? — спросил Саша, голос звучал спокойно.

— Были, — кивнул Вадим. — Идем, посмотришь.

Ускорив шаг, мы вышли к дому, он тонул во мраке и почему-то выглядел зловеще.

— Явились полчаса назад, двое, — объяснил Вадим, отпирая дверь. Мы вошли в гулкий коридор, вспыхнул свет, и я зажмурилась.

— Где они? — задал вопрос Саша.

— Там, в самом конце, — махнул рукой Вадим, а я только в этот момент сообразила, что в его руках винтовка, в темноте я почему-то подумала, что это палка. Саша воззрился на оружие с некоторым недоумением, Вадим, словно извиняясь, пожал плечами и сказал: — Да тихо все... Обошлось без пальбы.

Мы достигли конца коридора. Вадим толкнул дверь и первым вошел в комнату, нашарив выключатель на стене. Лампочка была тусклой и терялась где-то под потолком. На каменном полу, вытянув руки по швам, лежали два парня. Глаза одного закатились, кончик языка виднелся между приоткрытых губ, придавая физиономии шутовское выражение, как будто парень дразнился. Второй пристально смотрел в потолок, только вряд ли что-нибудь там видел.

— Иди в комнату, — точно опомнившись, сказал мне Саша, а я, покачав головой, ответила:

— Переживу.

Потом присела на корточки, внимательно разглядывая лица парней. То, что оба мертвы, было ясно без подсказки.

— Вот этот был в кафе, — сообщила я, закончив осмотр. — Если я, конечно, ничего не путаю. Я была здорово напугана...

— Ты не путаешь, — кивнул Саша. — Обыскал? — Вопрос адресовался Вадиму.

— Не успел, — пожал тот плечами. — Надо было проверить, нет ли еще кого. Их машина стоит внизу за гастрономом, там пусто. Старенький «Москвич», я думаю, ребятишки позаимствовали его в каком-нибудь дворе... — Вадим немного помолчал и добавил: — Они знают, где тебя искать, это плохо.

— Ничего, — опускаясь на корточки, ответил Саша. — Бывало и похуже.

— Да уж, — неожиданно засмеялся Вадим, а Саша начал обыск.

Карманы первого парня были совершенно пусты, даже крохотного клочка бумаги и то не нашлось, зато на шее висела цепочка, толстая, витая, с крестом. Я взяла его в руки: бриллиант и четыре рубина.

— Узнаешь? — спросила я Сашу.

— Конечно, — пожал он плечами.

— Выходит, это они укокошили Леню Свина, а крест прихватили на память.

— Симпатичная вещица, а жадность, как известно, самый распространенный порок.

Второй парень порадовал нас немногим больше: на запястье левой руки мы увидели татуировку: цветок и подпись под ним «18 лет», а на ладони имя Юра, в кармане джинсов клочок бумаги с номером телефона и размашисто выведенным именем Эльвира.

— Очень хорошо, — заметил Саша, переложив

бумажку в свой карман. — Что думаешь? — повернулся он к Вадиму.

— Ты знаешь, что я думаю, — проворчал тот, потом вдруг пнул труп парня ногой и зло добавил: — Придурки.

— Точно, — вроде бы согласился Саша. — Но это ничего нам не дает для понимания главного: на кого они работают?

— Очень сердитый и не очень умный дядя. Стрельба в кафе средь бела дня, потом убийство вашего Толстяка с презентом на память, сегодня они столько глупостей наделали, что убивать их было противно... точно дети малые. Кто-то с большими бабками, большой нелюбовью к вам и без нужных связей. Ты понимаешь, о чем я?

— Конечно, — продолжая разглядывать трупы, ответил Саша и без перехода спросил: — С ними что будем делать?

— Перетащим в «Москвич» и к реке...

— С ума сошли, — вмешалась я. — А если на кого нарвемся?

— На кого здесь нарываться? — вздохнул Вадим. — В округе ни одного жилого дома, а ментов сюда даже днем на аркане не затащишь.

— Как ты здесь живешь? — разозлилась я, а он ответил:

— Хорошо.

Труп положили на старое байковое одеяло, и через мгновение Вадим с Сашей скрылись в темноте, а я еще немного посидела, разглядывая второго парня. По спине прошел холодок, и я поспешила убраться из комнаты, с тоской думая о том, что трупы множатся, а я ни на шаг не приблизилась к своему сыну. В пустом доме с покойником жутко, я поставила чайник и начала свистеть, керосинка фыркала, а жизнь в целом не радовала.

Очень быстро Вадим с Сашей вернулись. Упаковали в одеяло второго незваного гостя и вновь исчезли. Теперь их не было довольно долго, свистеть я перестала, выпила чаю, уткнувшись взглядом в клеенку на столе, клеенка была красивая, кремовая с большущими розами кровавого цвета.

— Черт! — выругалась я и даже грохнула кулаком по столу, потом вскочила и забегала по длинному коридору из конца в конец, поджидая запропастившихся мужчин.

Наконец они вернулись.

— Саша, — кинулась я к нему. — Надо ехать к этой Светлане... если мы не опоздали, конечно.

— Скорее всего опоздали, — кивнул он. — Логичнее было сначала навестить ее, потом нас, с девчонкой хлопот меньше... — Его манера говорить о подобных вещах исключительно спокойно и даже равнодушно начинала здорово действовать мне на нервы.

— Мы едем? — разозлилась я, а он ответил:

— Конечно. — Но, оказавшись в машине, вдруг заявил: — Думаю, стоит навестить и Эльвиру. Вдруг девчонка что-то знает.

— Что она может знать? Они с этим Юрой могли познакомиться несколько часов назад, и она дала ему свой номер телефона.

— Бумажка изрядно потрепана. Я бы съездил...

Хмурясь и кусая губы, я наконец кивнула и только после этого сообразила спросить:

— Куда, собственно, ты собрался ехать?

— Сейчас узнаем...

Саша достал телефон и набрал нужный номер, причем в бумажку не заглядывал, у меня с цифрами проблемы, и такая память произвела впечатление.

— Эльвира? — спросил он, я придвинулась ближе. — Это друг Юры. Нужна помощь.

— Чего? — не поняла женщина.

— Юре нужна помощь, — повторил Саша. — У него проблемы.

— Допрыгался, — выкрикнула женщина и тут же заревела: — Где он? Придурок, урод несчастный...

— Он ранен...

— Что? — Она отчетливо икнула. — Как это? Где он? Чего сам не звонит?

— Сам не может, дал телефон. Ему надо где-то отлежаться.

— У меня нельзя, — всхлипнула женщина. — Я ж с родителями...

— Место не проблема, но кому-то надо за ним присмотреть, хотя бы этой ночью...

— А что с ним? Куда ехать?

— Где вы живете?

— На Первомайской, это...

— Я знаю, — перебил Саша. — Выходите к книжному магазину, там я вас встречу.

— Чего с Юркой-то? — жалобно спросила она, но отвечать Саша не стал.

Через несколько минут мы подъехали к магазину «Книжный мир», из-за угла показалась женская фигурка в темном плаще, Саша мигнул фарами, и женщина пошла быстрее. Я открыла дверь, женщина приблизилась, с опаской заглянула в машину, но, увидев меня, как-то сразу успокоилась и юркнула на заднее сиденье. Я разглядывала ее с некоторым удивлением. Убитый Юра был молод, женщина вдвое старше его. «Последняя любовь», — невесело усмехнулась я. Саша повернулся к ней лицом, снял пистолет с предохранителя и заявил:

— Объясняю ситуацию: твой Юра вел себя глупо и за это поплатился. Начнешь валять дурака, последуешь за ним. На вопросы отвечай конкретно и не вздумай врать. Все ясно?

Женщина вытаращила глаза и спросила:

— Где Юрка?

— Скажу, когда закончим. Первый вопрос: на кого он работал?

— Юрка? — Женщина поежилась. — Да он сроду нигде не работал... Как освободился, так и шляется.

К себе хотела, грузчиком, какое там. То проспит, то напьется... Ему бы только с дружками шляться...

— А кто дружки?

— Почем я знаю? Уголовники, все как один. Вот кто.

— Давно Юрка освободился?

— Четыре месяца. — Женщина вздохнула и вытерла глаза платочком. — У нас один работает шофером, с ним в школе учился, вот Юрка и зашел к нему... познакомились... Слушайте, что он натворил, а?

— Вляпался в паршивую историю. Деньги у него были?

— Ну... то густо, то пусто. Чаще, конечно, пусто. Да я его и видела совсем ничего. К себе не приведешь: родители у меня, старенькие... А он... так, мыкались по друзьям. Все больше в магазине встречались, я заведующая...

— Но кого-то из друзей видела?

— Видела... Пьянь разная. Правда, один крутой, на иномарке раскатывает.

— Какая иномарка?

— Не знаю. Красивая, вся светится. Только этот Коля форменный бандит. — Женщина вдруг осеклась, посмотрев на нас с испугом.

— Значит, Коля, на иномарке, — помог ей Саша. — Еще кто?

— Господи, кто... да вон пивнушка на углу, рядом с магазином, все Юркины друзья там. Говорю — пьянь. Васи, Вити, Пети... Вы меня отпустите? — спросила она тихо.

— Конечно, — улыбнулась я. — А иномарка какого цвета?

— Да черт ее знает... блестящая.

— Серебристая, что ли?

— Ну... да. Вроде бы. Не больно я ее разглядывала. Юрка сам однажды на «Волге» приехал. Белая такая... сказал, на работу устроился, шофером. Я еще, дура, поверила, потом конечно, поняла, что врет.

— А когда врал, сказал, куда устроился?

— В Колькину фирму. Что уж за фирма у него, не знаю. Это Колька его втянул, да? Чего с ним?

— Ничего. — Я вздохнула. — Фамилию Кольки знаете?

— Нет. Откуда? Я ж его на работу не устраивала. У дружков спросите. Они должны знать.

— Ясно, вы извините, что среди ночи подняли.

— Так вы из милиции? — еще больше испугалась она.

— Нет. С чего вы взяли?

— Ну... извиняетесь.

— Топай, — сказал Саша. — Пока я не передумал. И помалкивай.

Женщина поспешно покинула машину.

— Только время потеряли, — вздохнула я.

— Не скажи. Вадим прав: кто-то сколотил команду из бывших зеков. Севой Крестом тут даже не пахнет.

— Зачем бывшим зекам мой сын? — разозлилась я.

— Понятия не имею.

Возле дома Светланы мы оказались уже под утро, свет горел только на лестничных клетках, у подъезда дремал пес-бродяга, и мне, глядя на него, очень захотелось спать.

Я позвонила в дверь, Саша стоял рядом, опершись на перила, вроде бы безо всякого интереса к происходящему. Я успела раз десять нажать кнопку, но к двери так никто и не подошел.

— Вызовем милицию? — безо всякого выражения в голосе спросила я, как видно, заразившись избытком спокойствия у своего спутника. Он пожал плечами:

— Пока не стоит. Вдруг произойдет что-нибудь интересное.

— Например?

— Откуда мне знать? — удивился он, вытер носовым платком звонок и зашагал вниз, мне ничего не осталось, как идти за ним.

Мы устроились в машине, и я вскоре уснула, а проснулась потому, что Саша коснулся моего плеча и позвал тихонько:

— Лена...

Я трясла головой, терла глаза и вообще плохо соображала спросонья, поэтому не сразу заметила Валентина. Он подъехал на такси и бегом припустился к подъезду.

— А парень-то жив, — искренне удивился Саша. — Чудеса... — И добавил: — Идем. У него наверняка есть ключи.

Ключи, конечно, были, дверь он не только не запер, но даже не удосужился закрыть как следует, пролетел в спальную да так и замер там с вытаращенными глазами и открытым ртом. Голова его была запрокинута, и смотрел он куда-то вверх, я тоже посмотрела и увидела ноги, босые, нелепо торчащие из забавной розовой пижамы с коричневыми слониками, потом увидела все остальное и на всякий случай зажала рукой рот.

— Господи, — прошептал Валентин и наконец увидел нас. — Это не я, — сказал он поспешно. — Я только сейчас вошел, спросите у таксиста. Я ей вечером звонил, поздно, а она не... о Господи... и утром звонил, а потом решил съездить, не мог больше ждать. Она сама, да?

— Повесилась? — спросил Саша, Валентин кивнул, а я прошла к столу, где лежала записка: «Никто не виноват». — Повесилась, — нараспев повторил Саша и тут же напористо осведомился: — Что, были причины?

— У нее? Нет, не знаю... были, наверное...

— Несчастная любовь, долги, смертельная болезнь?

— Я не знаю, — замотал головой Валентин; вместо того чтобы немного прийти в себя после шока, он начал потихоньку впадать в истерику. Саша подошел к нему, взял за плечи и швырнул в кресло.

— Вот что, красавчик, то, что ты еще жив, у меня, например, в голове не укладывается. Но это, конечно, поправимо...

— Вы... что вы имеете в виду? — пролепетал Валентин.

— Я имею в виду, что ты сейчас напишешь пару слов близким и устроишься рядом с подружкой. В конце концов, это будет справедливо.

— Вы с ума сошли?

Парень был довольно крупным, но сейчас так перепугался, что и не думал о сопротивлении.

— Может быть, — согласился с ним Саша. — Поэтому в твоих интересах все нам рассказать.

— Что рассказать? Я ничего не знаю...

— Конечно, на кладбище ты оказался случайно и записку под «дворником» не оставлял?

Парень, не стыдясь, всхлипнул, закрыл глаза ладонью и жалобно произнес:

— Это не я... Это она... Я, честно, ни при чем, это она все придумала...

— Принеси воды, — сказал мне Саша. Я вернулась с кухни с чашкой воды. Валентин жадно выпил ее и посмотрел на меня так, точно я числилась в его ангелах-хранителях. Совершенно напрасно, между прочим.

— Где мой сын? — спросила я.

— Я не знаю, — клацнув зубами, ответил парень и, покосившись на ноги своей подруги, сглотнул и спросил: — Это вы ее, да?

— Где мой сын? — повторила я и достала пистолет, оружие произвело впечатление, парень стал болтать как заведенный.

— Я не знаю. Откуда мне знать, я вообще ничего не знаю...

— А кто знал, она?

— Может быть... нет... Она мне не говорила... То есть про вашего сына, я не знаю, где он... Светка велела, съезди в Юбилейный, поспрашивай, я поехал, никакого мальчишки там не было... Я сделал, как Светка сказала: заплатил деньги соседке, оставил телефон, потом Светка узнала, что вы в городе, вернулись то есть, деньги у вас, и если мы поведем себя по-умному, они будут наши. Позвонили из поселка, я туда поехал и следил за вами до кладбища. Светка велела оставить записку, чтобы вас напугать. Вот и все. Когда вы ко мне явились, я ей позвонил, а она занервничала, в общем, дерганая какая-то была, раза два сказала «влипли», и вообще... Велела мотоцикл утопить и из дома носа не показывать...

— А шантажировать Шохина тоже Светка придумала? — спросила я.

— Конечно... Да мы не надеялись даже, так, больше для смеха позвонили, а он так испугался. Какой дурак от денег откажется? А где ребенок, я не знаю.

— Стоп, — перебила я. — Что тебе Светка рассказала обо мне и моем сыне?

— Ну... про взрыв этот два года назад, что вы живая и знаете, где деньги, что ваш муж свистнул деньги у Севы Креста, потом сказала, что адвокат, ну, жирный этот, вас привез, потому что ему тоже денег хочется, а нам главное — не зевать, чтоб ложку мимо рта не пронесли...

— Она была любовницей Старосельцева?

— Ну да...

— И от него узнала обо мне?

— Наверное, от кого же еще?

— Вчера она приехала на серебристой «Ауди»? — задал вопрос Саша. — Чья это машина?

— Не знаю... У ее шефа вроде «БМВ».

— А белую с тонированными стеклами «Волгу» видел возле ее дома?

— Да... Нет... не обращал внимания, мало, что ли, белых «Волг»?

— Старосельцева убили, — сказал Саша без перехода. — А теперь повесилась твоя подружка...

— Убили? — Парень слегка подпрыгнул. — Вот почему она так перепугалась...

— А с шефом у нее тоже были дружеские отношения? — опять влезла я.

— Да... ну... Светка, она, как бы это сказать...

— Спала со многими, — подсказал Саша. — А тебя, как человека широких взглядов, это не волновало. Где она работала?

— Да я не знаю названия, фирма какая-то...

— Здание рядом с Историческим музеем?

— Да, Светка не велела мне там появляться, даже звонить не разрешила, шеф у нее ревнивый...

— Да уж, — хмыкнул Саша. — Должно быть, от его ревности она и наложила на себя руки.

— Так она сама, да? — чему-то обрадовался Валентин.

— Ты ж видел записку, — пожал плечами Саша и кивнул мне: — Идем.

Мы направились к двери, Валентин вскочил и схватил меня за руку.

— Подождите, а мне что делать?

— Вызови милицию, — подсказала я.

— Зачем? — Его опять начало трясти.

— Ты обнаружил в квартире мертвую женщину. В таких случаях всегда звонят в милицию.

— А вдруг они подумают...

— Мне наплевать, — сказала я, широко улыбнувшись. — Отпусти руку, ладно?

Руку он отпустил, но в квартире не остался, бежал рядом с нами чуть ли не вприпрыжку и продолжал что-то говорить.

— Он весь дом на ноги поднимет, — прошипела я, и Саша со мной согласился, но особенного беспокойства не проявлял, потом резко остановился и сказал Валентину:

— На твоем месте, парень, я нашел бы нору поглубже...

— Я понял, — очень отчетливо и вроде бы даже спокойно заявил красавчик. Саша слегка притормозил, пропуская парня вперед, и тот первым вышел из подъезда.

Он успел сделать пару шагов, взмахнул руками, точно собрался взлететь, и рухнул на асфальт в трех шагах от меня. Что-то обожгло мне плечо, я взвизгнула, подалась назад и только тогда увидела Сашу. Левой рукой он сжимал свое предплечье и пытался закрыть дверь подъезда, оттолкнув меня ближе к ступенькам. Я не удержалась на ногах и упала.

— Не зацепило? — испугался он, из-под пальцев на его светлой куртке растекалось пятно ржавого цвета.

— Ты ранен? — взвизгнула я, но он меня не слушал.

— Уходим.

— Господи, куда уходим? — растерянно спросила я, вскакивая и оглядываясь.

— В кармане удостоверение, — бросил он, наваливаясь на дверь квартиры напротив, и нажал звонок.

Дверь открыла женщина лет пятидесяти, она нахмурилась и тут же испуганно охнула.

— Милиция! — гаркнул Саша. — У вас во дворе перестрелка. Телефон есть?

— Есть, — пролепетала женщина. Не обращая на нее внимания, мы ворвались в квартиру. Саша стремительно бросился в кухню, ухватив меня за локоть. — Телефон в прихожей! — крикнула женщина.

— Окно, — сказал он, я взобралась на подоконник, распахнула окно, и через несколько секунд мы уже были на улице. Я крутила головой, высматривая врагов. Заметив это, Саша меня успокоил: — Стреляли с крыши. Здесь он нас не достанет.

— А машина? — жалобно спросила я.

— Машину придется бросить.

Утро было раннее, и прохожих было совсем немного. Кое-как мы добрались до парка и устроились на скамейке, о том, чтобы в таком виде идти через весь город, не могло быть и речи.

— Тебе надо к врачу, — сказала я, глядя в лицо Саши, он заметно побледнел и хмурился, должно быть, от боли.

— Дай сотовый, позвоню Вадиму, он заберет нас отсюда.

Вадим приехал минут через десять на новенькой «девятке», чем слегка удивил меня, я даже подумала: не свистнул ли он ее впопыхах с какой-нибудь неохраняемой стоянки. Пользуясь тем, что город точно вымер и только редкие троллейбусы, грохоча, нарушают утреннюю тишину, мы полетели к квартире Бата. У меня это удивления не вызвало: другого безопасного места я просто не знала, и мужчины, кажется, тоже. Меня сейчас заботило другое.

— Вадим, ему надо к врачу, — сказала я тихо, но твердо. Вадим повернулся к Саше, сидящему сзади, и спросил:

— Как ты?

— Нормально, — ответил тот, лично я его словам не поверила, а вот Вадима они вроде бы успокоили, и он сосредоточился на дороге.

Уже возле подъезда Вадим отдал свою куртку Саше, накинув ее ему на плечи, чтобы кто-то из случайно встреченных соседей не увидел кровь.

В квартире Саша повалился в кресло и сказал, обращаясь к другу:

— Помоги.

Вдвоем они смогли стянуть куртку и футболку, а потом занялись раной. Я бессмысленно вертелась рядом. Мой вклад в общее дело заключался в кипячении воды и прочих мелочах такого рода. С некоторым удивлением я смогла убедиться, что в медицине Саша соображал много больше меня, действия его выглядели осмысленными, он хорошо знал, чего хотел. Пока я бегала с тазами, а Вадим мыл руки, сам сделал себе уколы и внимательно разглядывал промытую рану в зеркале. Мне она очень не понравилась.

— По-моему, мы уже давно должны быть в больнице, — сурово сказала я.

— Вроде бы у нас много дел? — удивился Саша.

— Я помню, что ты герой, но здоровье надо беречь.

— В больнице придется объяснять, откуда это украшение. Они вызовут милицию.

— Ну и пусть. О стрельбе возле Светланиного дома они уже знают, а ты случайный прохожий.

— У тебя что сегодня, утро дурацких предложений? — неожиданно разозлился он, а я пожала плечами.

— Нет. Просто я испугалась, а теперь боюсь еще больше, потому что вижу: дела скверные, хоть ты и храбришься.

— Нормальные дела, — развеселился Саша. — Если ты имеешь в виду эту царапину, то не бери в голову. Честное слово, это ерунда. Из худших передряг выбирался. Посмотри-ка на мою спину.

Я подошла сзади и посмотрела: чтобы мне было удобнее, он немного переместился вперед, а я, не сдержавшись, брякнула:

— Вот черт!..

— Он самый, — хохотнул Саша.

— Что это такое? — растерялась я, слава Богу, до сего дня мне ничего подобного видеть не приходилось: бледно-серые рубцы на багровой коже очень подошли бы какому-нибудь Крюгеру.

— Не повезло, — равнодушно ответил Саша, и разговор пришлось прекратить, потому что Вадим вернулся из ванной. Был он хмур, даже бледен, но полон решимости. — Справимся? — спросил Саша, голос звучал спокойно, даже лениво, впрочем, может, лекарство уже начало действовать? Вадим в ответ кивнул.

Последующие полчаса мне дались с трудом. Очень хотелось сбежать или как минимум закрыться в ванной. Но позволить себе такую роскошь я, к сожалению, не могла и продолжала выполнять роль хирургической сестры. Когда все кончилось, я смогла добраться до ванной, умыться, а главное — отдышаться. Посмотрела на свое отражение в зеркале и покачала головой: выглядела я не лучше Саши.

Через несколько минут он спал, а мы с Вадимом пили крепкий чай в кухне.

— Как думаешь? — спросила я нерешительно. Он молча смотрел на меня не меньше минуты и наконец кивнул.

— Все будет хорошо, вот увидишь. Рана пустяковая, от таких не умирают. Крови много потерял, но Ключик — мужик крепкий.

— Почему Ключик? — улыбнулась я.

— Так... долго объяснять... дурацкая страсть к прозвищам.

— А как звали тебя?

Он усмехнулся и ответил:

— Мне больше нравится Вадим.

— Извини. — Я посидела немного, разглядывая чашку, и вновь вернулась к тому, что сейчас меня очень беспокоило. — Ты, конечно, молодец, но этот наш госпиталь в полевых условиях... Что, если ему станет хуже?

— Я ведь сказал, он крепкий парень.

— А если заражение или что-то там еще?

— Не забивай голову. Я бы на твоем месте лег спать.

Я кивнула, все разом уяснив. Вадим некоторое время наблюдал за мной, потом извлек из кармана брюк листок бумаги и протянул мне.

— Белой «Волги» с такими номерами не существует. А хозяин «Ауди» Агапов Денис Васильевич.

Я пожала плечами, эта фамилия мне ни о чем не говорила, что было несколько странно. Из разговора с Валентином я сделала вывод, что Светлана работала секретарем Извекова, человека, который был хозяином фирмы, где два года назад трудился Димка. И вдруг появляется какой-то Агапов...

— Можешь узнать, что это за тип? — спросила я.

— Конечно, — пожал плечами Вадим.

— Хочу навестить старого друга. Ты здесь побудешь?

— Вряд ли Сашке понравится, что ты идешь куда-то одна.

— Он мой друг, а не охранник, — усмехнулась я. Вадим попытался улыбнуться, но вышло невесело, а я позвонила Шохину.

Володя, должно быть, еще спал, потому что трубку снял только после шестого гудка и зло проворчал:

— Да...

— Володя, это Лена, прости, если разбудила, — сказала я и добавила: — Я нашла твоих шантажистов.

Через полчаса мы встретились. Он приехал на такси. Я ждала его у входа в городской парк. Поздоровавшись, мы отправились в глубь аллеи, в это время безлюдной. Где-то рядом лаяла собака, а детский голос настойчиво повторял:

— Ко мне, ко мне!

— У Извекова была секретарша по имени Светлана? — спросила я.

— Да... А почему была? — вдруг всполошился Володя.

— Она повесилась. Или ее повесили. Не смотри так, я здесь ни при чем. Девушка отличалась излишней общительностью. Извеков был ее любовником, а еще тип с дурацкой кличкой Свин. Кстати, ты не был знаком с адвокатом по фамилии Старосельцев?

— Нет. Фамилию слышал. Шофер Извекова года полтора назад сбил женщину, виноват он не был, но она умерла, в общем, понадобился адвокат.

— Ясно. Рассказал ли ей Извеков о том, что мой муж якобы украл деньги, или она сама узнала об этом, и кому пришла в голову идея тебя шантажировать — судить не берусь. Как сказал ее любовник, молодой парень, которого она содержала, они даже не особенно рассчитывали на удачу. Знали, что вы с Димкой друзья, и прикинули, что ты, возможно, не так уж безгрешен. Позвонили, приплели Севу Креста, и ты стал платить им.

— Надо же, — покачал головой Володя. — Это что же, просто глупая шутка?

— Судя по всему, они неплохо на тебе заработали. Легкие деньги их воодушевили, и в голову начали приходить идеи помасштабнее. Кому-то не давала покоя мысль о пропавших деньгах, вот веселая парочка и решила подзаработать. Как судьба свела Светлану с адвокатом по фамилии Старосельцев, я понятия не имею. От него она узнала о том, что я жива. Как видно, он не был особенно осторожен и поделился своими планами. Девчонка мигом сообразила, что на этом можно заработать...

— Подожди, — перебил Володя. — Каким образом он мог узнать, что ты жива?

— Ему рассказал об этом один подопечный. Старосельцев рассудил: раз я не пошла в милицию, а сбежала, значит, деньги у меня. Всем страшно хотелось этих денег... А тут еще вышла газета с фотографией Ваньки, ты ее, возможно, не заметил...

— Заметил, — вздохнул Володя. — И не только я. Мне многие звонили, общие знакомые... Снимок так себе, у ребенка другое имя, я решил — просто похож, и все...

— Кто-то не поленился и отправился к корреспонденту газеты, а потом переслал фотографию Старосельцеву. Он проявил небывалое рвение и сумел меня найти, а вот ребенка — нет. Ванька исчез вместе с человеком, которого называет отцом...

— Как же так?.. — растерялся Володя. — Ведь ребенку надо как-то объяснить.

— Послушай дальше. Меня нашли и приказали

искать деньги. Как только я появилась здесь, начались интересные вещи. Для начала меня хотели убить. Скажи, зачем, если предполагается, что я знаю, где деньги? Потом убивают Старосельцева, вслед за ним Светлану и ее дружка. Какой в этом смысл?

— О Господи, Лена, откуда мне знать?

— Напрягись, подумай...

— Нечего думать... кто-то боится, что все всплывет наружу. Так?

— Что всплывет? — спросила я.

— Ну... кража, то есть кто украл эти проклятые деньги.

— Точно. Кто в действительности украл деньги.

— Ты... ты думаешь?

— Конечно. И ты так думаешь. Кто-то боится, что об этом узнают заинтересованные лица, например, Сева Крест.

— А если это сам он?

— Укокошил всю команду? Смысл? Кресту нужны деньги, а не трупы. Жажду мести он удовлетворил, взорвав дом.

— Выходит... — Володя замер и посмотрел на меня. — Выходит, Димку подставили?

— Точно. Он никого не собирался обкрадывать, жил себе спокойно, не подозревая об опасности... Я знаю, ты любил Ваньку... Где он? — спросила я, нащупав пистолет под курткой. Глаза у Володи буквально полезли на лоб.

— Ты... да ты что, ты с ума сошла...

— Очень может быть. Сказкой о том, что Димка вор, попотчевал меня ты. И Креста ты не зря боялся, поэтому и платил, ты ведь не знал, что именно успели разнюхать эти ребята.

— Подожди, подожди! — Володя вытянул руку, точно загораживаясь от удара. — Я ничего не знал о его делах...

— Ты не пришел на мой день рождения, свалился с температурой.

— Лена...

— Ты даже памятники на могилах поставил, должно быть, совесть мучила.

— Памятник поставила Наташка! — отчаянно крикнул он.

— Кто? — не поняла я.

— Я... я думал, ты знала... Она работала в бухгалтерии, Донцова Наташка... У них с Димкой... в общем, она его любила. Он ей помогал, купил квартиру, машину... После похорон мы как-то все потеряли друг друга из виду, а зимой встретились, она сейчас в налоговой. Про памятник она сама мне рассказала... — Он вздохнул и тихо добавил: — Ты не права, Лена, я не брал этих денег. Подумай сама: как бы я смог проделать такое... ведь они не в сумке лежали у меня под столом. Я много думал об этом... Я не нахожу объяснения...

— Сукин ты сын! — рявкнула я, потому что к этому моменту заметила кое-что интересное. Прямо по аллее в нашу сторону неслась «Нива», ей здесь явно было не место, к тому же не так давно я уже имела счастье ее видеть: возле кафе, где нас с Сашей обстреляли какие-то психи. Ну вот и свиделись...

Володя вскинул голову, удивленно приоткрыл рот и схватил меня за локоть, я оттолкнула его и бросилась через кусты, стараясь держаться ближе к деревьям, здесь проехать на машине не было никакой возможности. Возле выхода из парка меня мог поджидать еще кто-то, и я должна достичь ограды, перелезть через нее и спуститься с крутого холма вниз. Там, среди частных домов, проще затеряться. Я бежала, очень надеясь на свое везение, но услышала крик и оглянулась, как раз в тот момент, когда тело Володи от чудовищного удара буквально взметнулось над машиной. Его отбросило в сторону, он упал, но не на асфальт, а в кусты, «Нива» лихо развернулась, намереваясь преследовать меня. Между деревьями им не проехать, но ничто не мешает двигаться по аллее. В конце концов, у ограды они все равно будут раньше... Я резко сменила направление, «Ниве» вновь пришлось разворачиваться, теперь я бежала к выходу из парка, там ступеньки, выезд на проспект, там они не смогут нестись как угорелые.

Я пробежала еще метров сто, споткнулась и упала в траву, снова вскочила и вот тогда сделала то, чего ни парни в «Ниве», ни я сама не ожидали. Развернувшись к ним лицом, рывком достала пистолет и выстрелила. Трижды. Машину занесло, передние колеса на мгновение оторвались от земли, правой стороной «Нива» ударилась в дерево, ее еще раз подбросило, и она завалилась в кусты. Передняя дверь открылась, и я выстрелила еще раз. Глаза ослепли от неожиданной вспышки, раздался взрыв, и я упала, загораживая голову от осколков.

Жар коснулся спины, я отползла в сторону, трясся головой и пытаясь прийти в себя. Потом вспомнила о Володе и бросилась к нему, на ходу пряча пистолет.

Он лежал в кустах, и одного взгляда было достаточно, чтобы понять: ему уже никто не поможет. Я зажмурилась, всхлипнула и наконец сообразила, что мне надо побыстрее убраться отсюда.

Задыхаясь и кусая губы, чтобы не разреветься, я рванула все по той же аллее, выскочила из парка и прямо возле ступеней увидела хорошо знакомый мне «Шевроле», а рядом с ним парня, надо полагать, его хозяина. Помнится, парня звали Володя и именно его нелегкая угораздила пригласить меня танцевать несколько дней назад, перед памятной дракой у ресторана. Я выхватила оружие, но парень на это никак не отреагировал, стоял, смотрел, смешно приоткрыв рот, и двигаться как будто вообще не собирался.

— Отстань от меня, урод! — крикнула я, боясь разрыдаться.

— Уже отстал, — очень серьезно ответил он.

До квартиры Бата я добиралась троллейбусом, сограждане смотрели на меня с недоумением, так что, проехав остановок пять, я была вынуждена покинуть транспортное средство и немного посидеть на скамейке в чужом дворе, чтобы прийти в себя. Потом я вдруг испугалась, что за мной следят и я выведу своих преследователей прямиком к нужной квартире, и принялась перескакивать с троллейбуса на троллейбус, меняя маршрут и приглядываясь к окружающим. Через час стало ясно, что я либо свихнусь от подозрений, либо попаду на глаза особо бдительному стражу закона, а это, с пистолетом в кармане, совершенно ни к чему.

В конце концов я смогла успокоиться и через полчаса уже звонила в дверь квартиры Бата. Открыл мне Вадим, посмотрел на меня так, как обычно смотрят на пьяных, и, сообразив, что я пьяной быть не должна, спросил:

— Что случилось?

— Если не возражаешь, расскажу позднее. Как Саша?

— Спит. Есть хочешь? Я там кое-что приготовил... Мне пора на работу. Ключи возьму с собой. Еще одни на шкафчике в кухне. Вернусь утром.

— Ты сразу уходишь?

— Мне только-только добраться, тебя ждал, не хотел оставлять Сашку одного.

Мы простились кивком, и Вадим ушел. Я заглянула в кухню, сунула нос в кастрюли, не испытывая ни малейшего желания есть. Потом отправилась к Саше.

Он спал на диване, отвернувшись к стене. Левая рука, перебинтованная до самого плеча, покоилась поверх клетчатого пледа. Я осторожно села рядом и вздохнула. Лицо его было бледным, на висках проступили крохотные капли пота. Я всхлипнула, торопливо отошла к окну и стала теребить занавеску.

— Как дела? — вдруг спросил он.

— Ты не спишь? — вздрогнула я.

— Сам не знаю. Подойди, сядь рядом.

Я вытерла глаза, придвинула кресло к дивану и забралась на него с ногами. Мне было холодно, руки противно дрожали, я куталась в покрывало и смотрела на Сашу.

— Рассказывай, — попросил он, и я рассказала.

— Да, он был классным подозреваемым, — выслушав меня, заметил Саша. — Но Шохин убит, а это значит, что ты ошиблась. Есть кто-то еще. Человек, укравший деньги и боящийся разоблачения до такой степени, что готов убивать налево и направо, сколотив для этой цели бригаду из бывших зеков.

— Точно. И еще этот человек очень близок к нам.

— К нам? — удивился Саша.

— К моей семье, к моей прежней жизни. Понимаешь?

— И ты думаешь, что это твой муж?

— Я думаю, с кем сейчас мой сын? Кто тот человек, которого он зовет отцом? Кто это может быть, Саша?

— Кто-то из близких, кого он хорошо знал и кому доверяет?

— Разве может быть по-другому?

— Не знаю, — ответил он, было заметно, что ему тяжело говорить.

— Давай я тебя покормлю, — всполошилась я.

— Спасибо, лучше напои чаем.

Я бросилась в кухню, торопливо заглядывая в чужие ящики в поисках сахара и чая, нашла поднос и наконец вернулась в комнату. Саша то ли дремал, то ли лежал с закрытыми глазами. Я осторожно поставила поднос и села в кресло.

— Готово? — открыл он глаза. — Помоги мне приподняться.

Я сунула ему за спину подушку, чтобы было удобнее, и стала поить чаем. Руки у меня дрожали, и ложка противно билась о фарфоровую чашку.

Татьяна Полякова

— Тебе очень больно? — спросила я. Он покачал головой.

— Мне не больно. Слабость. Полежу пару дней... Если что, покажусь знакомому врачу, он из наших...

— Может, мне стоит к нему съездить?

— Ерунда. Я ж тебе сказал, от таких пустяков не умирают. Выпей чаю и дай мне руку, пожалуйста. — Я положила руку ему на грудь, он накрыл ее своей ладонью, а я заплакала, тихо и горько. — Мы его найдем, — сказал Саша. — Верь мне.

— Верю, — прошептала я, размазывая слезы. — Правда верю...

— Вот и хорошо. Ты просто здорово испугалась сегодня. Обещай, что больше никуда не пойдешь одна.

Я допила уже остывший чай и, не глядя на Сашу, спросила:

— Тебе не помешает, если я лягу рядом?

— Нет, конечно, — улыбнулся он, я легла, прижавшись к его плечу, а он обнял меня здоровой рукой. Я закрыла глаза и, кажется, мгновенно уснула.

В комнате было темно, только на кухне горел свет, пробиваясь сквозь приоткрытую дверь. На диване я лежала одна, заботливо укрытая пледом. Бог знает, почему меня это так напугало.

— Саша! — крикнула я, вскакивая. Он показался в комнате, шел, держась за стену, в дверях выпрямился и подмигнул мне. — Господи, зачем ты встал? — с трудом переводя дыхание, сказала я.

— Встал я в туалет, причина уважительная, к тому же ты совершенно напрасно считаешь, что имеешь дело с человеком при смерти. Я съел все щи и доедаю картошку, так что тебе лучше присоединиться, иначе останешься голодной.

— А который час?

— Почти три.

— Среди ночи есть картошку? — засмеялась я.

— Что ж делать, если весь день я проспал. Так ты идешь?

Я пошла и даже смогла кое-что съесть, с огромным удовольствием глядя на Сашу. С удовольствием, потому что на умирающего он в самом деле похож не был.

— У тебя глаза грустные, — заметила я.

— Сонные, — улыбнулся Саша.

— Нет, не сонные, а очень-очень грустные. Я давно это заметила.

— У частного сыщика без денег, без клиентов и без особого смысла в жизни должны быть грустные глаза. Разве нет?

— Извини, но ты совсем не похож на частного сыщика.

— Вот тебе раз, — засмеялся он. — А на кого я похож, по-твоему?

— На Александра Матросова, — съязвила я. Саша выглядел очень неплохо для раненого, и теперь я начала злиться, что не так давно рыдала на его груди и даже забралась к нему в постель. — У тебя такой вид, точно ты каждую минуту готов закрыть грудью какую-нибудь амбразуру.

— Да? — Он вроде бы удивился. — На самом деле я терпеть не могу подвиги. У меня к ним стойкое отвращение. — Он посмотрел внимательно и добавил: — Я подумал... как бы это сказать... если человек тебе стал почему-то дорог, зачем стыдиться этого?

Я подняла брови, демонстрируя удивление.

— Ты обо мне?

— О себе ты скажешь сама, — без улыбки заявил он. — Если захочешь. Я рассчитывал найти деньги, которые пообещал Бат, и сунулся в эту историю. А теперь я очень хочу, чтобы ты нашла своего сына и была счастлива. Лучше всего со мной.

— Любовь дороже денег? — хохотнула я.

— Конечно, дороже. Дураки думают иначе, а я уже поумнел.

— Звучит многообещающе, — кивнула я. — Можно, я пока ничего не буду говорить?

— Можно, — засмеялся он. — Я просто хотел, чтобы ты знала: я тебя люблю. Ты спала на моем плече, а я думал о том, как это здорово, лежать в темноте и знать, что ты рядом.

— Конечно, ты прав, — невесело усмехнулась я. — Извини, что болтаю всякие глупости, это потому, что я... я не очень рассчитывала, что когда-нибудь смогу что-то чувствовать. На самом деле я думала о том же... И перестань так смотреть на меня, не то опять разревусь.

— Подумаешь, — засмеялся Саша. — Бабьи слезы, как известно, стоят дешево. Реви на здоровье.

Он обнял меня, притягивая к себе, а я хохотнула и показала ему язык.

Вадим появился около девяти часов. Саша отдыхал, а я готовила завтрак.

— Как прошла ночь? — спросил он, устраиваясь за столом, я равнодушно бросила:

— Нормально.

— Ага. Я знал, что валяться в постели ему быстро надоест. Уже по квартире бродит?

— Бродит, — пожаловалась я. — И меня не слушает.

— Охотно верю. Он вообще не умеет никого слушать. Таким родился.

— Что ты болтаешь? — обиделся Саша, появляясь в кухне.

— Пытаюсь втолковать девушке, с кем ей придется иметь дело.

— С хорошим человеком, — подсказала я, и мы засмеялись. Не спеша позавтракали, Вадим заварил кофе и сказал, ни к кому конкретно не обращаясь:

— Серебристая «Ауди» Агапова Дениса Васильевича в настоящее время находится в фирме «Астор», у Агапова вообще-то две машины, эта самая «Ауди» и «Газель». На «Газели» он в сильном подпитии умудрился влететь в «БМВ», принадлежащий этой фирме. Расплатиться не смог, вот «Ауди» у него и забрали. Во временное пользование, так сказать, пока бабки не заплатит.

— Так... Давайте-ка проанализируем ситуацию, — предложил Саша.

— Подожди анализировать, — перебила я. — Вчера Володя сказал, что у моего мужа была любовница. Я хочу с ней встретиться...

— Зачем? — Оба как будто удивились.

— Я тебе уже объясняла: человек, который все это затеял, где-то рядом. Вдруг Димка ей что-то рассказывал, на что-то намекнул...

— Ты знаешь, где ее найти?

— Я знаю ее имя и место работы.

— Хорошо, пойдем, — кивнул он.

— Тебе нельзя, — влез Вадим. — Отлеживайся, не то опять кровотечение начнется, а с Леной пойду я. Тебе сиделка без надобности, сам справишься. На возможные возражения отвечаю сразу: пользы от тебя сейчас мало, а... все остальное знаешь сам.

Я придвинула телефон и справочник. В справочнике значились шесть Донцовых мужского пола и три женского. Но нужной мне Наташи не оказалось. Семь раз мне ответили, что я ошиблась, а на восьмой тоненький детский голосок произнес:

— Я слушаю.

— Телефон может быть зарегистрирован под другой фамилией, — подсказал Саша. — Или его вовсе нет в справочнике.

— Володя говорил, что она работает в налоговой...

Через некоторое время я уже знала, что Наталья Васильевна Донцова в настоящее время на больничном, и, преодолев врожденное недоверие работников данного учреждения ко всем и вся, смогла-таки раздобыть номер ее домашнего телефона.

Татьяна Полякова

— Хочешь позвонить? — спросил Вадим, угадав мои намерения.

— Конечно. А как еще я могу узнать адрес?

— По-моему, предупреждать ее о нашем визите не очень разумно, а адрес я узнаю.

Он взял из моих рук трубку и торопливо набрал номер. Кто-то ему ответил, лицо Вадима мгновенно преобразилось, и он запел:

— Ниночка, мне адресок нужен. Донцова Наталья Васильевна, сколько ей лет, не знаю, но должна быть молодой... Есть телефон, запиши... какие шашни, радость моя, по работе надо... Сделай одолжение... Записывай, — шепнул он мне и продиктовал адрес. Потом еще минут пять развлекал Ниночку всякими глупостями и наконец повесил трубку. — Если человек на больничном, ему положено быть дома, — заявил он, а Саша с усмешкой добавил:

— Хотя в такую погоду дома сидят только идиоты.

— Вот ты больной и лежишь в постели. В налоговой должны трудиться честные люди, значит, эта Наташа глотает таблетки и смотрит телик, а не греется на солнышке... Через пятнадцать минут проверим, это ж совсем рядом.

На машине Вадима мы добрались до нужной нам улицы за пять минут, правда, на поиски дома времени потратили значительно больше.

— Я пойду одна, — сказала я Вадиму, когда мы остановились возле Наташиного подъезда.

— Справишься? — спросил он.

— Конечно.

Наташа жила на втором этаже. Металлическая дверь с «глазком», звонок, похожий на звук колокольчика. Дверь открылась, и я увидела женщину лет тридцати, высокую, полную, с милым лицом и очень грустными глазами. Почему-то это произвело впечатление. Совсем не такого человека ожидала я увидеть, а нечто длинноногое, юное, с глазами без выражения. Вот так раз... выходит, я своего мужа недооценивала.

— Здравствуйте, — сказала я и попыталась улыбнуться.

Если женщина произвела на меня впечатление, то впечатление от моего появления и описать трудно: она буквально остолбенела, шепнула:

— Господи. — Прижав руку к груди и наконец собравшись с силами, произнесла: — Это вы?

Стало ясно: в отличие от меня, ранее не подозревавшей о ее существовании, ей о моем было известно, более того, она знала, как я выгляжу. Может, Димка ей фотографии показывал? А почему бы и нет?

— Это я, — пришлось согласиться мне и даже кивнуть: — Можно войти?

— Конечно... проходите. — Она распахнула дверь пошире и посторонилась, пропуская меня в прихожую. Я сбросила кроссовки и повернулась к ней.

— Куда?

— В комнату... проходите, пожалуйста. Извините, я никак не приду в себя. Я ведь... вы... вас ведь... извините.

— Ну да, — помогла я ей немного. — Меня похоронили, и вы даже поставили на моей могиле памятник. То есть на нашей.

— Так вы живы? — В себя она приходить не спешила.

— Конечно. Согласитесь, на привидение я совсем не похожа.

— Да... — Она продолжала стоять в дверях комнаты и так смотрела на меня, что я начала хмуриться. Огляделась и присвистнула:

— У вас неплохая квартира. Одна живете?

— Да. — Наташа кивнула. — Квартиру купил Дима, если вы это имеете в виду, мебель и все остальное — тоже он...

— Если честно, мне на это наплевать.

— Я знаю, — сказала она и села в кресло. — Дима много о вас рассказывал. Он вас очень любил.

— Он вам рассказывал, как меня любил? — поинтересовалась я, женщина неожиданно заплакала, а мне стало стыдно: не заслуживала она того, чтобы я с ней так разговаривала.

— Он вас очень любил, — повторила она. — И был несчастлив. Извините, что я говорю вам это. Он считал, что вы его не понимаете и не хотите понять. Вы его не ценили, ни его самого, ни того, что он для вас делал.

— Я оценила. С опозданием. Когда дом на моих глазах превратился в головешки.

— Как вы выжили? — наконец-то спросила она.

— Я была в погребе. Он довольно далеко от дома. А потом сбежала, потому что испугалась. И пряталась два года.

— Господи... — Она закрыла глаза ладонью, быстро справилась с собой, вытерла слезы, высморкалась и сказала очень просто: — У меня есть деньги, довольно приличная сумма. Кое-что я потратила: похороны, памятник, я вам все подробно распишу. Это Димины деньги, то есть теперь ваши, я их никогда не хотела, просто не могла отказаться, он бы обиделся. Он очень обижался на вас, считал идеалисткой, злился, твердил: «Представляешь, деньги ей не нужны...»

— Они мне в самом деле не нужны, — сказала я. — За памятник и прочее спасибо. Но я пришла не за этим. Помогите мне.

Она посмотрела с удивлением, пожала плечами и тихо ответила:

— Конечно. А что я должна сделать?

Я показала ей фотографию Ваньки.

— Это мой сын. Фотография сделана несколько месяцев назад.

— Я знаю, — обрадовалась она. — Я видела ее в газете. Все никак не могла успокоиться, позвонила Сереже и показала ему.

— Сереже?

— Да. Сергею Федоровичу, вы ведь знаете его, правда?

— Конечно. Сергей Федорович Извеков, глава фирмы «Астор», хозяин моего мужа.

— Он бы очень обиделся за такие слова, они с Димой были друзьями.

— В самом деле? Я считала, что у них сугубо деловые отношения.

— Нет-нет, они дружили. И Сережа очень переживал... поддерживал меня. Если бы не он... вспомнить страшно.

— Как Сережа воспринял появление фотографии? — спросила я.

— Сказал, что мальчик действительно похож на Ванечку, но это сходство и ничего больше... ребенка зовут Слава, и вообще чудес не бывает.

— Бывают. Я жива, очень надеюсь, что жив мой сын, и вполне возможно, жив еще один человек. Скажите, Наташа, за эти два года не происходило ничего странного? Вам никто не звонил, не делал подарки, что-нибудь неожиданное: цветы под дверью и так далее...

— Нет, — удивилась она. Меня это не огорчило, Димка не дурак и вполне мог отказаться от любимой женщины во имя еще более любимых денег.

Наташа посмотрела на меня внимательно и вдруг спросила:

— Вы думаете, Дима жив?

— Думаю, — ответила я. — Мой сын жив, он живет с человеком, которого называет папой, ребенок осторожен, точно боится выдать страшную тайну.

— Но это невозможно, — покачала головой Наташа. — Дима погиб.

— Я тоже погибла, — усмехнулась я.

— Нет. Видите ли... Я не могла поверить в то, что случилось, я просто... извините... Я так любила его... и вдруг. Экспертизу проводил мой родственник Марк Захарович Фирсов, и я... Мне было бы легче, если бы оставалась надежда, хотя какая там надежда... Извините, я очень путано говорю... Марк Захарович объяснил мне, что все зависело от того, где человек находился во время взрыва, от человека могло вовсе ничего не остаться... А вот Диму определили сразу, он лучше всех... сохранился. Обручальное кольцо с монограммой, оно у меня, и... зубы. Он все лето мучился зубами, часто ездил в платную больницу... в общем, особых проблем опознание не вызвало... Дима погиб. Никаких сомнений мне не оставили.

То, как сказала она это, произвело впечатление. Господи, где мой сын? Что, если фотография — злая шутка судьбы и ребенок просто похож на моего Ваньку?

Поняв мой взгляд, Наташа торопливо продолжила:

— О Ванечке ничего достоверного, как и о вас и еще двух женщинах — ваших подругах... изувеченные останки, которые совершенно невозможно... — Она беззвучно заплакала, слезы катились по щекам, крупные, как горох, и капали с подбородка.

— Извините, — сказала я.

— За что? — Она слабо улыбнулась, а потом спросила: — Вы ведь его не любили, да?

— Кого?

— Диму...

— Странный вопрос. Он был моим мужем.

— Конечно, — кивнула она. — Но вы... как бы это сказать, не видели его, что ли, а ведь он был необыкновенным человеком.

— Может быть. А я совершенно обыкновенной. И не заводила любовника, чтобы рассказывать ему о своей любви к мужу, наверное, в этом моя ошибка.

— Не говорите так...

— Если бы я в тот первый раз развелась с ним, никто бы не погиб, и мой сын...

— Вы не должны так говорить, вам не в чем его упрекать.

— В самом деле? — удивилась я. — Он свихнулся на деньгах, он затеял опасную игру, и в результате погибли все, кто был мне дорог. Может, мне стоит сказать ему «спасибо»?

— Он ничего не затевал, — испуганно возразила Наташа. — Я читала газеты, это все досужие вымыслы очень непорядочных людей. Вы не понимали Диму, для него деньги значили немного, то есть деньги как таковые... Он был гений и знал это, и ему хотелось, чтобы люди, с которыми он имеет дело, это понимали...

— А я не понимала... Очень жаль, но дом взорвала не я. Кто еще не понимал, что он гений?

— Нет-нет, он... я не знаю, как могло произойти такое и кто в этом виноват. Но Дима не был вором, ему это просто не нужно было... я не могу объяснить...

— Вы когда-нибудь слышали о Севе Кресте? — спросила я.

— От Димы — нет. Я прочитала в газетах. Но ведь его не арестовали, значит, этот Крест не убивал...

— Спятил он, что ли? — искренне удивилась я. — Для этого есть совершенно другие люди... Мой муж каким-то образом увел у Севы крупную сумму денег, а тот расплатился на свой манер.

— Нет, — твердо заявила Наташа. — Дима ничего не крал. Думать о нем так подло и глупо...

— Приношу свои извинения. Очень возможно, что он не залезал рукой в чужой карман. А как вам такая версия: наш компьютерный гений присваивает дискету с чрезвычайно важными для Креста материалами...

— О Господи, но ведь это была шутка, — с изумлением заявила Наташа, а я, кажется, открыла рот.

— Что это было? — смогла я произнести через некоторое время.

— Это была шутка, — убежденно сказала она, как будто даже разозлившись на мою бестолковость.

— И как же он намеревался пошутить?

— Он не намеревался, это вообще была пустая болтовня... я все прекрасно помню. Они сидели здесь с Сережей, вот на этом диване...

— Он посещал вас с друзьями? — не удержалась я.

— Иногда... очень редко. Это был мой день рождения, и я все отлично запомнила... — «Я свой тоже», — хотелось сказать мне, но я промолчала. — Дима заехал меня поздравить вместе с Сережей, немного выпили, а потом мужчины начали болтать о делах, как это обычно бывает. И вот тогда Дима сказал: «Эти психи недооценивают технический прогресс, они даже не понимают, насколько от нас зависят. От обыкновенной дискеты, к примеру. В понедельник им понадобятся деньги, а они не получат ни копейки, если дискеты вдруг не окажется». Сказал что-то в таком духе, а потом еще добавил, что его должны на руках носить или, по крайней мере, прибавить жалованье.

— Вот ему и прибавили...

— Он не крал этих денег, — неожиданно резко перебила Наталья. Лицо ее пылало, глаза горели, сейчас она совсем не походила на тихую ласковую женщину, скорее уж на разгневанную фурию.

— Откуда вы знаете, что он не решился попробовать: взял и спрятал дискету, а взамен потребовал денег?

— Чепуха, они просто валяли дурака, сидя за бутылкой. Это Сережа сказал: «Можно их осчастливить, потребовать деньги, деваться им некуда, они заплатят, если они не рассчитаются в понедельник, неприятностей у них будет выше крыши...» — «Точно, — возразил Дима. — А потом неприятности будут у нас. Так что затея никуда не годится, хотя очень хочется проучить этих придурков».

— А что на это ответил Сережа?

— Ничего. Просто кивнул.

— Когда состоялся этот разговор?

— В четверг, накануне гибели.

— А когда Димка погиб, вам не пришло в голову, что его смерть как-то связана с этой «шуткой»?

— Нет. Я точно знаю, что это была шутка, просто ни к чему не обязывающая болтовня за рюмкой водки. Потом Сережа объяснил, что все это подстроено конкурентами, Диму ложно обвинили... У Сережи тоже были неприятности.

— Какие?

— Ну... он не сказал. Видимо, что-то связанное с его таинственными хозяевами. Он очень переживал, часто навещал меня, расспрашивал, не говорил ли мне Дима о каких-то угрозах в свой адрес, возможных врагах.

— А он говорил?

— Нет. Все произошедшее было как... гром среди ясного неба...

— Значит, Извеков продолжал навещать вас?

— Да... сначала бывал почти каждый день, и он, и Володя Шохин. Знаете, надо было с кем-то поговорить или просто помолчать вместе. Потом виделись все реже и реже... Володя не появлялся больше года, а Сережа недавно заезжал. Спрашивал, как дела, какие новости... Господи, какие у меня новости? — Она горестно посмотрела на меня и вдруг сказала: — Я так рада, что вы живы, так рада... Хоть кто-то жив...

— А кроме Володи и Сергея, кто-нибудь задавал вам вопросы о Димке?

— Нет. Никто ведь о нас не знал. Мы нигде не показывались вместе, встречались у меня... извините.

— Не извиняйтесь, я переживу... Значит, вы абсолютно уверены, что Димка никаких денег не брал?

А что, если желание показать придуркам, какой он гений, пересилило осторожность?

— Нет, — резко ответила Наташа и закусила губу, а через некоторое время добавила виновато: — Тут вот еще что... Дима был у меня в воскресенье, рано утром, в день гибели... Он ездил вам за цветами и заглянул ко мне, цветочный магазин на углу, вы, должно быть, заметили... Мы вместе позавтракали, я уж не помню, как об этом зашел разговор, но он сказал с некоторой обидой, что держит всех этих типов за... в общем, выразился грубо. Я испугалась и сказала: «Ты ведь этого не сделаешь?», а он ответил: «Ты с ума сошла, конечно, нет, это верный способ умереть молодым». Он даже обиделся на то, что я могла подумать такое... Поймите, это была шутка и ничего больше...

— А через несколько часов его убили...

— Да. Но вовсе не потому, что он украл деньги, причина в другом, и я ее не знаю...

Я посидела, подумала немного, а потом сказала:

— А я, кажется, знаю. Точнее, догадываюсь. У меня есть еще вопросы. Вы слышали фамилию Старосельцев? Старосельцев Леонид Сергеевич?

— Нет, — пожала плечами Наташа.

— Подумайте как следует, он адвокат, у него смешная кличка Свин...

— Адвокат? Ах, ну да, конечно. Это он помогал Коле, когда с ним случилось несчастье.

— Коле?

— Да. Шофер Извекова. Он сбил женщину на дороге, она умерла. Коля не был виноват, но все равно ему здорово досталось. У него раньше были неприятности с законом, кажется, он даже сидел в тюрьме... Точно не скажу.

«Ну вот, Коля на «Ауди», о котором рассказывала Эльвира, нашелся».

— А как фамилия этого Коли?

— Кремнев, кажется, да... Кремнев.

«Убитый мною в дачном домике парень носил ту же фамилию... Боже ты мой, как все просто...»

484

— Вот что, вы ведь сейчас на больничном?

— Да, — неуверенно ответила Наташа, наверное, пытаясь понять, почему меня это заинтересовало.

— Отлично. Поедете со мной.

— Куда? — изумилась она.

— Поживете у друзей. Боюсь, что оставаться дома для вас небезопасно, особенно после моего посещения. Очень возможно, что за вами присматривают и о том, что я была у вас в гостях, быстро узнают.

— Кто узнает?

— Наташа, Володю Шохина на моих глазах сбила машина. Погибли еще несколько человек. Кто-то очень не хочет, чтобы всплыла эта старая история.

— Я ничего не понимаю, — рассердилась она.

— Я вам потом объясню, сейчас на это нет времени. Одевайтесь.

Несколько минут она смотрела на меня широко раскрытыми глазами и наконец пролепетала:

— Вы кого-то подозреваете?

— Еще бы... Мои догадки следует проверить. А ваша жизнь в опасности. Я не шучу. Есть у вас родственники, к которым вы могли бы поехать?

— Да, сестра в Москве... Но мне нужно к врачу...

— Что-нибудь придумаем.

Собралась она очень быстро, правда, заметно нервничала, а я слонялась по комнате, ожидая ее, и тут увидела в вазе на журнальном столике Димкины визитные карточки. Три штуки.

— Я их храню, — заметив их у меня в руках, сказала Наташа, словно извиняясь.

— Если не возражаете, я возьму одну.

— Конечно.

Вадим, увидев Наталью, удивился.

— Ее нужно отправить в Москву, — сказала я.

— Удалось что-то узнать? — спросил Вадим.

— Еще бы...

— Что узнать? — растерялась Наташа.

— Вы слышали, как пошутил мой муж, — усмехнулась я. — Эта шутка стоила четырнадцати жизней. Нашелся некто, еще более шутливый, и реализовал ее, а теперь он очень не хочет, чтобы кое-кто об этом узнал. Например, Сева Крест. Этот шутник окончательно спятил и убивает всех подряд. Это просто чудо, что Наташа до сих пор жива. Разыскивая меня, Леня допустил ошибку: он привлек к этому ребят Мухача. От них информация просочилась в фирму «Астор». Мое появление в городе не осталось незамеченным, Извеков в отличие от Лени Свина рисковать не решился. Мухач — человек Севы Креста, и у того мог возникнуть вполне обоснованный интерес. Шофер Извекова, видимо, ранее судимый, собрал команду из бывших дружков. Один раз он уже пришел на помощь своему хозяину, когда послал человека ко мне на дачу. Думаю, человек этот был его братом, по крайней мере, фамилия у них одна...

— Двоюродный, — кивнул Вадим. — Я только что узнал об этом.

А я продолжила:

— Наташа, увидев фотографию моего сына в газете, позвонила Извекову. Этот разговор могла подслушать Светлана. Она сама или кто-то по ее просьбе встретился с корреспондентом газеты, а фото отправили Лене Свину: найти меня Светлана без чужой помощи не могла, грязную работу должен был выполнить ее любовник. Извекова очень беспокоило присутствие Бата рядом с Леней, он знал, что Бат длительное время работал на Севу Креста, и решил, что Сева заинтересовался этим делом. Поэтому страшно перепугался. Очень возможно, что его первой жертвой стал Здоровячок в моем номере и кудринские ребята вовсе ни при чем, а гостиницу покинули, потому что обнаружили в номере труп и не стали рисковать. Лене Свину тоже не повезло. Он ждал помощи, а дождался убийц. Думаю, Бат что-то видел в ту ночь, пытался разобраться в ситуации и поплатился за это жизнью.

— Что вы такое говорите? — пролепетала Наташа, а я спросила:

— Вадим, где я могу найти Севу Креста?

— Кого? — поперхнулся он, мы уже выезжали на проспект Мира.

— Ты же слышал, — нахмурилась я.

— Слышал, но не поверил... Ты что, всерьез думаешь, что к Севе можно вот так запросто заглянуть на огонек?

— Я спросила: где его можно найти?

— Дома, наверное. Только его адрес мне неизвестен, так же как номер телефона.

— А что известно?

— Черт возьми, ты серьезно?

— Чрезвычайно. Я собираюсь вернуть человеку его деньги. В обмен на сына. Чем не повод для встречи?

— Он бывает в ресторане «Альянс», это в центре, рядом с картинной галереей.

— Очень хорошо. Высади меня здесь.

— Не пойдет, — заявил он серьезно. — Я обещал Сашке.

— Я помню. Отправь Наташу в Москву, а за меня беспокоиться не стоит: вряд ли Крест сейчас в ресторане. Я оставлю для него сообщение, только и всего. Подойду к администратору и попрошу передать... Хорошо?

— Сашка мне голову оторвет.

— К тому моменту, когда вы с ним встретитесь, я уже буду пить с Сашкой чай на кухне, и твоя голова не пострадает.

Он остановил машину, я кивком простилась с Наташей и зашагала в сторону картинной галереи. До нее было минут пятнадцать ходьбы, примерно столько же времени мне потребуется, чтобы продумать ситуацию.

В киоске я купила авторучку и на Димкиной визитке написала номер сотового, который таскала с собой. Вскоре оказалась возле ресторана.

Швейцар выглядел сонным, зал пустовал, а администратор, молодой парень в костюме и с бабочкой, скучал за столом в углу. Я улыбнулась пошире и спросила доверчиво:

— Вы не могли бы мне помочь?

— Какая проблема? — живо отозвался он и тоже улыбнулся, из чего я заключила, что ему по душе светлоглазые блондинки.

— Мне нужно увидеться с Севой Крестом, — раздвинув рот до ушей, порадовала я его. Улыбка мгновенно сползла с лица парня.

— Я не знаю никакого Севу...

— Возможно, но он время от времени сюда заезжает. У меня к вам просьба, передайте ему вот это. — Я выложила на стол визитку. — Визитка моего мужа, они с Севой были когда-то большими друзьями. Это ведь нетрудно, правда? Просто передать.

Он повертел ее в руке, а я продолжала улыбаться.

— Я понятия не имею... — нахмурился парень, но я уже не слушала.

— У меня для Севы хорошая новость, — засмеялась я и пошла, пока парень не передумал и не заартачился по-настоящему.

Выйдя из ресторана, я остановила такси и вскоре была уже на квартире Бата. Саша читал книгу, устроившись в кресле.

— Где Вадим? — слегка удивился он. Пришлось рассказать ему о своих подозрениях. — И с этим ты хочешь идти к Кресту?

— А как еще я могу вернуть сына?

— О Господи, да ты спятила...

— Успокойся, возможно, он не клюнет... Очень жаль, если так, потому что это мой единственный шанс.

— Вовсе нет...

— Ты хочешь найти эти деньги? — нахмурилась я.

— Это мы уже обсуждали, плевать я хотел на деньги, но то, что ты задумала... А если ты ошибаешься и ребенок...

— Все, — не очень вежливо перебила я. — Я уже решила и отступать не намерена. Следующий шаг за Крестом.

— Хорошо, — усмехнулся Саша. — Я вижу, у тебя врожденная страсть к авантюрам.

— У меня страсть к тихой семейной жизни. Возможно, моя идея полное дерьмо, предложи свою.

— Пожалуйста, дай мне несколько дней, и я разберусь со всем этим по-своему. И ради Бога, не суй свою голову в петлю.

— Отличная идея, только боюсь, что нескольких дней у меня уже нет.

Мы препирались в таком духе еще с полчаса, потом вернулся Вадим и тоже принял участие в дискуссии. Я потеряла интерес к разговору, устроилась в кресле и смотрела в окно, Саша зло крикнул:

— Ты меня слушаешь?! — А Вадим, махнув рукой, ушел в кухню. Мы смогли перекусить в относительно спокойной обстановке, но, когда я мыла посуду, прения возобновились.

Неизвестно сколько бы еще они продолжались, но тут раздался звонок сотового, мы замерли, мужчины, как по команде, переглянулись, а я ответила:

— Да?

— Приезжай в ресторан, — услышала я низкий с хрипотцой голос, и связь прервалась.

— Что? — спросил Саша, нервно покусывая губу.

— Крест клюнул, — удовлетворенно сообщила я и даже попробовала улыбнуться.

— Вот черт. — Никакой радости в лицах мужчин я не отметила. — Во сколько он тебя ждет? — Саша торопливо одевался и продолжал хмуриться.

— По-моему, сейчас.

— Хорошо, едем. Вадим, ты готов?

— А я всегда готов, — флегматично ответил тот.

— Не думаю, что Крест желает видеть вас своими гостями, — попыталась я внести ясность.

— Одна ты никуда не пойдешь, — отрезал Саша, стало ясно: так оно и будет. Я вздохнула, села в кресло и уставилась на него.

— Послушай, герой. Я хочу с ним поговорить. Исключительно вежливо и с большим почтением, а также с желанием вернуть ему деньги. Он ведь не псих, нет? Тогда с какой стати ему затевать военные действия? Если мы пойдем втроем, наживем неприятности, а разговора не получится. Я тебя очень прошу, дай мне сделать это по-своему.

Минуты три царило молчание, мы с Вадимом смотрели на Сашу, а он на свои ботинки. Наконец кивнул и сказал, едва сдерживаясь:

— Хорошо. Мы будем ждать в машине.

— Отлично, — поднялась я, сообразив, что бо́льших уступок все равно не добьюсь.

Мужчины направились к двери, а я задержалась на мгновение, чтобы прихватить фотографию Саши в обнимку с Батом и Вадимом. В своем бумажнике он ее почему-то не оставил, а вернул на прежнее место. Я сунула фото в карман джинсов и заторопилась вслед за мужчинами.

На стоянке перед рестораном красовались с десяток машин, одна другой дороже. Заезжать туда мы не стали, во-первых, из соображения безопасности, во-вторых, чтобы не портить людям вид. Я отдала свой пистолет Саше, кашлянула и сказала:

— Что ж, пойду...

— Я тебя очень прошу, оставь свои шуточки. Крест совершенно не тот человек, с которым стоит шутить.

— Я ведь сказала: вежливость и почтение. Пожелай мне удачи.

— Если через полчаса ты не вернешься...

— Тихо, тихо, герой, — засмеялась я. — Надо иметь терпение.

Я вышла из машины и не спеша отправилась к ресторану. Уже возле двери вдруг подумала, что швейцар меня не пустит. Судя по машинам, дамы здесь щеголяют в бриллиантах, а я в джинсах и футболке. Куртку я оставила в машине, чтобы у ребят Креста было меньше работы: в моем наряде оружие спрятать трудно. Однако швейцар одарил меня приветливой улыбкой и даже изобразил на лице удовольствие при виде моей особы, из чего я заключила, что нравы здесь весьма демократичные.

Оказавшись в холле, я огляделась, пытаясь решить, в какую сторону направиться. Из бокового коридора показался парень примерно моего возраста, и я поморщилась: «Черт, как мне величать Севу Креста? Сева — не годится, мы ж с ним вместе водку не пили, а Крест — звучит без особого уважения». Пока я над этим размышляла, парень подошел, посмотрел на меня и спросил:

— Ты визитку оставляла?

— Я.

— Пошли.

Парень повел меня коридором в сторону от зала ресторана, и я запечалилась: встреча на глазах многочисленных граждан была для меня предпочтительнее.

Миновав коридор, мы по резной лестнице поднялись на второй этаж, здесь тоже был холл, из него вели четыре двери, возле одной парень притормозил и, ни слова не говоря, обыскал меня. Пока он хлопал ладонями по моим ногам с чрезмерным старанием, я не удержалась и показала ему язык. Заметно расстроившись от того, что не обнаружил ничего подозрительного, охранник выпрямился и почтительно постучал.

— Да, — хрипло ответили ему, парень распахнул дверь, пропуская меня вперед, и тут же ее закрыл, сам оставшись в холле. А я вздохнула и сказала:

— Здравствуйте.

Комната была небольшой, отделана богато, впрочем, без особого вкуса (хотя, конечно, о вкусах не спорят). В центре стоял круглый стол с кружевной скатертью, а за столом сидел мужчина лет сорока пяти и лениво жевал, не поднимая глаз от тарелки. На приветствие не ответил, мое присутствие вроде бы вообще осталось незамеченным. Вспомнив о хорошем воспитании, я решила дать возможность человеку спокойно поесть: кашлять, шаркать и намекать другими способами о своем существовании не стала, прислонилась спиной к стене и ждала, когда он набьет желудок.

Сева Крест производил странное впечатление. Одет более чем скромно, видавший виды пиджак в клетку и черная рубашка, три верхние пуговицы расстегнуты. Ни кольца с бриллиантом, ни цепочки, на левой руке часы, кожаный ремешок успел поистрепаться. В лице, широком, простом, с носом-картофелиной, не было и намека на опасность, он здорово походил на деревенского мужика с колхозного рынка.

Крест поднял на меня глаза, и сходство усилилось: глаза маленькие, глубоко посаженные и хитрющие. Забавно, но Сева мне нравился.

— Ну, что? — сказал он, отодвигая тарелку.

— Здравствуйте, — еще раз поздоровалась я, потому как на вопрос «ну что?» знала только один ответ «ну и ничего», а я дала Саше слово вести себя прилично и не собиралась его нарушать.

— Знаешь, почему позвал? — вновь заговорил Сева. — Любопытный я. Хотел взглянуть...

Поняв, что продолжать он не намерен, я пожала плечами и заявила почтительно:

— Спасибо, в том смысле, что позвали.

— Мне уже говорили, что ты девка наглая. А у меня, знаешь ли, характер скверный. Иногда под горячую руку такое сотворю, потом самому тошно.

— Это чувство мне знакомо, — согласилась я. — В общем-то, я хотела поговорить о ваших деньгах.

— У тебя не все дома. Убирайся из города, чтоб я больше о тебе не слышал. — Он вроде бы собрался продолжить трапезу, а я разозлилась.

— Допустим, мой муж тебя обокрал. А ты в ответ убил всех, кто был мне дорог. Мы можем поговорить?

Сева вытер ладони салфеткой и уставился на меня. Я отлепилась от стены и сунула в карманы руки, потому что они дрожали.

— Садись, — вдруг сказал Сева, я сделала пару шагов и плюхнулась на стул.

— Я ищу сына, — облизнув губы, начала я. — Несколько дней назад меня навестили кое-какие люди и сообщили, что он жив. Показали фотографию. В общем, хотели, чтобы я нашла деньги, которые украл мой муж.

Сева жевать перестал, но, кроме этого, ничем особого интереса не выдал, сидел и ждал, что я скажу еще. Я замолчала, переводя дыхание, и Сева все-таки спросил:

— Ты знаешь, где они?

— Нет. Но я нашла человека, который знает.

— Ну и кто же он?

— Если я просто назову его имя, ты не поверишь... В четверг, накануне своей гибели, мой муж встречался с ним на квартире любовницы, между ними произошел очень примечательный разговор, этому есть свидетель, он сейчас довольно далеко отсюда и в безопасности. А вот что было в пятницу?

— Ты меня спрашиваешь? — вроде бы удивился Сева.

— Да. Пожалуйста, помоги мне. В пятницу пришел, или позвонил... я не знаю, как там у вас заведено, в общем, появился Извеков. Так? Что он сказал?

Сева пристально смотрел на меня больше минуты, наконец открыл рот:

— Начал пороть какую-то чушь про эту штуковину из компьютера. Твой муж ее где-то спрятал, а без нее вроде встало, и все дела. Я в этой технике ни черта не смыслю, но одно понял: без этой хреновины я не могу получить свои деньги. А в понедельник... в общем, в понедельник они мне были нужны. Этот очкарик, твой муж, хотел полмиллиона, «зеленых». За что, спрашивается? Признаться, я немного понервничал, твой муж полный придурок, потому что должен бы знать: у меня с предателями один разговор... В общем, я сказал Извекову: как он решит этот вопрос, мне без разницы, но в понедельник я хочу свои деньги, иначе он вместе со своим очкариком...

— И все?

— Все, — пожал плечами Сева. — В воскресенье вечером Извеков позвонил и сказал: все в полном порядке. Но позднее выяснилось, что твой муженек успел-таки меня обокрасть, снял со счетов очень приличные деньги.

— Ты не отдавал приказ взорвать дом? — спросила я.

— Я сказал — разобраться с очкариком. Его следовало утопить в канализации...

— А вместо этого шестнадцать трупов.

— Чистая случайность. Извеков, должно быть, хотел произвести впечатление, взорвать дом, чтоб другим неповадно было, кто ж знал, что туда набьется куча народу, да еще пацан...

— Мой муж ничего у тебя не крал, — сказала я. — Его подставили. Он был глупым, самонадеянным человеком и считал себя гением. За рюмкой водки неудачно пошутил, а друг решил претворить его шутку в жизнь. Прибыл к тебе, обвинив Димку в шантаже, потом поспешил с ним разделаться — и концы в воду.

— Почему я должен тебе верить? — проворчал Сева.

— А я об этом и не прошу. Проверь Извекова.

Увидишь, твои денежки где-то всплывут. Я уверена в этом. Он пытался убить меня два года назад, какой в этом смысл? Это было бы понятно, отдай такой приказ ты, но он ведь действовал по своей инициативе. Если я что-то знала о деньгах, логичнее меня допросить, а он хотел одного: убить, потому что боялся, вдруг я что-то знаю. Мое возвращение сюда его ошеломило, он стал убивать всех, кто был причастен к тем событиям. Разумеется, он боялся не меня, а того, что ты узнаешь: кто украл деньги.

— Кто ж твой свидетель, любовница мужа? — спросил Сева.

— Да.

— Тогда почему он не убил ее два года назад?

— Наверное, не рискнул. Ведь она не имела к вашей фирме никакого отношения, ее смерть могла бы навести на интересные мысли. Он за ней приглядывал, рассказал ей сказку о злобных конкурентах, и она поверила, тем более что не придала их памятному разговору никакого значения. Но если бы решил, что она опасна, конечно, убил бы и ее.

Сева налил себе водки из графина, выпил и взял вилку, но тут же отложил ее в сторону, посмотрел на меня. Я уже все сказала и теперь разглядывала скатерть. Сева выпил еще рюмку, мне не предложил, впрочем, я не обиделась, надо же на чем-то экономить. Посидел, посопел и наконец заявил:

— Черт его знает... Похоже на правду. Я этим умникам сроду не верил. — Сева перевел взгляд на меня и спросил: — Ты ведь не только за этим пришла?

— У него мой сын. Он знает, где мальчик.

— На кой черт ему мальчишка? Или он такой умный, что на всякий случай подстраховался?

— Он не грозил, не звонил и вообще не пытался со мной связаться. Но если мой сын жив, только Извеков знает, где мальчик.

— Ясно. Еще что-нибудь?

Я вздохнула и даже застыдилась, потом вытащила фотографию и положила на стол перед Севой.

— Мне хотелось бы знать, кто эти люди. Такое возможно?

— Конечно, — пожал Крест плечами. — Этого я знаю, — ткнул он пальцем в Бата. — Его на днях застрелили.

— Точно. И здесь не обошлось без Извекова. Было бы здорово узнать, кто ему помог? Шофер Извекова набрал банду убийц из бывших дружков, но Бата застрелил киллер...

— Зачем тебе? — удивился Сева.

— Так. Личные счеты.

— Оставь фотографию, — сказал он. Я поднялась и спросила:

— Можно мне идти?

— Иди, — кивнул Крест. — Если понадобишься, позвоню.

Я сказала «до свидания» и покинула комнату, в коридоре возле двери меня ждал все тот же парень, правда, теперь поглядывал с изумлением, проводил до выхода из ресторана и даже сказал «пока», а швейцар добавил:

— Заходите.

— Обязательно, — порадовала я.

— Что он сказал? — задал мне вопрос Саша, как только мы отъехали от ресторана.

— Думаю, он мне поверил.

— Сейчас узнаем. Вадим, будь внимателен. Проверь, нет ли «хвоста».

— А я что делаю? — проворчал тот. Мы немного поплутали по городу и, не обнаружив ничего подозрительного, отправились на квартиру Бата. Вадим пробыл в ней несколько минут, посмотрел на меня, потом на Сашу и заявил: — У меня дела. Полагаю, военных действий не намечается, значит, я — третий лишний. — С этими словами он удалился, а я села в кресло возле окна, потерла лицо ладонями, вздохнула и принялась разглядывать свои руки.

— Думаешь, Ваня у Извекова? — осторожно спросил Саша.

— Он должен знать, где ребенок.

— Мы ведь уже обсуждали это: мальчик живет с человеком, которому доверяет.

— Саша, ради Бога, перестань, — взмолилась я. — Если Извеков ни при чем, значит, мой сын погиб. Нет логического объяснения тому, что кто-то другой держит у себя ребенка.

— Логика — коварная вещь, — пожал он плечами, постоял, глядя в окно, и спросил: — Что будем делать?

— Ждать, — ответила я. — Ничего другого не остается.

Поздно вечером мы пили чай, Саша о чем-то думал и несколько раз отвечал невпопад, вопросов вовсе не задавал, а мог бы. Например, такой: куда подевалась фотография? Была, и вот ее нет. Не заметить, что она исчезла, просто невозможно.

Он отодвинул чашку в сторону и вдруг сказал:

— Послезавтра хоронят Бата...

— Извини, — нахмурилась я. — Он, конечно, твой друг, но слезы у меня его смерть не выжмет. Он убийца, и тебе это прекрасно известно.

— Не так все просто, — вздохнул Саша. — Знаешь, я хотел бы поговорить с тобой о нем...

— О Бате? — не поняла я.

— Да, — кивнул Саша. — Он...

— Стоп, — резко перебила я. — Мне ясно, о чем ты. Там война, здесь другая жизнь, вы вернулись героями, которые никому не нужны... Я читала Ремарка. Извини, но я не хочу понимать твоего Бата. Ему заплатили, он послал киллера, и все, кого я любила, погибли. Может, мне стоит пойти к нему на похороны и попросить за это прощение?

— Успокойся, — сказал Саша. — Я не прошу тебя простить его. Я просто хотел сказать: Бат был хорошим человеком, как бы нелепо это ни звучало. Иногда жизнь загоняет в угол, и выбраться оттуда непросто, особенно если некому тебе помочь. — Он посмотрел, грустно улыбнулся и добавил: — Кому это знать, как не тебе.

Я закусила губу и попыталась что-то ответить, но Саша поднялся и ушел в комнату.

Я вымыла посуду, с удивлением обнаружив, как дрожат мои руки, не выдержала и пошла за ним. Работал телевизор, а Саша сидел на полу и смотрел не на экран, а в угол комнаты. Я замерла в дверях и позвала тихо:

— Саша... — Он поднял голову. — Почему ты заговорил об этом? — с трудом подбирая слова, спросила я. Он неожиданно улыбнулся, протянул мне руку и сказал:

— Да ну их к черту, эти разговоры.

Крест позвонил около пяти. Я считала, что ждать звонка раньше, чем через два-три дня, бессмысленно, потому удивилась, а вслед за этим испугалась.

— Приезжай, — буркнул он и добавил: — Жду.

Саша был в ванной, я кинулась туда, влетела, не постучав, и пролепетала:

— Он позвонил.

— Что-нибудь сказал?

— Нет.

— Через пять минут я буду готов.

Он был готов даже раньше, я все это время носилась по комнате.

— Как думаешь? — спросила я жалобно.

— Ты имеешь в виду ребенка?

— Конечно. Господи, что я еще могу иметь в виду?

— Тебе нельзя ехать в таком состоянии. Успокойся.

— Почему он мне не сказал?

— Лена... — Саша торопливо обнял меня, прижал к себе, мы постояли так некоторое время, потом он слегка отстранился, улыбнулся и даже подмигнул: — Ну, где там твое чувство юмора, давай его сюда.

— А если он скажет, что Ванька мертв?

— Не скажет. Ванька жив, и мы его найдем. Выпей чаю, и поедем к Кресту.

— Какой, к лешему, чай? Едем быстрее.

Саша попробовал связаться с Вадимом, но его не отыскал, впрочем, с моей точки зрения, не особенно и старался.

— Поедем на такси, — бросил он торопливо.

Возле ресторана мы разделились, он занял позицию на углу у газетного киоска, а я стала подниматься по ступенькам. Швейцар почему-то отсутствовал, зато в холле меня ждал вчерашний парень. На этот раз обыскивать не стал, изобразил подобие улыбки и кивнул, а я попробовала решить, является ли это добрым знаком.

Мы вновь прошли тем же коридором, поднялись на второй этаж и остановились возле заветной двери. Постучав, парень сделал пару шагов в сторону, а я вошла.

Сева сидел за столом, вместо пиджака в клетку сегодня на нем была светлая рубашка навыпуск. Услышав скрип двери, он поднял голову и вроде бы тоже собрался улыбнуться, но в последнее мгновение передумал и просто кивнул на стул:

— Садись.

Я прошла и села, глядя на него в томительном ожидании. На столе графин, две рюмки, закуска, Крест посмотрел на меня, на стол и предложил:

— Выпьешь?

— Это он? — спросила я и кашлянула, голос звучал хрипло.

— Он, — нехотя ответил Сева.

— Я... я думала, это займет гораздо больше времени.

— Я ж тебе говорил, у меня с предателями разговор короткий. Вызвал, спросил, а когда я спрашиваю, мне отвечают.

— Ясно, — кивнула я, закусив губу.

— Да... — Сева откинулся на спинку стула. — Занятная получилась история... — Он вдруг поморщился и сказал без перехода: — Мальчишки у него нет. Можешь мне поверить. Он даже не подозревал, что тот жив, пока любовница твоего мужа не показала ему газету... Пацан действительно так похож на твоего сына?

— Похож, — с трудом кивнула я. И стало тихо, я молча смотрела в стол, а Крест, должно быть, на меня.

— Слушай, — наконец не выдержал он, — хочешь денег? Много. Ты молодая, у тебя вся жизнь впереди. Можешь мне поверить...

— Я верю, — согласилась я, поднялась, придвинула стул ближе к столу и добавила: — Спасибо.

— Если пацан жив, я его найду, — торопливо добавил Крест.

— Да. Конечно. Спасибо.

Я уже дошла до двери, когда он окликнул:

— Эй, фотография!..

Я тряхнула головой, точно желая проснуться, и вернулась к столу. На нем появилось несколько листочков машинописного текста, сверху к ним скрепочкой была аккуратно приколота фотография.

— Про Бата здесь много чего, — пояснил Крест, ткнув пальцем в листы. — А эти двое просто вояки, служили вместе, на них практически ничего... Извекова расспросили, как он вышел на киллера, там на последнем листе код и номер...

Я в третий раз сказала «спасибо» и покинула комнату. Выдернула последний листок, фотографию и остальные листы сунула в карман, а этот так и держала в руках.

Саша все еще стоял возле киоска. Увидев меня, бросился навстречу.

— Что? — спросил он хмуро.

— Ничего, — ответила я. — Ничего. Мальчик просто похож. Это не Ванька. Мальчика зовут Слава, и он действительно жил со своим отцом на даче...

— Тихо, тихо, — прошептал Саша, подхватив меня за локти. — Кто это сказал? Крест?

— О Господи... Как я могла поверить?

— Как же без веры? Ну-ка, посмотри на меня. Мне ты веришь? Веришь?

— Верю, — кивнула я, закрыв глаза.

— Вот и отлично. Я тебе клянусь: очень скоро ты будешь с сыном.

Я хмыкнула, покачала головой и отвернулась.

— Ложь во спасение никого еще не спасла.

— Пойдем-ка сядем, вон там, на скамейке. Я тебе кое-что расскажу...

Мы устроились неподалеку от ресторана, он обнял меня, торопливо поцеловал и тут заметил в моих руках листок.

— Что это?

Я тоже про него вспомнила и отдала Саше.

— Ты хотел знать, кто убил твоего друга. Вот по этому телефону Извеков связался с киллером. — Саша взял листок, посмотрел и вдруг усмехнулся. — В чем дело? — растерялась я.

— Это телефон Бата, — покачал он головой. — Бат сам нашел для себя убийцу. Занятно, правда?

— Господи... — прошептала я.

— Издержки профессии. — Саша притянул меня поближе, погладил мое лицо и сказал: — Я тебя люблю. Очень. Как бы узнать наверняка, для тебя это что-нибудь значит?

— Конечно. Дай мне время прийти в себя. Я справлюсь. Я жила с этим два года, как-нибудь...

— Все будет хорошо, — перебил он, и я ответила:

— Конечно.

Мы еще немного посидели обнявшись, и тут Саша вдруг вспомнил про свою машину:

— Надо ее забрать. Кой черт на такси деньги тратить?

Я огляделась и сообразила, что мы в двух кварталах от дома Светланы, во дворе которого Саша оставил свою «девятку».

— Пойдем? — спросила я.

— Жди здесь. Я бегом, через пять минут вернусь.

Саша поднялся, увидел женщину, торговавшую мороженым, купил эскимо и протянул мне.

— Ешь мороженое и думай о хорошем.

— Ладно... — попробовала улыбнуться я, и это почти удалось, спросила: — Мой пистолет у тебя?

— Да, — удивился Саша.

— Дай, пожалуйста.

— Зачем? — не понял он.

— Не знаю. Звучит по-дурацки, но я к нему привыкла.

— Возьми, — покачал он головой и очень аккуратно передал мне оружие. — Только не убивай никого, пока я не вернусь.

Он махнул рукой и зашагал в сторону Светланиного дома. Мороженое я съела, потом купила булку и кормила голубей, сидя на лавке. Прошло много времени, прежде чем я поняла: Саше давно пора вернуться. Сердце вдруг стремительно рухнуло вниз, и дышать стало трудно, я вскочила и бросилась бежать, шепча безо всякого смысла:

— Господи, пожалуйста...

Меня обогнала пожарная машина, из-за поворота появился милицейский «газик» с включенной сиреной, а я уже все поняла. Во дворе толпились люди, и на стоянке догорали три машины...

— Что случилось? — громко спрашивала женщина с котом в руках.

— Машина взорвалась, и еще три загорелись... Так рвануло, болта не найдешь, говорят, парень в нее сел, и тю-тю... Ой, что делается, белым днем... ничегошеньки не осталось...

502

Я прижалась лбом к стене дома и жалобно взвыла, а потом позвала:

— Саша, Сашенька... — и пошла по улице, ничего не видя и не слыша вокруг, потом побежала...

В себя пришла возле двери квартиры Бата, вспомнила, что ключей у меня нет, они остались у Саши, и опять побежала, на этот раз в казарму «Швейника». Дверь была не заперта, но Вадима дома не оказалось. Я рухнула на постель, сунула голову под подушку и завыла. Потом вскочила и зачем-то принялась стаскивать джинсы, в кармане лежала фотография с подколотыми к ней листками бумаги. Я схватила их, начала читать. На снимке слева направо: Ремезов Вадим Сергеевич, Баташев Роман Николаевич, Ключевский Виктор Павлович... Я порвала листы, отшвырнула в сторону обрывки и посмотрела на фотографию.

— Господи... Саша... — проронила я жалобно, а потом засмеялась, смех перешел в тихое поскуливание. Я оделась, выпила стакан воды и включила телевизор. «Я должна увидеть Вадима, — тупо глядя в экран, думала я. — Я должна...» А потом подумала другое: «Зачем?» — и разозлилась на себя.

Я вздрогнула, услышав знакомую фамилию. По телевизору шли местные новости. «Сегодня около полудня в районе стадиона «Торпедо» был обнаружен обезображенный труп мужчины... — тщательно выговаривая слова, сообщил диктор. — Удалось установить личность убитого. Им оказался Извеков Сергей Федорович...»

— Одни покойники, — хохотнула я, и тут зазвонил телефон. Я стала его искать, радуясь, что хоть кто-то остался в живых, сказала: — Да, — и услышала:

— Мама...

«Я сошла с ума, — пронеслось в мозгу. — Наконец-то я сошла с ума...»

— Мама, — испуганно повторил детский голосок, и я прошептала:

— Ванечка...

— Мама, — обрадовался он. — Это ты, мама? Правда ты? — Я выронила сотовый, схватила его, отбрасывая со лба мокрые волосы. — Ты вернулась? — почти кричал Ванька. — Мам, ты ко мне приедешь?

— Конечно, сыночек, — задыхаясь, ответила я. — Где ты?

— Мамочка, я живу в поселке Запрудный, это недалеко от города, ты на машине быстро доберешься. Ты ведь сразу приедешь?

— Конечно, Ваня, конечно.

— Улица Первомайская, первый дом. Мамочка, я очень жду.

— Я уже еду, Ваня... Там кто-нибудь есть рядом?

— Нет. Мы поужинали, и тетя Варя ушла домой, а я смотрю телевизор. Мама, я тебя встречу, ты уже собираешься?

— Я бегу, сынок...

Я металась по комнате, схватила пистолет, сунула его за пояс, расправила футболку и бросилась из дома. Остановила первую же машину.

— Поселок Запрудный, — пролепетала я, падая на сиденье.

— Далековато, — нахмурился парень.

— Я заплачу, сколько скажете. Только быстрее, пожалуйста.

Он посмотрел на меня с сомнением и спросил:

— Случилось что?

— Да... ребенок заболел... у бабушки...

— Не переживайте, мигом домчимся, а дети иногда болеют, зачем же о плохом думать?

Я кусала губы и смотрела в окно, а парень не жалел стареньких «Жигулей».

— Вот и ваш Запрудный, — бодро сказал он и подмигнул.

— Где-то здесь улица Первомайская, — боясь, что упаду в обморок, пролепетала я.

— Сейчас найдем. — Он притормозил и крикнул

мужчине возле колодца: — Где у вас улица Первомайская?

— Да вот она. Какой дом нужен?

— Первый, — подала я голос.

— Это в самом конце. Большой дом, каменный, увидите.

Я сунула водителю деньги, он посмотрел и сказал растерянно:

— С ума сошли... — Я что-то ответила и тут увидела Ваньку.

Он стоял у калитки, выкрашенной синей краской, в шортах, майке, непривычно высокий, худой, и радостно мне улыбался. Я выскочила из машины и кинулась к нему.

— Мамочка! — закричал он и повис у меня на шее, я хотела его поднять, но не смогла, не было сил, заплакала, уткнувшись в его волосы, а он неожиданно серьезно сказал: — Идем, мам, тебе нельзя здесь...

— Идем, Ванюша, идем, — бестолково засуетилась я, он взял меня за руку, толкнул калитку, и мы пошли по тропинке к дому.

— Ты теперь никуда не уедешь? — робко спросил он.

— Конечно, нет.

— Это правда твое последнее задание? — Он вроде бы не поверил, а я ответила:

— Да, — пытаясь понять, что за задание он имел в виду.

— Честно-честно? — обрадовался он, останавливаясь и заглядывая мне в глаза.

— Клянусь, — ответила я.

— Вот здорово. — Он зажмурился и прижался ко мне.

— Ваня, — начала я осторожно, — кто там в доме? Кто велел позвонить?

— В доме никого, я один. У папы работа, он уехал, и я пока один с тетей Варей, это соседка, она добрая. А папа звонил сегодня, сказал, что ты вернулась насовсем, и разрешил тебе позвонить. Он скоро придет, правда, здорово?

— Ваня... папа... — собралась я с силами, он робко улыбнулся:

— Я знаю, что он мне не настоящий папа, мой настоящий папа погиб. А дядя Витя твой хороший друг и тоже разведчик. Надо соблюдать осторожность, чтобы все думали, что я его сын. Я привык так его звать. В этом ведь нет ничего плохого, правда, мама?

— Я... Ваня, видишь ли... — Я не находила нужных слов, не в силах понять, что происходит. Ванька вновь пришел мне на помощь.

— Я, мам, все про тебя знаю. Мне дядя Витя рассказывал. И про папу тоже. Папа погиб как герой, я могу им гордиться. Он боролся с террористами. А ты самый лучший секретный агент, ты лучше всех, даже лучше Шварца в «Коммандос», поэтому у тебя много врагов. Они за мной охотятся, чтобы заставить тебя сделать плохие вещи, поэтому я должен быть очень осторожным.

— Вот оно что, — кивнула я, а Ванька сморщил нос и спросил:

— Мама, а под футболкой у тебя пистолет?

— Да... — растерялась я.

— А можно посмотреть?

— Нет, Ваня...

— Понятно. Пистолет не игрушка. Папа, то есть дядя Витя, тоже так говорит. Когда я вырасту, буду таким, как он...

Мы поднялись на большую застекленную веранду, Ванька остановился и спросил:

— Мам, ты правда со мной останешься? Навсегда?

— Конечно. Я же обещала. Это было последнее задание. Я теперь... на пенсии.

— Пенсионеры старые, вот тетя Варя, например...

— У меня же... другая работа...

— Ага...

Я села на диван, потому что ноги держали плохо, и притянула к себе Ваньку.

— Я так по тебе скучала, — прошептала я улыбаясь, изо всех сил стараясь не зареветь, секретные агенты, должно быть, не плачут.

— И я, мам. — Он положил голову мне на колени, погладил мою руку ладошкой, смешно сморщив нос. — Я знаю, я уже большой, и плакать стыдно, только... мамочка, скажи мне, пожалуйста, слова, как раньше...

Слезы катились по моим щекам крупным горохом, а я гладила волосы сына и шептала:

— Чеширский кот, Колокольчик, Заинька мой, маленький белый зайчик...

Я услышала звук подъезжающей машины и подняла голову. Ванька тоже услышал, вскочил и закричал радостно:

— Папа приехал, — запнулся, вытер нос и сказал: — Дядя Витя.

А потом вприпрыжку кинулся к калитке. Я вздохнула и встала на пороге: по тропинке, держа за руку моего сына, шел Саша.

— Привет, — сказал он мне, подходя ближе.

— Для покойника ты неплохо выглядишь, — съязвила я.

— Пора было выходить из игры, — пожал он плечами. — Я не люблю, когда мной начинают интересоваться.

— Ты имеешь в виду Креста?

— И его тоже... — Он наклонился к Ваньке: — Ванюша, иди-ка в дом, поставь нам чаю, а мы с мамой немного поболтаем на веранде.

— Я варенье абрикосовое достану, ладно?

— Давай.

— Что это за бред про тайных агентов? — спросила я, когда Ванька исчез в доме.

— Должен я был как-то объяснить ребенку, почему у него другое имя. Дети любят боевики...

— Значит, перед взрывом ты...

— Значит, — кивнул Саша, а я спросила:

— Почему?

Он усмехнулся:

— Не знаю. Все было как обычно... Когда вы уехали на рынок, я спокойно вошел в дом... потом появились гости... У меня был приказ, а войти в дом незаметно не было никакой возможности. Я не оправдываюсь... я мог бы позвонить и сказать, что в доме бомбы, но я этого не сделал, сидел и думал... о разном, одним словом. И вдруг увидел Ваньку. Есть вещи, которые словами не объяснишь. Я подозвал его, сунул в машину уже без сознания... дальше ты знаешь. Я хотел подержать его пару дней и отвезти в город. Но идти с ним в милицию было рискованно, а бросить посреди улицы, маленького, беспомощного, не мог. Думал, что с ним делать. Родственников нет, значит, детдом, ну и как-то так получилось... в общем, он стал мне сыном, которого у меня никогда не было... Бат узнал о мальчике случайно, сначала удивился, потом понял...

— Да, я помню: он ведь хороший парень, — перебила я.

— Потом Бату стало известно, что ты жива. Мы были убеждены: ты знаешь, куда твой муж спрятал деньги. Бат прибился к Лене Свину, чтобы быть в курсе дел, а я решил познакомиться с тобой. Потом деньги перестали меня интересовать.

— Очень тронута. Ты болтался рядом и прикидывал, чем все это закончится?

— Можешь поверить, это было нелегко... Я... ты ведь уже догадалась?

— Несколько часов назад, когда узнала твое настоящее имя. Эта ваша манера давать прозвища: Бат, Ключик... Бат не стал мудрить, и поэтому в его картотеке появился Вик. До смешного просто.

— Да уж... Я... я хотел, чтобы ты знала: я не притворялся и не лгал. Я говорил правду.

— Да пошел ты... — Я выдернула пистолет из-за пояса и сняла с предохранителя. — Ты... ты даже не понимаешь... Там была моя мать... там... ты их убил.

— Точно, — вздохнул он. — А потом два года был отцом твоему ребенку... Хорошим отцом...

— Заткнись! — крикнула я, тут послышались шаги, и Ванька позвал нас:

— Мама, папа, идите, у меня все готово!

— Давай ты убьешь меня чуть попозже, — предложил Саша. — Я ж никуда не денусь. Не стоит портить Ваньке праздник.

Ванька показался в дверях, я торопливо убрала пистолет, покачала головой, а потом усмехнулась:

— Сукин ты сын, герой.

СОДЕРЖАНИЕ

Литературно-художественное издание

Полякова Татьяна Викторовна

МОЙ ЛЮБИМЫЙ КИЛЛЕР

Редактор *В. Татаринов*
Художественный редактор *С. Курбатов*
Художник *С. Атрошенко*
Технические редакторы
Н. Носова, Е. Попова
Корректор *В. Назарова*

Изд. лиц. № 065377 от 22.08.97

Налоговая льгота — общероссийский
классификатор продукции ОК-005-93,
том 2; 953000 — книги, брошюры

Подписано в печать с готовых диапозитивов 21.01.99.
Формат 84×108$^1/_{32}$. Гарнитура «Таймс».
Печать высокая. Усл. печ. л. 26,9. Уч.-изд. л. 22,7.
Тираж 70 000 экз. Заказ № 3943.

ЗАО «Издательство «ЭКСМО-Пресс»,
123298, Москва, ул. Народного Ополчения, 38.

Тверской ордена Трудового Красного Знамени
полиграфкомбинат детской литературы им. 50-летия
СССР Государственного комитета Российской
Федерации по печати. 170040, Тверь, пр. 50-летия
Октября, 46.